ノエル・キャロル 訳 高田敦史

The Philosophy of Horror
or Paradoxes of the Heart

Noël Carroll

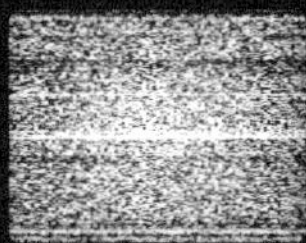

フィクションと感情を
めぐるパラドックス

# ホラーの哲学

フィルムアート社

The Philosophy of Horror: Or, Paradoxes of the Heart
by Noël Carroll


Authorised translation from the English language edition published by Routledge,
a member of the Taylor & Francis Group LLC
Japanese translation published by arrangement with Taylor & Francis Group LLC
through The English Agency (Japan) Ltd.

サリー・ベインズに捧げる

## 凡例

・本書は、Noël Carroll, *The Philosophy of Horror: Or, Paradoxes of the Heart* (Routledge, 1990) の全訳である。
・強調の意味でのイタリック体は傍点強調とした。
・〔 〕は訳者による補足説明を表わす。ただしそれ以外にも、文意に即して最低限の範囲で語を補う。また、意味のまとまりを示すために、訳者によって適宜〈 〉を挿入する。
・原著者による註は◆付きの数字で、訳者による註は◇付きの数字で示し、各章末ごとに掲載した。
・言及されている小説および映画作品において、未訳および日本未公開のものは原題を記した。ただし文意に応じて、邦題ではなく原題を記載した場合もある。
・本文中の引用に関して、邦訳があるものはなるべく既訳を参考にしたが、文意に即して適宜本書訳者が修正した箇所もある。既訳を参考にした場合、引用の該当ページを註に記載した。また、訳を参照しなかった場合でも邦訳があるものは訳書の出典を記載している。
・書籍名、雑誌名、長篇・短篇小説タイトル、映画タイトル、テレビ番組名は『 』、論文タイトルは「 」、アート作品のタイトルは《 》で示した。

# 謝辞

まちがいなく、本書が誕生したのは、わが両親、ヒューイ・キャロルとエブリン・キャロルのおかげだ。両親は、わたしに、ホラー本、ホラー雑誌、ホラーコミック、ホラー番組、ホラー映画に時間とお金を浪費するなと言ったことで、意図せずに本書を誕生させることになった。団塊世代の中年であるわたしが両親への最後の親不孝として、ホラーのおかげで役に立つ仕事をしていたことを証明しようとしたのだ。

ホラーに対するわたしの考えが真にまとまり始めたのは、アネット・マイケルソンとわたしがニューヨーク大学でホラーとSFのコースを教えていたときだ。アネットがコースの半分のSF部分に進撃し、ドロドロした［ホラーの］領域がわたしの担当となった。アネットは、その当時も現在も、わたしが自分の説を組み立てるにあたって非常に貢献してくれた。ホラーの生物学についてのわたしの考えを、融合と分裂という言葉で表現することを提案してくれたのもアネットだった。また、わたしは現代映画理論に懐疑的だったが、フィクションのパラドックスを真剣に受け止めるよう後押ししたのもアネットだった。この問題に対するわたしの答えは、期待されていたようなものではないかもしれないが、少なくとも興味をそそられるものではあることを願っている。

初期の段階では、ふたりの哲学者が（ふたりともホラー中毒者だ）、わたしをそそのかし、この主題を追求すればおもしろくなるにちがいないという確信を与えた。ジュディス・トーメイはわたしと一緒にメキシコまで楽しいドライブ旅行に出かけ、お気に入りのモンスターの話を交換し、車中の他の人たちをうんざりさせた。ジェフ・ブルスティンは、わたしのホラー論の初期の試みを、分析的厳密さと、ホラーファン仲間ならではの熱意で読んでくれた。

故モンロー・ビアズリーも、わたしがホラー論を始めたばかりの頃に読んでくれた。ビアズリーはどうしてわたしがこんなものに興味を持つのか大いに不思議がった。しかし彼はすぐ、わたしの仮説にとって厄介としか思えない反例を示した。きまり悪そうに説明してくれたが、ビアズリーがかくも立派なホラーの教養を身につけたのは、五〇年代のホラー映画ブームの頃、息子たちにつきあって観なければならず、たまたまそのうちのいくつかの映画を覚えていただけだそうだ（驚くほど詳細に覚えていたと、付け加えておこう）。

わたしのホラーへの興味は、しだいに学術論文へと発展し、南カリフォルニア大学、ウォーリック大学、ミュージアム・オブ・ザ・ムービング・イメージ、ル・モイン・カレッジ、コーネル大学、ニューヨーク大学、アイオワ大学などでの発表につながった。聴衆はどこでも挑戦しがいのあるコメントを与えてくれた。中でも次の人々――スタンリー・カヴェル、エド・レイテス、カレン・ハンセン、リチャード・コサルスキー、ジョニー・バックズバウム、スチュアート・リーブマン、アラン・ケースビア、ジム・マンリー、ブルース・ウィルシャー、スーザン・ボルド、故アーヴィング・タルバーグ・ジュニア、スティーヴン・メルヴィル、メアリー・ワイズマン、ケン・オルセン、ニック・スタージョン、アソンソニー・アッピア、デイヴィッド・バスリック、シンシア・ボーマン、マレー・スミス、ダドリー・アンドリュー、ヘンリー・ジェンキンス、クリスティン・トンプソン、ベレニス・レイノー、ジュリアン・ホックバーグ——は特記しておきたい。

この本の初稿の大部分を書き始めたのは、ウェズリアン大学でのサバティカル期間中だった。はじめの頃にケント・ベンドールと議論したおかげで——彼はわたしが知り合った中で最も厳密でありながらも、想像力に富んだオープンな哲学者のひとりだ——、わたしがフィクションのパラドックスと呼ぶものを解決する重要な手がかりが与えられた。また、クリス・ゴーカーとは何度も楽しく夕食を共にしながら長い議論をし、そのおかげでわたしの立場が明確になった。ケン・テイラーと、特にフィリップ・ハリーは——フィリップ・ハリーは『The Paradox Cruelty』という著書でホラーの哲学に関する先駆的な仕事をしており、模範として役立った——、寛大な批判的関心をもってわたしの理論に耳を傾けてくれ、常に協力的で教育的だった。フィルは、何度もわたしと一緒に映画に観に行って、鑑賞後に一緒に議論もしてくれた（ホラージャンルの研究をしている者にしかわからない惜しみない付き合いのよさだ）。

マイケル・デニング、ナンシー・アームストロング、レナード・テネンハウスは、わたしの研究と現代文学研究との関連について、多くの有益な提案を与えてくれた。ベッツィー・トラウベは、わたしのテーマを嫌がっていたにも関わらず、関連する人類学的な文献について多くの適切な提案をしてくれた。カチク・トロリアンは、世界有数のクリッピングサービスの運営など、多くの功績があるが、わたしがつねにこのテーマに関わっていられるようにしてくれた。また、ジェイ・ウォレスは、最初のふたつの章のドラフトを非常に丁寧に読んで、多くの批判や提案をくれた。わたしの主張をどのように修正すれば、慎重でありつつ、わたしの論点にかなうものになるのか示してくれたことも一度ならずあった。ウォレスの純粋な関心と議論のおかげで、本書は大きく変わった。ウォレスと同僚になれたことは素晴らしいことだった。

フランシス・ダウアー、アネット・バーンズ、ジョン・フィッシャー、デール・ジェイミーソン、ジョージ・ウィルソン、アーサー・ダントー、ジョージ・ディッキー、ジョン・モリオール、リチャード・モラン、テリー・アーウィン、ローレント・スターン、ポール・ガイヤー、アレックス・セソンスケ、ダニエル・ベインズ、ジェニファー・ロビンソン、スーザン・フィーギン、ゲイリー・アイゼミンガー、ロイ・ゴードン、マイルス・ブランドは、わたしの仮説を聞くか、または読むかして、考えるべき重要なコメントをくれた。ジョー・マーゴリスは、何度も会話を重ねるうちに、わたしが無視していたいくつかの区別の必要性を示してくれ、また、わたしが知らなかったいくつかの作家の作品を教えてくれた。リチャード・シュスターマンは、わたしの論考“The Nature of Horror”を読み、わたしが作ろうとしていたのと同じ種類の虚構対象の理論にピーター・ラマルクがすでに取り組んでおり、わたしより先に進んだものを書いていることを教えてくれた。

トニー・ピポロとエイミー・トービンは、あらゆるものを見て読んでいるので、わたしが理論に取り入れたいと思っている小説、映画、ビデオのすべてについて、「最前線」の報告をしてくれた。彼らの感性は、わたしのような紋切り型では捉えられないが、作品記述に彼らの感性が少しでも反映されていることを願いたい。

デイヴィッド・ボードウェル、デイヴィッド・コンスタン、ピーター・キヴィには原稿全体を読んでもらった。それぞれが刺激的な批判と有益な提案をくれた。デイヴィッド・ボードウェルは、わたしの理論と今日の人文学で主流の精神分析モデルとの違いを明確にする必要があることを指摘してくれたし、わたしの映画史的な誤りの一部（そんなに多くはなかったが）を訂正してくれた。デイヴィッド・コンスタンは一文ごとにコメントをくれたが、その多くは取り込んである。一部は恐る恐る無視させてもらった。ピーター・キヴィは、原稿を改訂してくれただけでなく、内容について多くの鋭い哲学的コメントを寄せてくれた。しかし、それにもまして、感情の理論は一般に芸術哲学の問題に適用できるという洞察がえられたのは、ピーターの音楽の哲学研究のおかげだ。

ウィリアム・ジェルマーノには特別の感謝を送りたい。こんな本が書けるのではないかと最初に考えたのは、ジェルマーノのおかげだと言っても過言ではない。他の話をしている途中で、ジェルマーノは、わたしがホラーの哲学の本を書くという提案に「大好きだ」と言ったのだ。これがなければ、わたしはこの提案を思いつかなかっただろう。そこから先は歴史の通りだ（運命かもしれない）。

わたしは本書を妻のサリー・ベインズに捧げた。妻は、わたしが「研究」のために世界中の映画館や劇場に何度も足を運ぶたび、勇気を持って同行してくれた。また、食料品店や薬局、デパートなどに行くたび、わたしが無数の本屋を見て回るのを辛抱強く待っていてくれた。また、妻自身のおとぎ話に関する研究は、わたしがホラーの理論を構築する上で、非常に有益な補完となってくれた。サリーは、このプロジェクトのすべての草稿を読み、文法的、論理的、文体的、概念的なコメントを何度も提供してくれた。本書が愛のなせるわざであるなら、それは同時に恋人同士の仕事から生まれたものでもある。そしてわたしは、わたしのプロジェクトに自分のことのように喜んで協力してくれる恋人に恵まれたのだ。

多くの賢く才能のある人たちが、多くのことを教えてくれた。本書に欠点が残っているとすれば、それはわたしが聞き分けのない人間であることを示しているにすぎない。

# 序

Introduction

## 本書が置かれた文脈

過去十年半にわたって、おそらく特に米国ではそうであったが、ホラーは大衆にとって、美的刺激の主要な源泉として栄華を誇ってきた。それどころか、ホラーは、ベトナム戦争後の時代において最も長続きし、広く普及し、持続しつづけているジャンルかもしれない。ホラー小説は、ほとんどすべてのスーパーマーケットやドラッグストアで手に入るようになっており、新しいタイトルが現われる速度は不安になるほど速い。ホラー小説やアンソロジーの猛攻は、少なくとも現時点では、その中で描かれているモンスターと同じく手がつけられず、逃れられないものになっている。このジャンルの作家のひとり、スティーヴン・キングは誰もが知る有名人になり、そこまでは有名でないにしても、ピーター・ストラウブやクライヴ・バーカーなど、多くの支持を受けている作家もいる。

また大衆向け映画も、『エクソシスト』（一九七三年）の興行的大成功以来、ホラーに執着しつづけているため、最寄りのシネコンに行けば、そのうちの少なくとも一作にはモンスターが登場することになる。過去十年半に作られたホラー映画が膨大にあることは、ホラーを扱っている近所のレンタルビデオ店に行って、スペースの割合を軽く見るだけで簡単に確かめることができる。

ホラーと音楽の相性が良いことは、ロックのミュージックビデオ、特にマイケル・ジャクソンの『スリラー』（一九八三年）で明らかだが、ホラーアイコンがＭＴＶやポップミュージック業界を非常に広範囲に彩っていることを忘れてはならない。一九八八年にブロードウェイで大ヒットしたミュージカルと言えばもちろん『オペラ座の怪人』だが、この作品はロンドンで先に成功をおさめており、これにインスピレーションを受けて、『キャリー』〔ミュージカル版〕など、意外な作品も作られている。一方舞台演劇の側では、エドワード・ゴーリー版のドラキュラなど、ホラーの古典の新バージョンが登場し、テレビでは『エルム街の悪夢』のようなホラーやホラー関連のシリーズが続々と始まっている。美術においても、ホラーは、フランシス・ベーコンやH・R・ギーガー、シビル・ルパートなどの作品に直接描かれているだけではなく、ポストモダンのアーティストのパスティーシュ〔模倣〕の中にも暗示の形で描かれている。要するに、ホラーは、ポピュラーアートでもそれ以外でも、現代の芸術形式（アートフォーム）全般で定番となっており、吸血鬼、トロール、グレムリン、ゾンビ、人狼、悪魔に取り憑かれた子ども、大小さまざまのスペースモンスター、幽霊、その他の名もなき怪物たちが、ここ十年半の期間がまるで長いハロウィーンの夜ででもあったかのようなペースで生み出されているのだ。

一九八二年にスティーヴン・キング[◇1]は――毎年夏の終わりになると多くの人がそう考えるように――、現在のホラーのサイクルは終わりに近づいているように見えると推測していた[◆1]。しかし、この序文を書いている時点では、フレディは――余裕たっぷりに四度目の転生をして――まだエルム街の末裔たちを恐怖に陥れており、クライヴ・バーカーの新しい作品集『死都伝説』が郵便で届いたばかりだ。

はじめのうち、現在のホラーサイクルは少しずつ勢いをえていった。文学では、アイラ・レヴィンの『ローズマリーの赤ちゃん』（一九六七年）やフレッド・マスタード・スチュアートの『悪魔のワルツ』（一九六九年）の登場が前触れとなり、トム・トライオンの『悪を呼ぶ少年』（一九七一年）や、ウィリアム・ピーター・ブラッティのヒット作『エクソシスト』（一九七一年）などがベストセラー入りした[◆2]。読書市場での大衆的な人気は、特に『エクソシスト』によって確立され、その後、アイラ・レヴィンの『ステップフォードの妻たち』（一九七二年）、スティーヴン・キングのデビュー作『キャリー』（一九七三年）、ロバート・マラスコの『家』（一九七三年）、ジェフリー・コンヴィッツの『センチネル』（一九七四年）、キングの『呪われた町』（一九七五年）などの登場によって、さらに強固なものとなった。もちろん、ホラー小説――リチャード・マシスン、デニス・ホイートリー、ジョン・ウィンダム、ロバート・ブロックなどの巨匠による作品――は、これらの本が登場する前から継続的に入手できた。しかし、七〇年代前半に起こったと思われるのは、いわばホラーがメインストリームに参入したということだ。ホラーの読者層はもはや特殊なものではなく、広範なものとなり、ホラー小説はどんどん手に入りやすくなっていった。これによって今度は、ホラーによる娯楽を求める観賞者が増え、七〇年代後半から八〇年代には、その需要を満たすために大量の作家たちが登場した。そこには、チャールズ・L・グラント、デニス・エチスン、ラムジー・キャンベル、アラン・ライアン、ホイットリー・ストリーバー、ジェームズ・ハーバート、T・E・D・クライン、ジョン・コイン、アン・ライス、マイケル・マクダウェル、ディーン・クーンツ、ジョン・ソールやその他多くの人が含まれる。

読者の皆さんはまちがいなくすぐに気づいただろうが、上で言及した小説はどれも映画化されており、その多くは大成功を収めている。この点で最も重要なのは、言うまでもないかもしれないが、ウィリアム・フリードキン監督の『エクソシスト』だ。この映画の成功によって、おそらく、映画を制作しようという刺激が与えられただけではなく、ホラーは出版社にとってより魅力的なものになったと推測される。映画に恐怖を感じた人の多くが、結果的に小説を手に取り、それによってホラー小説を好むようになったからだ。現在のホラーサイクルでは、ホラー映画とホラー文学の関係は非常に密接なものだが、それはホラー映画の多くがホラー小説の映画化であるという明らかな意味でもそうであるし、このジャンルの作家の多くがそれ以前のホラー映画のサイクルから深い影響を受けているという意味でも——これはインタビューで言及されるだけでなく、小説の本文中でも言及される——密接なつながりがある。[3]

もちろん、『エクソシスト』の成功が映画産業に与えた強い影響は、文学市場に与えた影響以上に明確だ。憑依と念力というテーマが繰り返し使用されるようになっただけではなく、『エクソシスト』（映画版）のすぐあとに、『アビィ』、『デアボリカ』、『La Endemoniada（別名：Demon Witch Child）』、『Exorcismo』、『魔鬼雨』などの模倣作品が続々と登場した。当初このジャンルは、できの悪い模倣品があふれたまま消滅していくかのように思われた。しかし一九七五年には『ジョーズ』によって映画市場が揺るがされ、ホラーにはまだ採掘できる黄金が残っていることを映画制作者に再確認させた。『ジョーズ』（およびその派生作品）に対する反応が鈍化すると、『キャリー』や『オーメン』が現われた。そして一九七七年には、ホラー映画ではないが宇宙空間への扉を開いた『スター・ウォーズ』が登場し、それによって『エイリアン』のような作品も認められるようになった。このジャンルの健全性が危ぶまれるたび、突然の復活をとげてきたのだ。このジャンルには強い回復力があるように思われる。これによって、現在では、ファンタジージャンルは——ホラーはその代表例であるが——、映画プロデューサーたちが次に何を作ろうかと考えるとき、つねに挑戦する価値があるジャンルであることが示されている。その結果、ホラーのタイトル数は実に驚くべき数になっている。そして今や、わたしたちの前には、ホラー／ファンタジー映画のスペシャリストとして認められている映画監督たちが数多く存在しており、そこには、スティーヴン・スピルバーグ、デヴィッド・クローネンバーグ、ブライアン・デ・パルマ、デイヴィッド・リンチ、ジョン・カーペンター、ウェス・クレイヴン、フィリップ・カウフマン、トビー・フーパー、ジョン・マクティアナン、リドリー・スコットなどが含まれている。

この十年半の間に大量のホラー映画が作られたことを強調する際、六〇年代にはホラー映画がなかったと言いたいわけではない。しかし、そうした映画はどこかしら周辺的なものだった。ホラーを観るには、アメリカン・インターナショナル・ピクチャーズ、ウィリアム・キャッスル、ハマー・フィルムの最新作に目を光らせていなければならなかった。ロジャー・コーマンは、ホラー愛好家には愛されていたが、幅広く評価されていたわけではなく、ジョージ・A・ロメロの『ナイト・オブ・ザ・リビングデッド』のような深夜の古典映画は、主にアンダーグラウンドで評価をえていた。『エクソシスト』に始まる一連の大ヒット作は、文化におけるホラー映画の位置づけを変え、ホラー文学の出版と消費の拡大を促したと言えるだろう。

もちろん、ホラー文学やホラー映画の市場はどこからともなく生まれてきたわけではない。観賞者は主に団塊の世代であったと想像される。こうした観賞者は、ホラーのスペシャリストになったアーティストの多くと同様に、テレビに育てられた戦後最初の世代だ。また、こうした人々がホラーへの愛着を育み、それを深化させていったのは、主に、若い頃にそれ以前のホラーやSFのサイクルが、午後や深夜のテレビ番組のレパートリーとして、何度も何度も再放送されていたせいだという仮説を立てることもできるだろう。この世代は、その後自分たちの番がくると、ホラーのエンターテインメントによって次の世代を育てるようになり、ホラーのイメージは文化にあふれ――朝食のシリアルや子どものおもちャからポストモダンアートまで——、このイメージが、わたしたちの社会における、文学、映画、さらには演劇のかなりの割合を占めるようになったのだ。

こうした文脈をふまえれば、ホラーの本質についての美学的探究を開始するには絶好の時期が来ているように思われる。本書の目的は、ホラージャンルを哲学的に探求することにある。しかし、このプロジェクトは当然ながら、今日のようにホラーが広く行き渡った状況によって促され、急務とされる。ただし、課題が哲学的なものであるかぎり、このプロジェクトで試みられるのは、歴史を通じて、具現化されてきたホラージャンルの一般的特徴を扱うことだ。

## ホラージャンルの手短な紹介

本論考の対象となるのはホラージャンルだ。しかし、このジャンルについてわたしの説を展開する前に、これから論じようとする現象について、大まかな歴史的スケッチを与えておくことが有益だろう。多くのホラー論者にならい、わたしは、ホラーとは、まず第一に、十八世紀に登場し始めた近代的なジャンルであると想定している。[4] ホラージャンルの直接的な源流は、イギリスのゴシック小説、ドイツのシャウアーロマン、フランスのロマン・ノワールだ。議論の余地はあるかもしれないが、一般的なコンセンサスでは、ホラージャンルに関係する最初のゴシック小説は、一七六五年にホレス・ウォルポールが書いた『オトラントの城』とされている。この小説は、それに先行する世代の墓場派の詩人によって

始められた新古典主義的感性への抵抗を引き継いでいる。[◆5]

ゴシックというラベルには、多くの領域が含まれている。モンタギュー・サマーズが提案した四つの分類図式に従えば、ゴシックには歴史的ゴシック、自然主義ゴシックないし説明的ゴシック、超自然ゴシック、多義的ゴシックが含まれることになる。[◆6] 歴史的ゴシックでは、超自然的な出来事の暗示なしに想像上の過去に設定された話が描かれ、一方、自然主義的ゴシックでは、超自然的現象のように見えるものが導入されるが、最終的には説明しつくされる。アン・ラドクリフの『ユドルフォ城の怪奇』（一七九四年）は、このカテゴリーの古典的な作品だ。チャールズ・ブロックデン・ブラウンの『エドガー・ハントリー』（一七九九年）など多義的ゴシックでは、キャラクターの心理的動揺によって、テキスト中で描かれた出来事が超自然的起源をもつのかどうかが曖昧になる。説明的ゴシックと多義的ゴシックは、今日の文学理論家が怪奇、幻想と呼ぶものの先駆けとなっている。[◇2]

狭義のホラージャンルが進化してくるために特に重要だったのは超自然的ゴシックだが、このジャンルでは、自然に反する力の存在と、その残酷なはたらきが視覚的に示される。ゴシックのこのバリエーションについて、J・M・S・トンプキンスは、「これらの作家の仕事は突然の衝撃（ショック）を通じたものであり、超自然的なものを扱う際に好まれる効果は、懐疑から、恐怖に襲われ突然に信じるようになることだ」と書いている。[◆7] マシュー・ルイスの『マンク』（一七九六年）の結末で描かれた悪魔の登場と神父が陰惨にくし刺しにされる場面こそ、ホラージャンルの真の先触れだろう。この時期におけるジャンルの発展の主要な達成としては他に、メアリー・シェリーの『フランケンシュタイン』（一八一八年）、ジョン・ポリドリの『吸血鬼』（一八一九年）、チャールズ・ロバート・マチューリンの『放浪者メルモス』（一八二〇年）などがある。

一八二〇年代にはすでに、ホラーストーリーを元にした演劇が始まっている。一八二三年には、チャード・ブリンスリー・ピークによって『Presumption: or, the Fate of Frankenstein（Frankenstein: or, the Danger of Presumption または Frankenstein. A Romantic Drama）』というタイトルで、『フランケンシュタイン』が舞台化されている。トーマス・ポッター・クックは、ポリドリの『吸血鬼』の舞台版でモンスターとルスヴン卿の両方を演じている。時に、このふたつのストーリーが二本立てで上演されることもあったようだが、おそらく、三〇年代のホラー映画のサイクルと、ハマー・フィルムの黄金時代もまた、吸血鬼とフランケンシュタインというふたつの神話によって始められたことを思い出す人もいるだろう。一八二〇年代には『フランケンシュタイン』のストーリーの別バージョンの舞台化がいくつか人気となり、その中には『Le Monstre et le Magicien』、『Frankenstein: or, The Man and the Monster』などが含まれている。また、原作を逸脱した風刺（サタイア）も無数にあり、これは意図せずして、アボットとコステロの凸凹コンビによる悪戯の先駆けとなっている。◆8 バレエの舞台でもホラーのテーマが追求され、ジャコモ・マイアベーアのオペラ『悪魔のロベール』の幕間の死んだ尼僧たちの踊り（Filippo Taglioni, 1831）や、『ラ・シルフィード』（Filippo Taglioni, 1832）、『オンディーヌ』（Louis Henry, 1834）、『ジゼル』（Jean Coralli and Jules Perrot, 1841）、『ナポリ』（August Bournonville, 1844）などのバレエ作品があった。

ホラーは一八二〇年代から一八七〇年代の間に書かれつづけたが、主にリアリズム小説の出現によって、英語圏の文化の中ではその重要性は衰えていく。一八二〇年代から一八四〇年代にかけては、『ブラックウッズ・エディンバラ・マガジン』が、ウィリアム・マッドフォード、エドワード・ブルワー＝

リットン、ジェイムズ・ホッグの短篇小説を出版してゴシックの火を絶やさず、一八四〇年代後半には、トーマス・プレストの二百二十章からなる連作小説『吸血鬼ヴァーニー――あるいは血の晩餐』[8]やジョージ・W・M・レノルズの『人狼ヴァグナー』が大衆の想像力をつかんだ。アメリカでは、エドガー・アラン・ポーがブラックウッド誌にならい、それどころか「ブラックウッド誌流の作品の書き方」と題した作品まで書いている。[10]

この時代を概観しつつ、ベンジャミン・フランクリン・フィッシャーは以下のように書いている。

> この時代の怪奇小説における重要な動向は、盛期のヴィクトリア朝小説とアメリカ小説の発展を反映し、その後、しっかりとした芸術的で真剣なジャンルへと発展した。無数の外的な不幸や邪悪な行為を通じて表現された物理的な戦いから、心理的恐怖への移行があった。このフィクションにおける内面への転回によって、明らかさまに人を怖がらせるような結果ではなく、動機が強調されるようになった。チャールズ・ディケンズの『クリスマス・キャロル』に登場するような、シーツをかぶった幽霊はいなくなり、取り憑かれた精神が代わりに登場し、これは不幸な犠牲者を「怖がらせる」という点ではるかに強い力をもっていた。[11]

ポーの作品とともにフィッシャーがここで念頭においているのは、ホーソーン、メルヴィル、ブロンテ姉妹の作品に見られるゴシックの雰囲気であるように思われる。しかし、この時代の人物で狭義のホラージャンルに最も直接的な貢献をしたのは、ジョゼフ・シェリダン・レ・ファニュかもしれない。レ・

ファニュの作品では、多くの場合、日常の世界の中に超自然的なものが配置され、そこで、（ゴシック的な越境者ではなく）ごく普通の無垢な被害者の迫害が注意深く観察され、そこに一種の心理的精巧さがあるが、これがこのジャンルのその後の多くの作品のトーンを決定することになる。

レ・ファニュの『In a Glass Darkly』（一八七二年）は、一九二〇年代までつづく、幽霊譚の主要な達成の時代を切り開いた。この幽霊譚という形式の傑作は、一般的に短篇小説のかたちをとることが多く、ヘンリー・ジェームズ、イーディス・ウォートン、ラドヤード・キップリング、アンブローズ・ビアース、ギ・ド・モーパッサン、アーサー・マッケン、アルジャーノン・ブラックウッド、オリヴァー・オニオンズなどの手によるものがあった。

古典的なホラー小説——後に何度も舞台化・映画化されている——は、この頃に作られている。そこに含まれるのは、ロバート・ルイス・スティーヴンソンの『ジキル博士とハイド氏』（一八八七年）、オスカー・ワイルドの『ドリアン・グレイの肖像』（一八九一年）、ブラム・ストーカーの『ドラキュラ』（一八九七年）などだ。H・G・ウェルズは通常、SFと結びつけられているが、世紀の変わり目以降はホラーや幽霊譚も作っている。そして、これらの作家ほど有名ではないが、この多産な時期には、他に敬われるべきホラー作家として、グラント・アレン、リデル夫人、M・P・シール、G・S・ヴィエレック、エリオット・オドネル、R・W・チェンバース、E・F・ベンスン、キャンベル・プライド夫人、ウィリアム・クラーク・ラッセルなどがいる

ゲイリー・ウィリアム・クロフォードによれば、前世代の巨匠たち（ブラックウッド、マッケン、オニオンズなど）の作品に見られる宇宙的系譜とは対照的に、第一次世界大戦後のイギリスのホラー小説は、

ウォルター・デ・ラ・メア、L・P・ハートレイ、W・F・ハーヴィー、R・H・モルデン、A・N・L・マンビー、L・T・C・ロルト、M・P・デア、H・ラッセル・ウェイクフィールド、エリザベス・ボウエン、メアリー・シンクレア、シンシア・アスキスなどの作品によって、リアリズム的・心理的転回をとげた。[12]しかし、ホラー小説における宇宙的系譜は、アメリカで、ハワード・フィリップス・ラヴクラフト（一八九〇－一九三七）によって生きつづけ、ラヴクラフトはパルプ雑誌『ウィアード・テイルズ』で働く作家たちの中心に立っていた。ラヴクラフトは並はずれた作家であり、大量のストーリーをつむぎだすだけでなく、『文学と超自然的恐怖』と題された論考や膨大な書簡を書き、そこで独自のホラー美学を発展させた。部分的には、こうした書簡や、意欲的な作家を支援したことにより、ラヴクラフトには、忠実なフォロワーの作家や模倣者――クラーク・アシュトン・スミス、カール・ジャコビ、オーガスト・ダーレスなど――がいた。ロバート・ブロックもまた、ラヴクラフトの伝統である宇宙的恐怖（コズミックホラー）の分野でキャリアをはじめ、宇宙的恐怖は、第二次世界大戦後も長くこのジャンルに影響を与えつづけた。[13]

第一次世界大戦後、ホラージャンルもまた映画という新興芸術の中に新しい住処を見つけた。後にドイツ表現主義として知られるようになる様式のホラー映画は、ワイマール期のドイツで制作され、F・W・ムルナウの『吸血鬼ノスフェラトゥ』など、いくつかの作品はホラーの傑作として認められている。現在のホラー映画のサイクルの以前にも、映画史上には、ホラーモードに属する創造性が大きく花開いた時代が何度か訪れている。三〇年代前半のサイクルは、ユニバーサル・スタジオによって口火を切り、三〇年代後半と四〇年代前半の映画制作者は、若い観賞者を対象に何とかこのサイクルを復活させようと試みた。また四〇年代には、RKOのヴァル・リュートンが大人向けのホラー映画をいくつも作っている。また五〇年代前半のホラー／SF映画のサイクルは、五〇年代中盤の日本のゴジラ産業に影響を与えるとともに、五〇年代後半にアメリカで再びホラー映画のサイクルを復活させようとする試みに影響を与えた。

こうした映画は映画館でもテレビでも観られ、団塊の世代の観賞者にホラーの嗜好を教えた。この嗜好は六〇年代には、AIP、ウィリアム・キャッスル、ハマー・フィルムの作品を上映する場末の映画館の昼興行（マチネ）で維持された。[14]古典的なホラー映画の神話のおかげでホラーに飢えた愛好者の多くは原作の文学作品にも手を出し、『Famous Monsters of Filmland』（一九五八年創刊）のようなそれほど洗練されていない雑誌も読んでいた。また、『トワイライトゾーン』のような「ファンタジー」的なテレビ番組のおかげで、チャールズ・ボーモント、リチャード・マシスン、ロアルド・ダールなどの作家や、こうした作家を生んだ短篇小説の伝統にも関心が集まった。かくして、七〇年代前半には観賞者には、次のホラーサイクル——つまり現在のホラーサイクル——の準備ができていた。

ここまで紹介してきたホラージャンルの大まかな歴史によって、本書で理論化しようとしている作品群を幅広く境界づけることができる。ジャンルをラフに描くことで、多くの人が前理論的にジャンルに何を含めるのかを示すことができたと思う。ジャンルについて理論化を経ていく過程で、多かれ少なかれ素朴なこのホラーの歴史に含まれていた作品の一部については、分類し直さなければならない。すでに言及した作品の一部は、ジャンルを理論的に編成する過程で、このジャンルから脱落していくことになる。しかし本書で展開していくホラーの哲学では、ほとんどの人が前理論的にホラーと呼んでいる作品のほとんどを特徴づけることができると思う。もしこれができなければ、その理論には欠陥がある。

つまり、ここまでの箇所に詰め込んだジャンルの概要のすべての項目を捉えることは期待していないが、一方、わたしの理論がそのうちのあまりに多くを見逃してしまう場合には、理論が的を外していることになる。

## ホラーの哲学とは？

本書は自らホラーの哲学と称している。この概念自体が多くの人を混乱させるかもしれない。ホラーの哲学なんて聞いたことがあるか？　大学のシラバスや学術出版社のカタログにそんなものは載っていない。では、この奇妙なフレーズ「ホラーの哲学」はいったい何を意図したものなのだろう。

アリストテレスは『詩学』第一巻を次のような言葉で始めている。すなわち、「詩作そのもの、および詩作の種類について、わたしたちは論じるとしよう。詩作の種類のそれぞれがどのような機能をもっているか、詩作がすぐれたものとなるには筋がどのように組みたてられねばならないか、さらには、詩作がどれだけの要素から、またどのような種類の要素から成り立っているか、同様にまた、同じ研究の対象となる他のすべてのことがらについてわたしたちは論じる［…］」[15]。アリストテレスは、現存するテキストの中でここで述べられた概要を完全に実行しているわけではない。しかし、アリストテレスは悲劇に関する包括的な説明を与えており、この説明は、悲劇がもたらすとされている効果――憐れみと恐怖によるカタルシス――の観点から、その効果を促進する要素、特にプロット上の要素に関わるものになっている。この説明によれば、悲劇のプロットは、アリストテレスがこの概念に与えている専門的な意味で、初め、中間、終わりをもつことによって、および、逆転、認知、変転などの要素をもつことによってこの効果を促進する。アリストテレスは、悲劇における関連するプロットの要素を抽出している。つまり、プロットの要素がどのように設計されることによって、このジャンルに固有のものと見なされる感情反応が引き起こされるのかに注意を払っているのだ。

芸術ジャンルの哲学とはどのようなものかに関してアリストテレスを範例としているため、わたしが与えるホラーの説明は、それが観賞者に引き起こすよう意図された感情効果という点から説明を与えるものになっている。ここに含まれるのは、その感情効果の本質を特徴づけること、および、ふさわしい感情的効果を高めるためにジャンル内で繰り返し採用される類型やプロット構造を精査・分析することの両方だ。つまり、わたしはアリストテレスの精神にのっとって、ジャンルが感情効果を生み出すよう意図されていると想定し、その効果を抽出することを試み、わたしがアートホラーと呼ぶ感情を引き起こすために、ジャンルの特徴的な構造、イメージ、類型がどのように使用されているのか示すことを試みる（自分がアリストテレスほどの権威になることを期待しているわけではないが、アリストテレスが悲劇に対して行なったことを、ホラージャンルに対して行なってみたいというのがわたしの意図だ）。

アリストテレスの著作には見られない哲学的な側面として、わたしの強調点はこのジャンルに関する特定のパズルにある——これは本書の副題でもあるが、十八世紀のある著述家の言葉を借用し、「心のパラドックス」と呼んでいる。ホラーに関しては、これらのパラドックスは、次のふたつの問題にまとめることができる。（1）存在しないと知っているものを、どうして恐れることができるのか。（2）ホラーを感じることがこんなにも不快なのであれば、どうしてホラーに興味をもつ人がいるのだろうか。本書の中では、こうした問いを提示しつつ、そこで何が問題になっているのかを示すよう試みている。そして、これらのパラドックスを消滅させられる哲学的理論を作っていくつもりだ。

本書で採用されている哲学の流儀は、しばしばアングロアメリカ哲学または分析哲学と呼ばれるものだ。しかし、ここで一言注意を与えておくことが有益だろう。本書が分析哲学の伝統の中で書かれていると言うことは正しいと思うが、わたしの方法は、時に概念分析と呼ばれるものだけに限定されているわけではないことに注意してほしい。わたしは、同世代の多くの哲学者と同様に、さまざまな理由で、概念分析と経験的知見を厳密に区別することには不信感を抱いている。したがって、本書では、概念分析と経験的仮説が織り交ぜられている。つまり、狭義の概念分析として解釈されるような哲学と、ホラーの理論と呼ばれるもの、つまり、このジャンルで繰り返されるパターンについての非常に一般的な経験的推測が混在している。あるいは、別の言い方をすれば、本書のホラーの哲学は、アリストテレスの悲劇の哲学と同じく、概念分析と、非常に一般的な経験に根差した仮説の両方を含んでいる。

わたしはすでにアリストテレスが先行者であることを認めている。また、わたしのプロジェクトは、ハチスンやバークといった十八世紀の著述家のプロジェクトにも類似している。こうした人々は、美や崇高などを定義しようと試み、それらの感情を生みだす因果的引き金を抽出することを望んだ。また、二十世紀初頭には、ベルクソンも喜劇について同様の探求を試みている。

しかし、こうしたさまざまな参照を与えたり、こうした著者たちと同じく、わたしが暗黙に機能主義をとっているせいで、当然ながらこのプロジェクトは非常に古臭いものに見えてしまうだろう。そのため、ここで本研究がどのような点で、哲学的美学の新たなアプローチを与えているのかを強調しておくことが重要だろう。

英語圏における哲学的美学は、芸術とは何か、美的なものとは何か、というふたつの中心的な問題にとらわれてきた。これらの問題は良い問題であり、こうした問題に答えるにあたっては素晴しく洗練され、厳密な仕方が取られている。しかし、芸術哲学者が自分の分野に関して問うことができるのは、こうした問題だけではないし、こうした問題に答えることにこだわりすぎるせいで、現代の美学の哲学者の関心の幅は不当に狭められている。芸術と美的なものに関する問題は放棄されるべきではないが、取り組んだ方がよい問題は他にもいくつもあるし、ひょっとしたら、それらの問題に答えることで、芸術と美的なものについても新たな角度から答えがえられるかもしれない。またこの分野がマンネリ化しないためには、こうした問題に取り組むことが望ましい。

近年、芸術哲学者は、分野のあり方が限定されすぎないようにするため、個別芸術分野の中の特殊な理論的問題に目を向けたり、自然美の問題のような古来の問題に立ち返ったり、芸術に関する伝統的問題を記号システム一般の機能に関するより広い問題の中に位置づけたりしている。本書におけるホラーの哲学の試みもまた、哲学的美学の範囲を広げるためのこうした努力の一部となっている。芸術形式の中の特殊な問題を再考するだけではなく、芸術形式を横断するジャンルの中の特殊な問題も再評価されるべきだ。

哲学的美学の視野を広げようとする近年の試みの中でも、特に興味深いもののひとつは、感情との関係から芸術を研究する新しい芸術研究だ。これは芸術哲学と心の哲学を結びつける研究領域になっている。本書の読み方のひとつは、こうしたより広い試みの中の、ひとつの詳しいケーススタディと見なすというものだろう。

また、哲学的美学は、ハイアートと見なされるようなものを追求する傾向にある。哲学的美学では、大衆芸術（マスアート）やポピュラーアートは無視されるか、疑わしいものと見なされる。この理由のひとつは、大衆芸術やポピュラーアートは、紋切り型になる傾向があり、多くの美学者は、カントに触発されたバイアスのため、正しく芸術と呼ぶことができるようなものは、紋切り型に陥らないと想定しているからだ。本論は、この見解に二重に反している。（1）大衆芸術を、哲学的美学の注目に値するものと見なしている点、および、（2）芸術の領域には紋切り型がないという見解に同意していない点で。このふたつの見解を同時に攻撃することは、明らかに相互に関連しており、これは意図的なものだ。

本書は四つの章に分かれている。第一章では、ホラーの本質、特にこのジャンルが意図的に生み出している感情である、アートホラーに関しての説明を与える。この章では、ホラーの定義を与え、この定義を予想される反論から防御しているだけではない。それだけではなく、アートホラーの感情を発生させる繰り返される構造を抽出することも試みるし、なぜこのジャンルが特定の時期に出現したのかに関する歴史的な考察も与えている。

第二章では、心のパラドックスの第一のもの、すなわちフィクションのパラドックスを導入する。ホラージャンルに適用した場合、このパラドックスは、存在しないと知っているものに、どうして怯えることができるのかという問題となる。しかし、ここでの問題はもっと一般的なものだ。感情を動かすのは、事実であると知っていることだけだと考える人にとってはどうしてドラキュラ伯爵に怯えるのかということだけでなく、どうしてソポクレスの『アンティゴネ』のクレオンに怒るのかということも謎となる。これは本書の中では、最も専門的な章だ。哲学的な議論が苦手な人は、読み飛ばさないにしても、さっと目を通すだけにしたいと思うかもしれない。

第三章では、このジャンルで、最も特徴的に繰り返されるプロットを精査する。また、この章では、プロットの構成に関連した拡張的な問題として、サスペンスに関する議論や、現代の文学批評家が幻想the fantasticと呼んでいるものを論じている。この章は、本書の中でも最も経験的な問題を扱っている部分だ。主に哲学的議論に興味がある人は、読み飛ばさないにしても、さっと目を通すだけにしたいと考えるかもしれない。

最終章では、心のパラドックスの第二のものを扱っている——むしろ、作家ジョン・エイキンとその姉のアナ・リティティア・エイキン（バーボルド）が、十八世紀に、この〔心のパラドックスという〕素敵な言葉を生み出したのは、このパラドックスのためだった。これは、もしホラーがここまでの章で述べたようなものだとすれば、どうしてそんなものを求める人がいるのかという問題だ。これをホラーのパラドックスと呼ぼう。通常、わたしたちは苦痛の原因となるものを避ける。ほとんどの人は、娯楽を求めて車道で遊んだりはしないし、楽しい一時をすごすために検死解剖に参加したりはしない。にもかかわらず、どうしてわたしたちはホラーを与えるようなフィクションを求めるのだろうか。これが心のパラドックスであり、わたしは本書の結論部でこのパラドックスに対応したいと考えている。

また、このパラドックスを解決した後、なぜ今、ホラージャンルがこれほど注目を集めるものになっているのかについて述べたいと思う。この部分は、狭義のホラーの哲学の一部ではない。しかし、その一方で、もし現在のようなかたちでホラージャンルが周囲にあふれていなければ、おそらく、わたしたちはホラーの哲学に考えるべき問題があることにも気がつかなかっただろう。

わたしは本書をひとつのまとまった論考と見なしているが、これは、その個々の部分が体系的に連関しているからだ。ホラーの本質についてわたしが与えた説明は、ホラーのプロットや、それに関連する作品構成の研究によって具体化される。同様に、ホラーの本質と、ホラーの物語法についての説明は、それぞれ異なる形ではあるが、両者が関連しつつ、前の段落でホラーのパラドックスと呼んだものに答える素材になっている。また、本書の第二章で主張されるフィクション反応の思考説と呼ばれる説は、ホラーのパラドックスについての仮説にも関係する。というのは、この思考説によって、「美的距離」という概念で探求されてきたものと同様の機能を与えることができるからだ。このように、本書の各部分は相互に関連している。しかし、本書がこのジャンルの網羅的な説明を与えているというつもりはない。今後の研究課題として、手つかずのままにしていることは、まだまだたくさんある。

いくつかの点で本書は先行する研究とは大きく異なっている。ホラージャンルを特徴づけるための通常のアプローチ――H・P・ラヴクラフトからスティーヴン・キングにいたるまで、また多くのアカデミックな批評家もそこに含まれる――は、第一章でホラーに関する非常に一般的な考察をいくつか与え、その後、事例の検討を通じて、歴史的にジャンルの発展を詳述する。このアプローチには何の問題もない。しかし、わたしはそれを逆転させようと試みた。このジャンルを理解する方法（オルガノン）とが形成されることを期待しつつ、最初に、この形式に関する歴史叙述を与えることにしたのだ。

本書を書くためには長い遍歴があり、この種の学術研究を紹介したり、この種の研究をしたせいで非難を受けることもあったが、わたしは本書を書くにあたって地獄のような楽しい時間を過ごしてきたし、それが一部なりとも読者に届くことを願っている。

## 原註

◆1 Stephen King, "On Becoming a Brand Name," in *Fear Itself*, ed. Tim Underwood and Chuck Miller (New York: New American Library, 1982), pp. 15–16.

◆2 本書で展開される理論によれば、『悪を呼ぶ少年』は実際には、純粋なホラーのストレートな事例ではない。しかし、わたしがここでそれを含めているのは、通常この作品が、このジャンルの台頭における重要な作品として言及されるからだ。

◆3 『Faces of Fear』〔ホラー作家へのインタビュー集〕のようなインタビューを集めた本をめくってみると、興味深いことに、多くのホラー作家は、このジャンルに参入し、長く影響を受けるようになった、最初の好意的なきっかけとしてホラー映画をあげていることがわかる。これは、ロバート・ブロックなど著名な先駆者にも当てはまる。Douglas E. Winter, *Faces of Fear: Encounters with the Creators of Modern Horror* (New York: Berkley Books, 1985) を参照。

◆4 例えば、Marshall B. Tymn 編のきわめて有益な著作 *Horror Literature: A Core Collection and Reference Guide* (New York: R.R. Bowker Company, 1981) のホラージャンルに関する項目は、一七六二年に開始されている。

◆5 Frederick S. Frank, "The Gothic Romance: 1762–1820," in *Horror Literature*, p. 11.

◆6 Montague Summers, *The Gothic Quest: A History of the Gothic Novel* (London: Fortune, 1938).

◆7 J.M.S. Tompkins, *The Popular Novel in England* (London: Methuen, 1969), p. 245.

◆8 Donald Glut, "Frankenstein Haunts the Theater," in his *The Frankenstein Legend* (Metuchen, New Jersey: The Scarecrow Press, 1973)を参照。

◆9 『Varney the Vampire』はJames Malcolm Rymer の作とされることもある。

◆10 本書で提唱される理論の観点では、ポーの作品のほとんどはホラージャンルに当てはまらない。わたしは、ポーをホラーではなく、戦慄（テラー）の巨匠とみなすことを好む。しかし、わたしがこの序の中でポーについて言及しているのは、ポーが前理論的にこのジャンルに結びつけられているからというだけではなく、キャラクターの心理的感覚を描くことの重要性についてのポーの考え方が、H・P・ラヴクラフトやそのフォロワーたちなど、多くの主要なホラー作家に決定的かつ直接的な影響を与えてきたからだ。

◆11 Benjamin Franklin Fisher, "The Residual Gothic Impulse: 1824–1873," in *Horror Literature*, p. 177.

◆12 Gary William Crawford, "The Modern Masters: 1920–1980," in Horror Literature, p. 279.

◆13 例えば、〔フレッド・チャペルによる〕六〇年代の小説『暗黒神ダゴン』は、部分的には前衛的なラヴクラフトオマージュとして読むことができる。

◆14 団塊の世代にとってホラーを与えてくれるエンターテインメントのもうひとつの供給源となったのは、もちろんコミックブックだ。

◆15 Aristotle, *Poetics*, trans. Benjamin Jowett and Thomas Twining (New York: The Viking Press, 1957), p. 223. 〔アリストテレース「詩学」松本仁助・岡道男訳、『アリストテレース詩学／ホラーティウス詩論』岩波書店、一九九七年〕

**訳註**

◇1 本書では、周期的なホラーの流行の波が「ホラーサイクル」と呼ばれている。周期的な流行という現象にくわえて、周期的な波を構成する時代ごとの流行もまた「サイクル」と呼ばれる。日本語には置き換えづらい概念のため、原語の cycle に合わせて「サイクル」としている。ホラーサイクルの具体例としては、〈三〇年代前半のモンスターホラー映画の流行〉や、〈七〇年代後半以降のホラーの流行〉（本書で言う「現在のホラーサイクル」）

などが含まれる。

◇2 ここで念頭に置かれているのは、おそらく、ツヴェタン・トドロフの『幻想文学論序説』だ。怪奇、幻想などはトドロフが使用している分類。トドロフの分類については、本書第三章で詳しく論じられる。

第

1

章

# ホラーの本質

The Nature of Horror

# ホラーの定義

## まえおき

本書の目的はホラーの理論を作ることだ。◇1 ホラーはさまざまな芸術形式やメディアを横断するジャンルと考えられる。

本書で探求されるタイプのホラーは、メアリ・シェリーの『フランケンシュタイン』、アルジャーノン・ブラックウッドの『いにしえの魔術』、ロバート・ルイス・スティーヴンソンの『ジキル博士とハイド氏』、H・P・ラヴクラフトの『ダンウィッチの怪』、スティーヴン・キングの『ペット・セマタリー』、クライヴ・バーカーの『ダムネーション・ゲーム』などを読むことに結びついている。またハミルトン・ディーンとジョン・ボルダーストンの『ドラキュラ』の舞台化や、ジェームズ・ホエールの『フランケンシュタインの花嫁』、リドリー・スコットの『エイリアン』、ジョージ・A・ロメロの『ゾンビ』などの映画、マイケル・ウトフ版の『コッペリア』などのバレエ、アンドルー・ロイド・ウェバーの『オペラ座の怪人』などのオペラ／ミュージカルを見ることに結びついている。ここで関連する種類のホラーはゴヤやH・R・ギーガーの作品などの美術作品にも見られるし、往年の『インナー・サンクタム』

や『サスペンス』などのラジオ番組や、『事件記者コルチャック』や『フロム・ザ・ダークサイド』といったテレビシリーズにも見られる。これを「アートホラー」と呼ぶことにしたい。今後「ホラー」という語が使用される場合には一般にアートホラーの意味で理解してほしい。

この種類のホラーは「わたしは将来の環境破壊を恐れている horrified」「核武装の時代の瀬戸際政策は恐ろしい horrifying」「ナチスがしたことは恐るべきことだ horrible」と述べるときに表現されている種類のものとは異なる。後者のような「ホラー」の用法をナチュラルホラーと呼ぼう。ナチュラルホラーを分析することはこの本の課題ではなく、分析するのはアートホラー、つまり日常言語でもその存在がすでに認知されている芸術横断・メディア横断のジャンルの名前としての「ホラー」の方だ。これは、「ホラー」という用語の意味のうち、例えば「『シャイニング』ってどんな本?」という質問にホラーストーリーだよと答える場合や、『TVガイド』で「ハロウィーン・ホラー・ショー」と宣伝されているテレビ番組を見つけた場合、ダイアナ・ヘンステルの『悪魔が町にやってきた』の宣伝文句が「血も凍る新作ホラー小説」である場合に出てくるような意味だ。

日常言語におけるカテゴリーとしての「ホラー」は、コミュニケーションと情報伝達に役立つ概念だ。難しい概念ではない。たくさんの合意に支えられているおかげで問題なく使用できている。地元のレンタルビデオ店でホラーの分類に文句をつけるべき機会がどれほど少ないか注意してみてほしい。この章の前半は、(アートホラーの意味の)ホラーを識別する潜在的規準——この規準は日常言語の中ですでにはたらいている——を合理的に再構築する試みとして解釈できる。

誤解を避けるため、ナチュラルホラーとの対比を強調するだけでなく、特定のジャンルの効果を狭く指示しているのだということを強調しておく必要がある。つまり、芸術に現われるものでホラーと呼ばれうるようなもののすべてがアートホラーであるわけではない。例えば、カミュの『異邦人』の殺人やサド『ソドムの120日』の性的堕落を恐れる（horrified）人もいるかもしれない。だが、こうしたホラーは芸術によって生み出されているが、わたしが「アートホラー」と呼んでいる現象の一部ではない。[1]またアヴァンギャルドアートにあまり触れたことがない人によくある反応［アート恐怖症とでも呼べるようなもの］のことを言っているわけでもない。

「アートホラー」は、規約により、次のものを指示するよう意図している。それは特定のジャンルの制作物を指示しており、このジャンルは、非常に大まかに言えば『フランケンシュタイン』の出版の前後——五十年ほど前後するかもしれないが——に具体化され、その後存続しつづけ、多くの場合は周期的な盛り上がりを経て、十九世紀の小説や戯曲や、二十世紀の文学、コミックブック、パルプ雑誌、映画を通じて存続してきた。またこのジャンルは日常の語りの中でも認知されており、それについてのわたしの理論は究極的には、どのように日常的な使用を捉えているかという観点から評価されなければならない。

もちろんホラーを与えるイメージはどの時代にも見られるものだ。古代西洋の世界では、ペトロニウス『サテュリコン』の人狼の物語や、オウィディウスの『変身物語』のリカオンとジュピター、アプレイウス『黄金のろば』のアリストメネスとソクラテスの物語などの例もある。中世の死の舞踏、聖パウロの幻視した地獄の様相、トゥヌクダルスの幻視、大クラナッハの『最後の審判』、および最も有名なところではダンテの『神曲 地獄篇』は後のホラージャンルにとって重要なものになる事象を扱っている。しかしジャンル自体は十八世紀の後半から十九世紀の四分の一を過ぎた頃になってようやく形を取り始め、イギリスではゴシックのひとつの変種として生じ、ドイツでも似た展開をとげる。[2]（ジャンルの時代区分をこの時期に設定する理由は、このジャンルの本質を探る過程で明らかになると考える。また、なぜ十八世紀までホラーが誕生しなかったのかという説明については、この章の結論部分で試みるつもりだ。[3]）

　また、わたしはジャンルを強調しているが、ホラーとSFは完全に別個のジャンルだという考え方は尊重しないということを注記しておかねばならない。ホラーを犠牲にしてこういう区別をすることが多いのはSF愛好者だ。こういう人たちに言わせれば、SFはありえたかもしれない代替社会、ありえたかもしれない代替技術という壮大なテーマを探求するが、ホラージャンルが扱っているのは恐ろしいモンスターだけということになる。こうしたSF擁護者がよく言うのは、例えば、一般に映画でSFと呼ばれているのは実際にはただのホラーだ――『宇宙水爆戦』、『惑星アドベンチャー　スペース・モンスター襲来！』やリメイク版の『スペースインベーダー』、『エイリアン・プレデター』など、昆虫の目をしたモンスター（バグアイドモンスター）の特撮を繰り返しているというのだ。[4]

　モンスターがホラーのしるしだというのは有益な洞察だ。しかしSF愛好家が期待するような仕事はしてくれない。映画の場合でさえ、『来るべき世界』のような作品は真のSFに想定される規準を満たしている。しかしもっと重要なことに、SF擁護者は余計なことにまで文句をつけてしまっている。SFと呼びたくなるようなすべてのものが代替技術と代替社会についての高度な思想に夢中になっているわけではない。故ジョン・ウィンダムの『呪われた村』『海竜めざめる』『トリフィドの日』『ユートピアの罠』はどれも先入観のない立場で素直にSFに見えるが、興味の中心にあるのはモンスターだ。

もちろんSF評論家はSFにモンスターが出てくることは否定せず、代替技術および/または代替社会の想像に対する補助の役割をつとめているというだけだろう。しかしこれも事実に反するように思われる——ウィンダムだけではなく、H・G・ウェルズの『宇宙戦争』やブライアン・オールディスのネビュラ賞受賞作『唾の樹』もそうだ。これらの例が示すように、わたしたちが前理論的にSFと呼ぶようなものの多くは実際にはホラーの一種で、超自然の力を未来の技術に置き換えている。これは別にあらゆるSFがホラーのサブカテゴリーだと言いたいわけではなく、その多くがそうだというだけだ。よって、わたしがあげた例では、わたしたちはホラーと呼ばれるものとSFと呼ばれるものの間を自由に移動し、これら複数の候補ジャンルの境界を実に流動的なものと見なしている。

わたしはホラーをひとつのジャンルとして分析するつもりだ。しかしあらゆるジャンルが同じように分析できると仮定すべきではない。例えば、西部劇は主として舞台によって識別される。「ホラー」というラベルでまとめられる小説、映画、演劇、絵画、およびその他の作品は、異なる基準によって識別される。サスペンス小説やミステリ小説と同じように、小説がホラーと呼ばれるのは、ある情動作用affectを高める力をもつことを意図されているためだ。実際、サスペンス、ミステリ、ホラーというジャンルは、それらが喚起することを意図した情動作用にちなんで名前がつけられている——サスペンスの感覚、ミステリーの感覚、ホラーの感覚〔はどれも情動作用の名前でもある〕。芸術横断、メディア横断のホラーというジャンルは、それが特徴的に喚起する感情emotionや、あるいはむしろ理想的に喚起される感情から名称をとっている。この感情がホラーを識別するしるしとなる。

もう一度強調しておくが、あらゆるジャンルがこういう方法で識別できるわけではない。ミュージカルは、舞台でも映画でも、どんな情動作用とも結びついていない。ミュージカルは本質的に、『ミー・アンド・マイガール』のように、明るく魅力的なものだと考える人もいるかもしれない。しかしもちろんこれは事実ではない。ミュージカルは悲劇（『ウェスト・サイド・ストーリー』『ピークォド』『キャメロット』）も、メロドラマ（『レ・ミゼラブル』）も、世俗的（『コーラスライン』）にも、厭世的にも（『カンディード』）、政治的な怒りや（『サラフィナ！』）、戦慄 terror（『スウィーニー・トッド』）さえ演じることができる。ミュージカルを定義するのは、歌（および通常はダンス）が一定以上の割合で含まれることであり、どんな種類の感情も満足させることができる。『バンド・ワゴン』では暗黙にこれと対立する論証（ミュージカルはいつも楽しい）が述べられていたが、それにもかかわらず、そうなのである。しかし、ホラージャンルは本質的に特定の情動作用――具体的にはジャンルが名前をとっている元の情動作用〔ホラー〕と結びついている。

ジャンルが、意図的に喚起する情動作用に基づいて名づけられている場合には、分析を進めていく上で、具体的に有望そうな戦略がある。サスペンス作品のように、ホラー作品は特定の種類の情動作用をかきたてるよう意図されている。わたしはこれがひとつの感情状態であり、その感情はわたしがアートホラーと呼ぶものであると仮定する。したがって、ホラーというジャンルは、部分的には、アートホラー――このタイプの作品が生み出すよう意図された感情――の詳細を特定すること specification で位置づけられると期待できる。ホラージャンルのメンバーは、鑑賞者のホラーの情動作用を高めることに依拠した物語および／または映像（美術や映画などの場合）として識別できる。もちろんこうした分析はアプリオリなものではない。アリストテレス『詩学』の伝統を受けつぎ、日常の言説の中で、わたしたちがあらかじめひとつの集まり（ファミリー）を構成するものとして受け入れている一群の作品に対して、明確化のための一般化を与えるという試みなのである。

手はじめに魅力的なのは、ＳＦ擁護者をまね、ホラー小説、ホラーストーリー、ホラー映画、ホラー演劇などは、モンスターの存在によって特徴づけられると言うことで、ホラージャンルを他のジャンルから区別することだ。わたしたちの目的にとっては、モンスターは超自然のものでも、ＳＦ的な起源をもつものでもかまわない。この方法では、ホラーは、時にテイルズ・オブ・テラー tales of terror とも呼ばれる作品から区別される。例えば、ウィリアム・マギンの『The Man in the Bell』、ポーの『落とし穴と振り子』、『告げ口心臓』、ブロックの『サイコ』、トライオンの『悪を呼ぶ少年』、マイケル・パウエルの『血を吸うカメラ』、アルフレッド・ヒッチコックの『フレンジー』のような作品がこの例だ。これらの作品はどれも得体が知れず不安を与えるものではあるが、それがぞっとする効果をあげているのは、人間的な心理現象の探求によるものだ。ホラーをモンスターの存在と結びつけることで、ホラーとテイルズ・オブ・テラー、特に異常心理の話に根差した種類のものを区別するしっかりした方法がえられる。同じように、モンスターや超自然的（あるいはＳＦ的）なものをホラーの基準として使うことで、ホラーストーリーと一部のゴシック作品を区別できる。例えばラドクリフの『ユードルフォの秘密』、チャールズ・ブロックデン・ブラウンの『ウィーランド』、ワシントン・アーヴィングの『幽霊花婿』、『ウィアード・テイルズ』誌に掲載されたストーリーのような三〇年代のシャダー〔恐怖系〕パルプ雑誌などでは、◆5異世界のものが導入されるが結局は自然主義的に説明しつくされるだけという場合が多い。同じように、舞台のジャンルであるグラン・ギニョール――アンドレ・ド・ロルドの『グドロン博士とプリュム教授の療法』などの作品から成る——もこの説ではホラーではない。◆6 ぞっとする作品ではあるが、グラン・ギニョールに必要なのはモンスターではなくサディストだからである。

しかしモンスターや怪物的なものがホラーの必要条件であることを立証できたとしても、この規準は十分条件ではないだろう。なぜならモンスターはわたしたちがホラーに分類しようとしないさまざまな種類のストーリー——おとぎ話（フェアリーテイル）、神話、冒険物語（オデッセイ）——に登場するからだ。ホラーにとっての中心はモンスターであるという手がかりを有効に活用するのであれば、おとぎ話のような単にモンスターが出てくるだけのストーリーとホラーストーリーを区別する方法を見つけなければならない。

神話など単にモンスターが出てくるストーリーとホラーストーリーを区別するように思われるのは、ストーリーの中でモンスターに遭遇するキャラクターの態度だ。ホラー作品では、人間は自分が出会ったモンスターを異常なものと見なし、自然の秩序の攪乱と見なす。他方、おとぎ話では、モンスターは宇宙の日常的な構成要素のひとつだ。例えば、アンドルー・ラング・コレクションの「白い国の三人の王女」では、少年が頭が三つあるトロルに囲まれる。しかし文中には、少年がこの生き物を、それ以前に出会ったライオンより異常なものだと見なしている様子はない。スペースオペラである『スター・ウォーズ』ではチューバッカなどの生き物は仲間のひとりにすぎないが、同じような狼の外見をもった生物が『ハウリング』などの映画に登場すると、そのフィクションの中の人間のキャラクターから明確な拒否感をもって扱われることになる。◆7

カライスとゼーテース、グリフィン、キメラ、バシリスク、ドラゴン、サテュロスなどは、神話の世界ではやっかいで恐ろしい生き物だが、自然に反するものではない。つまり、それらを生み出した宇宙論の形而上学によって許容されている。しかしホラーのモンスターは、ストーリーの中の主人公側の人間のキャラクターが想定している存在論的に穏当な規範に抵触する。つまり、ホラーの例では、モンスターは普通の世界における尋常ならざるキャラクターだが、一方、おとぎ話などではモンスターは尋常ならざる世界における普通の生き物になっているように思われる。そして、世界が尋常ならざるものであること――わたしたちの世界との距離――は「むかしむかし（ワンス・アポン・ア・タイム）」という決まり文句によって合図されることが多い。

古典的研究である『幻想文学論序説』の中で、[8]ツヴェタン・トドロフは、神話とおとぎ話の世界を「驚異 the marvelous」というラベルに分類している。この領域はわたしたちが知っている科学の法則には従わず自らの法則をもつ。しかし、わたしはトドロフの作品を尊敬しているし、まちがいなく影響を受けているが、トドロフのカテゴリーは採用しない。なぜならわたしが引きたい区別は、超自然的な物語というカテゴリーの中のアートホラーを満足させるものとそうでないものの間の区別だからだ。疑いなく、トドロフとその支持者[9]は幻想的驚異という概念――異常な出来事を自然主義的に説明しようとするが、結果的に超自然的なものに由来することが確認されて終わるストーリー――を使うことで、この区別をしようとするだろう。ホラーは幻想的驚異というラベルに分類されると論じることはできるかもしれない。しかし、これはある程度正しいかもしれないが、それほど先までは進めない。なぜなら幻想的驚異というカテゴリーはアートホラーの適切な描像を与えるには広すぎるからだ。『未知との遭遇』[10]などの映画は、幻想的驚異という分類に当てはまるが、ホラーを与えるというより至福に満ちている。つまり、幻想的驚異の概念は、ホラージャンルが依拠している特定の情動作用に焦点を合わせていない。

たとえホラーが幻想的驚異という類に属するとしても、ホラーは独自の種を構成している。そしてわたしたちが関心をもっているのはこの種の方なのである。

すでに触れたように、モンスターストーリー一般から本来のホラー作品を区別する特徴は、ストーリーの中の主人公側の人間のキャラクターが、遭遇したモンスターに対してもつ情動反応だ。また、ここまでホラーストーリーの中のキャラクターの感情についてしか語っていなかったが、先の仮説はホラー作品が鑑賞者から引き出すことを意図している感情反応を理解するためにも役立つ。というのも、ホラーは、鑑賞者の感情反応が、理想的には、キャラクターの感情と並行的になるジャンルのひとつであると思われるからだ。実際、ホラー作品では、キャラクターの反応が鑑賞者の感情反応の手がかりになることが多い[◆11]。

『ドラキュラ』の「ジョナサン・ハーカーの日記」にはこうある。

> 伯爵が身を乗り出して手が触れたとき、なぜか自分はゾッと身うちが震えた。伯爵の息が、なんともいえない生臭い、いやな匂いがして、正直のところ、吐きけをもよおすほど胸が悪くなった。ゾッとしたのは、たぶんそのせいだったのだろう。自分は不快の色を顔に出しては悪いとおもったが、とても我慢できなかった[◇2]。

この震え、吸血鬼に触れられた際のこの後ずさり、この吐き気はどれも、後につづくドラキュラの記述へのわたしたちの感情反応を形づくる。例えば、吸血鬼の突き出た歯が言及されるとき、わたしたちはそれを、震えをもたらし、吐き気をもよおさせ、いやな匂いのするもの——触ったり触られたりしたいと思うようなものではない——と見なす。同じように、映画でわたしたちが感情反応のモデルとするのは、例えば『ナイト・オブ・ザ・リビングデッド』の若い金髪の女性だ。この女性はゾンビに取り囲まれ、悲鳴をあげ、自身の体を抱きしめて、汚染された死体との接触を避けようとする。ホラー作品のキャラクターはわたしたちに対して、フィクションの中のモンスターに反応する方法を例示する。映画でも舞台でも、キャラクターはモンスターから体を引き、身を縮めるが、それはクリーチャーに摑まれないようにするためだけではなく、この不浄なものに偶然触れてしまうのを避けるためでもある。これが意味するのは、ホラーストーリーのキャラクターのようにわたしたちが虚構のモンスターの存在を信じているということではない。そうではなく、先の引用におけるジョナサン・ハーカーのような者に不快感を与えたのと同じ種類の特性のせいで、わたしたちがモンスターの記述や描写を不安なものと見なすということを意味するのだ。

よってキャラクターの感情反応は、一連の指示、あるいはむしろ鑑賞者がフィクションのモンスターに反応する方法——つまりモンスターの怪物的性質にどのように反応することを意図されているか——の例を与える。古典的映画『キング・コング』では、例えば、髑髏島への旅の途中の船上のシーンで、虚構の監督であるカール・デナムが、映画内映画のヒロインであるアン・ダロウにスクリーン・テストをしつらえる。デナムがスクリーンの裏側で新進女優に与えた指示は、アン・ダロウだけではなく鑑賞者も、コングの最初の登場の際にどう反応すればいいかという一連の指示として受け取ることができる。

ほら、上を見て。君は驚く。目を見開いて。恐ろしくても目を離せない。チャンスはない。もう君の逃げ場はない。アン、どうしようもない。どうしようもないんだ。せめて声が出せたら――しかし喉が麻痺して声が出せない。叫ぶんだ、アン、泣き叫ぶんだ。見なければ叫べるかも。手で目をふさぎ君は命がけで叫ぶ。

ホラー作品では、鑑賞者の感情は主人公側の人間のキャラクターの感情を特定の点で（あらゆる点ではないが）反映することが期待される。ここまであげた例では、キャラクターの反応が教えてくれるのは、問題のモンスターに対する適切な反応は、震え、吐き気、身を縮めること、麻痺、悲鳴、拒絶から成るということだ。理想的には、わたしたちの反応は、キャラクターの反応に類似したものになることが意図されている。[12] わたしたちの反応はキャラクターの反応に近づく（ただし正確な複製というわけではない）ことが期待される。キャラクターと同じように、わたしたちはモンスターをホラーを与える種類のものとして評価する（ただし、キャラクターとちがって、わたしたちはその存在を信じていない）。また、この鏡像効果（ミラーリングエフェクト）はホラージャンルの重要な特徴だ。なぜなら、鑑賞者の反応がキャラクターの感情状態の特定の要素を反復することが期待されるというのはあらゆるジャンルで成り立つことではないからだ。

もしカタルシスに関してアリストテレスが正しければ、例えば、鑑賞者の感情状態は『オイディプス王』の舞台の最後におけるオイディプス王の感情状態とは重ならない。オセロが嫉妬する際にわたしたちが嫉妬することもない。また喜劇のキャラクターがしくじっても、キャラクターはゆかいな気持ちにはならないが、わたしたちはゆかいな気持ちになる。またヒーローが線路に縛りつけられたヒロインを救出しに駆けつけるとき、わたしたちはサスペンスを感じるが、ヒーローにはそんな感情を抱く余裕はないだろう。にもかかわらず、ホラーに関しては状況はちがっている。なぜならホラーではキャラクターの感情と鑑賞者の感情は特定のしかるべき点で同期するからだ。[13] 土曜日のマチネに地元の映画館に行けば簡単に観察できることだ。[3]

鑑賞者の感情反応が、ある程度ホラー作品のキャラクターの感情反応をモデルとしていることによって、アートホラーの感情を分析する上で役に立つ方法論上の利点がえられる。これにより、内省とはちがって、客観的にアートホラーの感情の描像を定式化する方法が示唆される。つまり、自分の主観的反応だけを元にしてアートホラーを特徴づけるのではなく、ホラー作品でキャラクターがモンスターに反応する仕方を観察することで、推測に根拠を与えられるのだ。つまり、鑑賞者の一員としてのわたしたちの感情反応は、重要な点でキャラクターの反応に類似しているという仮定の下で進めていけば、作者や監督がモンスターに襲われるキャラクターに与える典型的な感情的特徴に注目することで、アートホラーを描き出す端緒とできるのだ。

ホラーストーリーのキャラクターはモンスターにどう反応するか。もちろん、怯えるのだ。何と言ってもモンスターは危険だ。しかし、それだけではない。メアリー・シェリーの有名な小説の中で、ヴィクター・フランケンシュタインは自分の創造物が最初に動き始めた際の反応を詳述している。「なしおえた今、美しい夢はどこへやら、息も止まる**嫌悪**disgustで心はいっぱいでした。おのれの創造物を見るのもたまらず部屋を飛び出すと、眠ろうにも気を静めることができませんでした」[4]。この直後、モンスターの伸びた手がヴィクターを目覚めさせ、ヴィクターはそれに触れられることを避けて逃れる。

『海からの襲撃者』の中で、H・G・ウェルズは三人称を使って、不快な光る触手のある生き物に対するファイスン氏の反応を語っている。「このようにいやらしい生物が人間の肉をえじきにしていることについて、彼がぞっとし、はげしく興奮し、またいきどおったことはもちろんである」[5]。オーガスタス・ミュアの『爬虫類』の中で、(間違って)巨大な蛇だと思ったものへのマクアンドリューの最初の反応は「拒否感 repulsion と驚きに囚われ麻痺してしまってしまった」と記述されている。

ジャック・フィニイの『盗まれた街』で、マイルズがはじめて莢(さや)に遭遇したとき、「肌にじかに触れたその感触が――私にわれを忘れさせてしまった。私はそれを踏みにじった。躍りかかる勢いで、蹴りつけ、踏み潰し、荒れ狂った。私は自分が、「うう！　うう！　ううう！」と、意味のない野獣の叫びをあげていることにすら気づかなかった。恐怖と、動物的な嫌悪感と狂うような憤怒の叫びだった」[6]と報告している。ピーター・ストラウブの『ゴースト・ストーリー』では、ドンがモンスターであるアルマ・モブリーと愛し合い、突如として「まるでナメクジに触れたかのような、感覚が濃縮された衝撃、拒絶の衝撃」を感じる。

本能的な嫌悪感というテーマは、ブラム・ストーカーの『ドラキュラの客』――元は吸血鬼物語の先駆『ドラキュラ』の一章として構想された小説――にも表われている。一人称の語り手は、人狼らしきものがどのように目覚めさせたかを語っている。語り手は次のように述べる。

> こんな半ば昏睡状態がしばらくつづいたように思われる。そして、この状態が薄らぐと私は眠ってしまったか、気絶してしまったにちがいない。それから、船酔いのはじめのような、ある種の嫌悪

感と、なにかから解放されたいという、荒あらしい欲望が、やってきた――。なにから自由になりたかったのかはわからない。全世界があたかも眠りこんでいるか、死んでいるかのように思える、空漠とした静寂が、私をとりかこんでいた――。獣のようなものが、低く喘ぎながら近づいてきたとき、ようやくその静けさは破られた。私は喉もとに、興奮した歯ぎしりを覚えた。そして恐しい真相をさとった。それは心底から私を震えあがらせ、頭から血を逆流させた。ものすごい獣が私の上に横たわり、私の喉をなめている最中なのだ[◇7]。

スティーヴンソンのハイド氏もまた、強い肉体反応を喚起する。ハイドが小さな女の子を突き飛ばしたことが報告される際、ハイドは見ただけで嫌悪を誘うと言われている。しかし、これはただの道徳的なカテゴリーではない。発汗を引き起こすと言われるその醜さと結びついているからだ。エンフィールドがハイドについて語るとき、この肉体的嫌悪感はさらに強められる。

さあ、なんと言ったらいいでしょうか。あいつの様子には、どこか変なところがある。何かしら不愉快な、何かしら、たまらない憎らしいところがあるのです。わたしはあんな厭なやつに会ったことはないがそのくせ、なぜ厭なのか、ちっともわからない。あいつはどこか、歪んだところがあるに違いない。どこということは、取りたてては言えないが、実に歪んでいるという強い印象を与えるんです。まことに異様な感じの男です。けれども異様な点をどうしても実際に指摘できない。そうなんです、わたしにはなんとも言いようがない。うまく言葉で説明ができないんです。しかしそれは、おぼえていないわけではないのです。現に、たったいまでも、あいつの顔がはっきり、この眼に見えてくるくらいですからね。[8]

記述不可能性は、ラヴクラフトの『アウトサイダー』でも重要な特徴だ。しかしこの場合語り手は自分自身がモンスターである。しかしカスパー・ハウザー風の隠遁者であるモンスターは、自分がどんな姿をしているのかまったくわかっていない。この場面は、最初は自分の姿だと気づかずに、鏡に遭遇するという状況だ。語り手は次のように述べる。

> 戸口に近づくにつれ、人の気配がはっきりと感じられはじめた。と、そのとき、余は信じられぬものを目にして、これが最初で最後だと思われる恐ろしい吠え声を発してしまった——声は有害な原因と同じほど陰惨に喉をついてでた。その姿一つで、陽気な者らを一群のあわてふためく逃亡者と化さしめた、考えることも、描写することも、告げることもできぬ怪物を、余は恐ろしきまでにまざまざと、真っ向から目にしたのであった。
>
> 　そいつがどのようなものであったかは、漠然と記すことすらできぬ——不潔で、不気味な、歓迎されざる、畸形の、忌むべきものの具現であった。腐敗、荒廃、荒寥の幽鬼めく影、慈悲深き大地が常に秘め隠しておくべきものの凄絶な露呈たる、吐気もよおす、腐汁したたる妖怪であった。それがこの世のものならぬ、いや、もはやこの世のものでないことは、神もご存じだろうが、ことさら恐ろしいことに、余は、肉が腐れ、骨があらわになっている輪郭のうちに、人間の姿の陰湿かつ

忌わしい模倣を見てとったのである。そして黴だらけ、破れ放題の衣服には、さらに余の心胆を寒からしめる名状しがたいものがあった。

余は気も失せんばかりであったが、かろうじて逃げる努力をおこなえるだけの気力はあり、よろめきながらあとずさったものの、そんなことでは、この名もなき声もなき怪物が余を捕えている魔力をうち破れるものではなかった。吐気もよおすほどに凝視するどんよりした目玉に魅入られ、余は目を閉じることもかなわなかったが、ありがたいことに、度胆を抜かれてからは、余の目はかすみ、悚然（しょうぜん）たる相手もおぼろにしか見えなかった。それでもさらに目をふさぐため、手をあげようとしてみたが、神経がしびれてしまい、腕を動かすこともままならぬ。さるほどに余は体の平衡を崩し、倒れるのを避けるため、数歩まえによろめきでなければならなかった。そのとたん、腐れはてたそいつが、うつろな悍（おぞ）ましい息づかいが聞こえるやと思うばかりに、つい目と鼻の先にいるのを、余はにわかに狂おしきまでに思い知ったのである。余は半狂乱になったが、間近にせまる悪臭放つ幽鬼をはねのけるべく、手を突出すくらいのことはできた。その刹那、宇宙の悪夢と地獄の異変がいちどきに押し寄せたような激変の一瞬、黄金の迫持の下なる怪物の突出す腐れはてた手に、余の指はふれてしまった。

余は悲鳴をあげはしなかったが、余の心に魂も消えやらん記憶の雪崩が押し寄せた一瞬、夜風に乗る極悪残忍な悪鬼どものすべてが、余にかわって絶叫をあげた。その一瞬余はこれまでのいっさいのことを知った。恐しい城と森以外のことを思いだし、いま余が身を置いている改築された建物が何であるかを理解した。何より恐しいことに、汚された指をひきもどしたとき、余のまえに立っ

て邪視をおくる穢らわしきものが何者であるかを、まざまざと思い知ったのであった。◇9

ホラーのクリーチャーは、思考不可能であるだけでなく、不潔で嫌悪を与えるものと見なされているようだ。例えば、フランケンシュタインの実験室は「不潔な創造の工房」と描写されており、スプラッター映画の文学版であるクライヴ・バーカーは、自分のモンスターであるセルロイドの息子を、同名のストーリーの中で次のように特徴づけている。

〔セルロイドの息子〕「そう、昔はその体に居候をしていた。バーベリオという男だ。けちな小悪党で、向上心はかけらもなかった」

〔バーディ〕「あんたは何者なの？」

〔セルロイドの息子〕「その男の癌細胞だ。そいつの体の中で向上心があったのは、おれだけだ。ただの卑しい細胞で終わるつもりはなかったのだから。おれは夢見る細胞。映画を好んでも不思議はない」

　セルロイドの息子は、抜け落ちた床の縁からぽろぽろ涙をこぼしていた。本当の姿を知られた今、無理に栄光の姿を保つ必要はなくなったのだろう。見るからにおぞましい生き物だった。情熱のかすを食って太った癌細胞。ナメクジの形をした寄生体。体の表面は生の肝臓に似ている。歪んだ格好をした歯のない口が、一瞬、顔の先端に現れ、怪物は声を発した。「別の方法を見つけて、おまえの魂を食ってやる」

怪物は、配管用の通路に横たわったバーディのわきに飛び降りた。総天然色の衣装を脱ぎ捨てた今、怪物の体は幼児くらいの大きさしかなかった。触手が伸びるのを見て、バーディはうしろに下がったが、避けようとしても限界がある。通路は狭く、壊れた椅子や捨てられた祈祷書らしきもので出口はふさがれていた。逃げるとすれば、さっき通ってきた穴を使うしかない。だが、その出口は、頭上四メートル半のところにある。

ためらいがちに癌細胞が足に触ると、バーディは吐き気を覚えた。原始的な反応しかできないことを恥じたが、どうしようもなかった。こんなに反発を感じたのは、生まれて初めてだ。この怪物には、堕された胎児、バケツに入った汚物を思わせるところがある。

「この死にぞこない」そういいながら頭を蹴ったが、怪物はさらに近づいてきて、下痢便のような体でバーディの脚を押さえこんだ。バーディは、怪物が下腹を波打たせながら這いのぼってくるのを感じた。◇[10]

もっと最近ではクライヴ・バーカーは『ウィーヴワールド』の私生児by-blowsを以下のように記述している。

化け物には胴体がなく、ふくれあがった首からじかに手足が生えていた。首の下には、肝臓や肺のような、ぬらぬらと光る嚢胞がいくつもぶらさがっている。キャルの蹴りは命中し、その袋のひとつが破裂した。つうんと悪臭がただよった。その同類たちのそばをすりぬけて、ドアに向かう。まっさきに、袋を破られた化け物が追いすがってきた。手の先の、蟹のような爪をガチガチ鳴らしながら追ってきたそいつは、キャルに向かって唾を吐きかけた。唾のしぶきはキャルの頭のすぐそばの壁にあたり、壁紙がぶくぶくと泡だった。少し唾がかかったのか、かかとが熱い。だが、ドアはもう目の前だ。◇[11]

もっと後では、こうした生き物に触れられると考えるだけでおかしくなると言われている。

ホラーのクリーチャーは肉体的にひどく拒否感を与えるので、発見したキャラクターに吐き気をもよおさせることが多い。ラヴクラフトの『狂気の山脈にて』では、巨大で形を変える黒い排泄物のような虫であるショゴスの存在の前ぶれとなる匂いは明示的に吐き気をもたらすものとして記述される。「アイルランドからスティーヴン・キングへの応答（アンサー）◆[14]」という売り出し文句のノエル・スキャンロンの『Black Ashes』の中で、調査報道員サリー・スティーヴンスは邪悪なスワーミー・ラメシュが悪魔ラヴァナに変身した際に吐いてしまう。悪魔ラヴァナは、記述によれば、ぞっとするほど忌しくひどく醜く、顔は黒ずみ、指はかぎ爪で、歯は牙となり、舌は膨れ、その上腐ったものの匂いを放っている。

感情的には、こうした自然の侵犯はあまりにも桁外れており、あまりにも不快なので、単に物理的に接触するだけでも致命的だという確信をキャラクターに与えることが多い。〔スティーヴン・〕キングと〔ピーター・〕ストラウブの合作『タリスマン』で夢のお告げに遭遇したジャック・ソーヤーについて考えてみよう。

化物が母に襲いかかった——目がへんてこな形についた、腐りかけたチーズのような肌の、小さな怪物だった。そいつが、「おまえのママはもう死ぬんだぞ、ジャック、どうだ嬉しいか?」と、蛙の鳴くような声で言った。そいつが放射能を帯びていて、そいつに触れると自分も死ぬだろう、ということをジャックは夢の中で知っていた。◇12

こうした例（際限なく増やすことができるが）で示されているのは、ホラーストーリーの怪物に対するキャラクターの情動反応は単なる恐怖の問題ではない。つまり危険によって脅かすものに怯えているというだけの問題ではないということだ。むしろ危険には拒否感や、吐き気や、嫌悪が組み合わされている。そしてこれは、ホラー小説やホラーストーリーでモンスターを汚物、腐敗、劣化、粘液などによって描写し、それらと結びつける傾向とも一致する。つまり、ホラー作品のモンスターは、死をもたらすだけでなく——死をもたらすことは最大級に重要なことだが——嫌悪を与えるものでもある。また、この情動作用の組み合わせは、ホラーストーリー自体の言語の中でもはっきりと明示される。M・R・ジェイムズは『アルベリックの貼雑帳（はりまぜちょう）』の中で、「デニスタウンを襲った恐怖は、烈しい肉体的怖れであると同時に、深い心理的な嫌悪感でもあった」と書いている。◆15◇13

モンスターへのキャラクターの内的な反応の報告——一人称でも、二人称（例えばカルロス・フェンテスの『アウラ』など）でも、作者の視点によるものでも——に対応し、映画や演劇で観察できるのはもっと行動に結びついた反応だ。多くの場合、モンスターが鑑賞者の前に視覚化される直前に、キャラクターがあれこれの自然の侵犯に反応して、信じられないといった様子で震えるのが見られるだろう。キャラクターの顔は歪められ、鼻にしわが寄り、唇は曲げられ、まるで有毒物に対面しているかのようだ。キャラクターは逃げようとする瞬間にかたまり、その場にくぎ付けになり、ときに麻痺する。回避反射で後ずさりし始める。手は防御のため、また拒絶や嫌悪のため、体の方に引かれている。深刻な肉体的害への恐怖だけではなく、明らかにモンスターとの肉体的接触を避けようとしている。こうしたキャラクターの様子には、恐怖と嫌悪の両方が描かれている。

ホラー物語の文脈で、モンスターは不浄で不潔なものと見なされる。モンスターは腐敗していたり、崩れていたり、じめじめした場所からやってきたり、死肉や腐肉や化学廃棄物から作られていたり、害虫や病気、這い回るものと関連していたりする。モンスターは、非常に危険であるばかりではなく、鳥肌が立ちぞっとさせる。キャラクターは恐怖 fear にくわえて嫌悪感 loathing をもって、恐れ terror と嫌悪 disgust の両方をもってモンスターを見るのだ。

ジェームズ・ホエールの映画版『フランケンシュタイン』に出てくる誘拐未遂の場面では、ミディアムショットの背景に、モンスターがフランケンシュタイン博士の未来の花嫁の寝室に背後から忍び込むのが見える。花嫁がスクリーン右側のドアに歩み寄ると、怪物がその後を追う。サスペンスが高まる。モンスターがうなる。花嫁が向きを変えると、クローズアップのカメラが挿入される。花嫁は手を目の近くまで上げて叫ぶ。この身ぶりは、目を覆おうとすることと、モンスターの近くから手を引き離すことの両方を示している。どちらも、モンスターにつかまれたり、モンスターに触れたりしないようにするための身ぶりだ。モンスターのクローズアップの後、またこの花嫁のショットに戻った後でミディアムショットになり、花嫁はモンスターに背を向けカメラに向かう。怪物から身を引き、ドレスを自分の方に引き寄せる。明らかにこれは部分的には、モンスターがドレスを踏まないようにするためだ。しかし、同時に、怪物との接触をどうしても避けたいというなかばヒステリックな欲求を感じさせる。一連のシーンの最後に、フランケンシュタイン博士と仲間たちが花嫁を見つける。どうやら彼女は気を失っていて、ある種のせん妄状態にあり、そのことが身ぶりでも言葉でも示される。モンスターは、見ただけでも一時的な錯乱を与えるように思われる。

舞台での例として、S・アンスキーの『ディブック』の第二幕の終わりで、花嫁のレイがディブックにとりつかれていることがわかる。やせ衰えた（断食していた）乙女である彼女が、突然奇妙な男らしい声で話す。これぞホラー的な瞬間だ――複合的な性的存在の提示――、これは今では憑依ものの映画の定番になっている（例えば『エクソシスト』では、少女リーガンが、悪魔の低い年老いた声で話す）。

台本上の舞台指示によれば、この自然ならざる複合体に近づくキャラクターは震えながら近づくことになっている。震えるというのは、もちろん、発作的な身震いを覚えることだ。しかし、もっと具体的には、極度の寒さや恐怖、拒絶や嫌悪の結果として揺れることだ。劇のこの場面では天候は関係ないので、この身ぶりを天候に対する反応として読むことはできない。むしろキャラクターの震えは、鑑賞者の反応を刺激し、少なくとも強めるもので、嫌悪と恐怖に結びついている。つまり、俳優の体は、震えによって、恐れだけではなく極度の嫌悪を伝えることを意図して揺れているのだ。

## 感情の構造について

この予備的な事例のリストをもとにして、アートホラーという感情の本質についてひとつの理論を引き出すことができる。しかし理論の詳細を説明する前に、感情の構造についていくつかコメントしておく必要がある。わたしはアートホラーが感情であることを前提にしている。[16] ホラーの物語と映像が鑑賞者から意図的に引き出す感情だ。つまり「アートホラー」はこのジャンルの制作者が鑑賞者に絶えず刻み込もうとする感情を指している。ただし、まちがいなく制作者はこの感情を「アートホラー」ではなく「ホラー」と呼ぶだろう。

さらに、この感情の輪郭は、ホラー作品の中の主人公側の人間のキャラクターがモンスターにもつ感情反応の中に反映されている。またわたしはアートホラーが、根深い嫉妬のような傾向的な感情状態ではなく、急に生じてくる怒りのような顕在的 occurrent 感情状態であることも前提する。[14]

顕在的感情状態には、身体的側面と認知的側面の両方がある。大まかに言えば、感情の身体的側面は、興奮の感覚に関わっている。具体的には、身体的側面というのは、感じられるもの sensation、ないし感覚 feeling だ。つまり、感情には、心拍、呼吸などの増加によって生理学的に表われるような、何らかの興奮、動揺、停止が含まれる。「感情 emotion」という語はラテン語の「emovere」に由来し、「動く to move」という概念に「外へ out」という接頭辞を組み合わせている。感情は語源的には、外へ動くことだった。ひとつの感情状態をもつことは、推移や移行の経験を含んでいる——状態の変化、通常の身体の状態から興奮した状態（内的な動きによって特徴づけられる状態）への動き。顕在的感情をもつことは、[17]身体の状態——何らかの生理的な動きの感覚——、興奮を感じたり、感覚を感じることを含んでいる。

　アートホラーに関して言えば、繰り返し恒常的に感じられるもの（あるいは感じられる身体的興奮と言ってもいいし、自動的反応と言ってもいいし、感覚と言ってもいいが）の一部に含まれるのは、筋肉の収縮、緊張、身のすくみ、体の収縮、震え、後ずさり、ぞくぞくする感じ、凍りつくこと、瞬間的な停止、寒気（「背筋がゾクゾクする」）、麻痺、身震い、吐き気、不安による反射、身体の警戒の強化（危険反応）、場合によっては無意識の叫びなどだ。[18]

「ホラー」という語の由来は、ラテン語の「horrere」——さかさまに立つ（毛が逆立つという場合のように）、逆立つこと——および古いフランス語の「orror」——逆立つこと、震えることだ。そしてわたしたちがアートホラーを感じる際に文字通りに毛が逆立つ必要はないが、この語の元々の捉え方が、興奮を感じる異常な生理的状態と結びついていたことを強調しておくことは重要だ。

　感情状態にあるためには、何らかの付随する身体の興奮を経験しなければならず、この興奮が感じられていることが認識されていなければならない。自分の足を踏んでいる男に対する否定的評価に、「はらわたが煮えくりかえる」と言う場合のような何らかの身体の状態が伴わなければ、怒っているとは言えないだろう。レーダー追跡システムを搭載したコンピューターなら「敵ミサイルがこの基地に接近中」と印刷することはできるかもしれない。しかしこれは恐怖の感情状態ではない。隠喩的に言えば、コンピューターにはそのための「生身の」ハードウェアが欠けているのだ。コンピューターは差し迫った破壊の恐怖に伴う興奮を感じない。もしこうしたコンピューターが何らかの心的状態にあると想像できるとすれば、それは純粋な認知状態であって感情状態ではない。なぜなら感情状態には身体的な側面を感覚することが必要とされるからだ。『スター・トレック』に登場するバルカン人のようなキャラクターは、人間が反感や承認の反応に伴って抱く身体的興奮や、感覚を経験しないため、感情がないと言われる。

しかし、感情状態としての資格をえるために、状態は何らかの身体的興奮と相関しなければならないが、人が置かれている特定の感情状態は、その人が被る身体的興奮の種類によって決定されるわけではない。つまり、特定の身体状態は、特定の感情状態の必要条件でもないし十分条件でもない。わたしが怒っているときには血が冷たくなり、あなたが怒っているときには血が沸騰する。ある感情状態になるためには、何らかの身体的興奮が実現しなければならないが、感情状態は、固有の身体の状態や、身体の状態の固有の組み合わせに関連づけることでは特定されない。

前段落で否定されているのは、感情は特定の感覚状態や感覚の質と同一であるという考え方だ——この考え方では、例えば、怒りは特定の感覚であり、知覚可能な特有の感じや質をもつ身体的興奮となる。わたしたちが何かを甘いものとして識別するのは、それが引き起こす独特の識別可能な感じによると考えられるが、それと同じように、わたしの立場と競合するこの立場では、怒りは、独特の識別可能な質——あるいは、お望みなら風味と言ってもいい——をもち、この感覚や味わいによって、自分が怒っているということを認識することが可能になる。このアプローチを感情の「クオリア」説、あるいは感覚説と呼ぶことにしよう。◆19 しかしこのアプローチを支持できないことは確かだ。

わたしが怖れているときにはぞくぞくする感覚がして膝が震え、レニーが怖れているときには口が乾いて感じられる。さらに厄介なことに、がっかりしたときにわたしは口が乾き、レニーはぞくぞくした感じを膝に感じる。一方ナンシーは感謝したときにはいつも口が乾き、膝が震える。つまり、異なる人にとっては、異なる感覚が異なる感情状態と相関しうる。むしろ、それどころか、こうした感覚は主体が何の感情状態にもない場合にも生じるかもしれない。誰かに薬を投与することもできる。例えばナンシーに薬を投与し、口が乾き、膝が震えるようになる。しかしこの状況で、ナンシーが感謝していると は言いたくないだろう。というのも、この事例について言えば、いったいナンシーは誰に対して、何について感謝をしているというのだろうか。[20]

また、感情に伴う感覚は、明らかに、人によって異なるだけでなく、ひとりの主体の中でも状況によって異なる。この前にわたしが怖がった際には筋肉が緊張したが、もっと前には筋肉が弛緩したなどのように。感情の「クオリア」説によれば、わたしがある感情状態にあるとき、自分の内側を見るだけで、どの感覚のパターンが支配的であるかに注意することで自分がどの感情状態にあるのかを決定できることが含意されるように思われる。しかし、これはうまくいかない。なぜなら、特定の感情状態に伴う感覚は激しく変化するからだ。また、特定の感覚が非常に多様な感情状態に関与しているかもしれないからだ。また、感情のないところでも、なじみのある身体の感覚が見られるかもしれないからだ。実際、内観を内的な動きだけに限定すると、感覚は身体感覚として理解され、どの感情状態に当てはめることもできそうにない。[21]

繰り返し感じられる感覚や、複数種類の感覚の集まりを、特定の感情の必要条件や十分条件に組み込むことはできない。つまり、ここまでの論証を要約すると、感情状態をもつためには何らかの身体的興奮が実現しなければならないが、感情状態は、固有の身体的感覚的状態と結びつけることでは識別できないし、複数種類の身体感覚の固有の反復的パターンと結びつけることでも識別できないことになる。

では、特定の感情状態を識別・個別化するものは何なのか。認知の要素だ。感情には、身体の興奮だけでなく、信念や思考、対象や状況の性質についての信念や思考も含まれる。さらに、これらの信念（および思考）[◆22]は、単なる事実に基づくもの——例えば、大きなトラックが向かってきている——だけではなく、評価的なもの——例えば、この大きなトラックは自分にとって危険だ——も含まれる。このトラックに関して恐怖の状態にあるとき、わたしは何らかの身体の状態をもつ——おそらく、思わず目をぎゅっと閉じ、脈拍が上がる——そして、この身体の状態は、認知状態によって、つまり、トラックが自分に向かってきており、この状況は危険であるという信念（または思考）によって引き起こされている。目を閉じたり脈が速くなることは、多くの感情状態、例えばエクスタシーなどと関連しうる。この個別の事例で、わたしの感情状態を恐怖にしているのは信念だ。つまり、ある感情を他の感情から区別するのは認知状態だが、ある状態が感情状態であるためには、主導的な認知状態（信念または思考から成る）によって引き起こされた何らかの身体的興奮も存在しなければならない。

ここでの要点を示すのに、ＳＦ的思考実験に興じることが役立つかもしれない。技術が発達し、脳に電極を当てることでどんな種類の身体的興奮でも刺激できるようになったと想像してほしい。前の段落でトラックにひかれそうになったわたしを観察した科学者は、恐怖で目が反射的に閉じられ、脈が速くなることに気がついた。それから科学者はわたしの脳に電極を配置し、この身体状態を喚起する。実験室での条件で、わたしが怖れていると言いたくなるだろうか。そうではないはずだ。そしてここまで概説した理論はなぜそうならないかを説明してくれる。なぜなら、実験室では、わたしの身体状態は電気刺激によって引き起こされているからだ。この身体状態は信念（または思考）によって引き起こされているわけではない。もっと言えば、恐怖の感情状態に適した種類の信念によって引き起こされているわけではない。[23]

感情についてのこの立場——認知／評価説と呼んでもよいだろう——を要約すると、顕在的感情状態とは、主体が自分の状況を認知的に解釈・評価することで興奮の感覚という身体の異常な状態が引き起こされる状態であると言うことができる。[24] これが情動状態の核心だが、ある種の情動には、解釈や評価だけでなく、何かを欲すること want や欲求 desire も含まれる。トラックが近づいてくるのを恐れているなら、トラックの突進を避けたいという欲求を形成するだろう。ここで、感情の評価要素と欲求との間の関係は合理的なものだ。なぜなら、評価は何かを欲することや欲望の良い理由を与えるからだ。しかし、すべての感情が欲求と結びついているわけではない。わたしは、自分がいつか死ぬということに気がついて悲しくなるかもしれないが、だからと言って、それが例えば、自分が永遠に死なないという他の欲求に結びつくわけではない。このため、何かを欲することや欲求は一部の感情の特徴づけには表われるかもしれないが、感情の核となる構造が含んでいるのは、解釈と評価によって引き起こされる身体の興奮であり、この解釈と評価が、感情を特定の感情として識別する際に構成的に寄与することになる。

## アートホラーを定義する

感情に関するここまでの説明を使って、ようやくアートホラーの感情についての観察をまとめられる。「鑑賞者の一員としてのわたし」がモンスターに襲われた虚構のキャラクターの描写と類似した感情状態にあると仮定しよう。わたしが、何らかのモンスターX、例えばドラキュラによって顕在的にアートホラーをいだくのは、次の場合でありかつ次の場合にかぎられる。[◇15] (1) わたしは何らかの異常な身体的興奮(震え、ぞくぞくすること、叫びなど)を感覚する状態にある。(2) それは次のような思考によって引き起こされている——(a) ドラキュラは存在することが可能である。また次のような評価的思考によって引き起こされている——(b) ドラキュラはフィクションで描かれている仕方で身体的に(おそらく道徳的にも社会的にも)危険であるという性質をもっている。(c) ドラキュラは不浄であるという性質をもっている。(3) この際、通常これらの思考にはドラキュラのようなものに触れることを避けたいという欲求が伴っている。[◆25]

もちろんここでの「ドラキュラ」は定義を見つけるための道具にすぎない。おなじみのどんなモンスターXでもこの定式化に挿入できる。さらに、循環的であるという非難を予防するため、わたしたちの目的にとって「モンスター」は、現代の科学のもとで現在は存在していると信じられていないどんなものでも指すことを注記しておこう。このため、恐竜や、他の銀河系からやってきた人間以外の訪問者について言えば、前者はかつて存在したし、後者はこれから存在するかもしれないが、この規約のもとではモンスターになる。モンスターが特定のフィクションの文脈の中でホラーを与えるものになるかどうかは、先述した分析の条件を満たすかどうかに依存する。一部のモンスターはホラーを与えず危険なだけかもしれないし、別の一部は危険でもないしホラーも与えないかもしれない。[26]

前の定義についてもうひとつ注記しておくべきことは、アートホラーを特定するために主に役立っているのは、この理論の評価の要素だということだ。さらに評価の要素がふたつあるということが決定的に重要だ。モンスターは危険であり、かつ、不浄であると見なされる。モンスターが潜在的に危険と評価されるだけであれば、感情は恐怖 fear になる。もし潜在的に不浄というだけであれば、感情は嫌悪 disgust になる。アートホラーは危険と嫌悪という両方の評価を必要としているのだ。

分析の中の危険の要素は、ホラーストーリーに見られるモンスターが一様に危険であるか、少なくともそのように見えるという事実から出てきている。危険がなくなれば、ホラーもなくなってしまう。定義の中の不浄に関する節は、虚構のキャラクターのホラー経験の文学的記述が決まって嫌悪、拒否感、吐き気、身体的嫌悪感、震え、拒絶、嫌気、忌しさなどを含むことに注目した結果として措定されている。同様に、舞台やスクリーンで、俳優がモンスターに対面する際の身ぶりも、これと対応する心的状態を伝えている。そしてもちろん、これらの反応——忌しさ、吐き気、震え、拒絶、嫌悪など——は、何かが有害であるとか不浄であるという知覚によって生じる点が特徴的だ。[27]（この理論の不浄の節に関しては、ホラーなものは多くの場合汚染——疾病、病気、疫病——と結びつけられ、多くは病気を巻き散らす害獣——ネズミ、虫など——を連れているを思い起こせば説得力がある。）

また、同じく言及しておきたいのは、身体的接触を避けることを欲求するという第三の基準——これは死体による穢れへの恐怖に根ざしているかもしれない——は一般には正しいと思われるが、アートホラーの構成要素としてはきわめてよくあるものの、必ずしも必須ではないと考える方がよいかもしれない。[28] この注意事項は、「通常」という但し書きによって定義に含まれている。

　わたしのホラーの定義では、危険と不浄という評価基準が、専門用語で感情の形式的対象と呼ばれるものを構成している。[29] 感情の形式的対象は、感情が向かいうる個別的対象の種類を限定する評価カテゴリーだ。言い換えれば、アートホラーの対象は、例えばドラキュラのような、危険で不浄である個別的対象に制限される。感情の形式的対象や評価カテゴリーは、感情が向かいうる個別的対象の範囲を制約する。感情は、とりわけ、個別的対象の評価を含むが、その評価軸は当の感情においてはたらく評価カテゴリーによって特定される。個別的対象が、特定の感情に適切な評価カテゴリーで評価できない場合、その感情は、定義上、その対象に向かうことができない。つまり、危険で不浄だと思わない事物にアートホラーを感じることはできない。わたしはこの事物に関して何らかの感情状態にあるかもしれないが、それはアートホラーではない。したがって、感情の形式的対象または評価カテゴリーは、感情の概念の一部である。評価カテゴリーとそれに付随する身体的興奮の感覚との関係は因果的であるが、評価カテゴリーと感情との関係は構成的であり、したがって偶然的なものではない。この意味で、感情はその対象、すなわちその形式的対象によって特定される〔対象の種類によって感情の種類が決まる〕と言ってもよい。アートホラーは基本的に危険と不浄に基づいて特定される。

　評価カテゴリーによって、個別的対象が選択されたり、焦点化されたりする。感情が向けられる先は、こうした対象だ。アートホラーの場合であれば、ドラキュラや狼男やハイド氏のような個別的対象に向けられる。先ほど述べたように、「感情」という語の語源は、ラテン語の〈外へ動くこと〉〔emovere〕に由来する。おそらく、遊び心をもってこれを読むことで、感情は、適切な評価カテゴリーの促しと導きの下で、外部の個別的対象へと向けられた内なる動き（身体的興奮）であると示唆することもできるだろう。

第二章の大部分は、アートホラーの個別的対象の存在論的地位を扱う予定だ。しかし、予告として、いくらかコメントしておくと役立つかもしれない。アートホラーの感情の個別的対象を議論する上で問題になるのは、それが虚構の存在であることだ。したがって、ここでの「個別的対象」を、時空間上に特定可能な座標をもつ物質的存在などを意味するよう解釈することはできない。わたしたちにアートホラーを与えるドラキュラは、時空間上に特定可能な座標をもたない。そもそも存在しない。では、ドラキュラはどんな種類の個別的対象なのだろうか。

これは第二章で明確化され、限定されることになるが、当面の間、アートホラーの個別的対象――お望みであればドラキュラ――は思考であると言っておこう。ドラキュラにアートホラーを感じると言うことによって意味されるのは、ドラキュラの思考によってホラーを与えられるということであり、この際、こうした可能的存在の思考をもったとしても、その存在を信じることを受け入れることにはならない。ここで言うドラキュラの思考は、わたしにアートホラーを与える個別的対象であり、わたしがドラキュラについて思考しているという現実の出来事ではなく、思考内容、すなわち、ドラキュラという、これこれの規準で危険で不浄なものは存在しうるし、こうした恐ろしい事柄を遂行しうるという思考内容を指している。思考としてのドラキュラは、特定の可能な存在者の概念だ。[30] もちろん、わたしがこの概念について考えるようになったのは、特定の本、映画、画像が、ドラキュラの思考を抱くこと、つまり、特定の可能な存在であるドラキュラの概念を考えるよう誘いかけたからだ。このようなドラキュラ概念の表象から、わたしたちはドラキュラを危険で不浄なものとして認知し、それによってアートホラーの感情が喚起される。

デカルトの「第三省察」で、デカルトは、表象的実在性〔realitas objectiva〕と形相的実在性〔realitas formalis〕と呼ばれるものの間に区別を引いている。あるものの表象的実在性とは、その存在を受け入れること（コミットメント）を抜きにしたその事物の観念である。わたしたちはユニコーンが存在すると信じることなしにユニコーンについて思考することができる。つまり、わたしたちはユニコーンの観念や概念——すなわち、一本の角をもつ馬——を、その概念が何かに適用されると考えることなしにもつことができる。形相的実在をもつものは存在する。つまり、その観念は存在する何かによって例化される。このような語り方をするなら、ドラキュラは表象的実在をもつが形相的実在をもたないと言えるかもしれない。デカルトの語彙をいくらか変えれば、アートホラーの個別的対象であるドラキュラは、表象的実在性である（が、形相的実在性ではない）。

この理論において不浄という概念を使用することは、ふたつの異なる方向で疑念をもたらしてきた。この理論に関するわたしの講義を聞いた評者たちは、一方では、あまりにも主観的すぎる（先ほどのデカルト的な意味ではなく現代的な意味で）[16]ことに懸念をもち、他方では曖昧すぎることに懸念をもった。この節の残りの部分では、これらの反対意見を取り上げよう。

主観的であるという非難は、この理論で嫌悪が強調されるのは、実際には投影の問題ではないかという恐れを含んでいる。こんな感じだ。きっとキャロルはトイレトレーニングがトラウマになったようなデリケートなやつなんだ。ホラー作品の鑑賞者の受容について実際には何の実証研究もしていない。キャロルは、鑑賞者が恐ろしいモンスターを気持ち悪くて不浄だと思っていることを知っているわけではない。せいぜい、自分自身の反応を内省によって特定し、それを他の人たちに投影しているだけだ、と。

ところが、わたしがアートホラーの構成要素を分離するために採用した手法は、投影であるという非難をかわすように設計されている。わたしは、ホラーが引き起こすと期待される感情反応に関心をもっている。この問題に接近するためにわたしが仮定したのは、ホラー作品のモンスターに対する鑑賞者の反応は、理想的には、モンスターに対する虚構のキャラクターの感情反応と並行したかたちではたらき、多くの場合は鑑賞者の反応がキャラクターの反応に刺激されるように意図されていることだ。この仮定のおかげで、今度はホラー作品そのものから、その作品が生み出したがっている感情反応に関する証拠を探すことができる。わたしは、アートホラーの感情の一部として嫌悪と不浄に注目するにあたって、内省に頼ったことはない。そうではなく、嫌悪の表現や身ぶりが、ホラー作品に登場するキャラクターの反応の特徴として、頻繁に繰り返されていることを発見したのだ。

わたしが視聴者調査（オーディエンス・リサーチ）をしたことがないのは確かだ。だからと言って、この理論が実証に基づいていないという帰結は出てこない。そうではなく、実証に基づく部分は、虚構のキャラクターが遭遇したモンスターにどのように反応するかを追うためにわたしがレビューしてきた多くのストーリー、演劇、映画などからなっている。アートホラーについてのわたしの仮説は、例えばホラー小説に登場するモンスターに対するキャラクターの反応の記述を見て、恐怖や嫌悪（あるいは恐怖や嫌悪を強く示唆するもの）への言及が繰り返されていないかチェックすることで確認できるものだと考える。

アートホラーが不浄を含んでいると期待されているかどうかは、ホラー作品を精査し、嫌悪や不浄の示唆が頻繁に繰り返される特徴になっているかどうかを見ることで裏づけられる。また、わたしの理論の主張を補強する別の方法があるかもしれない。この理論は、先に述べたように、また後に議論する構造を使って、恐ろしい効果を与えるために使用できるのだ。つまり、この理論をホラーを与えるクリーチャーを作るためのレシピとして使用できる。もちろん、この理論は、ルールを盲目的に適用することによって成功を保証するアルゴリズムではない。しかし、ほとんどの人がホラーを与えると認めるような虚構物を創作するガイドとして使用できる。したがって、ホラーのシミュレーションを助けるという理論の能力によって、理論が十分であると論証できるかもしれない。

繰り返しになるが、わたしの研究の目標は、アートホラー作品が引き出すことが期待される感情反応に関わっている。ホラー作品すべてがこれに成功していると主張しているわけではない。例えば、『ロボット・モンスター』はばかげたものとの境界にある。また、鑑賞者全員が自分がホラーを感じていることを報告すると主張しているわけでもない。マッチョな十代の若者がモンスターによって嫌悪を感じたことを否定し、かわりに自分は楽しんでいるんだと主張するところは想像できるだろう。わたしが気にしているのはアートホラー作品と鑑賞者の実際の関係ではなく、規範的な関係、鑑賞者がアートホラー作品に対してもつと期待される反応だ。アートホラー作品に、一種の指示の集まり、いわば、鑑賞者が適切に反応する仕方についての指示の集まりが組み込まれていると仮定することで、これを理解できると考える。この指示は、例えば、ホラー作品のモンスターに対する主人公側の人間のキャラクターの反応に現われている。わたしたちは一般にフィクションそのものから、アートホラーを感じるとはどういうことなのかを学ぶ。それればかりではなく、アートホラーを感じるとはどういうことかという基準そのものを、キャラクターの反応を記述し、措定する作品の内に見出すことができる。つまりホラー作品はそれに対する適切な反応を大いに教えてくれる。[31] こうした手がかりや指示を明らかにすることは実証的な問題であり、主観的な投影を行使しているわけではない。

投影しているという非難を避けられたとしても、アートホラーの定義に使われている不浄の概念が曖昧すぎると論じられるかもしれない。ホラー作品がモンスターに明示的に「不浄」を付与しているわけではないなら、モンスターがテキストの中で不浄と見なされていることにどうして満足できるだろう。不浄の概念はただあまりにぼんやりしすぎていて使えないのではないだろうか。

しかし、曖昧さに関するこの懸念は、不浄の反応を喚起し、引き起こす標準的な対象の種類について何かしら述べることでいくらか解消できるかもしれない。さらに、これによって、アートホラーの理論を定義の領域から説明の領域に拡張し、アートホラー概念の適用の分析から、アートホラーの因果関係の分析に拡張することができる。

メアリー・ダグラスの古典的な研究『汚穢と禁忌』では、不浄の反応を、文化の分類図式の逸脱や違反と関係づけている。[32] 例えば、ダグラスは「レビ記」における厭うべきものを解釈して、ロブスターなど、海から這うものが穢れているとみなされるのは、這うことが海の生物ではなく、地上の生物の特徴であるからだという仮説を立てている。言い換えれば、ロブスターは一種のカテゴリーミスティクであり、それゆえ不浄である。同様に、四本の脚をもつ有翅昆虫はすべて忌み嫌われる。なぜなら、四本の脚は陸上動物の特徴であるが、これらは飛ぶものであり、すなわち空に生息するからである。ダグラスによれば、狭間に位置するもの、文化の深層にある概念図式のカテゴリーの境界を越えるものは不浄である。糞便は、「私／私以外」、「内／外」、「生／死」といったカテゴリー上の対立項に関して曖昧なものとして現われるかぎり、唾、血、涙、汗、切られた髪の毛、嘔吐、爪、肉片などと同様に、不浄なものとして嫌悪の対象となる。ダグラスの注記によれば、レレ族と呼ばれる人々の間では、ムササビは鳥と動物のどちらにも明確に分類できないため避けられているという。

また、対象は、腐ったもの、崩れたもののように、その類の不完全な代表である場合や、泥のように、不定形のものである場合に、カテゴリー上の疑念を引き起こすことがある。[33]

ダグラスに従って、わたしはまず、対象 object や事物 being が不浄であるのは、カテゴリーの狭間にあるもの、カテゴリーと矛盾するもの、不完全なもの、不定形のものである場合であると推測する。[34]これらの特徴は、カテゴリー分類に際して生じる問題の主なパターンとして、ちょうど良くグループを形成しているようだ。このリストは網羅的ではないかもしれないし、それらの項が相互に排他的であることも明らかではない。しかし、ホラージャンルのモンスターを分析する上で役に立つことは確かだ。というのは、モンスターというのは、不定形、不完全、カテゴリーの狭間や、カテゴリーの矛盾に特化した事物ないしクリーチャーだからだ。ひとまずはこの手短なリストで論点は伝わるだろう。

ホラージャンルのモンスターの多くは、生きていながらに死んでいるという点で、狭間に位置するものであり、そして／または矛盾している。幽霊、ゾンビ、吸血鬼、ミイラ、フランケンシュタインの怪物、放浪者メルモスなどがそうだ。これに近いのは、生物と無生物を合成した怪物だ。それ自身の邪悪な意志をもった幽霊屋敷、ロボット、そしてキングの『クリスティーン』の車。また、多くのモンスタ

ーは異なる種を混ぜ合わせている。狼男、昆虫人、爬虫類人、モロー博士の島の住人など。◆35

あるいは、ラヴクラフトの『ダンウィッチの怪』に出てくる次のようなモンスターの記述における種の融合を考えてみよう。「既よりもでけえんだ……なんもかもがのたうつロープからできてる……鶏の卵みてえな形をした、ぶったまげるほどでけえやつで、豚の頭みてえな脚が何十本もあって、歩くたんびにそいつが半分くれえ体にめりこんじまいやがる……体に堅えとこはどこもねえ——全身がゼリーみてえで、のたうつロープを何本もまとめたみてえなんだ……ふくれあがった、でけえ眼が体じゅうについてる……口みてえな象の鼻みてえなもんが、十、いや二十くれえ、横っ腹一面に突出してて、ストーヴの煙突くれえでかくって、そいつがみんな揺れたり、開いたり、閉じたりしてるんだぞ……体じゅうが灰色で、青みてえな紫色みてえな輪がいくつもついてて……それだけじゃねえ——一番上に顔がついてんだよ……」◇17。および「ああ、ああ、何てことなんだ。あれには顔があるんだ——一番上に顔があるんだ……その顔には、赤い目と縮れた白子の毛があって、ウェイトリイ家のやつらみてえに顎がねえ……蛸みてえな、百足みてえな、蜘蛛みてえなもんだったけど、一番上にはおおよそ人間みてえな顔があって、魔法使いのウェイトリイに似てるんだが、ただ顔の大きさが何ヤードもあったんだ……」◇18。

ハワード・ホークスの古典映画、『遊星よりの物体X』に出てくる物体Xは、頭のいい二本足の血を吸うニンジンだ。これが狭間に位置するということだ。実際、「それ」や「それら」のような代名詞を使ってモンスターを呼ぶことがよくあるが、このことは、これらの生き物がわたしたちの通常のカテゴリーでは分類できないことを示している。◆36 また、この解釈は、ホラーのモンスターは多くの場合名状しがたいとか、思考を絶するといわれるという点でも支持される。前にあげたスティーヴンソンやラヴクラフトの例や、映画のタイトル『The Creeping Unknown（這い寄る未知）』（邦題『原子人間』）を思い出してほしい。フランケンシュタインの創造物は「名前のない怪物」と呼ばれることもある。ここでも重要なのは、これらのモンスターがキャラクターの概念図式にも、さらに重要なことに読者の概念図式にも合致しないということだろう。

ホラーを与えるモンスターは、通常は別々のものを混合させることが多い。悪魔に憑依されたキャラクターは、典型的には、憑依される者と憑依する者というふたつのカテゴリー上別れた個人の重ね合わせを含んでいる。後者は通常悪魔であり、それ自体がカテゴリー逸脱的な類型だ（例えば牧羊神のヤギの姿）。スティーヴンソンの最も有名なモンスターは二人の男、ジキルとハイドであるが、ハイドは類人猿のような側面をもっているとされ、あまり人間的には見えない。[37] 人狼は人間と狼を混ぜ合わせ、他の種類の変身する怪物（シェイプチェンジャー）は人間と他の種を混ぜ合わせる。〔スティーヴン・〕キングの『IT』に出てくるモンスターは、一種のカテゴリー的に矛盾したクリーチャーで、一段と大きな力をもつ。なぜなら、ITは他のどんな種類のモンスターにも変化できるモンスターであり、ITが変化するモンスターもそれ自体カテゴリーを逸脱しているからだ。そしてもちろん、メキシコシティを飲み込むほど巨大なサソリのような一部のモンスターは、その文化において、それ自体不浄であり、狭間に位置するとされている生き物や地を這う物を巨大化している。

カテゴリーの不完全性もまたホラーのモンスターの標準的な特徴だ。幽霊やゾンビは、目、腕、脚、皮膚がないか、崩壊が進んだ状態にあることが多い。関連して言えば、切り離された身体の一部もモンスターとして使用可能であり、切断された頭部や、特に切断された手はそうだ。例えば、ド・モーパッサンの『手』や『剝製の手』、レ・ファニュの『白い手の怪』、〔ルイス・〕ゴールディングの『手首は招く』、コナン・ドイルの『茶色い手』、ネルヴァルの『魔法の手』、ドライサーの『復讐の手指』、ウィリアム・ハーヴィーの『五本指の怪物』など。水槽の中の脳は、カート・シオドマクの小説『ドノヴァンの脳髄』に出てくるモンスターだが、これは何度か映画化されているし、映画『顔のない悪魔』では、モンスターは脊髄を尾のように使う脳だ。

モンスターの生態がガス状、ゼリー状である頻度も高く、これによって不定形の概念はホラーを与える不浄のものに適用できることが証明されている。一方特定のホラー作家、ラヴクラフトや、場合によって〔ピーター・〕ストラウブなどの文体は、モンスターの記述が曖昧で暗示的で、多くの場合不完全な記述であることによって、不定形の印象を残す。また、多くのモンスターは文字通りに不定形だ。キングの短篇小説『浮き台』の人間を食べる油膜、ジェームズ・ハーバートの『霧』『ダーク』、マシュー・フィリップス・シール『紫の雲』、ジョセフ・ペイン・ブレナンの中篇『沼の怪』、ケイト・ウィルヘイムとテッド・トーマスの『The Clone』に出てくる悪意ある存在や、『ブロブ／宇宙からの不明物体』（〔一九五八年、一九八八年〕両方のバージョン）や『The Stuff』などの映画に登場するモンスターなどがそうだ。[38]

ここまで見たように、ダグラスの指摘は、アートホラーの定義にある不浄に関する節の曖昧さをある程度払拭する役に立ってくれるかもしれない。ダグラスの指摘は、不浄に関する節を適用するための範例を与えたり、不浄を抽出するための大まかな指針（例えば、カテゴリーの違反）を示すために使用できる。さらに、ダグラスの不浄の説は、ホラー研究者が研究対象となるストーリーのモンスターの重要な特徴の一部を識別するために使用できる。つまり、ホラーストーリーのモンスターをもとに、研究者はそれがどのようにしてカテゴリー上の狭間に位置し、（ダグラスの意味で）矛盾し、不完全で、そして／または不定形であるのかを問うことができる。またこれらの特徴は、アートホラーの感情を高めるようにはたらく不浄の反応の因果構造の重要な部分を与えてくれる。それらは、アートホラーを引き起こすとともに、アートホラーの一部なのである。これが意味しているのは、わたしたちは最初にまず、ドラキュラが、カテゴリー上の狭間に位置することなどを認識し、その後で、それに応じてアートホラーをもって反応するということではない。むしろモンスターXがカテゴリー上の狭間に位置するということは、必ずしもその感覚の原因に正確に気づいていなくても、わたしたちのうちに不浄の感覚をもたらすのだ。[39]

　くわえて、ダグラスは不浄の分析においてカテゴリー的図式を強調しているが、これによって、不浄なモンスターが繰り返し「自然に反する un-natural」ものと呼ばれることを説明するひとつの仕方が示されている。モンスターは、自然に関する文化の概念図式に相対的に、自然に反している。モンスターは図式に合致せず、図式を侵犯する。このように、モンスターは物理的に危険であるだけではなく、認知的に危険なのである。モンスターは常識を脅かす。[40] ホラーのモンスターが不可能なものとして言及されるだけでなく、遭遇したものを心神喪失、狂気、錯乱などにしてしまうことが多いのは、まちがいなくこの認知的危険のためだ。[41] というのも、こうしたモンスターはある意味で、思考方法の文化的基盤に挑戦を投げかけるからだ。

　不浄に関するダグラスの理論は、ホラーに関わるよくあるパズルに答えるためにも役立つかもしれない。ホラーに登場するクリーチャーに関する瞠目すべき事実として、ほとんどの場合、クリーチャーは大の大人を怯えさせるほどの力をもっていないように思われるという点がある。よろよろ歩くゾンビや、切断された手は、六歳くらいの子どもをねじふせる力もないように見える。にもかかわらず、それらは決して止まらないものとして提示され、そのことは鑑賞者からも心理的に受け入れられているようだ。これはダグラスの主張である、文化的に不浄な対象は一般に魔力を帯びるものと見なされ、その結果、儀式に用いられることが多いという見解に注目することで説明できるかもしれない。よってホラー作品に登場するモンスターも、この延長線上で、その不浄ゆえに、同じように恐るべき力を与えられているのかもしれない。

　また、ホラーストーリーの地理では、一般的にモンスターの起源を失われた大陸や外宇宙などに置くことも事実である。あるいは、クリーチャーは深海や地下からやってくる。つまり、モンスターは人間世界にとっての外部および／または未知の場所を住処とする。あるいは、クリーチャーは周縁的で、隠され、禁じられた場所からやってくる。墓地、廃塔や廃城、下水溝、古い家など――つまり、モンスターは日常の交わりの外部である未知の環境に属する。ここまで展開してきたホラーの理論を考慮すると、ホラーの地理は、恐るべきものは文化のカテゴリーの外部にあり、それゆえ必ずや未知なるものであるという発想を具体的に空間化し、文字通り実現させたものだと考えたくなる。[42]

　わたしが作っているアートホラーの理論は、より深い原理から演繹したものではない。理論を確証するには、アートホラーの本質の定義と、不浄の感覚を生じさせる構造の形態に関する一部の議論を、後の節で展開する分裂／融合のモデルとともに、ホラー作品のモンスターへの反応に適用できるかどうかを見る必要がある。わたしの研究では――確かにこれは非形式的なものではあるが――、これらの仮説はここまでのところ有益であると証明されている。さらに、これらの仮説は、もっと厳密な検証（わたしはそのための訓練を受けていないが）を試みる上で仮説の候補として価値があるように思われる。すなわち、この定義を社会心理学者が検証することができるかもしれない。さらに、ホラーの定義や、不浄に関する議論や、分裂／融合モデルは、作家や映画制作者やその他の芸術家が、ホラーのイメージを生み出すために使えるものになるかもしれない。モンスターを作り出し、シミュレートする上で、この理論がどの程度まで信頼できるガイドを提供できるかということが、この理論の耐性を示すさらなるテストになるだろう。

## アートホラーの定義に対するさらなる反論と反例

わたしの仮説では、アートホラーは感情状態であり、そのうちでは本質的に、何らかの通常でない興奮の身体状態が、モンスターについての思考によって——作品や映像によって提示された詳細と関係しつつ——引き起こされる。またこの思考は、モンスターは危険であり、不浄であるという認知を含んでいる。モンスターについて思考する鑑賞者は、虚構の人間のキャラクターの行為に注意し、キャラクターの反応によってこの反応を促される。さらに鑑賞者は、キャラクターと同じように、モンスターのような種類の事物に物理的に接触することを避けたいと考えるかもしれない。この際モンスターは、現在の科学的通念では存在しないと信じられているようないかなるものも指す。

アートホラーについてのこの説は、明らかに感情の認知・評価説に依存している。もちろん認知・評価説は反例に直面してきた。例えば、ダンスをしている際の感情状態は、認知や評価の問題ではなく、リズムや生理学の問題だと言われる。わたしは、ダンスをする際に感情状態をもつとすれば、それは状況の評価――例えば、ダンスが何を表わしているか、記念しているか、祝っているかといった評価――と関係する、と考える傾向にある。あるいはパートナーとの絆や、もっと広いダンサーのコミュニティ、観客との絆、伴奏するミュージシャンや音楽そのものとの関係を評価することもできる。あるいは評価は自分自身に関係しているかもしれない。ダンスがうまく踊れたと判断することからくる喜びや、協調性や積極性を評価する喜び、すなわちダンスを自分の幸福のしるしとして認める喜びだ。つまり、踊っている際に感情状態をもつ場合には、感情状態は多くの種類の評価的な信念に起因しているように見える。単にリズミカルに誘発されたトランスのような状態で、何の対象にも向けられていない場合は、わたしには感情状態ではないように思われる。

しかし、仮にわたしがまちがっていたとしても、こうした反例によって、感情に関する認知的・評価的状態が存在しないことが示されるとは思えない。反例が成功すれば、すべての情動状態が認知・評価的であるわけではないと証明されるだけだ。情動状態の一部が認知・評価的なものである可能性は残っている。そしてもちろんわたしはアートホラーがそのひとつだと考える。

だが、この方策をとった場合、ダンスに想定される感情と同様に、ショック〔心的衝撃〕というのはリズミカルに誘発される非評価的な感情であり、アートホラーは実はショックの一種であるという反論を招く。わたしは、特に演劇や映画では、ショックがアートホラーにともに含まれることを否定したくはない。モンスターが現われる直前には、音楽が鳴り出したり、ものすごい騒音がしたり、「どこからともなく」予想外の素早い動きが始まったりする。ホラーではないが、アイラ・レヴィンの演劇『デストラップ・死の罠』の第一幕の結末を考えてみよう。そこでは死んだと思われていた野心家の作家が居間に飛び込んできて妻の心臓発作を引き起こす。わたしたちは座席で飛び上がり、ひょっとすると叫び声を上げるかもしれない。もし問題の作品がホラージャンルであれば、モンスターを認識した際に、ショックの叫びを発展させホラーの叫びにすることができる。これはよく知られたおどかしの手法だ。

しかし、ホラーはこの種のショックには還元できない。なぜなら、この技法はミステリやスリラー(『デストラップ・死の罠』など)にも見られるが、それらの作品で暗闇から突如現われる銃をもった男にホラーを感じるわけではないからだ。この種のショックは、わたしには感情ではまったくなく、むしろ反射のように思えるが、もちろん、モンスターを演出する職人の技にかかれば反射はアートホラーの喚起と結びつくことも多い。また、いずれにせよ、ショックを反射の意味でとれば、ショックを受けることなくアートホラーを感じることができるということも強調しておかなければならない。◆43

一部の理論家は、対象を必要とするかぎり、認知・評価アプローチは感情の一般理論たりえないと主張することで、感情についての認知・評価アプローチを攻撃する。なぜなら、神経衰弱のように、対象をもたない感情もあるからだ。これは認知・評価理論が包括的理論たりえるかという点での反論だ。しかし、たとえすべての感情に適応できるわけではないとしても、アートホラーには当てはまるかもしれない。対象なしの感情理論が本書でのホラーの特徴づけを標的にするためには、すべての感情が対象をもたないものであるか、アートホラーが対象のないものであるかのいずれかを示す必要がある。しかし、

まだ誰もこのどちらかを示したわけではない。◆[44]

アートホラーについてのわたしの立場では、感情が向けられるべきモンスターは、現代科学では許容されないクリーチャーと見なされる。しかし、これに対して、この説は狭すぎると言う人もいるかもしれない。『オルカ』や『ジョーズ』シリーズのような映画、ガストン・ルルーの『オペラ座の怪人』や、ジョン・ファリスの『Nightfall』のような小説はアートホラーの例ではないだろうか。しかし、これらの作品に、求められている意味でのモンスターがいるだろうか。映画『ジョーズ』の場合であれば、登場するサメは非常に大きなものだが、サメは存在するし、ここであげた小説の悪役はサイコパスだが人間であり、これは現代科学で容易に認められる現象だ。

この種の反例は無数にあるが、問題は、作中の敵は名目上日常世界に属しているが、作中での提示の仕方によって、実質的に架空のものになっていることだ。表向きはクジラ、サメ、人間だが、現存する生物に認められる以上の力や属性を手にしている。オペラ座の怪人ことエリックは、病による苦痛とは相容れない精力的な活動をしており、時には事実上不可視の能力と全知の能力をもっているように見える。エリックは意志の力でどこにでも存在するように思える。もちろん、虚構のキャラクターの多くは属性が誇張されている。しかし、怪人の誇張された属性は、明示的に、畏怖を喚起するような超自然的効果をえるために演じられている。エリックは幽霊や死体として描かれ、説明がつかない魔法のような離れ技をやってのける。

同様に、『Nightfall』の精神病者エンジェルは、止めることのできない無言の荒ぶる自然の力として描かれる。エンジェルは非人間的だと言われている。別居中の妻アニタは、「エンジェルはそれほど大きくないけれど、本当は人間ではない。エンジェルが何なのか私にはわからない」と言う。アニタは、夫が他の多くの人たちと同じように、比喩的な意味でモンスターだと言っているわけではない。アニタは文字通りに受け取られることを意図している。『Nightfall』のような小説をホラーに分類したくなるのは、引用されているような文章や、エンジェルの気までではかり知れないふるまいと能力に関する記述によって修辞的に動かされ、非人間的なクリーチャーと見なすようになるからだと考えられる。

オルカのような生物についても同様の観察が可能だ。これはクジラだが、人間を追跡し、ガスと燃料ポンプの関係を解明し、推論やその他の観察に基づいて港を焼き尽くす。同様に、『ジョーズ』シリーズのサメは、サメとしてはあまりに賢く創造的であるように思われる一方、シリーズ最新作では、『オルカ』と同じく、長期にわたる復讐の計画を実行する能力をもち、サメという種の知的能力を超えている。それどころか、これらの映画に登場するサメは、世界中の本物のサメが一年かけて殺するのと同じくらいの数の人間を、ひと夏に殺してしまう。これは海洋生物ではなく幻想のクリーチャーだ。

一般的に、わたしたちがホラーに分類する傾向がある映画や小説の中で敵対者となるクリーチャーは、表面上は現在存在するもののリストに含まれるように見える場合でも、ほとんどの場合はその提示の仕方を見れば、超自然的なものであることがすぐに明らかになる。カーティス・ハリントンの映画『恐怖の殺人蜜蜂』の殺人蜂はグロリア・スワンソンを女王にし、マーティン・クルーズ・スミスの小説『ナイトウィング』の吸血コウモリは、ホピ族の黙示録的な伝説と預言——読者はこれを真剣に受け止めるよう想定されている——と結びついている。その小説の最後では、燃えるコウモリと煙はヒーローであるヤングマンに語りかける巨大な霊になる。

一方、〔スティーヴン・〕キングの『クージョ』のクージョはただの犬であるため、この本は、ホラーとは無関係ではないが、このジャンルの血統書付きの例ではないと考えられる。むしろ、スリラーやサスペンスといったもっと捉えづらいカテゴリーに属している。もちろん、これはキングに対する批判ではない。というのは、わたしが使っているホラー概念は、規範的なものではなく記述的なものだからだ。

　しかし、たとえここまで主要な反例をそらすことに成功しているとしても、アートホラーの定義をでっち上げ、それを反例に対してテストするという手順自体が多くの読者には疑わしいものだと思われるかもしれない。アートホラーは、必要十分条件による定義では捉えられないと感じられるかもしれない。アートホラーが自然のものではなく人工的なもの——自然現象というより芸術的ジャンル——であるかぎり、わたしが提案するような厳密な定義には従わないという議論もできるかもしれない。反論によれば、それはむしろ曖昧で、発展しつづける概念なのである。アートホラーが保持する無数の境界例は、規約する以外の仕方でジャンルに属するかどうかを決定できない、と。

　にもかかわらず、ホラーがこのような開かれた概念であったとしても、必要十分条件の観点からホラーを枠づける実践は役に立つし、特にジャンルを理解する上で役に立つ。アートホラーとその近隣との境界線は、境界線が何らかの点で流動的であるため、はっきりした線を引くことができないのは確かかもしれない。しかし、ここで提案している理論——範例的事例の拡張に基づくもの——は、ホラーそのものだけでなく、それと競合する隣接ジャンルの理解も深めてくれるかもしれない。◆45

　というのは、ここで提案したホラーの理論が一分の隙もない包括的なものではないとしても、少なくともアートホラーの中心的・中核的事例について明確な描像を提供しているからだ。もしこの理論では受け入れられない競合的な反例があるとしても、その例を明確化するために、この理論が役に立つかもしれない。なぜなら、こうした反例を含めるべきだという直観がどのように動機づけられるのかをこの理論の観点から示すことができるからだ。

ヒッチコックの『サイコ』の例を考えてみよう。この作品はホラーの一例と見なされるべきだという主張は想像できる。しかし、ノーマン・ベイツはモンスターではないので、もちろんわたしの理論では『サイコ』はホラーに含まれない。ベイツは統合失調症で（映画で示唆されるように、自己欺瞞的な仕方ではあるが）、これは科学的に許容されるタイプの事物だ。しかし、『サイコ』をホラー映画と見なす理由はたくさんあるように思われる。古く暗い家のイメージと、渡り廊下で繰り広げられるドラマ。物語の舞台は人里離れた寂しい場所で、ひとりの女性が登場し、暴行、殺人、近親相姦などの暴力が広がる。また、物語の構造（例えば、邪悪なクリーチャーの最終的な姿が現われるまでの準備期間）、ショックの戦術（突然の動きとバーナード・ハーマンの不安を煽る甲高い弦楽器の音）、イメージ（例えば、骸骨）、照明までもがホラー映画を連想させる。これほど多くの一致点があるにもかかわらず、わたしはこの作品をホラーの例として受け入れず、杓子定規にふるまってしまっているのではないだろうか。

そうかもしれない。しかし、わたしの理論の情報量という観点からもっと興味深いのは、この理論に基づいて、なぜ鑑賞者が『サイコ』をホラー映画だと考えたくなるのかを説明できることだ。というのも、ノーマン・ベイツは厳密にはモンスターではないとしても、わたしが発展させてきたアートホラーの中心的な特徴に近づき始めているからだ。肉切り包丁をもった狂人が危険であることは指摘するまでもないだろう。しかし、ノーマン・ベイツはその精神病理ゆえに、アートホラー概念の中心にある不浄なものにもよく似ている。

ノーマン・ベイツはノー・マン（Nor-man）だ。男manでも女womanでもなく、そのどちらでもある。息子であり母親である。生者であり死者である。被害者でもあり加害者でもある。ひとりでふたりの人間だ。ノーマンは異常だが、それは狭間に位置するものであるからだ。ノーマンの場合、異常は生物学的機能ではなく心理学的機能にある。にもかかわらず、ノーマンは不浄の強力な象徴であり、だからこそ、『サイコ』をホラー映画として分類したくなる傾向があるのだと提案したい。ホラーの中核理論〔ホラーの中核事例を識別する理論〕を発展させることにより、結果として、ノーマン・ベイツのようなキャラクターを、ホラーのキャラクターと並べ立たせる重要な特徴を特定できるようになる。長い目で見れば、『サイコ』をホラーと見なすかどうかは、どちらに決定するかという問題かもしれない。にもかかわらず、ホラーの中核的事例の定義を作り上げることで、ノーマン・ベイツのようなキャラクターにどんな特徴があるせいで、ホラーに属するものとして分類したくなるのかを説明できるようになるのだ。つまり、ホラーの中核理論には説明の上で有利な点がある。

ホラーの中核理論が説明の上で有利であることは、奇妙な事例を処理する能力によっても示すことができる。最近の例にあたるのはデヴィッド・クローネンバーグによるリメイク版の『ザ・フライ』〔オリジナル版の邦題は『ハエ男の恐怖』〕で、これはおそらくこれまでに作られた美女と野獣伝説の中でも、最高にドロドロした〔ホラーっぽい〕ものだろう。この映画にはモンスターを含め、ありとあらゆるホラー映画の仕掛けがある。しかし、この作品を無条件にホラー映画に分類するのは正しくなさそうだ。そんなことをすれば、この映画とこのジャンルの他の作品との本質的な違いを捉えることができなくなってしまう。ここで提示しているホラーの理論によって、この違いを説明することができる。

この映画のハエの姿は紛れもなく不浄だ。グロテスクな人間／昆虫であるだけではない。そのふるまいは嫌悪を与える。嘔吐に似た方法で食物を体外で消化する。ハエ男はホラー的対象の典型であるように見えるが、映画の大部分ではそうではない。なぜだろうか。

ホラー的対象は危険と不浄の混合だ。しかし、映画の大部分では、ハエのモンスターは危険ではない。ハエ男にはガールフレンドがいて、前にも論じたように、このキャラクターがハエに対する反応の手がかりになるが、少なくとも映画の最後まではハエに危険を感じていない。むしろ心配しているのだ。同じように、映画の大部分では、鑑賞者はガールフレンドの仲介でハエに感情的に反応し、同情と思いやりが混ざった嫌悪を感じる。これは、ハエがあらゆる関係者にとって危険になる終盤で変化する。しかし、この映画の大部分に満ちているおもしろい効果は、わたしたちの理論に基づけば、ハエに対するガールフレンドの安心感のために、クリーチャーがホラーを与えないものとして提示されているせいだと指摘できる。ガールフレンドはわたしたちと同じように明らかにハエ男の病を嫌悪している。しかし、ハエ男に対する心配によって嫌悪を乗り越えようとしている。理想的な鑑賞者も同様であると考えられる。[◆46]

大成功を収めた最近の作家で、時に作品がホラーに分類されることもあるのは、V・C・アンドリュースだ。『屋根裏部屋の花たち』などの本や、その続編や前編は、隠された近親相姦を扱っている。明らかに、ここで自然に反するものとされているのは、道徳的な観点から自然に反し、拒否感を与えるものだ。わたしの見方では、これはジャンルの極端な拡張であり、わたしは拒否する傾向にある。しかし、思うに、多くの人は、ここで提示されているようなアートホラー理論を明示的に採用しているわけではないとしても、このジャンルに『屋根裏部屋の花たち』のシリーズを含めることにも抵抗を感じるだろう。一方、ジョン・コインの『The Hunting Season』などの小説では、何世代もの近親相姦によって生まれた子孫は文字通り怪物的で嫌悪を与え、このジャンルに含めるのに適している。

わたしのホラー理論におけるモンスター概念の用法が狭すぎるという非難を検討してきた。しかし、広すぎるという意見もあるかもしれない。現代科学で存在を否定されているものがモンスターだとすれば、コミックブックのキャラクターであるスーパーマンはモンスターではないだろうか。これは、スーパーマンがわたしたちのためにしてくれたさまざまなことをふまえれば恩知らずであるばかりではなく、モンスターはその醜さゆえにわたしたちを怖がらせるもの、すなわち、何らかの点でグロテスクなものだと考えるなら、まちがってもいるように思われる。むしろ反対にスーパーマンは男性美のある種の理想を体現していると考えられるかもしれない。

しかし、もちろん、わたしが使っている意味での「モンスター」に含まれるのは、必ずしも醜さの概念ではなく、モンスターは自然の秩序を侵害しており、自然の秩序の境界は現代科学によって決定されるという発想だ。スーパーマンは自然界の秩序について科学的に知られていることとは適合しない。他の惑星や銀河についての知識が深まれば、将来には適合するようになるかもしれないが、それに賭けるつもりはない◆47。

戦略的には、わたしはモンスターをひとつの類として捉え、ホラーのモンスターをその中のひとつの種、アートホラーの感情が向けられる種として特定しようとした。わたしは危険と不浄な感覚を与える能力を、ホラーのモンスターを他のすべてのモンスターから区別する種差と見なしている。この過程で、注意しなければならなかったことは、ホラーのモンスターの種差となる特徴が、ホラーのモンスターを実際に他のモンスター一般から区別しているのか確かめることだ。つまりわたしは、危険や不浄の概念がすでにモンスター概念の中に組み込まれているという意味で、定義が循環的なものにならないよう保証しなければならなかった。わたしのモンスター概念一般は、その定義が有効であるためには、危険や不浄という観点からの評価から独立していなければならない。そこでわたしは、モンスターを現代科学によれば存在しないものと見なすことにした。不浄や危険は、この捉え方に必ず含まれるわけではない。

モンスターをこのように解釈する際には、この概念の通常の用法の一部を無視してきた。例えば、モンスターは醜いものやグロテスクなものである必要はない。しかし、ここではふたつの点を指摘する必要がある。第一に、日常言語であっても、醜さはモンスターの必然的なしるしではないようだ。フランク・ランゲラが演じたドラキュラや、ウィリアム・ハリソン・エインズワースの『幽霊の花嫁』のさまよえるユダヤ人は、すごくハンサムに見える（怪物性と不浄は、皮膚の内側にあるかもしれない）。第二に、わたしたちが採用している概念——モンスターを（科学の観点からの）自然の秩序の外にあるものとする——もまた通常の用法と一致しており、わたしは、外面に基づく用法よりもこちらの方が中心的なものであると考える。

もちろん、スーパーマンのような場合の問題はもっと複雑になる。なぜなら、日常の語りのなかのモンスターは、道徳の観点から考えられることが多いからだ。モンスターは極端に残酷かつ／または邪悪なものにもなりえる。一方スーパーマンはあれほどの善人だ。しかし、わたしたちの目的からすれば、「モンスター」をこうした仕方で使用するのは、道徳的非難の一形態であり、その場合「モンスター」は基本的に隠喩的に使用されていると考えてもいいだろう。というのも、E.T.、〔人魚の〕アリエル、DCコミックスのコミックブックシリーズに登場するスワンプシングなど、モンスターには善人もたくさんいるからだ。

最後に、この議論全体を通じてモンスターを強調することで、わたしのアートホラー理論が事物を中心としたものであることが明らかになるはずだ。つまり、わたしのホラーの定義は、モンスターという特定の事物を本質的に参照しており、それがアートホラーの感情の個別的対象として機能する。言い換えれば、わたしは出来事をアートホラーの主要な対象とは考えていないことに注意してほしい。[48]

これには問題があると考える読者もいるだろう。というのは、ホラー小説のアンソロジーを取り上げてみると、その中には、不浄であろうとなかろうと、モンスターが出てこないものもあるからだ。こうしたストーリーが引き起こすよう意図されている独特の感情の対象はむしろ、神秘的で、不安にさせる超自然的出来事であるように思われる。

ロバート・ルイス・スティーヴンソンの『死体泥棒』にはモンスターが登場しない。物語の最後で起こる感情的などんでん返しでは、二人の墓泥棒フェテスとマクファーレンによってたった今冒涜された墓の死体が、一瞬の暗闇の後、フェテスに解剖され、マクファーレンによって以前に殺害されたと思われるグレイの死体に変化する。どこからともなく現われたように見える恐ろしいグレイの姿は、一種の超自然的な復讐であり、良心の宇宙的呵責だが、少しでもモンスターに似たものは含まれていない。

もちろん、同じようなストーリーはたくさんある。例えば、ギ・ド・モーパッサンの『だれが知ろう?』では、語り手が所有する家具が不可解に消えてまた現われる。リチャード・マシスンの『次元断層』では、ドナルド・マーシャルが、徐々に、そして募る不安とともに、自分が平行宇宙の「ドッペルゲンガー」であることを学んでいるように思われる。デイヴィッド・マレルの『マンボー・ジャンボー』では、読者は懐疑的に一歩ずつ進み、最後には異教の像が本当に所有者の成功をもたらすのだという結論へと導かれる。往年のテレビシリーズ『トワイライトゾーン』のエピソードの多くはこの種のものだ。多くの場合、O・ヘンリー型のフックで飾られている。この種のストーリーが最も映えるのは短篇の形のようだ。結末は、宇宙的道徳的正義の感覚〔因果応報の感覚〕と関連していることが多い。しかし、必ずしもそうというわけではない。こうしたストーリーがホラーなものを含むこともある——例えば、W・W・ジェイコブズの古典的な『猿の手』では息子が死から蘇える。しかし、エネルギーは主として、超自然的な起源をもった心を惑乱する出来事を作るために費やされている。[◆49]

　このようなストーリーが存在することは否定できないし、この種のストーリーとわたしが理論を引き出してきたタイプの作品が一緒にまとめられる場合が多いことも否定できない。にもかかわらず、わたしは、この種のストーリー——これを「不安の物語（テイルズオブドレッド）」とでも呼びたい——とホラーストーリーの間には重要な区別があると考える。具体的には、それらのストーリーが引き出す感情反応は、アートホラーが引き起こすものとはかなり異なっているようだ。こうしたストーリーの骨格となる不気味な出来事は、居心地の悪さと畏怖、おそらくはつかの間の不安と不吉な予感を引き起こす。これらの出来事は鑑賞者を修辞的に動かすよう作られており、やがて、公言されない未知のものであり、おそらくは隠されている不可解な力が宇宙を支配しているという考えを抱かせる。アートホラーが嫌悪を中心的な特徴としているのに対し、アートドレッド art-dread〔不安〕とでも呼ぶべきものはそうではない。わたしにはすぐに用意できる理論があるわけではないが、アートドレッドはおそらく独自の理論に値するだろう。おそらくアートドレッドは一部の面ではアートホラーと似ているだろう。なぜならどちらも超常的なもの――超自然のものやSF的なもの――を扱っているからだ。そしてもちろん一部の作品はアートホラーとアートドレッドの両方を扱っている。しかしこれらふたつの感情は関係してはいるが、それでも分離可能なのだ。

## 幻想の生物学とホラーイメージの構造

アートホラーの対象は本質的に危険で不浄なものだ。ホラーの作り手は、これらの属性が顕著に現われたクリーチャーを提示する。この点で、モンスターデザインで繰り返されてきた戦略の一部は、芸術の複数の領域とメディアを横断し、目立って何度も現われている。本節の目的は、公共の読者と鑑賞者のために、モンスターの作り方のうちでとりわけ特徴的なもののいくつかに注目することだ。本節には、「モンスターの作り方」という副題を付けてもいいだろう。

恐ろしいモンスターは危険をもたらすものだ。ホラーのモンスターデザインのこの側面には、議論の余地はないと思われる。モンスターは危険でなければならない。これは、モンスターを死を招くものにするだけでも満たされる。殺すもの、重症を負わせるものであれば十分だ。また、心理的、道徳的、社会的に危険である場合もあるだろう。人のアイデンティティを破壊したり（ウィリアム・〔ピーター・〕ブラッティの『エクソシスト』やギ・ド・モーパッサンの『オルラ』）、道徳秩序を破壊しようとしたり（アイラ・レヴィンの『ローズマリーの赤ちゃん』）、別の社会を発展させることもある（リチャード・マシスンの『アイ・アム・レジェンド』）。またモンスターはある種の長続きする幼児期的恐怖、例えば、食べられたり手足を切断されたりする恐怖や、レイプや近親相姦に関する性的恐怖を引き起こすこともある。しかし、危険であるためには、モンスターが物理的に危険であることで十分だ。もしモンスターがさらなる不安を生み出すなら、ケーキの上にデコレーションがたくさんあるということだ。したがって、アートホラーの制作者は、作品の中のクリーチャーが危険であることに確信をもたなければならないし、少なくとも物理的に危険であることを保証しておけば、これは達成される。もちろん、モンスターが精神的には危険だが肉体的には危険でない場合、つまり、身体ではなく心を対象としている場合でも、嫌悪感をかきたてるのであれば、ホラーのクリーチャーと見なされる。

ホラーのクリーチャーは不浄なものでもある。この際、ホラーのクリーチャーのこの側面を表現する手段はあまり明確ではない。そこで、ホラーを与える不浄が描かれる際に特徴的な構造をしばらく見てみよう。

ホラーの定義に関する以前の節で論じたように、不浄の事例の多くは、メアリー・ダグラスの言葉を借りて、わたしが〈狭間に位置するもの〉と〈カテゴリー上の矛盾〉と呼んだものによって生み出される。不浄は、ふたつ以上の持続的な文化的カテゴリーの間の対立を含む。このため、ホラーのクリーチャーを表現するための最も基本的な構造の多くが、本質的に組み合わせによるものであるのは驚くに値しない。

ホラーなものを形づくる構造のひとつは**融合**だ。最も単純な物理的レベルでは、内／外、生きている／死んでいる、昆虫／人間、肉／機械などのカテゴリーの区別を逸脱したクリーチャーの構築を伴うことが多い。ミイラ、吸血鬼、幽霊、ゾンビ、そしてエルム街が誇る最大の悪夢であるフレディは、この点で融合型だ。それぞれが異なる仕方で生と死の区別を曖昧にしている。それぞれが何らかの意味で生きていると**同時に**死んでいる。融合型は、カテゴリー上で区別され、そして／または、諸物に関する文化的図式において衝突するものとされるような複数の属性を、**一義的**にひとつのもの、つまり時空間的なまとまりをもった事物に結びつけて作られる合成物だ。

E・F・ベンスンの『芋虫』というストーリーに登場する芋虫は、その並外れた長さだけでなく、足にカニのはさみが付いており、生物学に抵抗するため融合型だ。同様に、ジョン・メトカーフの『メルドラム氏の憑依』の中で病になった犠牲者は、人間とエジプトの神トートとの結合体であるため、このカテゴリーに分類される。トートは、それ自体がトキの頭と人間を合成した融合型のクリーチャーで、その円盤の月と三日月の装飾については言うまでもない。ラヴクラフトのタコと甲殻類を融合させた人間型の類型は、ウィリアム・ホープ・ホジスンの『異次元を覗く家』の豚人間と同じように、融合型の範例だ。映画における融合の例としては『悪魔の赤ちゃん』シリーズの赤ちゃんや、『恐怖のワニ人間』

や『蛇女の脅怖』に登場するグロテスクなものなどがある。

　融合型の中心的なしるしは、通常は別個であるか対立するカテゴリーが、ひとまとまりの時空間的に統一した個体へと合成されることだ。この見方では、憑依もののストーリーのキャラクターの多くは融合型だ。取り憑いているのは多くの悪魔——「我が名はレギオン。我々は大勢であるが故に」——かもしれないし、ひとつの悪魔かもしれない。しかし、憑依されたものが複合的な存在であり、単一のアイデンティティをもち、途切れのない時空間的連続体の中に位置づけられるかぎり、融合型に含まれる。

　また、わたしはフランケンシュタインの怪物を、特にユニバーサル・ピクチャーズの映画シリーズに登場する場合、融合型として見る傾向がある。というのは、この怪物は複数の死体と電子機器から作られていることが強調されているだけでなく、このシリーズでは複数の異なる脳を挿入されたかのように表現されているからだ——最初は犯罪者、後には〔助手の〕イゴールの脳が挿入される。この点で、この映画では——おそらく罪のない無害なものだが——ありそうにない仮説、つまり、モンスターがどの脳をもっているかにかかわらず、何らかの連続したアイデンティティをもっているという仮説が支持されているように思われる。もちろんこれは控えめに言ってもパラドックスのようだが、脳移植という虚構を許容するのであれば、なぜ、入れられたのが犯罪者の脳やイゴールの脳ではなかったとしても、それでもモンスターは何らかの意味で同一のモンスターなのだろうかなどと文句をつける必要があるだろうか。

　フランケンシュタインの融合的な側面は、ハマー・フィルムの『フランケンシュタイン　死美人の復讐』では非常に執拗なものになっている。フランケンシュタイン博士は、死んだ助手のハンスの魂をハンスが愛していたクリスティーナの遺体に移し、ハンスはクリスティーナの遺体の中で、クリスティーナ（すなわち、心も体もクリスティーナである人物）を死に追いやったごろつきを誘惑して殺害する。

こうした融合型の原型は、フロイトが夢に関して総合人物〔統一的形象〕collective figure や圧縮 condensation と呼んだ種類の象徴的構造にあるかもしれない。フロイトによれば、ひとつの方法では、

> 私は、ふたりあるいはそれ以上の人物の目ぼしい特性を一個の夢の像のうちに統合することによって［…］夢圧縮のために一個の「総合人物」を作り上げることができる。私の夢の中に出てきたドクター・Mはそのようにしてでき上がった一人物である。なるほどこの人物は、ドクター・Mという名前を持ち、ドクター・Mのごとく話したり振舞ったりするけれども、この人物のからだの特徴や病的症状は、実は別の人物、つまり私の長兄のそれなのである。蒼白い顔色ということだけは、Mにも長兄にも現実に共通している一点であるから、この点だけは二重に規定されている。
>
> 私の「伯父の夢」に出てくるドクター・Rもまた、やはりこういう混合人物である。しかしRの場合は夢の中の像が別の仕方で作られている。私は、一方の人物が所有している特徴を、他方の人物が所有している特徴と結びあわせて、そのためにある人物の記憶像中から若干の特徴を削り取ったのではなくて、ガルトンが家族写真をつくるさいに採った方法、つまり二つの像を重ねあわせたのである（そうすると両者に共通の特徴はいっそう強く出てくるのに反して、両者それぞれの相異なる特徴の方は相殺しあって消滅してしまい、複合写真の中ではそこはぼんやりしてしまう）。そんなわけで「伯父の夢」では、ブロンドのひげが、二人物に共通し、そのためにひとつに融けあって強調された特徴として際立つのである。◆50

フロイトにとって、圧縮や総合人物は、写真のように、ひとつの個体にふたつ以上のものを重ね合わせる。同様に、アートホラーにおける融合型は、異なるタイプのものを混ぜ合わせる合成像だ。圧縮についてのフロイトの議論では、融合した要素には共通点があることが強調されている。しかし、アートホラーにおいては、結合された複数の要素に共通するものが目立つ必要はない——T・E・D・クラインの『Nadelman's God』では、ホラーを与えるものは文字通りゴミの寄せ集めから作られている。イギリス経験主義者が連合について述べているように、ホラーにおける幻想上の融合物は、存在論的にも生物学的にも異なる秩序を連結する。[51]それらは単一の姿であるが、そのうちで、複数の、別個であり、多くの場合は対立するタイプの要素が重ねられ、圧縮され、結果として不浄で拒否感を与えるものを生み出すのだ。

フロイトは、わたしたちが夢の作業のうちに見出す総合人物は、「[…]東洋の民間の想像力によって発明された合成動物[52]」と似ていないわけではないと指摘している。おそらく、フロイトはここで古代アッシリアの翼のある獅子のような姿を念頭に置いている。このタイプの圧縮像の別の例をあげれば、中世の大聖堂のガーゴイル、ヒエロニムス・ボスの《聖アントニウスの誘惑》の三幅対の中央の絵の悪魔の司祭（一部は齧歯類で一部は人間）、ゴヤの『ロス・カプリチョス』の《むしり取られて追い出されYa van desplumadoes》の人間の赤ん坊の頭をもつニワトリ、マーベルのコミックシリーズ『ファンタスティック・フォー』のザ・シング（ベン・グリム）——文字通り石でできた人間——などのキャラクターが含まれるだろう。

もちろん、これらの例では、圧縮・融合に含まれる要素は視覚的に知覚できる。しかし、必ずしもそうである必要はない。生物と非生物のような異なる存在論的秩序を圧縮することもできるが——例えば、幽霊屋敷——、この場合肉眼で見えるものは融合を示していない。さらに、これまでの例のいずれかがホラーを与える融合と見なされるかどうかは、それが登場する表象の文脈において、以上のように作り上げられたものがアートホラーの基準に合致するかどうかによる。

ホラーなものを作る手段として、融合に必要なのは、別個であり、および／または、衝突するカテゴリーの要素を、時空間的に連続したモンスターのうちに融合・結合・圧縮することだ。これとは対照的に、狭間に位置するものを作り出すためのもうひとつの一般的な手段は分裂だ。融合では、カテゴリー上矛盾する複数の要素が、単一のアイデンティティをもったものに融合・圧縮・重ね合わされる。しかし分裂では、この矛盾した要素は、いわば、形而上学的には関連しているが、異なったアイデンティティの上に分散する。わたしがここで念頭に置いているのはドッペルゲンガー、オルターエゴ、人狼などだ。

例えば、人狼は、人間と狼のカテゴリー上の区別を侵犯している。この場合、動物と人間が同じ身体（身体は、空間的に位置づけ可能な原形質 protoplasm と見なされる）に住まう。しかし、両者が住むのは異なる時点においてだ。動物と人間のアイデンティティは時間的には連続していないが、おそらくその原形質は数的に同一だ。ある時点（満月が昇る時）に、人間が住まう体が狼へと変化する。人間のアイデンティティと狼のアイデンティティは融合しておらず、いわば順番に並べられる。人間と狼は空間的に連続し、同じ体を占有しているが、アイデンティティは時間によって変化し交代する。ふたつのアイデンティテイ（およびふたつのアイデンティティが表現する相反するカテゴリー）は、同一の体のうちで時間的に重複しない。原形質は、異なる時点に異なる相互排他的なアイデンティティを許容する点で異種混成的なものになる。人狼の類型は、人間と動物の間のカテゴリー上の矛盾を実体化しており、それが複数時点に分散している。もちろん、ここで人狼について言われていることは、あらゆる種類の変身する（シェイプチェンジャー）怪物に当てはまる。キップリングの『獣の印』では被害者はヒョウに姿を変えつつあり、マッケンの『黒い石印』では愚かな少年がアシカに変身したようだ。したがって、分裂のひとつの形態では、幻想の生物はふたつ以上の（カテゴリーが異なる）アイデンティティに分割され、複数のアイデンティティが問題の体を交互に所有する。これを時間分裂と呼ぶことにしよう。◆53 時間分裂は、幻想の生物の姿に組み込まれたカテゴリーが時間的に同時ではないという点で融合と区別できる。むしろ、複数のカテゴリーは時間に対して分裂し、引き裂かれ、分散する。

　分裂の第二のモードでは、分身を作ることでカテゴリー上の衝突を空間的に分散させる。この例となるのは、オスカー・ワイルドの『ドリアン・グレイの肖像』、メアリー・シェリーの『変身』に登場する騎士の体の中の小人、そして『プラーグの大学生』や『戦く影』などの映画に登場するドッペルゲンガーなどだ。構造的には、空間分裂に関わるのは、増殖のプロセスだ。すなわち、キャラクターないしキャラクターの集合が複数の側面へと増殖し、そのそれぞれが自己のもうひとつの面を表わす。一般的には、このもうひとつの側面は、複製元になったキャラクターにとって、隠され、無視され、抑制され、拒否されてきた側面を表わしている。この新しい側面は、一般的に文化の規範的理想（通常は道徳的に責任のある人物を指す）と矛盾する。オルターエゴは、自らの規範的に疎外された側面を表現する。これまでにわたしがあげた例のほとんどは、二重化の口実として、何らかの反射の装置——肖像画、鏡、影——を使っている。しかし、この種の分裂型は、そのような装置がなくても登場しうる。

映画『宇宙船の襲来（I Married A Monster From Outer Space）』では、若妻が、新しい夫が実はまったくの別人ではないかと疑い始める。夫は妻が付き合っていた男とはどこかちがっている。そしてこの疑いは正しかった。彼女のボーイフレンドは、バチェラー・パーティーの帰りに他の惑星からの侵略者によって誘拐され、エイリアンと入れ替っていたのだ。しかし、この分身[54]には当初情動——この種の五〇年代SFでは、人間の本質的特徴とされる——が欠けており、妻はそれを直観したのだ。このように、人間性と非人間性——情動の所有と欠如という点で特徴づけられる——というカテゴリーの区別は、ボーイフレンドをふたつに分けることによって象徴的に投影され、それぞれの対応物が〔人間と非人間という〕カテゴリー的に区別された存在の秩序を代表する。

『宇宙船の襲来』の基本的なストーリーは、SF的要素はさておき、カプグラ症候群と呼ばれる特殊な妄想に似ている。この妄想には、患者の両親や恋人などが自らを脅かすドッペルゲンガー〔分身〕になってしまったという信念が含まれる。これにより、患者は愛する人を半分に分け、悪いバージョン〔侵略者〕と良いバージョン〔被害者〕を作成することで、愛する人への恐れや憎しみを否認することができる。『宇宙船の襲来』における新しい結婚関係は、妻のうちに、衝突——おそらくセクシュアリティをめぐる衝突——を引き起こしているように思われるが、それが分裂型の類型を通じて表現されている。[55]圧縮が融合型のモデルを示すのと同様に、心理的な否認の身ぶりとしての分裂は、アートホラーにおける空間分裂の根源的原型であり、キャラクターの増殖を通じて、カテゴリー上、主題上の衝突をまとめあげているのかもしれない。

　ホラーにおける分裂は、ふたつの主要な形態で生じる――空間分裂と時間分裂だ。時間分裂は――ジキル博士とハイド氏の分裂がこの例だが――、キャラクターを時間によって分割し、一方空間分裂――例えばドッペルゲンガーの場合――は、キャラクターを空間のうちに増殖させる。この際、キャラクターは、カテゴリー上別個であり対立する要素の象徴となる。他方融合の場合には、カテゴリー上別個であり対立する要素は、アイデンティティが安定した単一の時空間的に連続したものに融合・連結・圧縮される。分裂も融合も――異なる仕方ではあるが――別個のカテゴリーおよび／または対立するカテゴリーの連結を促進する象徴的構造であり、それによって、狭間に位置するもの、カテゴリーの矛盾、不浄といったテーマを投影する手段が与えられる。ホラーのモンスターの幻想的な生物学は、驚くほどに、融合と分裂の象徴的な構造に還元できるのだ。

　不浄の要求という点では、ホラーを与えるモンスターを作るには、分裂や融合によって、別個のカテゴリーや対立するカテゴリーを結びつけるだけで十分だ。融合に関しては、ローズマリーの赤ちゃんには爪をつけ、リーガン〔『エクソシスト』で憑依される少女〕には悪魔を与え、ヴィンセント・プライス〔『蝿男の恐怖』の主人公を演じる俳優〕の体にハエの頭をつけることができる。分裂の場合には、分離したカテゴリーおよび／または対立するカテゴリーが結びつけられるのは、相異なる生物学的・存在論的秩序が交互にひとつの体に住まうことによって、または数的には異なるが他の面では同一の体――このそれぞれが対立するカテゴリーを表現する――を登場させることによって実現される。最も基礎的な意味での融合と分裂の場合、これらの構造は、対立する文化的カテゴリーの編成――一般的には、根深い生物学的・存在論的な種類の対立、例えば人間／爬虫類、生／死など――に当てはまるよう意図されている。しかし、多くのホラー、特に古典と見なされるものでは、ホラークリーチャーの生物学における、こうした文化的カテゴリーの対立が、別の対立の前触れとなることも確かだ――この対立は、テーマ上の衝突やアンチノミーと考えられるかもしれない。またこの対立はさらに、一般的にはその作品を生み出した文化に深く根差したものになっていることが多い。

例えば、ブラックウッドの著名な『いにしえの魔術』に出てくる恐ろしいクリーチャーは猫人 were-cat だ。フランスの町全体が猫化し、夜になるとサタンの面前で言葉にできないような（作中でも描かれない）放蕩にふける。わたしのモデルでは、これらのクリーチャーは時間分裂の産物だ。しかし、この区別――猫と人間の区別――は、ストーリーの文脈の中では別の対立の前触れとなっている。イギリス人（おそらく過ぎ去った時代の猫男の生まれ変わりだろう）が町を訪れ、しだいにサバトへの参加に惹かれていく。猫と人間の対立が別の対立――官能的なものとまじめなもの、気ままなふるまいと良心、女性と男性、さらにはフランス人とイギリス人の対立――へと発展する。つまり、生物学的カテゴリーのレベルでのさまざまな要素の顕著な対立が、一連のテーマ上の対立を前もって形づくっていると考えられるかもしれない。

同じような例として、ヴァル・リュートン製作の映画『キャット・ピープル』がある。イレーナは変身する怪物（シェイプチェンジャー）であり、その分裂した自己はカテゴリー上で分裂しているだけではなく、純潔の愛と暴力的なセクシュアリティの対立も表現している。融合という点では、シェリダン・レ・ファニュの『カーミラ』の吸血鬼が良い例かもしれない。というのはモンスターの形成における生と死の間の対立が、

女性同性愛（レズビアニズム）に関する別のテーマ上の衝突を示しているからだ。[◆56]

分裂と融合の概念は、厳密にモンスターを形づくる生物学的・存在論的なカテゴリー的構成要素だけに適用されることを意図している。だから、一部が人間であり一部が蛇であれば、それだけで十分にホラーを与える融合型としての資格をえるし、ある女性が昼間は淑女であり、夜はトロルやゴルゴンになれば、それだけで十分にホラーを与える分裂型キャラクターの資格をえる。しかし、幻想の生物学における対立はテーマ上の対立と相関することが多い。一般にこれは、ホラーの中でもより良い見本と考えられるようなものに当てはまる。その結果、ホラーの理論家ならぬ、ホラーの批評家の仕事の多くは、研究対象に現われるテーマ上の対立を追うことにある。クリーチャーが分裂型であるか融合型であるかということは、カテゴリー上の狭間に位置するという側面によって、テーマのレベルで何が予兆されているかということに比べれば、あまり興味深いことではないかもしれない。[◆57]しかし、無数のモンスターを生み出す象徴的構造を理論的に特定するためには、分裂と融合という概念はきわめて重要になる。

分裂と融合に加え、ホラーを与えるモンスターを生み出すもうひとつの象徴的構造は、文化の中ですでに典型的に不浄と判断され、嫌悪を与えるものを巨大化することだ。M・R・ジェイムズの『秦皮（とねりこ）の樹』の最後の数段落で、園丁は木の幹の空洞をのぞきこみ、「信じられないような恐怖と嫌悪に」顔をひきつらせ、「絶叫」して気を失った。[◇19]庭師が目にしたのは、復讐のために魔女の体から産まれた人間の頭ほどの大きさの毒蜘蛛だ。[◆58]わたしたちの文化ですでに恐怖の対象となっている蜘蛛は、その超自然的な起源とこの世のものとは思えない能力のためだけではなく、特にその大きさが通常よりも増すことで、ひどく恐ろしいものになる。

這い寄るもの――そしてわたしたちに這い寄る悪寒を感じさせるもの――は、アートホラーの対象の主要な候補だ。こうしたクリーチャーはすでに嫌悪を与えるものだが、さらにその大きさを増すことで、物理的な危険性を増す。スティーヴン・キングの『呪われた村〈ジェルサレムズ・ロット〉』では、ある恐ろしい生き物が、邪悪な本によって召喚される。

カルヴィンがぼくを押したので、ぼくはよろけた。目の前で教会がぐるぐる回ったかと思うと、ぼくは床に倒れた。ひっくり返った椅子の角に頭をぶつけて、頭の中が赤い火でいっぱいになった。だが、かえってそれで頭がすっきりしたような気がした。

ぼくは手探りで、持ってきた硫黄マッチを捜した。

雷鳴のような轟きが地下から湧き起こって、あたりにみなぎった。漆喰がばらばらと剝げ落ちた。尖塔の錆びた鐘がそれに呼応するように振動し、まるで悪魔を絞め殺すような音を鳴り響かせた。

マッチに火がついた。その火を本に近づけたとたん、説教壇が爆発して粉ごなになった木片が空中に飛び散った。すると、その下に黒々とした洞穴が見つかった。カルはその縁までよろよろと歩いていくと、手を伸ばした。と、その顔が言葉にならない絶叫で膨れ上がった。そのすさまじい叫び声を、ぼくは生涯忘れないだろう。

やがて、ぶるぶると震える灰色の肉塊が大きくうねりだした。悪臭が悪夢を呼び起こす引き金となった。ねばねばしてぶつぶつのある、巨大でぶかっこうなゼリー状のものが、おびただしく流れ出てくる。それは、まさに大地の中心から吹き上げてくるように思われた。だが、ほかの人間にはわからなくとも、ぼくには思い当たることがあって背筋が寒くなった。そうだ、これこそ、長いあいだ教会の下の暗闇に閉じ込められていた怪物のようなうじ虫の、一本の環であり節にすぎないのだ！

本がぼくの手の中でぱっと明るく燃え上がった。すると、ぼくの頭上であいつが声なき悲鳴をあげたような気がした。そのとき、カルヴィンが目に見えないような一撃を喰らったかと思うと、首の折れた人形さながらに教会の隅のほうまで吹っ飛ばされていたのだ。

恐怖症の対象を巨大化したモンスターは、五〇年代の映画ではとても人気があった〔まちがいなく、こうしたモンスターは、種子に対する最初の放射線実験によって暗示されていたのだ〕。例をあげれば、『放射能X』〔巨大蟻が登場〕、『世紀の怪物　タランチュラの襲撃』、『巨大カニ怪獣の襲撃』、『極地からの怪物　大カマキリの脅威』、『大蜥蜴の怪』〔巨大なトカゲが登場〕、『昆虫怪獣の襲来』、『吸血怪獣ヒルゴンの猛襲』〔巨大ヒルが登場〕、『吸血原子蜘蛛』、『黒い蠍』、『ハエ男の恐怖』、『大怪獣出現　世界最強怪獣メギラ登場！』〔巨大イモムシ〕、『ジャイアント・スパイダー／大襲来』〔巨大蜘蛛〕、『モスラ』、『蠅男の逆襲』、『水爆と深海の怪物』の巨大なタコ、『空の大怪獣ラドン』の巨大な虫〔メガロドン〕、『世界終末の序曲』の巨大なバッタ、『縮みゆく人間』の〔縮小した人間から見て〕相対的に高くそびえるクロゴケグモなど。切り離された身体の部分が嫌悪感を引き起こすことができるかぎり、わたしたちは世界を征服しようとする巨大な目玉だけのモンスターに出会うだろう。最近では『巨大蟻の帝国』で巨大なアリがジョーン・コリンズを食べたり、『巨大生物の島』で特大のネズミがマージョー・ゴートナーを取り囲んだりしている。もちろん、どんなものを巨大化してもホラーを与えるクリーチャーを望めるわけではない。『Night of the Lepus』のモンスターウサギに納得した者はほとんどいないようだ。巨大化する必要があるのは、すでに潜在的に不快で嫌悪を与えるものだ。◆59

アートホラーの目的のためには既存の生物を巨大化するだけではなく、生物を群集化させることによっても、拒否感を増すことができる。リチャード・ルイスの小説『Devil's Coach Horse』では、血に飢えた甲虫の大群が猛威を振るうが、ガイ・スミスの『Killer Crabs』〔殺人蟹〕とピーター・トレメインの『Ants』〔蟻〕に登場する群れを作るモンスターの正体について改めて述べる必要はないだろう。人類との最終決着のために結集したこの這い回る群れは、もちろん、実際には幻想の生物であり、戦略的能力や、実質的に不死身であること、人間の肉への渇望、また多くの場合には現代の生物科学では知られていない突然変異した力を与えられている。カール・スティーブンソンの『Leiningen versus the Ants』――まちがいなく昆虫ジャンルのモービィ・ディックと言える――は、特定の種の蟻は大規模な協調集団の中で餌を探すという科学的に正しい観察に基づいているが、当代の専門家が前代未聞と見なすような資質と能力を蟻に付与している。◆60 蟻は、蜘蛛、ゴキブリ、バッタのような他の昆虫ではなく、人や馬を狩っているのだ。またストーリー上では、蟻が水路を渡るために、ライニンゲンのダムを破壊したことが強く示唆されている。ソール・バスの映画『フェイズⅣ 戦慄！昆虫パニック』では、アリの大群が優れた知性として描かれているが、『巨大クモ軍団の襲撃』では、侵入してきたタランチュラが食物貯蔵を目的として、町全体を網で包み込む。『タランチュラのキス』では蜘蛛がヒットマンになる。巨大化の場合と同じように、群集化の際、どんな種類のものでもホラーを与えるような群れになるというわけではない。群集になるのは、すでに拒否感を感じるような種類のものでなければならない――この点は、『アタック・オブ・ザ・キラー・トマト』（および続編の『リターン・オブ・ザ・キラー・トマト』）によってコミカルに示されている。すでに嫌悪を与える生物が山ほど群れと化し、結集し、敵対的な目的に導かれるなら、元々が恐怖症の対象であるこれらの生物の危険が強化され、アートホラーが生み出されることになる。

異なる文化的カテゴリー・対立する文化的カテゴリーを結びつける幻想の生物学は、分裂と融合によって構成されるが、一方すでに嫌悪を与え恐怖症の対象となっているもののホラーの潜在可能性（ホラーポテンシャル）は、巨大化と群集化によって強化できる。これらがホラーを与えるクリーチャーを作るための主要な構造だ。これらの構造は、主として、ホラーのモンスターの生物学と考えられるようなものに関わっている。しかし、もうひとつ別の構造があって、ホラーのクリーチャーの生物学と本質的に結びつくものではないが、これによって、ホラーなものの提示の仕方を精査する議論をする必要が出てくる。なぜなら、この構造は生物学にはかかわらないが、モンスターの演出においては重要であり、繰り返し登場する戦略であるからだ。この戦略をホラーのメトニミーと呼んでもよいかもしれない。

多くの場合、ホラークリーチャーのホラー性は、肉眼では知覚できず、モンスターの外見の記述では伝わらない。このような場合、ホラーなものは、嫌悪および／または恐怖症の対象とされてきたものを引き連れていることが多い。『The Spectre Bride』では、融合型の類型であるさまよえるユダヤ人は、最初は嫌悪を与えるように見えない。しかし、その結婚式には嫌悪感がつきまとっている。

［さまよえるユダヤ人］「あわれな娘よ、そなたをわれらが婚姻に導こう。だが、この式の司祭は死。そなたの両親役は朽ち果てた骸骨の山。そしてわれらが婚姻の証人、死体の欠けた骨に群がる怠け者の虫ども。来たれ、若き花嫁よ、司祭は犠牲者が待ち切れないようだぞ」と二人が進むと、かすかな青い光が二人の前をすばやく通り、教会墓地の端には、納骨堂の入り口が見えた。扉は開いており、二人は静寂のまま入っていった。うつろな風が、陰気な死者の住みかを吹き抜けた。両側には棺の名残をとどめた残骸があり、ばらばらになってかけらが湿った地面に落ちていた。一歩歩むたびに足の下に死体があった。色あせた骨が、足の下でガタガタといやな音をたてた。納骨堂の中央には、埋葬されていない骸骨の山がそびえており、そこには、どんなに暗い想像力でも想像できないほど恐ろしい姿が座っていた。二人が近づくと、空の納骨堂が地獄のような笑い声をあげた。そして、朽ちかけた死体はみな、この世ならざる命を吹き込まれているようだった。

ここでは、恐ろしい花婿自身は知覚的に嫌悪を引き起こさないが、その周りのさまざまなもの、および花婿の地獄のような世話役が文化の観点から不浄とされる。同様に、ドラキュラは小説でも舞台でもスクリーンでも、害獣と結びつけられる。小説の中ではネズミの群れを指揮している。そして疑いなく、ホラーなものと病気や汚染との連想的な結びつきは、ホラーなものの周りに不浄なものをさらに集める傾向と関係している。

クライヴ・バーカーの『ダムネーション・ゲーム』――『放浪者メルモス』の一種のアップデート――では、メフィストフェレス的キャラクターであるマムーリアンは表向きは普通の外見だが、その下僕であるレイザー・イーターは巨大なゾンビであり、小説の中で腐敗の進行が視覚的に描写されるが、甘いものが好きでつねに食べ散らかしているせいでさらに不安をかきたてられる。同様に、ジョン・ソールの『暗い森の少女』の中でベスの霊に憑依された子どもの外見はそれ自体嫌悪をもよおすものではないが、その周りには胸が悪くなるような儀式がある。例えば、そのごっこ遊びのティーパーティーに出席するのは、血まみれの子どもたち、ベスの骸骨、人形の洋服を着た首のない猫——首は肩を転がっている——などだ。マムーリアンとベスの場合、幻想の生物が知覚的に拒否感を与えるわけではないが、メトニミーによって知覚的に嫌悪を与えるものに結びつけられている。もちろん、ドラキュラのようなクリーチャーは、主に知覚的に嫌悪感を与えるようには描かれてはいないかもしれないが、それでも嫌悪を与え不浄である。嫌悪を示すために、知覚的に検知できるグロテスクなものは必ずしも必要でない。ドラキュラは、外見が文字通り怪物的であるわけではないが、〔主人公の〕ハーカーに抵抗感を与える。こうした場合には、不浄なクリーチャーと、知覚的に目立つ残酷描写や他の不快な装飾を結びつけることが、対象の拒否感を与える本質を強調する手段となる。

ジェームズ・ハーバートの小説『魔界の家』の中で、邪悪な魔術師マイクロフトは、威厳のある人物で、完全に人間の姿だが、操る使い魔はひどく有害なものだ。語り手との最後の対決で、マイクロフトはそれらを召喚する。「絨毯は私の周りで爆発して破れ、ナメクジのような怪物が光る粘液の縁からにじみ出ていた。瘡蓋（かさぶた）ができ、膿を垂らした手が、破れた絨毯を引っかいて、残りの生命を外に引き出そうとした。その膜にはのたうつ生物がいっぱいで、空気に鼻をひくつかせた後、縁に巻きついた。細い黒煙がゆるい螺旋を巻いて漂い、そこに満ちていたのは、病んだ微生物、深遠を彷徨う堕落した邪悪、露出し、定義され、現実へと流出しようとする反乱分子だ。これは悪の浸透物質だった。」

ホラー的メトニミーは、モンスターがぞっとするような見た目ではない事例だけに限定する必要はない。すでに歪んだ形のクリーチャーも、すでに不浄や汚物と見なされているようなものと結びつけられる。ムルナウの『吸血鬼ノスフェラトゥ』とヴェルナー・ヘルツォークのリメイク〔『ノスフェラトゥ』〕を考えてみよう。そこでは吸血鬼が不潔な這いまわるものと結びつけられる。同様に、口から大きな粘液の塊を垂らすゾンビは、ホラー的メトニミーのひとつの例だ。

融合、分裂、巨大化、群集化、ホラー的メトニミーはアートホラーのモンスターを表現するための主要な修辞法だ。◆61 融合と分裂はホラーの生物学を構築する手段となる。巨大化と群集化は、すでに嫌悪を与え恐怖症を引き落とすクリーチャーの力を強化する手段になる。ホラー的メトニミーは、クリーチャーの不浄で嫌悪を与える本性を――いわば外側から――すでに嫌われている対象やもの――体の一部、害獣、骸骨、あらゆる種類の汚物――と結びつけることで強調する手段となる。ホラーのクリーチャーは本質的に危険と嫌悪の複合体であり、これらの構造のそれぞれによって、〔危険と嫌悪という〕ふたつの属性をともに発展させる手段が与えられる。

# 要約と結論

この研究の最初の部分では、わたしはホラージャンルの本質を特徴づけることを試みた。わたしが仮定したのは、ホラージャンルは、ジャンルに属する作品が鑑賞者から引き出すよう意図された感情によって定義できるということだ。つまり、ホラー作品は、鑑賞者のアートホラーを促進する機能をもつように作られている。したがって、ホラー作品であるための基準を十分に特定するためには、アートホラーの感情を特徴づける必要がある。

この点で、わたしが注目したのは、主人公側の人間のキャラクターによる虚構世界のモンスターに対する感情反応が特に参考になることだ。というのは、ホラー作品の読者や鑑賞者は、作中の人間の主人公の感情と、特定の点でおおよそ類似していると想定できるからだ。あるいは、少しちがった言い方をすれば、わたしたちは、モンスターへの感情反応の特定の要素を、当該作品の主人公側の人間のキャラクターと共有することが期待されている。具体的には、わたしたちがキャラクターと共有するのは、モンスターが恐ろしくて不浄なものとして――危険で拒否感を与えるものとして――感情的評価を受けることだ。またこれによって、わたしたちのうちに、それと関連した感覚が引き起こされる。フィクションのキャラクターとは異なり、わたしたちはモンスターが存在することを信じていない。そうではなく、わたしたちの恐怖と嫌悪はモンスターの思考に対する反応となっている。しかし、わたしたちの評価の状態は、キャラクターの評価の状態をなぞることになる。

わたしは、アートホラーの感情は、本質的に、ドラキュラなどのモンスターの思考に対する恐怖と拒否感の組み合わせを含んでいると仮定した。◇20 その結果、これらの認知状態がある種の身体的興奮を引き起こすが、それは震えや胃のむかつきのように明白なものであるかもしれないし、ぞくぞくする感覚や、反射、警戒、予感などの身体感覚が強まることのように控えめなものかもしれない。次章で議論するように、こうした反応はクリーチャーの思考によって引き起こされ、クリーチャーが存在するという信念を必要としない。したがって、鑑賞者の心理状態は、信念という点ではキャラクターの心理状態とは異なるが、モンスターの性質を感情によって評価する仕方という点ではキャラクターの心理状態に近くなる。

こうした結果を支持する論証は、外見がほとんど同じモンスターが、ホラー作品とおとぎ話の両方に登場することを想起すれば簡潔に要約できる。ローラ・E・リチャーズの一九八六年の『美女と野獣』のリライト版にゴードン・ブラウンがつけた野獣のイラストは、確実に、スティーヴン・キングの『人狼の四季』に挿絵としてつけてもよく合うだろう。また同じく、バーニー・ライトソンが『人狼の四季』で描いた人狼の画像は、おとぎ話の『美女と野獣』のほとんどのバージョンで野獣の画像として使えるだろう。◆62

実際、おとぎ話の野獣とホラーの人狼の両方の機能を果たすようなモンスターのイメージを考えることもできる。アーサー・ダントー風の言葉で言えば、ホラーの人狼から肉眼では識別不可能なおとぎ話の野獣を想像できるのだ。◆63 にもかかわらず、二種類のフィクションに対する鑑賞者の反応には違いがある。そこでわたしの計画は、このような知覚的には識別不可能だが異なったものであるクリーチャーの集合の間に認められる違いについて最善の説明を引き出し、その説明を用いて今度はそれらが住まうジャンル間の区別を示すというものだ。

この際、しばしば観察されるのは、おとぎ話のモンスターとホラーのモンスターの決定的な違いは、それぞれのジャンルのキャラクターがモンスターにどう反応するかに関係するという点だ。美女もその父親も野獣に怯えている。しかし、ふたりは野獣が自然に反するものであるかのように――つまり野獣が自然の侵犯や不浄なクリーチャーであるかのように反応するわけではない[21]。野獣はむしろ、驚異と幻想の世界の、驚異や幻想なのである。野獣は宇宙論的・形而上学的なカテゴリーミスティクではない。おとぎ話の宇宙には、野獣のような生物が自然の一部として存在している。大柄で動物的な性格で怒りっぽいところは恐い。しかし、自然の侵犯ではない。このことは美女やその父親の野獣に対する反応に表われている。

実際、ここでのわたしの主張である、キャラクターの反応が一般的に決定的であることは、野獣に対する美女の態度が変わり、愛情をもつようになるにつれて、読者の野獣に対する恐怖がそれに比例して少なくなっていくという事実によっても支持される（これはジャン・コクトーの映画『美女と野獣』や同名のテレビシリーズに関連して見てとれることだ[64]）。

しかし、ボーモン夫人版の『美女と野獣』のようなおとぎ話から転じて、ホラーの典型例である、フランケンシュタインの怪物、ドラキュラ、ハイド氏、ラヴクラフトの旧支配者などに目を向けると、モンスターに対する人間のキャラクターの反応も変化する。モンスターは自然の侵犯や、異常な存在と見なされ、これは主人公たちの反応から明らかだ。主人公たちはモンスターを恐れるだけではない。抵抗感、不快感、嫌悪感、拒否感、不浄を感じる。モンスターは形而上学的な異物であるという意味で自然に反し、その結果、虚構のキャラクターから嫌悪感を引き出し、さらにその結果として、鑑賞者からも同じ反応を引き出すことが期待される。

ホラーのモンスターに対するキャラクターの反応を、わたしのような仕方で特徴づけることを擁護するため、ホラージャンルの範例となる多くの作家やストーリーを考察することを通じて、わたしはこの主張を発展させてきた。わたしは、ホラーの中心的な事例についてはすでに強い合意があるという確信のもとに議論を進めてきたし、提案した特徴づけがそれらの事例に当てはまることを示してきたつもりだ。このようなホラーの定式化が広く行き渡っていることを示すために、例の多くは、あまり有名ではないものや、ほとんど無名の候補からも選ばれている。わたし自身は、このジャンルを広くランダムに読んだり見たりすることで、これらの例やそれによく似た無数の例を見つけてきたのだ。よく知られているホラー作品をもとにした特徴づけが、その影に隠れた試みのなかで繰り返される頻度は驚くべきものであった。他の研究者がこの分野をランダムに精査すれば、これを支持する証拠が増えつづけるだろうことは保証する。

ホラージャンルの本質を特徴づけるここまでの試みを発展させていくなかで、わたしはこのジャンルが十八世紀の中頃に登場すると仮定してきた。この点でわたしは、文学史家の間で一般的な見解である、このジャンルはイギリスのゴシック小説とドイツのシャウアーロマン Schauer-roman（シャダーノベル）によって生み出されたものであるという立場を受け入れてきたつもりだ。[◆65] どの小説が最初のホラー小説なのか、あるいは最初のゴシック小説なのかは議論の余地があり、決定できないかもしれない。候補のひとつになりえるのは、ホレス・ウォルポールの『オトラントの城』（一七六四年）だ。しかし、その雰囲気は、ウィリアム・ベックフォードの『ヴァセック』のように、適切なものではないと主張する者もいるかもしれない。にもかかわらず、十八世紀末までにこのジャンルが具体化したという点については合意が見られるようだ。

もしこれが事実なら――わたしは権威に基づいてそう仮定するが――、なぜ、ジャンルが出現したのがその時期だったのかという疑問が自然に生じてくる。この点で、ホラージャンル――特にゴシック小説の形式をとったもの――が登場したのは、文化史家が「啓蒙」や「理性の時代」と呼ぶ時代と重なっていることを念頭に置くといいだろう。この時代は、十八世紀全体を含むと考えられ、十七世紀の思想家たち――デカルト、ベーコン、ロック、ホッブズ、ニュートンなど――の小さなグループの考え方が比較的広範な読書界に広まったことが特徴になっている。

一般に、読書界の人々は、これらの十七世紀の思想家についての知識を、原典から直接えたのではなく、クレーン・ブリントンが「現在では「普及者（ポピュラライザー）」と呼ぶべきもの――ジャーナリスト、文人、サロンの聡明な若者たち」と表現した人々の作品を通じて学んだと想定するのが妥当だろう。[66] この種の人物のなかでもよく知られているのは、ヴォルテール、ディドロ、コンドルセ、ドルバック、ベッカリアなどだ。啓蒙思想の精神は、ニュートンを特別な英雄とする自然科学の偉大な業績と、十七世紀における統一科学の枠組みを創造しようとする哲学的な試みに立脚していた。

理性は主要な能力として高い地位を獲得し、その繁栄を妨げるものは何であれ非難された。宗教は理性よりも信仰と啓示を重んじるため、特に不信の対象となった。宗教に対する批判的で懐疑的な態度は無神論へとエスカレートしかねない。ディドロは人間に向かって語りかける擬人化された自然に次のように語らせる。

おお迷信深き者よ、私がお前を置いたこの世界の外側に幸福を求めることは無意味な試みだ。勇気を出せ、そして私の権利を承認しようとせぬ不遜なわが敵手、宗教の軛から逃がれよ。私の権能を簒奪した神々を見限って私の法に立ち帰れ。お前がかつて棄て去った自然のもとに帰って来い。自然はお前を慰めてくれるであろう。そしてそれは今お前を悩ましているすべての恐怖、お前を引き裂いているすべての不安を拭い去ってくれるだろう。自然と人間性、そしてお前自身に、再び身を委ねるがよい。そうすればお前の人生の行く手には花がいっぱい纏められているのを見出すであろう。◆67

もちろん、ここでの自然はニュートン系のような力学的性質のものだ。啓蒙思想の多くは非宗教的なものではなかったが、この時代の大きな傾向は迷信に反対するものだった。啓蒙思想は世界のあらゆる側面を科学的分析の対象と見なす傾向があった。この点で超自然的なものは想像の産物と見なされた。◆68

ホラー小説がジャンルとして登場するのは、このような知的背景のもとで起きたことだ。よって、ホラージャンルと啓蒙思想の世界観が普及したこととの間には何らかの関係があるのではないかと考えたくなる。これらふたつの現象の歴史的相関についていくつか仮説を提案することもできる。例えば、ホラー小説は啓蒙思想の裏面のような何かを表現していると考えられるかもしれない。啓蒙思想が理性を正当化するのに対し、ホラー小説は感情を探求する。具体的には、暴力的な感情を、虚構のキャラクターの視点から探求するのだ。さらにこの対比は、啓蒙主義を客観性と結びつけ、ホラー小説を主観と結びつけることによってもっと際立ったものになるかもしれない。[69]

また啓蒙思想への改宗者が自然主義的な世界観を強く求めるのに対し、ホラー小説は、フィクションのために超自然的なものの存在を仮定する。さらに、啓蒙主義の進歩主義信仰に反抗し、ホラー小説は退行に耽るのだとも言える。あるいは、少なくともホラー小説は、迷信的信仰に残されたゲットーとしての表現の場と見ることもできるかもしれない。ホラー小説を、ゲーテの『魔王』のような詩とともに、啓蒙思想によって抑圧されたものの回帰と見ることもできるかもしれない。[70]この際、ホラー小説をさまざまに異なった仕方で考えることができる。それは啓蒙思想が懐疑したものを補完することで、一種の安全弁のように作用したのだと解釈できるかもしれない。あるいは否認されたものの一種の爆発と考えられるかもしれない。

しかし、こうした発想は興味を引くが、確証するのは非常に難しいかもしれない。というのは、もしホラー小説と啓蒙思想との関係が当初はひとつの衝突だったとすれば、この衝突に苦しむ主体は誰なのかという疑問が生じてくる。ホラー読者の魂の中に衝突が生じるのだろうか。しかし、その場合、ホラーの読者も啓蒙思想の世界観に転向した者なのだということが知られているだろうか。実際には、ホラーの読者のほとんどは啓蒙主義の知識人ではなく普通のキリスト教徒だったのではないだろうか。あるいは、ふたつの異なる対立しあった読者のグループがあり、ホラーファンは啓蒙主義のプロパガンダから逃がれて小説を読むという形で考えるべきなのかもしれない。しかし、この見方にしても、ホラー読者が啓蒙思想にそこまで迫害されていたという可能性は少なくとも疑わしいものだし、いずれにせよ確証するのはきわめて難しい。もちろん、個人ではなく文化全体の中に衝突を見出そうと試みてもいいかもしれない。しかし、これはあまりにも擬人化された社会観であると同時に、もう少し明確化する必要があるだろう。つまり、個人の経験でないとすれば、そんな衝突がどのように展開されるのだろうか。

ここまで述べてきたような懸念は、ホラーと啓蒙思想の関係についてのこれまでの仮説を決定的に退けるものではない。むしろ、さらなる研究と概念の明確化が求められるということを示している。わたしはこれらの仮説が棄却されるべきだと主張しているのではなく、もっと発展させるべきだと主張しているだけだ。こうした仮説はただの思わせぶりな提案であり、ただの推測にすぎないため、現在のところはいまだ認めがたい。

しかし、ホラー小説と啓蒙思想の間には、経験的な考察ではなく概念的な考察に基づく関係があるかもしれない。わたしはこれまでの議論を通じて、アートホラーの感情には、モンスター——アートホラーの感情が集中する対象——が侵害する自然という概念が含まれていることを強調してきた。モンスターは超自然的であるか、SF的な空想から生み出されたものであったとしても、少なくともわたしたちが知っているような自然に公然と反抗する。ホラーのモンスターは、つまり自然の侵犯という概念を具体化したものだ。しかし、自然を侵犯するには、自然についての捉え方が必要だ。この捉え方によって、問題の対象が自然に反する領域に追いやられる。この点で、啓蒙思想はホラー小説が正しい種類のモンスターを生み出すために必要となる自然の規範を与えたと提案したくなるかもしれない。

つまり、読者が、魔女や悪魔や人狼や心霊の力は、恐ろしいものだが現実の一部だという宇宙論のもとにあるかぎり、アートホラーが注意を向ける自然の侵犯の感覚は手に入らない。しかし、啓蒙思想の科学的世界観は、自然の基準（ノルム）を与え、それが超自然的なものにとって必要な概念的空間の余地を与える。たとえ啓蒙思想が、その概念的空間を迷信のひとつと見なしていたとしても。

ゴシックという個別ジャンルとホラー一般の読み手や書き手が、啓蒙思想を一様に信じていたとは言いたくないだろう。にもかかわらず、科学的現実が包摂するものや迷信とみなされるものに関する啓蒙思想の見方は広く知れ渡っていた。十八世紀の変わり目の読者や作家は、おそらく科学についての基礎的理解をもっていなかったし、必ずしも科学が主張するすべてのことを受け入れているわけではなかっただろう。しかし、今日の読者も、一般的には近年の科学の進歩の最先端に追いついているわけではない。それと同じように当時の人々はおそらく、おぼろげな見解はもっており、それによって、アートホラーに想定される非常に広範な仕方で、科学が、特に自然の侵犯という点から見て、何を迷信的信念に含めるかを特定することはできただろう。

このため、啓蒙思想とホラージャンルの登場の結びつきに関するひとつの仮説は、ホラージャンルは、科学的現実に対する啓蒙思想の世界観のようなものを前提とし、それによってジャンルが必要としている自然の侵犯の感覚が生み出されるというものになる。つまり、啓蒙思想は、ホラーの感覚を生み出すのに必要な自然観や、それに必要な種類の宇宙論を利用できるようにしたのだ。読書界の人々が啓蒙科学の全体を受け入れていたと想定する必要はなく、人々は、その自然観のもとで何が自然の領域の外部にあると見なされるのかという実践的感覚をもっていただけだ。また当時の読者がこの見解に同意したとも思わないが、[71]ただフィクションを楽しむために、自然の境界に対する見方を認識し、利用することはできただろう。

もちろん、この仮説には、啓蒙思想が抑圧したものの回帰という仮説について論じたような留保が適用されるかもしれない。つまり、啓蒙思想の捉え方は、わたしたちが想像しているほど読書界に広く知られていなかったことが示されるかもしれない。わたしの勘では、啓蒙思想によって改宗された自然観は、読書界の大多数には受け入れられていなくても、広く知られていたと信じても問題はなさそうだ。しかし、以上のような一連の推測が歴史的に支持できないということが仮に証明されたとしても、アートホラーの本質に関するこの理論にとってその帰結が破壊的なものになるわけではない。十八世紀にホラージャンルの起源を置くという発想が退けられるだけだ。ジャンルの本質についての特徴づけが反駁されたことにはならないだろう。

## 原註

◆1　これ以降、アートホラーはほぼすべての場合ホラーとだけ表現する。

◆2　ホラージャンルを生んだ伝統についての概略としては、Elizabeth MacAndrew, *The Gothic Tradition* (New York: Columbia University Press, 1979) を見よ。

◆3　苦心して問題の現象の歴史性を強調するのは、こんにちの芸術哲学に頻繁に向けられる非歴史的であるという非難を避けるためだ。この本で与えられるホラーの理論は脱歴史的 transhistorical なものではなく、歴史的なジャンルとその効果についての理論なのである。

◆4　例えば、アイザック・アシモフが『われはロボット』につけた序文を見よ。

◆5　このジャンルの発展に関する情報については Robert Kenneth Jones, *The Shudder Pulps* (New York: New American

Library, 1978) を参照。ジョーンズによれば、この出版点数豊富な分野のほとんどの作品では、超自然的なメカニズムをほのめかすが、ストーリーの最後では合理的な説明によって解消される結果になる。もちろんこれには例外もあり、アーサー・バークスの『Devils in the Dust』などはホラーに含まれる。ジョーンズは、ジャンルの中のこの少数の変種を「ウィアードファンタジー」という章で論じている。

◆6 *The Drama Review*, vol. 18, no. 1 (T-61) (March, 1974) を参照。このジャンルについての一般化に関しては、同じ号の Frantisek Deak, "The Grand Guignol" を参照。

◆7 実際『吸血鬼蘇る』にはチューバッカのようなクリーチャーが出てくる。

◆8 Tzvetan Todorov, *The Fantastic* (Ithaca: Cornell University Press, 1975).〔ツヴェタン・トドロフ『幻想文学論序説』三好郁朗訳、東京創元社、一九九九年〕

◆9 Terry Heller, *The Delights of Terror: An Aesthetics of the Tale of Terror* (Urbana: University of Illinois Press, 1987) など。

◆10 至福のジャンルについてはわたしの "Back to Basics," in *The Wilson Quarterly*, vol X, no. 3 (Summer, 1986) を参照。

◆11 鑑賞者のモンスターに対する反応がキャラクターの反応と同じというわけではない。鑑賞者たちはモンスターに攻撃されていることも、フィクションのモンスターが存在することも信じていないが、虚構のキャラクターは信じている。また虚構のキャラクターはストーリーの中のモンスターの出現によって快をえることはないが、鑑賞者は快をえる。よって鑑賞者の反応とキャラクターの反応は厳密には対応しない。だからわたしが言ったのは鑑賞者の感情反応が虚構のキャラクターの感情に並行的ということであって、鑑賞者の感情とキャラクターのそれが同一であるということではない。鑑賞者のモンスターに対する感情反応についての議論は第二章を参照。ホラーを感じることで鑑賞者がえる快についての議論は本書の第四章を参照。

本書の目的にとって、鑑賞者の感情反応がキャラクターのそれと並行的だと述べる際には、それは専門用語として、そのモンスターが代表しているクリーチャーの種類に関する鑑賞者の評価的思考が、虚構のキャラクターがそのモンスターについてもつ評価的信念に対応しているということを意味する。この評価的思考という概念は——感情がどのように評価的であるかという点と、感情がどのように思考に結びつくという点の両方にかかわるものだが――、この章の後の部分と第二章で扱う専門的な概念だ。虚構のモンスターに関する鑑賞者の評価的思考が、虚構のキャラクターの感情的評価と信念に対応するということは、鑑賞者が虚構のモンスターの存在を受け入れているということをまったく含意しないが、もちろんキャラクターは受け入れている。

◆12 大部分の場合、鑑賞者のモンスターに対する感情反応は、特定のしかるべき側面で、キャラクターの反応によって誘導されるが、これが絶対に必要というわけではない。例えば、鑑賞者はどんなキャラクターより先にモンスターを垣間見ることがあるかもしれないし、もしモンスターが十分に嫌悪を与える自然の逸脱であり、そして／あるいは鑑賞者が問題の作品がホラーであることを知っているならば、虚構の手本がなくてもホラーを与えられるかもしれない。しかし、標準的な事例では虚構の手本があり、この種の一般的な事例をもとにして、わたしはホラーフィクションとモンスターが出てくるだけのストーリーを区別しようとしている。

◆13 ここで言うしかるべき点を構成するのは、鑑賞者の評価の規準と行動に関わる活動の一部であり、これらが虚構のキャラクターの反応と並行的なものになる。これらの概念は、わたしが感情反応の構造について述べる箇所で明確化される。

◆14 あらゆる国にひとりはいるにちがいない。

◆15 シェリダン・レ・ファニュの『カーミラ』では例えば、吸血鬼の被害者が「私が経験したのは奇妙な騒がしい興奮で、それは心地良かったが、時に曖昧な恐怖と嫌悪の感覚と混ざりあっていた」（強調引用者）と述べる。

嫌悪や拒否感やそれに類する感覚がホラーの文献で明示的に言及される率は統計的に圧倒的なものだ。そしてここまで発展させてきた主張は、この経験的な発見の強さを根拠としている。しかし拒否感を与えるというモンスターの性格をテキスト内ではっきり述べていないアートホラー作品もありえることには注意すべきだ。しかし、そのような場合、テキストは、かなり直接的な仕方で、言語を通して（例えば、匂いや、身体の変形及び崩壊に言及したり、または、他の点で読者に嫌悪を与える記述によって）、あるいはキャラクターのふるまいを通して、このモンスターは嫌悪を与えるものだと示しているのではないかと考えられる。

◆16 ここで採用される感情についての説は William Lyons, *Emotion* (New York: Cambridge University Press, 1980)

の説に非常に近いものに従っている。また関連する立場として Irving Thalberg, “Emotions and Thought,” in *Philosophy of Mind*, ed. by S. Hampshire (New York: Harper and Row, 1966); Thalberg, “Constituents and Causes of Emotion and Action,” *Philosophical Quarterly*, no. 23 (1973); and Thalberg, *Perception, Emotion and Action* (New Haven: Yale University Press, 1977) 特に二章。

◆17 わたしは傾向的感情については語らないので、これ以降「感情」という語は顕在的感情だけを指す。

◆18 これは包括的なリストではないし、包括的なリストを作ることが可能であるとも想定していない。

◆19 これに近い立場を発展させたのは、バートランド・ラッセルだ。ラッセルは次のように書いている。「感情——例えば激怒——は一種の過程である。感情の構成要素は、特定のパターンに従って連続して起きる感覚とイメージと身体の運動だけだ」Bertrand Russell, *The Analysis of Mind* (London: Unwin, 1921), p. 265。ここでは感情が感覚の固有のパターンと同一視されている。分析哲学の伝統では、このアプローチは Errol Bedford の “Emotions,” *Proceedings of the Aristotelian Society*, vol. 57 (1956–57) という重要な初期の論文で攻撃されている。しかし、本書に関して言えば、わたしはベッドフォードの傾向からは袂をわかち、ライルの行動主義の方向に進みたいということを強調しておきたい。

◆20 同じようにマリーの恐怖の状態には「アドレナリンの分泌」が伴うかもしれない。しかしもしマリーにアドレナリンを投与し、当人が危険だと思うものがない部屋に置いた場合、この人が恐怖しているとは言わないだろうと思う。Robert M. Gordon, *The Structure of Emotions* (New York: Cambridge University Press, 1987), p. 86 を参照。この本でゴードンはホラーを叙実的 factive 感情と呼ぶものに分類している。しかしゴードンが扱っているのはわたしが前に「ナチュラルホラーなどの」ナチュラル感情に分類したものだ。アートホラーのようなアート感情を扱うためには、ゴードンの体系は強化される必要があるのではないかと考える。

◆21 ここでわたしが「感覚」という語をあまりにも狭い意味で使っていると非難する人がいるかもしれない。わたしはこの語を身体状態に限定している。反対に、感覚は身体の感じ以上のものを含むと論じられるかもしれない。しかしこの方策をとると、論証から逃れることにはなるが、感覚を再定義し、感情とほぼ等価なものにしてしまう。確かに一般的な用法では、このふたつの語は互換的に使用することが許されている。◇22 しかしここでの論証で「感覚」をこのような仕方で使用し、真剣に論証を進めようとすれば、論点先取に陥ってしまう。また、すぐ明らかになるように、もし感覚を感情として解釈し、この意味で感覚は身体状態以上のものだと考えているなら、わたしとは対立しない。

◆22 本節での感情の構造の説明の全体を通じて、感情の認知的構成要素には信念および思考が含まれる。ここで思考を強調する目的は次の章で明らかになるが、そこではアートホラーの対象はわたしたちのモンスターに関する思考の内容に関わっており、モンスターの存在についての信念には関わっていないことを論じる。感情の構造についてのここまでの説明では、認知的構成要素についての議論は、信念と思考の両方を含んでいると理解されるべきだ。説明の便宜のため、時には思考を含んでいることが明示されないこともある。しかしほとんどの場合、この説明で信念の役割について述べられたことは、思考にもかかわると理解されるべきだ。

◆23 また、わたしが認知状態と興奮の間の関係を因果的なものだと捉える傾向があるのは、この種の思考実験のためだ。

◆24 実際にはこの説はもう少し拡張を必要としている。なぜならわたしたちは他の人の状況によって感情を動かされるからだ。また、解釈および評価は信念または思考のいずれかに関わるものであっても良いことを明示的にすべきだからだ。つまり、緑色のスライム〔粘液状の怪物〕が存在すると信じ、それが危険であると信じるかわりに、緑色のスライムのような、もし存在すればその性質が危険である（非存在の）ような種類のクリーチャーについて思考することで怯えるのであってもよい。

◆25 ホラーにおける接触について、H・P・ラヴクラフトは、『文学と超自然的恐怖』の中でおもしろい見解を述べている（H.P. Lovecraft, *Supernatural Horror in Literature* [New York: Dover Publications, 1973], p. 102）〔「文学と超自然的恐怖」植松靖夫訳、『定本ラヴクラフト全集7－I』矢野浩三郎監訳、国書刊行会、一九八五年、一六〇頁〕。M・R・ジェイムズの幽霊についてラヴクラフトは以下のように書いている。「新しいタイプの幽霊を発明したことで、ジェイムズは従来のゴシックの伝統からかけ離れた。というのは、それ以前の定番の幽霊は青白く物静かで、主に視覚を通して理解されていたのに対し、平均的なジェイムズの幽霊は痩せて、背が低く、毛むくじゃらで——なめくじのようにのろまで、地獄の悪夢のような姿で、獣と人間の中間にあり——たいてい見られる前に触れられていたからだ」。

◆26 この理論はアートホラーについての理論であり、アートホラー自体が想像を扱うジャンルと結びついているので、定義の中で、問題のモンスターが虚構のものであることを強調する必要はないように思われる。

◆27 スティーヴン・キングは『死の舞踏』(*Danse Macable* [New York: Berkley Books, 1987]) で、ホラーにおける異なる感情のレベル三つを区別している (pp. 22–23)。〔『死の舞踏』安野玲訳、福武書店、一九九三年、四九 - 五三頁〕。〈戦慄 terror〉、〈恐怖 horror〉、〈拒否感 revulsion〉だ。キングは「私は〈戦慄〉こそが最上だと考えているからこそ、読者にはつねに〈戦慄〉を与えようと努力している。それでも、もしその試みがうまくいかなかった場合には、〈恐怖〉を与えようとする。さらにそれにも失敗すればまちがいなく〈拒否感〉に走るだろう」と述べている。キングにとって〈戦慄〉は未知なるものへの不安の一種だ。モンスターは現われず、神経をかき乱す想像があるだけだ。〈恐怖〉では、モンスターが提示されたり記述されたりする。モンスターの物理的おかしさによって身体的反応が引き起こされる。〈拒否感〉に関しては、モンスターがあまりにも気持ちが悪いので、身体的反応は極端な嫌悪になる。このため、キングにとって、〈戦慄〉は恐怖+想像、〈恐怖〉は恐怖+視覚的な描写、〈拒否感〉は恐怖+気持ち悪い視覚的描写だ。このジャンルでえられる情動は反応のレベルが連続的に変化するものになる。

こうした区別は実践的には一定の意味のあるものだろうが、わたしはこれがアートホラーの適切な全体像を与えているとは考えない。というのも、「気持ち悪いもの」だけではなく、キングが〈戦慄〉〈恐怖〉と呼ぶものの中にも、拒否感の要素がなければならないと論じたいからだ。もちろん、キングとわたしは議論の目的がすれちがっているかもしれない。なぜならキングは拒否感を、鑑賞者を嫌悪で文字通りに黙らせるようなものと見なしており、わたしは、そういった事例だけではなく、不浄の認知によって不安になること、場合によってはおとなしい不安も含めるような形で拒否感を使っているからだ。

キングの〈戦慄〉というカテゴリーは、ラヴクラフトの公式「十分に暗示し、語ることは十分に少ない」(*Supernatural Horror in Literature*, p. 42)〔「文学と超自然的恐怖」、一一一頁〕によってうまく要約される恐怖思想の潮流があることを思い起こさせる。ここでの発想は、最良のホラー作品は、暗示によって、読者に何があったか想像させることによって機能するというものだ。この前提になっているのは、どんな作家より、読者を怖がらせるのがうまいのは読者自身だ――読者は自分にとって最も恐ろしいことを想像できる――ということだ。

ラヴクラフト自身はこの暗示の美学を、宇宙的恐怖（コズミックホラー）、一種の非宗教的畏怖という観点によるホラーの定義に組み込んでいる。しかしこの路線で考えてもホラーの定義を考えるのに役立つとは思えない。というのは、これは実際には、ある種のホラーに対する美的好みを示しているからだ。ホラーを分類しようとしているわけではない。このアプローチでは、「ホラー」は尊称や評価語となり、特定の美的基準における達成を示す。さらに、この基準を明示的に拒否するホラー作家も多い。クライヴ・バーカーは、「とても強力なロビー団体があって、見せすぎだと言ってきます。でもちがうんです。それは私向きじゃない。見せすぎるなんてことはないんです」「自分のストーリーについて知っていることはすべてページに載せます。ですから、何か恐ろしいことが起こると、その場面について私が想像できることはすべて印刷されたものになってしまいます。私はそこまで想像してほしいし、想像の限界を広げ、「私が想像できる限界まで、読者の心の中で完全に読者と向き合おう」と言うんです。私にとって、ホラー小説の楽しさは、何か桁外れなものなんです。」(*Faces of Fear*, by Douglas Winter 収録のインタビュー [New York: Berkley Books, 1985], pp. 213–214)。したがって、ホラーを定義するために恐怖の暗示や想像を使うなら、ラヴクラフトとバーカーの間の問題を回避できなくなる。

◆28 ホラーを与えるクリーチャーへの接触という問題に満ちた中篇小説の一例は、イェレーミアス・ゴットヘルフによる中篇小説『黒い蜘蛛』だ。恐ろしい蜘蛛が箱の中にいるときでさえ、語り手は「しかし正直な話、この因縁の柱を手にした時ほど一心に祈ったことは、生まれてこのかた一度もなかった。手や体中が焼けつくような気がして、手や体に黒いしみができてはいまいかと、思わず見ずにはいられなかった。それで何もかも片がついた時は、心から山がころげ落ちたような気がしたものだ」と言う〔『黒い蜘蛛』山崎章甫訳、岩波書店、一九九五年、一七四頁〕。この物語では蜘蛛は伝染性の災厄、正真正銘の猛威をふるう疫病と同一視される。これはもちろん、ホラー作品における汚染のイメージと、キャラクターが、ホラーを与えるクリーチャーに触れることに尻込みする傾向に、何らかの関連があることを示唆している。すなわち、そのようなクリーチャーが汚染と同一視されたり、汚染と結びつけられるかぎり、卑しむべき体との接触は恐怖される。また、こうしたモンスターが不潔であると繰り返し記述することは、モンスターが汚染されており、伝染し、かすかに触れることさえも危険であるという発想と結びついている。

◆29 O.H. Green, "The Expression of Emotion," *Mind*, vol. 79 (1970), Lyons, Emotion, chap. 5 を見よ。Anthony Kenny, *Action, Emotion and Will* (London: Routledge and Kegan Paul, 1963) でアンソニー・ケニーはこれを感情の適切な対象と呼んでいる (p. 183)。

◆30 ここでの可能性の意味についてはもう少し述べておく必要がある。ほとんどの場合、わたしたちが念頭に置いているのは論理的な可能性だ。しかしやっかいな問題がある。というのは、ある種のホラー小説、特にタイムトラベルを扱ったものでは、物理的に不可能であるだけではなく、論理的にも不可能なクリーチャーに出会うことがあるからだ。これらを扱うために、見かけ上 ostensibly 論理的に可能な存在——論理的不可能性がテキスト上で目立たず、場合によっては不可能性が隠されている存在——について語る必要があるかもしれない。わたしたちが不可能なものを心に思い浮かべることができるかもしれないという可能性については、決定的なものではないが、ローマン・インガルデンの『文学的芸術作品』で探求されている。Roman Ingarden, *Literary Work of Art*, trans. G. Grabowicz (Evantson: Northwestern University Press, 1973), pp. 123–24.〔『文学的芸術作品』滝内槙雄・細井雄介訳、勁草書房、一九九八年〕。

◆31 文学が感情の規準を明確化し、感情の規準を教えてくれるという発想は、Alex Neil, "Emotion, Learning and Literature," (American Society for Aesthetics in Kansas City, Missouri on Oct. 30, 1987 の会議で配布された論文) で論じられている。ニールの論証は、文学によってわたしたちは世界についての知識、特に日常的な感情の言語をどのように適用するかについての知識をえることができると結論するものだ。文学はこれを、キャラクターの記述を通じて、感情的な用語の適用の基準を例示することによって行なう。同様に、アートホラーの基準は、このジャンルの作品のキャラクターの反応に見出されると主張したい。鑑賞者は理想的にはキャラクターを自分の反応のモデルにする。しかし、わたしはアートホラーが世界について教えてくれると論じたくはない。というのは、作品で描かれるアートホラーが日常的な感情だと考えていないからだ。おそらくホラージャンルの事例に注意を向けているときにしか見られない感情かもしれない。これはニールの一般的な理論がまちがっていると述べているわけではない。アートホラーはその良い例ではないというだけだ。

（日常生活の中でアートホラーのようなものが見られる場所のひとつは、人種差別の言語の中だということは注記しておくべきだ。人種差別的なレトリックは、しばしばその犠牲者たちを狭間に位置し、不浄なものとして描く。黒人は、猿と人間の融合のように扱われてきたし、アイルランド人もそうだ——L. Perry Curtis, *Apes and Angels* [Washinton D.C.: Smithsonian Press, 1971] を参照）。

別の方向から述べると、ホラージャンルの作品が鑑賞者に反応の仕方を教示するというわたしの発想は、読者と作品との間には何らかの契約があるという、文学研究における近年の研究——時に受容研究という名前で呼ばれるタイプの研究——と関連しているかもしれない。わたしの説では、この契約の実質の一部は、鑑賞者が、キャラクターによって例示される評価カテゴリーを、モンスターへの反応のモデルとすることだ。もちろん、鑑賞者は契約を拒否しうる。特に不出来なモンスターはホラーよりも笑いを喚起するかもしれない。キャラクターの反応がすべてではないのだ。モンスターは適切に恐怖や嫌悪を与えるものでなければならない。そうでなければ、鑑賞者は単に契約を拒絶しうる。

◆32 Mary Douglas, *Purity and Danger* (London: Routledge and Kegan Paul, 1966).〔メアリ・ダグラス『汚穢と禁忌』塚本利明訳、筑摩書房、二〇〇九年〕

◆33 ここでサルトルの小説『嘔吐』でロカンタンが粘着質のものに感じたあの嫌悪を思い起こす人もいるかもしれない。

◆34 「対象 object」と「事物 entity」をここで強調するのは特定の反例をブロックするためだ。カテゴリー上の誤りや論理的パラドックスは哲学者を怖がらせるかもしれないが、通常は不浄と見なされない。しかしこれらは「対象と事物」の領域に属していない。アートホラーを分析するという目的のため、不浄なものとして評価される対象の範囲（ドメイン）となるのは事物だ。さらに言えば、特別な種類の事物である、モンスターということになる。

◆35 美術に関してはシビル・ルペルトが《The Third Sex》などの恐ろしい木炭画で複数の種を混ぜている。この点についてはルーカス・サマラスの《Photo-transformation》も見よ。H・R・ギーガーの作品は、有機体と機械だけではなく、内部と外部といったカテゴリー上の対立項を合成させている。

◆36 映画のタイトルを考えてみよう。『それは外宇宙からやって来た』〔TV公開時の邦題は『イット・ケイム・フロム・アウター・スペース』〕、『It Came From Beneath the Sea』〔邦題『水爆と深海の怪物』〕、『It! The Terror From Beyond Space』〔邦題『恐怖の火星探検』〕、『The Thing』〔邦題『遊星よりの物体X』〕、『The Swamp Thing』〔邦題『怪人スワンプ・シング 影のヒーロー』（原作はDCコミックスの同名のシリーズ）〕、『The Creature from the Black Lagoon』〔邦題『大アマゾンの半魚人』〕、『Terror Out of the Sky』〔邦題『戦慄の毒蜂軍団』〕、『Monster』〔一九八〇年〕、『Monster from Green Hell』〔邦題『昆虫怪獣の襲来』〕、『Monster from a Prehistoric Planet』〔『大巨獣ガッパ』米題〕、『原子怪獣の襲来』、『Monster from the Surf』、『Monster of Piedras Blancas』、『The Monster That Challenged the World』〔邦題『大怪獣出現 世界最強怪獣メギラ登場！』〕などのタイトルは、それぞれ独自のかたちで、ホラーなものを正確に分類するために使用できる言語的カテゴリーが欠けているというテーマを物語っている。このたくさんの事例からせいぜいわかることは、モンスターは宇宙のどこか（例：ピエドラスブランカス〔カリフォルニアの地名〕）にいるということくらいだ。

◆37 ジョン・バリモアによる一九二〇年版の映画『ジキル博士とハイド氏』〔邦題『狂へる悪魔』〕では、ハイド氏のメイクは人間と蜘蛛が混ざり合ったたったようにデザインされている。

◆38 わたしの理論では、厳密にはホラーのイメージではないが、フランシス・ベーコンの絵画は、ほとんど不定形の人間の肉の塊を示しているため、ホラーを与えると言われることが多い。《皮下注射器とともに横たわる人物 Lying Figure with Hypodermic Syring》を見よ。

◆39 Julie Kristeva, *Powers of Horror: An Essay on Abjection* (New York: Columbia University Press, 1982).〔ジュリア・クリステヴァ『恐怖の権力――「アブジェクシオン」試論』枝川昌雄訳、法政大学出版局、一九八四年〕で、ジュリア・クリステヴァはダグラスの仕事を利用してホラーを論じている。しかし、クリステヴァの本の主題は本書の主題とぴったり一致するわけではない。本書は、アートホラーのジャンルという狭い領域に関するものだ。クリステヴァの理論化はおそらく、この領域も含むよう意図されているが、他の多くのことも含んでいる。クリステヴァにとって、おそらくホラーと忌しさは、女性の抽象的把握（特に母親の体）と結びつけられた形而上学的要素であり、わたしたちはこの形而上学的要素を認めるように忠告されると考えているように思われる。わたしにはクリステヴァのとりとめもない議論が理解可能なものなのかどうかさえわからない。しかし、クリステヴァのプロジェクトはおそらくこの研究とは最終的には関係しない範囲のものなので、ここでそれを検討するために立ち止まることはしないつもりだ。クリステヴァのプロジェクトはもっと大きなものだ。

◆40 本節の冒頭の区別を考えると、おとぎ話のモンスターが、遭遇した人間のキャラクターや読者からホラーの反応を起こさない理由について、ここで疑問が生じるかもしれない。しかし、これらのクリーチャーは、カテゴリーの侵犯ではないだろうか、という風に。わたしにはこのパズルには少なくとも三つの答えがあるように思われるが、今のところどれを好むかは確信がない。第一に、これらのクリーチャーはおとぎ話や神話の中ではカテゴリーの侵犯ではないと論じることができるかもしれない。第二に、おとぎ話に特徴的な「昔々」などの決まり文句で始まる仕方に注目してもいいかもしれない。おそらくこうした決まり文句は、一般的なカテゴリー図式の規則からおとぎ話を除外するように機能する。最後に、カテゴリーの違反は不浄なもののいくつかの必要条件のひとつにすぎないのかもしれない。もしそうなら、他の条件を発見することで、なぜホラーのモンスターは不浄で、おとぎ話のモンスターはそうではないのかを明らかにできるかもしれない。

◆41 それどころか、恐ろしいクリーチャーを見るだけで死ぬこともある。アーサー・マッケンの『パンの大神』を見よ。

◆42 ジークムント・フロイトの著名な論考「不気味なもの」（"The 'Uncanny'"）の中で、フロイトはこの用語〔unheimlich〕に付随するドイツ語的概念は、わたしたちのなじみある物の見方にとって通常は異質で、隠され、抑圧され、隠蔽され、秘められたものの開示、啓示、暴露を示唆すると述べている。この見解は、少なくとも最小限の仕方では、アートホラーの制作におけるカテゴリー逸脱の重要性についてのわたしたちの考えと一致する。ホラーのクリーチャーは、わたしたちの文化的図式に適合せず、ある意味では、これらのカテゴリーが、そのようなクリーチャーが表現する種類の可能性を排除し、おそらくその認知を隠蔽すると考えられるかもしれない。しかし、わたしは問題をこのように表現することに少し抵抗があることも認めなければならない。というのは、一般的に言って、わたしたちの文化的カテゴリーでは、ホラーのクリーチャーが表現する概念上の可能性が、抑圧されたり、隠されたり、抑えられたりするのではなく、無視されているという方が適切に思われるからだ。確かに、抑圧されたものの回帰という発想はホラーにも適用できることがある。問題は、それがアートホラーのあらゆる形態に包括的に当てはまるかどうかだ。わたしの感覚ではそうではない。しかし、抑圧の問題と、ここで提唱している理論およびそれと競合する精神分析理論との関係については、本書の後の部分で詳しく述べる。フロイトの論考は *Studies in Parapsychology*, ed. Philip Rieff (New York: Collier Books, 1963), pp. 19–62 にまとめられている。

◆43 前二段落の反例はエド・ライツによるものであり、ライツは一九八六年にクイーンズのアストリアのミュージアム・オブ・ザ・ムービング・イメージで開催された哲学と映画に関するシンポジウムで、これらの反例にわたしの注意を向けてくれた。

◆44 最近では、チェシャー・カルフーンが、信念が感情の構成要素であることを否定することで、認知的感情という発想に異論を唱えている。カルフーンの議論によれば、信念ではなく、「世界を……として見ること」という経験についてわたしたちは語るべきだ。カルフーンが正しいとしても、その帰結がこの本にとって厄介なものになるとは考えない。ホラーのモンスターに関する鑑賞者の信念および／または思考についてわたしが言ったことを、「として見ること」の言語に置き換えることに問題は見当らない。一方、わたしは、感情の構成要素として「として見る」経験を提唱することによって、カルフーンが認知主義者であることを止めたという点に完全に納得したわけではない。認知に関して適切な広い見方を取れば、「として見る」は認知であるように思われる。Cheshire Calhoun, "Cognitive Emotions?" in *What is an Emotion?*, ed. Cheshire Calhoun and Robert Solomon (New York: Oxford University Press, 1984), pp. 327–342 を参照。

◆45 同様に、議論を促し、（おそらくこれに対抗できるだけの）証拠をもっと提出してもらうためには、このホラーの理論をその最高の形に発展させることに利点があるように思われる。つまり、アートホラーの研究を進歩させるには、最初に強力な推測を導入しておけば、それが最終的には否定されるとしても、進歩する見込みが最も高くなるはずだ。

◆46 クローネンバーグは、『ザ・フライ』では、父親の死の経験を描きたかったと述べている。クローネンバーグの父は癌を患っていたが、末期にはひどく拒否感を与える姿だったのだろう。しかし、クローネンバーグは、父の肉体の衰えにもかかわらず、自分が知っており愛していた人間の姿を見失うことはなかった。クローネンバーグが作ったハエの姿は、衰えつつある父親に対して感じていたと思われる嫌悪と思いやりの相反する感情を再現している。

◆47 よって、わたしの説ではスーパーマンはモンスターだが、ホラーのモンスターではない。マイティ・マウス〔スーパーマンに似たカートゥーンのキャラクター〕についても同様。

◆48 ジョセフ・マーゴリスはホラーの事物理論と出来事理論の区別の重要性について、何度か非常に有益な会話の中でわたしと議論した。しかし、マーゴリスはこの問題を解決しようとするわたしの試みに同意しないかもしれない。

また興味深いことにアリストテレスは『詩学』で悲劇の分析にホラー〔恐怖〕の概念を適用していると解釈してもよいかもしれないが、そこでのホラーは、事物ではなく出来事にかかわるものだ。しかし、アリストテレスはわたしたちがアートホラーと見なしているものについて考えているわけではない。むしろ、念頭に置かれているのは、わたしたちがナチュラルホラーと呼ぶものの表象だ。

◆49 〔出来事ではなく〕対象の理論の観点からアートホラーについて議論したとき、わたしはこのジャンルの境界線上に、『サイコ』のような、超自然的なものへの言及を欠いているがそれに似た作品があることを指摘した。これまで論じてきた超自然的な出来事を扱うストーリーにも似たような隣接ジャンルがある。ここで、鑑賞者の注意を釘付けにする不調和な出来事は、自然からの逸脱ではなく、心理的・犯罪的な倒錯にその起源を見出すのである。こうしたバリエーションの例としては、ロード・ダンセイニの『二壜の調味料』、ロアルド・ダールの『南から来た男』、そして『ヒッチコック劇場』や『Thriler Theater』などのシリーズもののテレビ番組の多くのエピソードが挙げられる。

◆50 Sigmund Freud, *The Interpretation of Dreams*, trans. James Strachey (New York: Avon Books, 1965), pp. 327–28.〔ジークムント・フロイト「夢判断」高橋義孝訳、『フロイト著作集2』人文書院、一九六八年、二四四頁〕

◆51 神話における架空の生物は知覚においてあらかじめ経験されていた要素を再結合したものだというヒュームの考えを思い出してほしい。David Hume, *Treatise on Human Nature*, I, 1, 3.

◆52 Sigmund Freud, *On Dreams*, trans. James Strachey (New York: The Norton Library, 1952), p. 46.

◆53 時間分裂と空間分裂の区別は、Robert Rogers, *A Psychoanalytic Study of the Double in Literature* (Detroit: Wayne State University Press, 1970) で詳述される。

◆54 本物のボーイフレンドの方は、巨大な冷凍庫に似たエイリアンの宇宙船の中で、光線銃型ミートフックのようなものにつるされている。

◆55 『宇宙船の襲来』は宇宙憑依映画というサブジャンルに属するが、このジャンルには『ボディ・スナッチャー／恐怖の街』(両方のバージョン〔リメイク版の邦題は『SF／ボディ・スナッチャー』〕)、『Creation of the Humanoid』、『遊星Xから来た男』、『惑星アドベンチャー スペース・モンスター襲来!』(両方のバージョン〔リメイク版の邦題は『スペースインベーダー』〕)、『Phantom from Space』、『それは外宇宙からやって来た』、『Killers From Space』などが含まれる。映画の特定の文脈に依存しつつ、これらの映画で憑依された地球人は、空間分裂、時間分裂のいずれかの例になりうる。『ボディ・スナッチャー／恐怖の街』の解釈については、わたしの "You're Next" in *The Soho Weekly News*, Dec. 21, 1978 を参照。

◆56 カーミラは、融合の完全に純粋な事例を代表してはいないかもしれない。というのは、いくつかの場面では獣かもしれない影として記述されているからだ。カーミラは変身する怪物かもしれないが、わたしの考えでは、テキストはいくらか曖昧だ。

◆57 同時に、分裂と融合の区別が批評家にとって役立つのは、問題となっている架空のものの象徴的な編成を見通し、クリーチャーの生物学が予兆するテーマ上の対立を明確化するための手段として使う場合だ。

◆58 ジェイムズは、短篇の冒頭で魔女の「有毒の怒り」と「毒婦」の面を強調することで、この結末を暗示している。

◆59 小型化することによっても、ホラーなものを生み出すことができるのではないかと考える人もいるかもしれない。映画『スティーブン・キングのキャッツ・アイ』のある短篇では、怪物トロルは小さいことによっていっそう恐ろしいものになっている。その小ささのせいで大人には見られずにヒロインの少女に危険を与えることができるからだ（だが、幸いにも猫には見ることができた）。

◆60 William Morton Wheeler, *Ants: Their Structure, Development and Behavior* (New York: Columbia University Press, 1910), pp. 246–256を見よ。『Leiningen versus the Ants』はバイロン・ハスキンの『黒い絨毯』という映画になっている。

◆61 これらの修辞は相互に排他的でもないし、リストは包括的なものでもない。しかしホラーのイメージのなかで特に頻出する構造の大部分に関して役に立つ特徴づけを与えてくれるものだと考える。

◆62 もちろん、わたしは野獣が狼男としか考えられないと言いたいわけではない。描かれ方はさまざまだが、例えば、人喰い鬼（*Popular Tales of the Olden Time*, 1840）、猪男（Edmund Evans, 1874）、サーベルタイガー（Eleanor Vere Boyle, 1875）、ミノタウロス（W. Heath Robinson, 1921）などの姿で描かれてきた。

また、挿絵を論じるには、これまでのわたしの理論には欠けていると思われていたかもしれない事柄に言及しておくと役立つかもしれない。わたしは複数の芸術形式にまたがる理論を展開すると主張してきた。しかし、わたしの例は主にフィクションの文学、映画、演劇から来ている。したがって、わたしのアプローチが美術に適用できるのかという疑問が生じるかもしれない。

わたしたちの文化におけるフィクションの文学、映画、演劇は、必然的にそうというわけではないとしても、標準的には、豊富なキャラクターが登場する物語芸術だ。一方で、美術は本質的に非物語的なものであり、その結果、わたしのアプローチのように物語とキャラクターに大きく依存したアプローチは、美術にうまく適合しないと思われるかもしれない。

しかし、この反論の前提はまちがっている。美術の多くは物語であり、モンスターに反応するキャラクターが登場する作品では、物語映画と同じようにわたしの説明を適用できる。バークレー・ショーが〔アイザック・アシモフの〕『火星人の方法』につけた挿絵では、ふたりの未来人が檻の中で巨大な目を発見する。わたしたちに近しい姿の未来人の手の指は、これまでの文学や映画の例に見られるような恐怖の麻痺に凍りついている。

さらに、ホラーを与える美術作品の多くは、もちろん本や雑誌の挿絵で、あるいは映画の広告でも使われるものだ。これらは多くの場合凝縮された物語として機能する——モンスターや狂人が犠牲者に覆いかぶさり、犠牲者の表情はホラーを示している（例えば、一九三七年号の『Horror Stories』にジョン・ニュートン・ホウィットがつけた表紙を参照）。また、こうした挿絵で犠牲者が描かれず、モンスターだけが描かれる場合にも、挿絵は元の作品のキャラクターの反応に基づいている。

しかし、美術作品には、虚構の犠牲者や虚構のキャラクターの反応とは結びついていないホラーのイメージがあることも確かだ。おそらく、マーカス・リザーデイルの写真《Gargoyle/Devil》はその一例だろう。こうした事例では、物語の文脈におけるホラーの研究を通して発展したホラーの理論を利用することができ、たとえ画像が〔挿絵のような〕媒介的な性格を持たないとしても、画像の鑑賞者がその中のクリーチャーを、これまで述べたアートホラーの基準を満たすものと見なすのであれば、画像もホラーを与えるものとして特定できるように思われる。

◆63 哲学における「識別不可能性の手法」については、Arthur Danto, *The Transfiguration of the Commonplace* (Cambridge: Harvard University Press, 1981)〔アーサー・ダントー『ありふれたものの変容——芸術の哲学』松尾大訳、慶應義塾大学出版会、二〇一七年〕を参照。

◆64 「識別不可能なモンスター」の問題が生じるもうひとつの興味深い文脈はコメディだ。『ティーン・ウルフ』、『ティーン・ウルフ2』、『マイ・デーモン・ラバー』、『凸凹フランケンシュタインの巻』（その他多数）などの映画では、クリーチャーはホラー映画に出てくるものと同じように作られているが、鑑賞者はそれを身の毛がよだつというよりもばかばかしいものだと見なしている。さらに、これらの映画のキャラクターは、モンスターを、自然の侵犯、異常、宇宙の秩序の攪乱と見なしているようだ。したがって、これらのコメディをわたしの理論の反例と考えないならば、何らかの説明が必要だ。

この説明は、これらのコメディがホラー映画のパロディであることに注目することから始まる。虚構世界と鑑賞者の間には、一定の喜劇的距離が導入されている。多くの場合、これは鑑賞者の注意をモンスターからモンスターへのキャラクターのばかげた反応へ注意を向け直すように作用する。映画『ティーン・ウルフ』では、キャラクターはホラー映画のクリーチャーに反応するかのようにモンスターに反応するかもしれない。しかし、鑑賞者はこれが不適切であることを知っている、ティーン・ウルフは本当はいいやつだからだ。ティーン・ウルフは、モンスターが真に恐ろしい存在であるという条件を満たしていない。このことを知らず、ティーン・ウルフが狼男であるかのように反応するキャラクターは、鑑賞者のもつ優れた知識と比較して状況を誤って認識することで、笑いの対象となる。

アボットとコステロの映画（『凸凹フランケンシュタインの巻』）も、喜劇の効果に対するキャラクターの反応に注意を向け直す。具体的には、コステロの反応は誇張されている。これらの映画のモンスターは十分に危険なものだ。しかし、巨匠の芸であるコステロの失神が相手では勝ち目はないだろう。

◆65 Marshall Tymn, *Horror Literature: A Core Collection and Reference Guide* (N.Y.: R.R. Bowker Company, 1981) の最初の章である Frederick S. Frank, "The Gothic Romance" は、一七六二年におけるホラーの歴史から始まる。

◆66 Crane Brinton, "Enlightenment," in *The Encyclopedia of Philosophy* (New York: Macmillan Publishing and The Free Press, 1967), Vol. One, p. 519.

◆67 Ernst Cassirer, *The Philosophy of the Enlightenment* (Princeton: Princeton University Press, 1951), p. 135 の引用より〔エルンスト・カッシーラー『啓蒙主義の哲学　上』中野好之訳、筑摩書房、二〇〇三年、二一一－二一二頁〕。

◆68 Brinton, p. 520.

◆69 ホラージャンルの隆盛とロマン主義運動が結びつけられることは多い。ロマン主義運動はもちろん啓蒙思想への反動だ。この発想には示唆的な部分があり、完全に拒否すべきものではない。しかし、必ずしもホラージャンルがロマン主義自体の発想とぴったり一致するわけではないと認識しておくことは重要だ。ワーズワースは『抒情民謡集』の序文の中で、熱狂的な小説について不満を述べているが、恐ろしいゴシック小説を念頭に置いているようだ。少なくともワーズワースは、これらの作品が本当にビジョンを共有する仲間なのかどうか疑問に思っているようだ。

◆70
幻想文学のジャンル――このジャンルとホラーの興味深い関係については第三章で論じる――について、トドロフは「十九世紀の実証主義者の良心の不安に他ならない」と述べている（*The Fantastic*, p. 169）。ルイ・ヴァックスも幻想文学について触れながら「最も厳密な意味での幻想文学の登場のために許された不信心の時代」（Louis Vax, "L'art de faire peur," *Critique*, I [Nov. 1957], p. 929）と主張している。モーリス・レヴィは「幻想は、信仰のレベルで失ったものを想像力のレベルで補完するために人間が自らに与える代償である」と主張している（Maurice Levy, *Le roman gothique anglais 1764–1824* [Toulouse: Association des publications de la Faculte des lettres et sciences humaines, 1968], p. 617）。またジョルジュ・バタイユは、もっと一般的な言い方で、「苦悩と苦悩からの回復を支える芸術は、宗教の継承者だ」と主張している（George Bataille, *Literature and Evil* [London: Calder and Boyars, 1973], p. 16〔『文学と悪』山本功訳、筑摩書房、一九九八年〕）。こうしたジャンル観は、H・P・ラヴクラフトのような作家のジャンルに対する自己理解とも一致している。

◆71
ここで述べているのは、ホラージャンルが十八世紀に登場したという推測だ。わたしは、十八世紀以前にアートホラーがなかったと主張するつもりはない。わたしは理論化する範囲を、十八世紀から現在までの作品に限定してきたが、それはこのジャンルの継続期間に関するこの分野の権威の総意と考えられるものに従ったためだ。実際、このジャンルができあがる前にもアートホラーの例はあるかもしれない。M・G・ルイスの『マンク』のような重要な移行期の作品だけでなく、さまざまな種類の先駆的作品も確かに存在する。アートホラーの初期の作品を特定し、それらがアートホラー（単に不完全な先行者ではなく）の例であることを立証し、これらの作品の中のモンスターが、それが登場した文化的文脈の中で、どのようなかたちで、支配的な概念的枠組みの中で自然に反するとされたのかを説明することは、批評の仕事になる。これが可能かどうかは――わたしはこの問題に関して意見が固まっているわけではない――、今後の研究で明らかになるだろう。

## 訳註

◇1 「ホラー」という用語は、本書では、ジャンルの名前およびそのジャンルに結びついた感情の名前として使用される。また「アートホラー」も同様に、ジャンル名にも感情の名前にも使用される。日本語では本来「ホラー」を感情の方に使用することは少ないのだが、本書では最重要の用語であるため、統一性を優先し、翻訳では、感情を指す方も一貫して「ホラー」と訳している。また関連して、形容詞の「horrific」は直訳すれば「恐ろしい」「ぞっとする」という程度の意味だが、本書では「horror」に対応する形容詞として使用されている。そのため、翻訳でも「ホラーを与える」「ホラーの」などと訳している。また頻出表現である「horrific being」は直訳すれば「恐ろしいもの」といった程度の意味だが、翻訳では「ホラーなもの」と訳している。

◇2 ブラム・ストーカー『吸血鬼ドラキュラ』平井呈一訳、東京創元社、一九七一年、三四頁。

◇3 アメリカの映画館では、土曜日のマチネ（昼の興行）の定番はホラー映画というイメージがあるようだ。

◇4 メアリ・シェリー『フランケンシュタイン』森下弓子訳、東京創元社、一九八四年、七四頁。

◇5 H・G・ウェルズ「海からの襲撃者」阿部知二訳、『ウェルズSF傑作集2』東京創元社、一九七〇年、七二頁。

◇6 ジャック・フィニイ『盗まれた街』福島正実訳、早川書房、二〇〇七年、一五八頁。

◇7 ブラム・ストーカー「ドラキュラの客」桂千穂訳、『書物の王国12　吸血鬼』国書刊行会、一九九八年、四四－四五頁。

◇8 ロバート・ルイス・スティーヴンソン『ジーキル博士とハイド氏』田中西二郎訳、新潮社、一九六七年、一五頁。

◇9 H・P・ラヴクラフト「アウトサイダー」大瀧啓裕訳、『ラヴクラフト全集3』東京創元社、一九八四年、九九－一〇〇頁。

◇10 クライヴ・バーカー『セルロイドの息子』宮脇孝雄訳、集英社、一九八七年、六七－六八頁。

◇11 クライヴ・バーカー『ウィーヴワールド　上』酒井昭伸訳、集英社、一九八九年、一〇一頁。

◇12 スティーヴン・キング&ピーター・ストラウブ『タリスマン　上』矢野浩三郎訳、新潮社、一九八七年、一九－二〇頁。

◇13 M・R・ジェイムズ「アルベリックの貼雑帳」紀田順一郎訳、『M・R・ジェイムズ怪談全集1』東京創元社、二〇〇一年、三二頁。

◇14 顕在的感情 occurrent emotion とは、かあっとなって瞬間的に怒る場合に生じるような感情を指す。顕在的感情は、典型的には身体反応やその感覚を伴う（議論の余地はあるが、定義上必ず伴うと言ってもいいかもしれない）。おそらく感情の典型例としてまず思いつくのはこちらの方だろう。

一方、傾向的感情 dispositional emotion とは、例えば「ここ数年の間ずっと怒っている」という場合に見られるような感情を指す。傾向的感情は、必ずしも身体反応や特定の感覚を伴わない。何年も怒っている人は、その間ずっと特定の身体反応が生じているわけではないだろう。そうではなく、行動の端々に特定の傾向が見られる（例えば相手と口をきかないなど）状態が、傾向的感情と呼ばれる。

ただし、本文で書かれている通り、キャロルが対象とするアートホラーは顕在的感情であるため、本書で重要なのは顕在的感情の方だ。

◇15 「次の場合でありかつ次の場合にかぎられる」は必要十分条件を示す決まり文句。つまり、ここではアートホラーという感情を抱くための必要十分条件が示されている。キャロルが提示している条件は複雑だが、箇条書きで整理すれば次のようになる。

（1）特定の身体的興奮（震えなど）が生じている。
（2）（1）の身体的興奮は、次のような思考を原因とする。
　認知的思考：
　モンスターXが存在することは可能である
　評価的思考：
　モンスターXは危険である
　モンスターXは不浄である

（3）　通常その思考には、モンスターXに触れたくないという欲求が伴っている。
最も重要な部分だけを抽出すれば、アートホラーの定義は〈このモンスターは危険であり、不浄であるという評価を原因として、震えなどの身体的反応が生じる状態〉ということになる。なお、この箇所ではまだ不浄の概念の正確な内実はわからないが、これは本節の後半で説明される。

◇16　デカルトの表象的実在は英語では「objective reality」であり、直訳すれば「客観的実在」だが、これは現代的な意味での「客観的」とはまったく意味が異なる。

◇17　H・P・ラヴクラフト「ダニッチの怪」大瀧啓裕訳、『ラヴクラフト全集5』東京創元社、一九八七年、三〇一－三〇二頁。

◇18　同書、三〇七頁。

◇19　M・R・ジェイムズ「秦皮の樹（とねりこ）」紀田順一郎訳、『M・R・ジェイムズ怪談全集1』東京創元社、二〇〇一年、八五－八六頁。

◇20　ここでの「思考」という語は第二章で詳しく説明される専門用語であり、鑑賞者がモンスターに関して心に抱く考えを指している。キャロルの立場によれば、フィクションのモンスターに対する恐怖や嫌悪は、実際にはモンスターの思考に向けられている。詳しくは第二章を参照。

◇21　ここでの自然の侵犯は、自然の秩序に反するもの――具体的には、自然法則や、道徳的秩序など、人々の基本的な世界観に反するもの――を指している。ホラーのモンスターがしばしば「あってはならないもの」と見なされることを想起してほしい。

◇22　ここでは英語の「feeling」を「感覚」と訳しているが、この単語は感情 emotion とほぼ同義に使用されることもある。

第

2

章

# 形而上学とホラー、あるいはフィクションとの関わり

Metaphysics and Horror, or Relating to Fictions

本章では、鑑賞者とホラー作品の関係の探求に取り組むつもりだ。両者の関係は哲学的解明を必要としている。というのは、見たところこの関係には、現実の読者・観客と、存在しないもの——虚構の主人公とモンスター——との間の奇妙な相互作用らしきものが含まれているからだ。例えば、わたしたちが知りたいのは、どうしてわたしたちは虚構のものによって——何らかの意味で存在しない事物や出来事であり、しかもアートホラーを感じるときには、存在しないと知っていなければならないものによって——、ホラーを感じるのかということだ。こうした問題を扱うために、わたしたちは最終的に虚構の事物の存在論的地位について何事かを述べなければならない。わたしの考えでは、これによって、現実の鑑賞者が存在しない虚構のものから影響を受ける——つまり、心を動かされホラーを与えられる——仕方を明らかにすることができるだろう。

本章の大部分では、「フィクションを怖がる」という副題のもとに、読者や観客が、どのようにして虚構のモンスターによって本物の感情を喚起されるのかを考察する。ここでの問題は、多くの論者が、フィクションに対するこうした反応をパラドックスだと考えていることだ。なぜなら、モンスターなど存在しないことが知られているのであれば、多くの論者の結論では、モンスターにホラーを感じることには何か不思議な部分があるという帰結が導かれるからだ。実際、これはもっと大きな問題とされるもの——これをフィクションのパラドックスと呼ぶ——の一例に他ならない。このパラドックスが問題としているのは、事実ではないと知っていなければならないはずことについて、本物の感情をもって反応することが、そもそも可能なのか、どうして可能なのかということだ。わたしは、モンスターを含む虚構の事物に本物の感情をもって反応しても、どうして何の問題もないのかを説明するという仕方で、フィクションのパラドックスの解決を試みるつもりだ。

しかし、もちろん、ホラー作品が消費される際、わたしたちはホラーなものとだけ関係するわけではなく、虚構の主人公たちとも関わっている。この文脈で、ホラー作品の主人公たちと、わたしたちの関係には何か特別なものがあるだろうか。例えば、わたしたちはキャラクターに同一化しているのだろうか——わたしたちのモンスターへの恐怖はキャラクターの恐怖と同じものだろうか——それともその関係は、同一化以外のものなのだろうか。このため、この章の結論部では、キャラクター同一化の概念について議論することにしよう。わたしは、キャラクター同一化という発想を批判するとともに、ホラーストーリーに登場する虚構の主人公たちとの関係に関する、別の考え方を提案するよう試みるつもりだ。

# フィクションを怖がる
## ——そのパラドックスとその解決

ホラー作品のモンスターは何らかの意味では存在しないが、現実の世界に因果的帰結をもたらしているように見える——鑑賞者にアートホラーを与えているのだ。よって、わたしたちが直面している問題は、フィクションがいかにして現実世界に影響を与えうるのかを説明することだ。この問題は心の哲学に由来する混乱によって、いっそう複雑なものになっている。なぜなら、ホラーのクリーチャーが存在しないということは、いわば事実であるだけでなく、ホラー作品の消費者にとっても容易に近づくことができ、容易に認められる事実でもあるように思われるからだ。しかし、鑑賞者は実際にホラー作品によって怯えているように思われる。それどころか、少なくとも部分的には、フィクションによって怯えるために、あるいは、フィクションが自分を怯えさせるということを知りつつ、それに同意した上で、こうした作品を探し求めているようだ。しかし、どうして、存在しないと知っているものに怯えることができるのだろうか。

例えば、取り乱した子どもをなだめるには、お化けなんていないよと言って安心させるだろう。それが幽霊への恐怖を取り除く一番の方法だと考えられている。しかし、ホラーの鑑賞者は通常、はじめからこのことを確信している。では、なぜ鑑賞者は虚構のモンスター――存在しないことが知られているモンスター――に怯えることができるのだろうか。

ここでの問題は少なくともふたつある。ひとつには、フィクション、つまり何らかの意味で無いもの、が、有るものに影響を与えることがいかにして可能かという形而上学的説明が必要だ。第二に、この影響関係は、一般的な合意としてパラドックスとされているもの――つまり、鑑賞者はモンスターが存在することを信じていないにもかかわらず、こうした因果関係によって、現実の鑑賞者にアートホラーがもたらされるという問題――を扱えるような仕方で解決されなければならない。

この第二[◆1]の問題は、ケンダル・ウォルトンの例にならって、「フィクションを怖がる」と呼ぶことができるが、もちろん、より広い哲学的問題、フィクションのパラドックスと呼ばれる問題の一例になっている。このパラドックスは、要約すれば「フィクションに心を動かされることはいかにして可能なのか」という問題だ。この本の目的のためにわたしたちが説明する必要があるのは、虚構のモンスターに恐怖を感じ、嫌悪を抱くことがいかにして可能なのかだ。しかしこの問いに対する答えは、他の問い、例えば「リア王のために嘆くことはいかにして可能なのか」、「オイディプスの窮状はいかにしてわたしたちを哀れみと恐怖を与えるのか」、「小説『審判』のKが、いかにしてわたしたちから苦悩や苛立ちの感情を引き出すのか」、「エリオットのカソーボン〔ジョージ・エリオット『ミドルマーチ』の登場人物〕はどうしてわたしたちを憤慨させるのか」などの答えにもなるだろう。

はじめに、ここに本当に問題があるのかどうかが疑問に思われるかもしれない。結局のところ、他人の性格や状況によって感情的に動かされるのは人間の本性ではないか。すべての条件が等しければ、わたしたちは不運に見舞われた人のために嘆き、不正に直面して憤慨する。これは単なる人生の現実だ。それならば、わたしたちが虚構のキャラクターにも同じように反応したとしても何の不思議があるだろうか、というわけだ。

しかしひとつの思考実験を考えてみよう。ある友人が、優秀な科学者である妹がめずらしい病気にかかってしまい、一ヵ月以内に命を落とすと言ったとしよう。また、妹の子どもたちは同じく聡明で、言うまでもなく礼儀正しく前途有望だが、残酷でみすぼらしい叔父に引き渡されることになる。まちがいなく、叔父は子どもたちに薄い粥だけの粗末な食事を与え、こきつかい、バレエ教室をやめさせるだろう。相次ぐ悲惨な話にあなたの不安は高まる。しかし、ここで想像してみよう。あなたが感情反応を示すとすぐに、その友人はすべてが作り話だと言うのだ。妹も子どもも薄い粥も存在しない。おそらく、形成されつつあった感情は消え、別の感情——だまされたことへの怒り——に取って代わられるだろう。あるいは、別の例を挙げると、飢餓に苦しむエチオピアの人々の状況に対する怒りは、報道全体がメディアの捏造であることを知ったらどうなるだろうか。報道のごまかしには腹が立つかもしれないが、飢えの犠牲者がいないことがわかれば、もはや犠牲者のために心が動くことはないだろう。[2]

こうした思考実験が示唆しているると思われるのは、信念と感情の間には必然的なつながりがあるということだ。悲しみであろうと憤りであろうと、関連する感情を持つためには、状況がどのようになっているかについての信念をもたねばならず、そこにはこの状況に関わる行為者が存在するという信念も含まれている。エチオピア人が存在し、飢えているという信念がなければ、その現在の状況の記述に対する怒りの感情を奮い起こすことはできない。

感情反応に信念が必要であることは、感情を消滅させるためには何が必要かという、ある種の常識的事実によっても裏づけられる。例えば話がでっち上げだと知ると、同情は消え去ってしまう。あるいは友人にその感情が非合理的であると説得しようとする場合、わたしたちは、その根拠となる信念が偽であるか、少なくとも誤解である（後者はおそらく精神分析療法にとっては重要だろう）ことを示そうとする。つまり、信念の変化は、関連する感情の変化と相関しているようだ。さらに、この仮説は、前章で紹介した感情の理論によっても支持されているように思われる。なぜなら、特定可能な認知的要素——最も単純には信念——が当該の感情の同一性を本質的に構成するものであるかぎり、信念が生じない場合には、感情は現われないことになるからだ。

しかし、特定の種類の信念が感情反応に不可欠のものなら、どうしてフィクションに感情反応を示すことができるのかを説明することは難しくなる。というのは、小説などに登場する出来事やキャラクターが存在しないというのは、フィクションという制度の前提だからだ。フランケンシュタインの怪物など存在したことがないということは、知識のある普通の読者なら誰でも知っている（それゆえそう信じている）ことだ。さらに、現実世界に言及しているフィクションでは——例えば〔ヘミングウェイの〕『誰がために鐘は鳴る』はスペイン内戦に言及しているが——、言及されている現実の出来事や人は、描かれ方の面では虚構のキャラクターとその冒険のストーリーに従属する。つまり、ある程度は、作られたキャラクターや出来事との結びつきで「フィクション化」されている。そしてこのこともまた、普通の知識のある読者なら知っていることだ。

　ともあれ、これでわたしたちはひとつの難問、あるいは少なくともパラドックスと思われるものにぶつかったことになる。一方で、フィクションの制度についての知識をもとに考えれば、普通の知識ある読者なら、虚構のキャラクターや状況が存在することは信じていないだろう。しかし、ストーリーの中のキャラクターに感情反応を抱くためには——先ほどの思考実験を手本とするなら——、わたしたちがその苦境を気にかける犠牲者が、現実に存在しているという信念が必要とされる。この後に論じる一部の論者のように、わたしたちは実際にはフィクションやその住人に感情反応をもたないのだ、と言いたくなる者もいるかもしれない。しかし、少なくとも出発点としては、これは事実に合致しないように思われる。一見したところでは、わたしたちはフィクションに感情反応をもつように思われる。しかし、このことと、前に出てきた前提——感情反応には、その感情の対象となる人や出来事が存在するという信念が必要であり、かつ、フィクションの場合には、そこに含まれるキャラクターや出来事が存在しないことを知って（信じて）いる、という前提——との間にどうやって整合をつければいいのだろうか。

この問題を別の仕方で考えるために、わたしたちの感情が「公認された」フィクションに直面しても消えないように思われるのに対し、誰かがでたらめな話をしていることを知ったとき、どうしてわたしたちの感情が消えるのか、率直に問うてみよう。先に想像したような作り話とフィクションの間には、原理的にどんな違いがあるのだろう。どちらの場合にも、話は作られたものだ。ではなぜ、ある種の物語がでっち上げられていることに気づく場合には感情反応が弱まり、一方、別種のストーリー、例えば『罪と罰』では、それがフィクションであっても、感情反応がまったく抑止されないのだろうか。一方の事例では、でっちあげの話が最初は事実だと思われた後でフィクションだとわかるわけだが、なぜそれが違いを生むのだろうか。実際、まったく同じ話がでっち上げとして語られることもあれば、フィクションとして語られることもありえる。そして、前者はおそらく感情反応を与えないだろうが、後者は感情反応を引き起こす。こうしたふるまいや反応の変化と思われるものは、なぜ矛盾しないのだろうか。

よって、フィクションに対するわたしたちの感情反応からは、わたしたちは虚構のキャラクターが存在すると信じているという帰結が出てくるように思われるが、一方で、同時に、通常の知識を持ったフィクションの消費者は、虚構のキャラクターが存在するとは信じていないことも前提となる。明らかに、この矛盾を取り除き説明を試みるひとつの仕方は、フィクションの消費者が虚構のキャラクターの存在を信じていないという前提を否定することだ。この立場をフィクション錯覚説と呼んでもいいだろう。

## フィクション錯覚説

フィクション錯覚説によれば、舞台上でハイド氏の登場にホラーを感じるとき、わたしたちはモンスターがそこにいることを信じている。迫真性という演劇的あるいは映画的技法に圧倒されるあまり、わたしたちは騙されて、モンスターが本当に目の前に現われたことを信じるようになるのだ。このため、この立場によれば、知識ある普通の視聴者は、関連する虚構の事物が存在しないことを信じているわけではない。舞台とスクリーンの錯覚（イリュージョン）を通じて、わたしたちは騙され、ハイドが目の前にいると信じるようになる。この方策をとれば矛盾はなくなるだろうが、これは、フィクション鑑賞の間だけのこととはいえ、わたしたちを迷信的にしてしまうというコストを払っている。つまり、吸血鬼や異星人の侵略者やその他超自然のクリーチャーを信じる信奉者（ビリーバー）が、錯覚によって作りだされるのだ。

しかし、この種の錯覚説には周知の問題がいくつもある。第一に、この説はホラー作品の観客について観察できることと食いちがっている。つまり、もし劇場が危険な変身する怪物（シェイプチェンジャー）や、悪魔や、他の銀河系から来た食人者や、毒をもつゾンビに囲まれていると本気で信じているなら、手をこまねいていることはまずないだろう。おそらく逃げようとしたり、身を隠したり、身を守ろうとしたり、当局（警察、NASA、司教、国連、公衆衛生省）に連絡を取ろうとしたりするだろう。ホラーショーを消費しているとき、人は、近くにモンスターがいることを本気で信じているかのようにはふるまっていない。この種の信念を措定することで、矛盾しているという疑いは免除されるかもしれない。だが、代償として、人々のふるまいは、まったくの自滅や愚行ではないにしろ、不可解な自己満足になってしまう。

また錯覚説は、視覚的フィクション――例えば演劇や映画――には適用できそうだと思われるかもしれないが、文学的フィクションに適用するのは容易ではない。〔『エクソシスト』を読んで〕リーガンという子どもがジョージタウンで憑依されたという記述を読んだとき、正確にはどんな錯覚に陥るのだろうか。読書しながら、小さな少女がワシントンDCの聖職者に逆さ読みの英語で悪態をついたと考えるのだろうか。しかし、『エクソシスト』を読んでいるのがカンザスシティであれば、これはそれほど怖くはない。錯覚という発想は、演劇や映画に適用される場合の方が、恐怖の源泉としてより信頼できるものになる。なぜなら、錯覚説によれば、わたしたちはモンスターが実際にすぐ近くいると信じていることになるからだ。しかし、この種の錯覚がホラーの源泉であるとすれば、読書の経験とは容易にかみ合うことはない。実際、錯覚が最も適用されやすいのは視覚現象だ。このため、錯覚説を文学に拡張するためには、読者の経験とふるまいを許容できるような文学的錯覚のモデルを作らなければならない。わたしの知るかぎりでは、誰もまだそれに取り組んでいないし、この路線で憶測をめぐらすことが有望とも思えない。

もちろん、鑑賞者反応の錯覚説に対するさらに深刻な反論として、そこで想定されている種類の錯覚が、フィクション一般、特にホラー作品を鑑賞する可能性そのものを台無しにしてしまうというものがある。つまり、フィクションを読んだり見たりしているうちに騙されて、本当に人狼が近くに存在すると思い込んでしまうと、ストーリーを味わいつづけることは難しくなるだろう。自分や愛する人の命を守るために、現実的な対策を講じたくなるだろう。娯楽や快を与えてくれるフィクションの制度のそもそもの存立の条件は、登場する人や出来事が現実のものではないと知っていることなのだ。当然ながらホラーの場合、それが現実だと信じていれば、安心して見物を楽しむことはできないだろう。もし錯覚説が正しかったとすれば、ヒーローや、完全なマゾヒストや、プロのバンパイヤハンター以外のあらゆる人にとって、ホラーはあまりにも不快なものになるだろう。錯覚説は、フィクションの鑑賞を可能にするフィクションの制度の前提（一部の理論家は、この前提を距離の比喩によって特徴づけようとする）と単純に食いちがっている。

錯覚説を救うために、フィクションに騙されるという発想ではなく、フィクションの技法によって、わたしたちはハックルベリー・フィンもドラキュラも存在しないという知識を一時的に忘れてしまうのだという発想に置き換えようとする人もいるかもしれない。しかし、騙しではなく忘却に基づく説に変えたとしても、同じ問題に直面することになる。吸血鬼が存在しないことを忘れてしまった人は、一般的なホラーの鑑賞者よりも慎重にふるまうべきだし、同時に、ドラキュラが本当に劇場にいるわけではないということを忘れている期間がどれほどの長さであっても、やはり依然として死をもたらすドラキュラの企てを本当に楽しむことなどできないだろう。

議論がここまで進んだ段階で――矛盾を構成するふたつの要素のうち、ドラキュラのような虚構の存在に対する不信の方を取り除く立場の論者であれば――、何らかの心理学的説明を考え出すことで、フィクションを観ている間にドラキュラが存在しないという知識が効果的に中和され、ドラキュラが現実のものだと信じているかのように反応することがいかにして可能となるのかを説明しようとするかもしれない。つまり、ある種の心理学的操作のせいで、ドラキュラは存在しないという知識がどうにかして停止され、結果として、感情的確信をもってドラキュラの描写や記述に反応すること――つまりドラキュラが生きていると信じているかのように反応すること――が可能となる（または許容される）と、論じようとするかもしれない。この文脈でよく使われる用語は「不信の自発的停止 the willing suspension of disbelief」だ。

この発想は〔サミュエル・テイラー・〕コールリッジに帰属されるが、コールリッジは『文学的自叙伝』の中で、これこそ『抒情民謡集』の中で狙った効果であると注記している。

> そこで合意されていたのは、わたしの努力は超自然的――あるいは少なくともロマン主義的――人物やキャラクターに向けられるべきだということだ――わたしたちの内的な本性である人間的な関心と表面的な真理から十分に離れ、少しの間、想像の影によって、詩的信仰を構成する自発的な不信の停止をもたらすために。[3]

わたしたちの目的にとっては興味深いことに、コールリッジがこうした発想を導入したのは、超自然的フィクションの文脈だ。さらにこの発想は、フィクション反応の錯覚説の拡張と考えられる。というのもコールリッジは、計画では「出来事や関係者のうち、少なくとも一部は超自然のものでなければならない。目指す卓越性は、そうした状況が現実のものだと想定したときに自然と伴うであろう感情の劇的真実によってもたらされる情動作用のおもしろさにあるのでなければならない」[4]と注記しているからだ。しかしここで読者がもつとされる状態は、錯覚、騙し、単なる忘却の状態とはいくらか異なっている。なぜなら錯覚や忘却などの状態においては鑑賞者は受動的で、自らの状態を意識しないことが示唆されるからだ。

錯覚に陥る者は何事かを被っている者だ。錯覚にとらわれる際には自覚がない。錯覚者は騙されているが、騙されるためには何が起こっているのかを意識していないことが必要とされる。一方、忘却はその人の身に生起することだ。忘却しながら同時に忘却を自覚することはできない。しかし、「不信の自発的停止」という発想には能動的な雰囲気が伴っている。自分に対してなしていること、意識していることであるように聞こえる。おそらく、その結果、不信の停止の間、読者はフィクションの出来事や行為者を現実のものとして捉えるということになるのだろう。

コールリッジは、不信の停止がどのように機能すると考えられるかを詳しく述べているわけではない。わたしたちの目的にとって、停止される不信は、「大アマゾンの半魚人は存在しない」といった信念であると考えられる。これを否定的な信念であるという意味で「不信」と呼ぼう。この種の信念を停止することで、感情反応——ホラーを感じること——を妨害するものは何であれ差し止められる。このおかげでわたしたちはクリーチャーが現実のものであることを仮定できるようになり、それによって感情的関わりが招かれる。この過程は意志による指令のもとにある。わたしたちは、自発的にクリーチャーが存在しないという確信を放棄し、クリーチャーが存在することを仮定するような感情反応を許容するのだ。

もし「自発的な不信の停止」のこの解釈が正確であれば、この思いつきはほとんど薦められるものではない。この立場では、少なくとも、読者のほとんどが——仮にそういう読者が少しでも存在するとしてだが——思い出せないような意志作用が措定されてしまっているように思われる。もちろん、この活動が意識下のものだと言うのであれば、その活動を意志作用（自発的停止）として識別すべきかどうかは疑わしい。さらに、抑圧されているから、および／あるいは無意識のものであるから、この行為を思い出すことができないのだと言うのであれば、それが意志作用であることはさらにありそうにない。

また、自発的な不信の停止という発想は――不信がただの否定的な信念であるかぎり――、何を信じているかを意志によって変えることが可能であるという帰結をもつように思われる。しかし、デカルトに反して[5]、信念とは、操作できるものではない。意志によって信念をもつことはできない。試してみるだけでわかることだ。例えば「５＋７＝１４９２」という命題を考えてみよう。意志によって自分がこれを信じるようにしてみてほしい。これは不可能だ。ここでの問題は、この命題が偽であることを知っていることにあると言う人もいるかもしれない[6]。しかし、その真偽について何の見解も持たない命題――例えば「他の銀河系にはライラックがある」――を意志によって信じるよう試みてほしい。確かにこの命題を心に抱き、理解することはできる。しかし、意志によってそれを信じることができるだろうか。信念とは、わたしたちが理解している命題に、意志の作用によって付け加えられるようなものではない。そうではなく、信念はわたしたちに対して生起する。自発的な不信の停止という概念が、自分の信じていることを直接操作できるということを含意するかぎり、その概念それ自体が信じられないもののように思われる。

しかし、ひょっとしたら、この反論は意志によって信念をもつという発想に依存しすぎていると主張する人もいるかもしれない。一方、意志されているのは、何よりもまず信念の停止だ。つまり、ホラー作品を読んでいるとき、わたしたちは公害から生まれた怪物が本物であると信じるよう意志しているのではなく、単に公害から生まれた怪物は実在しないという信念を保留しているのだ。[◇1] これはもっともらしいだろうか。

日常生活では、ときにわたしたちは信念の一部を保留する。五〇年代の人種差別社会で育った人の多くは、非白人は何かしら劣っていると信じていた。[◆7] そして、わたしたちがこの信念を変え、人種の平等を認めるようになる前に、その信念はすでに係争中の状態にあった。つまり、わたしたちの思考が進化するどこかの地点で、白人優位説を完全に放棄する前の段階として、多くの人はその信念を保留するようになったのだ。しかし、この問題に関して、わたしたちの信念を停止させた条件は、その信念がつき崩されつつあったということだ。確信は揺らいでいた。それに反する証拠や議論が蓄積されていた。

さらに、これは哲学的な問題でも同じだ。デカルトが外界の存在についてのわたしたちの信念を停止するように勧めるとき、デカルトは邪悪な悪霊を考え、そのような信念についての確信をつき崩すことで、そうしている。[◆8] つまり、信念を停止する前に、少なくともそれが虚偽であると疑う根拠をもたなければならない。

しかし、信念の停止の多かれ少なかれ直接的な事例から、フィクション受容の事例に目を向けると、類似が成り立っていないのは明らかだ。フィクションの文脈以外では、信念は停止される前に何らかの形で攻撃を受けている。信念が停止されたのは、それに反する考えによって揺らいだからだ。しかし、わたしたちの信念――『ドラキュラ』は小説であり、伯爵は存在しないという信念――が、読書の際に揺らぐことはない。これらの信念をつき崩したり、それと競合する証拠はない。こうした信念は、それを改訂したり却下しなければならないと考えられるような反論を受けたわけではない。フィクション受容の状況は、通常の信念の停止が起こる状況とは根本的に異なっている。したがって、フィクションの受容を、信念の停止についての日常的な捉え方と結びつける理由はほとんどない。一方、特殊なものや例外的なものではあるが、何らかのもっともらしい考え方があって、そこに探求すべきものがあると主張する論者は、自分でその考えを展開してみせる立証責任がある。

信念の停止の問題に関して、限定された範囲であれば信念は操作できると主張する者もいるかもしれない。ただ意志によって停止すべき信念と矛盾するような信念を抱き、それによって信念を阻却することはできない。しかし、既存の信念が反論されることが予測できるような特定の状況に自分を置くことはできる。人種差別主義者は、おそらく自分の見解を試すことに道徳的関心がある者であれば、人類学の授業に出席できるし、原理主義者は、進化論の講義に出席できるし、地球が平らであると信じる者は、天文台を訪れ天文学者と話すことができる。つまり、自分の信念を無傷で維持したいのであれば、そのような状況を必死で避けることができるのと同じように、自分を特定の状況に置くことで、自らの信念に異議を唱えたり、自らの信念を阻却しそうな証拠や議論に触れやすくすることはできる。しかし、こうした限定された範囲で信念の停止を自発的に導くことができることを認めたとしても、その発想をフィクションに適用したいと望む者にとっては何の支持にもならない。というのは、わたしたちはドラキュラが存在しないという信念を停止するために、この信念に関する論争を求めたりはしていないからだ。信念を阻却するものが何もないだけでなく、反対意見を探すような場所もない。さらに、反対意見が仮にあったとしても、フィクションを楽しみながら反対意見を探したりはしていない。また、いずれにしても、ドラキュラは虚構であるという信念を実際には捨てていないとわたしは考える。

もっと言えば、実際には、不信の自発的停止という発想をとったとしても、その支持者が意図してるような仕事を本当に果たしてくれるとすら思えない。はじめに検討したのは、この発想によって、次の矛盾を解決することだ。つまり、読者――フィクションの文化的実践に参加する知識ある参加者――は、ゴーレムは存在しないと信じているが、その一方で、当の同じ読者――ゴーレムに怯える際――は、感情反応の必要条件を考慮すれば、ゴーレムの存在を信じていることも示されるという矛盾だ。想定では、不信（つまり、ゴーレムは存在しないという信念）を停止することによって、この矛盾が回避されることになっていた。しかし、本当にそうなのだろうか。というのも、目の前の作品がフィクションであると気づかないかぎり、どうやって不信を停止すべきかどうかを知るのだろう。つまり、フィクションに適したなんらかの特別な方法で不信の停止を意志できると仮定しても、心理的停止の過程を正しくはたらかせるためには、自分が直面しているのはフィクションである――実在しない人物と出来事を集めたもの――と知っており、信じている必要がある。したがって、不信の停止という発想をとったとしても、ゴーレムが存在しないという信念はなくならない。この信念は不信の停止を意志するために必要なものだ。不信の停止によって問題はなくならない。できるのは、せいぜい矛盾を一歩後退させることで別の場所に置き直す程度のことだろう。これは問題解決ではなく、むしろ、問題を少しちがった場所で、わかりにくく再記述しただけにすぎない。

さらに、錯覚説のもっと複雑でない変種と同様に、不信の自発的停止という仮説は、フィクションに適切に反応する可能性を妨害してしまう。先に強調したように、ホラー映画のようなものに適切に反応するためには――軍隊を呼ぶのではなく、座席にとどまるためには――自分が見ているのが虚構の見世物だと信じていなければならない。見ているものがフィクションであるという信念を停止し、それを現実のものとみなすならば、普通で適切なフィクションの快は不可能なものになってしまう。◆9

ここまで検討してきた説では、矛盾と思われるもの――フィクションに感情反応を向ける際、わたしたちが存在を信じているものは、一方で、その存在が明示的に否定されているものであるように見える――に対処するために、わたしたちが何らかの意味で、虚構の人や虚構の対象の存在を否定しているという仮定の側に異義を唱えている。つまり、これまで登場した説では、錯覚や不信の停止といった概念によって、フィクションは現実ではないという信念は、問題のパラドックスの中で示唆されているほど強固なものではないと主張されていた。こうした説によれば、フィクションによって、それが現実であるという錯覚や不信の停止が促進され、鑑賞者は、感情の対象が存在することを信じているかのような仕方で感情的に反応することが可能になる。こうした説にはすでに詳しく述べてきた問題がいくつもある。また、わたしが強調したように、フィクションに適切に反応する可能性を系統的に切り縮めてしまうので、どれも魅力的なものではない。矛盾から抜け出すには別の方法を見つける必要があるのだ。

## フィクション反応のフリ説

フィクションのパラドックスや矛盾を解消する戦略のうち、先ほど検討したものでは、鑑賞者が――錯覚、忘却、不信の停止などの過程の結果として――虚構の人や虚構の出来事の存在を認めないということが否定された。しかし、これとは別の戦略では、鑑賞者が、自分がフィクションを消費していることを知っており、信じているということは認められる――これによって、これまでの論証の矛先をかわす――が、一方でフィクションに対する鑑賞者の感情反応が真正のものであることが否定される。矛盾が生じるのは、本物の感情反応には、当該の反応の対象が存在するという信念が必要とされるからだ。よって、この矛盾を解決するひとつの仕方は、フィクションに感情を示しているように見える際に、真正の感情をもって反応しているという前提の側を否定することだ。なぜなら、もし感情反応が真正のものでなくなるのであれば反応が向けられている虚構の人物や虚構の出来事に関する存在信念と衝突すると想定する理由がなくなるからだ。つまり、もし感情反応そのものが、いわば一種の虚構であるなら、わたしたちはゴーレムの存在を信じていないことになり、その結果、フィクション消費の必要条件――つまり、鑑賞者が、自分は関連する意味で存在しないものによって楽しんでいると信じていること――と矛盾することもなくなるだろう。

哲学の文献でよく出てくる例をあげれば、[◆10] 緑色のスライム〔粘液状の怪物〕が映画のカメラに向かって近づいてくるとき、〔ウォルトンの例に登場する〕チャールズは映画館の座席で身をすくめ、恐怖の感情状態にあると見なされる。しかし、これまで見てきたように、これは矛盾を生むように思われる。というのは、これによって、チャールズが緑色のスライムの存在を信じていることが示されるように思われるが、通常の映画鑑賞を支えているのは、虚構の緑色のスライムなど存在しないという信念だからだ。この問題に直面し、おそらく、わたしたちはデータに戻るべきなのだろう。ひょっとしたら当初の見方がまちがっていたのかもしれない。チャールズはそもそも緑色のスライムを本当に怖がっていたわけではないのかもしれない。

もちろん、チャールズは自分が怖がっていると証言するかもしれない。しかし、その場合、チャールズは自分が怖がっているという錯覚に陥っていただけではないだろうか。確かに自分の感情状態を誤解する可能性はある。チャールズはある種の状態にはあるが、それは恐怖ではないと言うことはできるだろうか。言ってみれば、チャールズは恐怖の錯覚に陥っているのだろうか。

チャールズの恐怖を錯覚と見なすことについては、いくつか、それに反する考慮事項がある。第一に、もしチャールズが自分の感情状態を誤解しているのであれば、本当はいかなる状態にあるのかを知りたくなる。本当の感情の状態が何なのかについて、もっともらしい説明が与えられなければ、チャールズが怖がっていないことには納得できないだろう。しかし、チャールズが置かれている感情状態の候補として最も妥当なのは、明らかに恐怖の状態だ――この文脈で、チャールズの状態を一番良く理解できるのは確実にこの選択肢だろう。

しかし、チャールズの錯覚は単に怖がっているという点に関する錯覚だけではないという提案があるかもしれない。〔この提案によれば〕そもそも何らかの感情状態にあるというのが錯覚なのである。映画的・物語的技法による演出を前にして、チャールズは騙され、自分が何らかの感情状態にあると信じ込み、さらに、その感情状態が恐怖の状態だと信じるようになったというわけだ。

しかし、この説はきわめて信じがたい。感情状態に陥ることと、感情状態の錯覚に陥ることとの違いは何なのか知りたくなる。つまり、怖がっているという錯覚のもとにあったとしても、それでも怖がっていないということになるのだろうか。

しかし、ここには次のような例で説明できるような対比があるかもしれない。筋肉が収縮し、呼吸が速くなり、自分が怯えていると想定したとしよう。この際、通常、もし恐怖の対象として識別できるようなものがなければ、わたしは、これは恐怖の感情状態ではないと言いたくなる。恐怖を感じると想定するのではなく、医者に行った方がいいかもしれない。

しかし、恐怖を感じているという想定が錯覚だったという風に規約しても、この事例はチャールズの事例には適用できないように思われる。緑色のスライムが近づいてくる際、チャールズは単に特定の生理的状態にあるだけではない。チャールズの恐怖には適切な対象――緑色のスライム――がある。ただし、それは虚構のものではあるが。また、チャールズの状態は対象をもっているので、それを恐怖の錯覚と呼んでも、本物の恐怖の状態と区別することは難しい。このため、ひとまずのところは、感情の錯覚に訴えたとしても、チャールズが本物の恐怖の状態にあるという発想を捨てることはできないように思われる。

にもかかわらず、チャールズの恐怖が本物であることを否定する別の理論的選択肢がある。恐怖が錯覚であると言う必要はない。そうではなく、チャールズの恐怖は、ごっこ遊び（メイクビリーブ）恐怖や、フリ恐怖〔恐怖のフリ〕なのかもしれない。つまり、チャールズは緑色のスライムの襲来に身をすくめる際、緑色のスライムの存在も信じていないし、自分が本当に怯えていると信じているわけでもない。そうではなく、チャールズは緑色のスライムにホラーを感じるフリをしているのだ。チャールズは、言ってみれば他の誰か――この場合はチャールズ自身だが――の役を演じ、その役が恐怖の状態にあるということだ。チャールズの恐怖はただのフリ恐怖だ。◆11 フィクションに対するわたしたちの感情反応は、それ自体がフィクションである――フリやごっこ遊びである――というこの発想は、ケンダル・ウォルトンによって非常に巧妙かつ巧みに擁護されてきた[◆12]。そしてここからこのウォルトンの説に目を向けることにしよう。

何かを恐怖するためには、チャールズは自分が危険にさらされていると信じていなければならないということをウォルトンは常識的な事柄だと見なしている。よって、もしチャールズが緑色のスライムを恐れているなら、仮説により、緑色のスライムが暴れるという危険にさらされていると信じていなければならない。もちろん、この際チャールズが緑色のスライムの存在を信じていることも前提となっている。しかし、ウォルトンは、チャールズが映画を鑑賞するためには、それがフィクションであり、緑色のスライムは存在しないと信じていなければならないとも考えている。したがって、わたしたちはおなじみの矛盾に直面する。ウォルトンは、映画がフィクションであるというチャールズの信念を捨てることができるとは考えていない。他にどんな仕方で、チャールズが緑色のスライムから逃げようとしないことを説明できるだろう。また、ウォルトンは、本物の恐怖には、現実の危険への信念が必要だという常識を放棄すべきだとも考えていない。このため、ウォルトンは、チャールズのふるまいについて、これらの制約に合致する理にかなった説明を必要としている。そこでウォルトンは、チャールズの恐怖は本物の恐怖ではなく、したがって本物の感情を伴うものではないと推測する。それは虚構の恐怖、あるいはフリ恐怖だ。フィクションの文脈で、チャールズは特定のフリ信念――緑色のスライムが粘液の中にいる――を受け入れ、そしてこれがフリ感情――スライムについてのごっこ遊び的ホラー――を生み出すことにつながる。この映画はいわば、チャールズのごっこ遊びゲームの小道具となっており、このごっこ遊びの中でチャールズは、自分自身の演技ないし真似をして、ホラーを感じるフリをするのだ。

この説を理解するために、ウォルトンが与えている有益な例を考えてみよう。父親とモンスターのゲームをする子どもを想像してみてほしい。父親は、自分が女の子を食べるトロルであるかのようにごっこ遊びをしており、父親が娘の方に近づくたびに、娘は悲鳴を上げ、触れられないように逃げ出す。父親が一歩進むたびに娘は恐怖を装い、椅子の後ろに隠れ、力いっぱい血の凍るような悲鳴をあげる。同じように、チャールズは快と楽しみのため、緑色のスライムによって危険にさらされているというごっこ遊びをして、何であれ自分が適切と考えるやり方でごっこ遊びのホラーを表現する。

虚構の信念に基づく錯覚説を批判するにあたって、わたしが述べたのは、もし鑑賞者が本当に緑色のスライムが近づいてくるという錯覚に陥っているのであれば、映画館で通常そうするような仕方で行動することはないだろうということだ。映画館から出て行くだろう。同じく、もし子どもが、父親はトロルだという錯覚に陥っているのであれば、椅子の後ろに隠れる以上のことをするだろう。また、母親が騒ぎを止めようとしても拒否することもないだろう（単なる騒ぎだとは信じていないのだから）。しかし、娘は父親がトロルのフリをしているだけで、自分の恐怖もごっこ遊びにすぎないことを知っている。娘はゲームがごっこ遊びであることを知っているという事実によって、そのふるまい――トロルを前にして本当にホラーを感じている人のようにはふるまわないという事実――が説明されるのだ。

同じように、チャールズは映画を通じてごっこ遊びのゲームに参加する。フィクションによって特定のフリ信念の基礎が提供され、チャールズはそれを使って、ごっこ遊び恐怖のゲームを遊ぶことになる。チャールズは劇場から慌てて飛び出すことはない。ごっこ遊びのゲームをするのに忙しいからだ。チャールズは、緑色のスライムが死を招く存在としてそこにいることを前提とするような仕方で、緑色のスライムを本当に恐れているわけではない。ホラーを感じているフリをしているのだ。これによって、ホラー映画を観る普通の映画鑑賞者の実際の行動が自分の身を守るようなものでないことを説明できる。一方、この行動は錯覚説のもとでは謎のままだ。

チャールズの感情がフリ感情であり、映画のごっこ遊びの中で生まれたものであるからといって、感情が強いものであることは排除されない。というのは、ゲーム一般に集中して取り組むことができるのと同じように、ごっこ遊びに強く集中して取り組むこともできるからだ。ウォルトンによれば、このフリ感情の遊びは、自分が緑色のスライムに襲われているというごっこ遊びによって、チャールズが「準恐怖 quasi-fear」、つまり生理的側面（例：血中のアドレナリンの増加）と心理的側面（例：アドレナリン増加の感覚または感じ）からなる状態を作り出すところから始まる。

つまり、チャールズはいわば、緑色のスライムに攻撃される虚構のキャラクターのフリをしており、その際チャールズの信念は、ごっこ遊びの中で、スライムの怪物によって自分の命が危険にさらされているというものになる。チャールズが（de re 的に）知っており、信じているのは、ごっこ遊びの中で（de dicto 的に）、スライムが自分の後を追っていることだ。◇2 この前者の〔de re 的〕信念が準恐怖の状態を引き起こす——心臓がドキドキし、筋肉の硬直などが生じる。チャールズの恐怖は、チャールズの反応によって補完されるような、フィクションの中でのごっこ遊び上の真に基づいているため、ごっこ遊び恐怖なのである。

チャールズは、自分の状態を、準怒りや準恥しさなどではなく、準恐怖のひとつとして捉える。なぜなら、この状態は、ごっこ遊びの中でスライムが自分を攻撃しているという信念によって生み出されるからだ。チャールズの準恐怖は、スライムが自分に危険を与えるというごっこ遊びを認識した結果だ。こうして、チャールズは、映画に対してフリ恐怖で反応すべきであることを認識する。チャールズが経験するのはフリ恐怖ではなく、準恐怖だ。そしてチャールズは、フィクションとの相互作用の中で生み出される感情が準恐怖であることを認識しているので、結果として、フリ恐怖のごっこ遊びのゲームに参加する。

もちろん、ゲームが何らかのルールや原則を前提としているからといって、チャールズが恐怖のフリをするごっこ遊びをしていると言うのは奇妙に思われるかもしれないし、もしたずねられれば、チャールズは自分のゲームのルールを表現することに困難を覚えるかもしれない。しかしウォルトンの議論によれば、ごっこ遊びゲームのルールが暗黙のものや、明示的に述べられていないものであるのは非常によくあることだ。ウォルトンは次のように主張する。

あるゲームにおいて有効となっているごっこ遊びの諸原則は、明示的に定式化されている必要はないし、意識的に採用されていなくてもよい。子供たちが泥の塊をパイ「である」とすることに同意するとき、彼らは実際には、パイのごっこ遊び上の性質と泥の塊の性質とを結びつける、明文化されないとても多くの原則を打ち立てているのだ。泥の塊のサイズや形がごっこ遊び上のパイの大きさ・形を決定するということは、暗黙のうちに理解されている。たとえば、泥の塊が手のひらサイズであれば、ごっこ遊びの中でもそのサイズになるということ、またジョニーがマリーに向かって泥の塊を投げつけたときは、ごっこ遊び上でジョニーがマリーに向かってパイを投げたことになるということ、こうしたことが暗黙のうちに理解されているのである（ただし、泥の塊の四十パーセントが粘土であったとしても、ごっこ遊び上でパイの四十パーセントが粘土であると理解されるわけではない）。[13]

このため、ウォルトンは、チャールズが自分の遊んでいるゲームのルールを明確に表現できないという事実は、チャールズがゲームをしているという事実に反するものではないと想定していると考えられる。さらに、チャールズのスライムへのごっこ遊び恐怖は、意図的ないし内省的な行為である必要はない。それは準恐怖の感覚——この感覚の種類や経過は、内省を通じて接近できる——を認識することで自動的にはたらくものだ。フィクションに関わる感情のフリ遊びの価値は、それが提供する機会によって、自分の感じ方について発見し、それを受け入れたり拒否したりできること、抑圧されていたり、社会的に受け入れられない感性のはけ口となること、虚構の危機に反応することで「訓練」し、ありうる未来の状況のための感情的準備をすることなどにある。[14]

ウォルトンのフリ恐怖説を一番強力に支持しているのは、それによっていくつかのパズルの解決方法が与えられることだ。このため、フィクションを怖がることに関する競合の説はどんなものであれ、少なくともウォルトンと同じパズルを解かなければならないが、おそらく一方でウォルトンの答えの限界も示さなければならないだろう。もちろん、それが解決する最も重要なパズルは、存在しないと信じているものをどうして恐怖することができるのかというものだ。フリ説では、わたしたちはフィクションを本当に怖がっているのではなく、フィクションを怖がっているフリをしているのだと言うことでこれに答えている。さらにこのフリは、自分が危険にさらされていると信じているとか、緑色のスライムが存在していると信じていることを論理的に前提していない。ウォルトンは、パズルの「存在信念」の側を否定することで矛盾を回避するのだ。

またウォルトンは、自分の説で解決できると考えられるパズルをいくつか紹介している。例えば、フィクションについて話すとき、わたしたちは「フィクションの中で、ハックルベリー・フィンとジムはいかだに住んでいた」ではなく「ハックルベリー・フィンとジムはいかだに住んでいた」と言う傾向がある。言い換えれば、典型的にはわたしたちは、フィクションの内容について、「フィクションの中で」という様相的修飾を付加しないで語る。ウォルトンの主張によれば、これは他の内包的文脈に関しては成り立っていない。わたしたちはオブライエンの信念という文脈で話す際、「教皇はアイルランド人だ」ではなく、「オブライエンは教皇がアイルランド人だと信じている」と言う。さらにウォルトンの主張によれば、これは単に経済性の問題ではない。ウォルトンの説によれば、このように内包演算子を扱う通常の仕方から外れるのは、フィクションについて語るときに、わたしたちが「ハックルベリー・フィンはいかだに住んでいた」というフリをしているという事実のためだ。したがって、ごっこ遊びのゲームを続けるために、それがただのごっこ遊びだと言わないことが適切なのだ。つまり、フリを維持し続けるために、わたしたちはそれがフリであるとは言わない。もし言えばゲームが台無しになってしまう。◆15

一部の読者は、ウォルトンが支持していない根拠に基づいて、ウォルトンの説にひかれるかもしれない。支持していない根拠というのは、ウォルトンの説が、発語内行為によるフィクションの理論と相性が良いかもしれないということだ。つまり、フィクションに対するウォルトンのフリ感情説は、見たところ、フィクションの本質に関する発語内行為の理論にうまく適合するという利点をもっているように見えるかもしれない。[16] フィクションに関するこのアプローチでは――ウォルトンにこれを帰属させるわけではないが――、フィクションを定義するために言語行為論を採用する。[17] この説のひとつの結論は、フィクションの作者はある特定の発語内行為、すなわち一連の主張を遂行するフリをしているということだ。つまり、作者は一連の出来事を語っているというごっこ遊びをしている。作者はこれを意図的に行なっている。例えば小説がフィクションであることを示すのは、テキストの特別な意味論的特徴や統語論的特徴ではなく、作者がそれに対してとる態度の問題なのである。具体的には、作者はあたかも主張という発語内的モードで語っているかのように書く。もちろん、作者だけでなく、知識ある読者も、このテキストが一連の主張のフリであり、主張そのものではないことを知っている。

発語内行為によるフィクションの理論は強力な理論であり、フィクション感情についてのウォルトンの理論がそれと何らかの特別な結びつきをもつ場合――ウォルトン自身はこのアプローチを選んでいないが――、このことを、フィクション感情についてのフリ説を支持する強力な考慮事項とみなす人も多いかもしれない。もちろん、どちらもフリという概念に依存しているかぎり、ふたつの説には著しい類似がある。しかし、何のフリをするのか、誰がフリをするのかについてはふたつの説の間でちがっている。発語内行為によるフィクションの理論では、作者が何かを主張しているというごっこ遊びをするが、フリ感情説では、鑑賞者が何かに感情をもつというごっこ遊びをする。もちろん、このふたつの説が両立しないと考える理由はない。しかし、その一方で、両者の結びつきはいかなるかたちであれ必然的なものではないように思われる。作者のフリ活動に対して、鑑賞者がごっこ遊びの感情で反応することはあるかもしれない。しかし、たとえ発語内行為説をとっていても、鑑賞者がフィクションに反応して本物の感情を感じることは論理的に可能だ。つまり、フィクションについての主張のフリ説を支持すると同時に、鑑賞者はフィクションに本当に心を動かされているという立場を支持することに、論理的な問題はないように思われる。このため、ウォルトン説の支持者は、発語内行為アプローチによって、対立する立場よりもウォルトンの説が推奨されるから、ウォルトン説が有利だと主張することはできない。[18]そうではなく、この立場は、発語内行為説とは独立に擁護されたり批判されたりしなければならない。そして、今からわたしたちが向かうのはそのような批判だ。

ウォルトン説に対する主な反論はもちろん、この説ではフィクションに対するわたしたちの感情反応が、ごっこ遊びの領域に追いやられてしまうことだ。この説によれば、感情らしきものによって『エクソシスト』に尻込みする際、わたしたちは単にホラーを感じているフリをしているだけだということになる。しかし、少なくともわたしは、この映画に本当にホラーを感じたことを覚えている。わたしがそうするフリをしていたとは思わない。わたしがこの映画にどれだけ怯えていたか、一緒に映画を見た人には目に見えて明らかだった。ウォルトン説は、アートホラーが提起する論理的問題に対しては賢い解決策だ。しかし、アートホラーの現象学とは一致しない。つまり、ウォルトン説は論理のために、〔心的〕状態の現象学を捨てているように見えるのだ。

アートホラーが本物の感情ではなくフリ感情だという発想を疑う理由のひとつは、もしそれがフリ感情であれば、意志によって動かせるものだと考えられるからだ。わたしは『エクソシスト』に心を動かされずにいることを選ぶことができたはずだ。つまり、わたしには、ホラーを感じるというごっこ遊びを拒否することができたことになる。しかし、わたしのように圧倒的な衝撃を受けた者に、本当にその選択肢があったとは思わない。同様に、もしこの種の反応が実際にはゲームをするかどうかを選ぶという問題ならば、わたしたちは意志によってごっこ遊びの動揺を覚えることができると考えられる。しかし、(ウォルトンが例にあげた緑色のスライムではなく)実際の映画『The Green Slime』(『ガンマー第3号　宇宙大作戦』米題)のように、非常に出来が悪く、ホラーを感じるというごっこ遊びによって挽回できそうにない例もある。この映画のモンスターは、ホラーを与えるよう意図されているが、特にホラーを感じさせない。しかし、ウォルトン説では、これは本当の問題ではなくなってしまう。というのは、わたしがいつものように午後の娯楽で興奮を味わいたければ、自分がホラーを感じているフリをすればよかったことになるからだ。つまり、アートホラーを感じているかどうかは自分ではどうにもならないことに思われるという事実によって、それがごっこ遊びのゲームの問題だという発想は疑わしくなる。ごっこ遊びのゲームをするということは、わたしには、自分で決定できるような物事に思われるからだ。

そしてもちろん、わたしたちが本当にアートホラーを感じており、そういう状態にあるフリをしているわけではないと考えるもうひとつの理由としては、わたしたちはごっこ遊びのゲームをしていることに自覚的ではないように思われるという点をあげられる。すでに見たように、ウォルトンにはこの反論に対する答えがある。ウォルトンの主張によれば、ごっこ遊びのゲームは、暗黙のうちに受け入れられているルールや原理によって支えられていることが多い。つまり、わたしたちはルールに従っているが、おそらくその大部分は自覚されていない。よってわたしたちの自覚が欠けているように見える点は、これによって説明しつくされるというわけだ。

しかし、これはうまくいかない。というのは、この論証は、わたしたちがゲームのルールの一部に気がついていないという、きわめてもっともな観察に基づいているからだ。しかし、今もちだした反論は、わたしたちは、ごっこ遊びのゲームをしていることそれ自体にまったく気がついていないように見えるというものだ。単にゲームの細部を暗黙のうちに尊重していることに気がついていないというだけではなく、ゲームをしていることにまったく気がついていないのだ。ウォルトンの泥のパイのゲーム〔泥の塊をパイに見立てるゲーム〕の例を考えると、参加者がゲームのルールすべてを正確に表現できないのは本当かもしれない。しかし、泥のパイのゲームをしているのだが、自分がそうしていることにまったく気がついていないことがありえると考えるのはあまりにも早計だろう。ある子どもが他の子どもをこのゲームに誘うときには、「カウボーイとインディアン〔日本で言うケイドロ〕で遊ぼう」と言う場合のように、「泥のパイごっこで遊ぼう」と言うのではないかと推測される。しかし、フィクションを消費する場合には、これと似たことは成り立っておらず、したがって、ゲームをしていることを自覚しているという兆候はない。

　自分たちがゲームをしていることを知らないのであれば、ごっこ遊びだろうと何だろうと、ゲームをしていると言うのは正しくないように思われる。ごっこ遊びにフリをする意図が必要なのは確実だ。しかし、一見したところ、ホラーの消費者がそうした意図をもっているようには見えない。おそらく、意図は抑圧されているという風に提案すれば、この説を救うことができるかもしれない。しかしわたしの推測では、ウォルトンは精神分析を引き合いに出すのを嫌がるだろう。そしていずれにしても、この場合におそらくフリ説はフィクション感情の錯覚説の一種となり、それによって、そのような説の問題点が再度登場することになるだろう◆[19]。

わたしたちがウォルトンの想定するようなごっこ遊びのゲームをしている兆候を示せという要請に対し、反論として、兆候は、本を読んだり映画を見たりすることを選んだという事実そのもののうちに表われているのだという応答が返ってくるかもしれない。つまり、別の言い方をすれば、本を読んだり、芝居や映画を見たりすることは、それ自体がゲームなのだというわけだ。しかし、これに説得力があるとは思えない。わたしは歴史的なノンフィクションを読んだり、ドキュメンタリー映画を鑑賞することもあるが、フィクションの読書や鑑賞の仕方と、こうした読書や鑑賞の仕方の間に目に見える違いはない。ノンフィクションの読書や鑑賞に結びついたゲームが存在しないのであれば、フィクションの単なる読書・鑑賞とゲームを結びつける非論点先取の理由はない。また、ウォルトン説は、フィクションの読書や鑑賞と、ノンフィクションの読書や鑑賞を区別することを意図していると考えられる。このため、ごっこ遊びのゲームという種差によって、ただの読書・鑑賞という類から、フィクションの読書・鑑賞が区別されるという可能性は、ウォルトン説の支持者には使えないように思われる。

おそらく、ここで関連するゲームプレイは、フィクションをフィクションと知りつつ、読書・鑑賞することなのかもしれない。しかし、これでは十分ではないように思われる。というのは、この場合、フィクションのパラドックスの解決という文脈では、ごっこ遊びのゲームは、矛盾のふたつの側のうち、鑑賞者はフィクションに注意を向けていることを知っているという側を改めて主張しているだけであり、問題となっている鑑賞者の感情状態の本質については何も述べていないからだ。

ウォルトン版フリ説のもうひとつの問題は、それが事例を誤って記述しているように見えることだ。ウォルトンは繰り返し、まるでチャールズが緑色のスライムに自分が攻撃されることを恐れているかのように述べている。スライムがカメラの前で動くとき、チャールズは、自分自身、つまりチャールズが命を失なうことを恐れるというごっこ遊びをしていると述べられる。また、このような仕方で事例を記述するのは、単なる言葉の綾ではない。こうした記述はウォルトンの立場である、恐怖には自分が危険にさらされているという信念が必要とされるという立場、およびそれを拡張した、ごっこ遊び恐怖には危険のフリが必要とされるという立場と結びついている。また、フリ恐怖がフィクションの感情全般のモデルを提供するかぎり、この説によれば、わたしがトム・ウルフの『虚栄の篝火』のブロンクスの検事に道徳的に憤慨しているのであれば、わたしは検事が自分に不正をはたらいたというフリをしなければならないことになるように思われる。[20]

しかし本来の虚構のキャラクターの方はどうなるのだろうか。フィクションを消費している間に経験する感情は、自分に向けられたものではなく、キャラクターに向けられたものではないだろうか。緑色のスライムに関する恐怖は、どういう説をとるにせよ、スライムがキャラクターに行なうことへの恐怖ではないだろうか。この事例で何らかの危険を認識する必要があるとすれば、それは緑色のスライムが主人公らに与える危険であるはずだ。

少なくとも、こうした考察によって、恐怖には、自分自身が危険にさらされているという主体の信念が必要とされるという前提に疑問が投げかけられる。わたしたちは他人のために恐怖できる。これは日常生活ではありふれたことだ。わたしたちは、決して訪れることのない国の政治犯の運命を恐怖するのと同じように、車道に飛び出す犬のために恐怖できる。しかし、恐怖を自分自身の安全の問題から切り離すことができ、自分は安全だと信じながら他人のために恐怖することができるなら、現実の政治犯の命のために恐怖するのと同じように、虚構のキャラクターの命のために恐怖することもできるのではないだろうか。また、後に論じるように、わたしたちを感情的に動かすのは、他人のための恐怖だけではない。緑色のスライムのようなものは恐るべき fearsome ものであると認識することによって――たとえそれがはっきりとした目前の危険を構成しないと信じていたとしても――感情的に動かされるかもしれない。

この反論を防ぐために、フリ説の支持者は立場を少し穏当にするだけで済むだけかもしれない――恐怖を抱くためには、自分であれ他人であれ、何らかの人が本当に危険に遭遇していると信じることが必要だと主張すればよいのだ。つまり、恐怖には、誰であれ危険にさらされている者の存在を信じることが必要とされる。これはもちろんわたしたちが何度も何度も遭遇してきた前提だ。感情反応をもつためには、その感情の対象の存在を信じていなければならないという一般的な立場の一例になっている。そしてわたしたちはフィクションに関しては、ここで必要とされるような信念をもっていない。

しかし、ここでの一般的な立場が正しいかどうかは疑わしい。第一に、一般的な立場は問題に対して論点先取しているように思われる。この立場で主張されているのは、事態を包括的に検討すると、わたしたちが感情反応をもつのは、適切な存在信念をもっている場合にかぎられるということだ。しかし事実の問題として、わたしが前理論的に感情反応と呼ぶものの大部分はフィクションに向けられたものだ。感情反応には何が必要なのかという一般的な立場を求めているのに、どうしてフィクションに向けられた反応がデータから除外されているのだろうか。もちろん、該当の反応がデータに含まれているなら、感情反応には存在信念を必要とされるという一般的な立場は偽になる。このため問題は、感情反応には存在信念が必要であるという立場が、わたしたちがフィクションに対して本物の感情で反応するという立場に対して論点先取をしているかというものになる。

すでに見たように、ウォルトンではないが、一部の哲学者は、悲しい話がまったくの作り話だと知ったとき——例えば恋人が苦悩しながら死んだというある女性の話が捏造だと知ったとき——、感情が消えるように見えるという点を考慮することで、感情反応は存在信念を前提とするという立場を認めるよう促してきた。そして、この事例で、話が捏造であるという知識によって感情が消滅するのであれば、類似したフィクションの場合でも、本物の感情が不可能となるはずであり、それによって、フリ恐怖のようなものを措定する扉が開かれる。

しかし、おそらく両者の事例は類似していない。おそらく、でたらめな話が捏造されたものだという事実によって、支配的な感情が消滅するのではなく、むしろ、だまされたと知ることによって、ある感情が別の感情、すなわち憤慨や当惑に置き換えられてしまうのだろう。さらに、典型的には、小説が虚構の作り事であることは知られているので、騙されたことに憤慨は覚えない。フィクションは嘘ではなく、嘘と同様の感情反応を引き出すことはない。でたらめな話として感情を消滅させたのと同じ話であっても、それが十分に練り上げられ、フィクションのしるしをつけられた上で、すべての条件が等しければ、感情が維持されることもありえるだろう。このふたつの事例で関連する違いとなるのは、でたらめな話の場合には、聞き手の怒りが高められるということだ。

でたらめな話についての思考実験の影響を、以下のような思考実験を考えることで打ち消すことができるかもしれない。ある種の状況を記述し、感情反応をテストする心理学実験を想像してみてほしい。

わたしたちはいくつかの話を聞かされ、それについてどう感じるかを質問される。それらの話が真なのか偽なのかは知らされていない。何の存在信念ももっていない。話のひとつを聞いて、とても悲しいことに感じられたと言って報告し、その後で、実験をしている心理学者にそれが真実なのか作り話なのかを聞いてみるのは、まったくもっともなことのように思われる。また、この状況で、もし作り話だと知った場合に、報告を変えるよう要求するとも思わない。わたしの直観では、これは完全にもっともらしいシナリオであり、どこにも矛盾した部分はない。この例が受け入れられるのであれば、フィクションであると知っている話に心を動かされることがありえると信じる理由がいくらかはあることになる。さらにこの思考実験に説得力があるとすれば、でたらめな話の場合とはちがって、ここで感情反応をもつことができる理由の有力な候補として、だまされたかどうかという問題が発生しないことを指摘できるかもしれない[◆21]。感情反応は存在信念を必要とするという立場にはまた、恐怖のような一部の種類の感情にはこの立場は適用できるように思われるかもしれないが、あらゆる種類の感情反応には適用できそうにないという問題もある。性的興奮を考えてみよう。自分の好みの性の魅力的な成員が記述・描写されている場合、その記述（描写）が作り話だと言っても欲望は止まらない。あるいは、そのような肉体を単に白昼夢の中に見ることを考えてもいい。白昼夢はごっこ遊びかもしれないが、興奮の方はそうではない。

　アートホラーに関しては、あらゆる感情反応に存在信念が必要とされるわけではないという観察が特に関係してくる。なぜなら、嫌悪はわたしのアートホラーの理論では重要な要素であるが、通常、存在信念を必要としないからだ。次の状況を想像してみてほしい。ディナーパーティーで、誰かが、生命を停止する目的で首をはねられた高齢者の陰惨な話を始めたとしよう。デザートが出てくると、病院のカフェテリアで、誰も気づかないうちに、首がミキサーの中に落ちてしまったという話を聞かされる。この時点で、話し手がこれ以上話を進める前に、もうその話をやめてくれと頼むだろう。話し手がこの話はすべて作り話だと答えたとしても、どちらにしてもこの話は気持ちが悪いので黙ってほしいと頼みつづけることになるだろう。このように、アートホラーが重要な構成要素のひとつが嫌悪であり、かつ、嫌悪が存在信念を必要としない感情反応であるならば、ホラー作品に対する感情反応（あるいは感情反応の一部）は、たとえホラーのモンスターの存在を信じていなくても、矛盾なく維持することができる。

また、ホラー映画に関する嫌悪の問題を考えると、問題となるアートホラーがフリ感情説を許容できるかどうかは疑わしい。一部の映画や制作者は、胃が痛くなるような場面を得意としているからだ。ここでわたしが念頭に置いているのは、ダリオ・アルジェントの『フェノミナ』のような作品だ。ヒロインが腐敗した死体や下水や虫の幼虫でいっぱいのプールの中でもがく場面や、ねばねばした茶色い液体のようなものを飲み込む場面で感じられる吐き気は、準吐き気や、フリ嫌悪ではないことは確かであり、本当の嫌悪と区別できない。実際、わたしはここではっきりと非常に不快な例を選んでいる。もしあなたがわたしの説明を読んで少し拒否感を感じたのであれば、虚構のものだと知っているものに対して、本物の反応をしたことになる。

もちろん、嫌悪には、不快な対象の存在信念は必要ないかもしれないと認めたとしても、アートホラーにおける恐怖の要素には存在信念が必要とされるかどうかという最後の問題が残っている。そして、あらゆる感情反応に存在信念が必要とされるわけではないので、恐怖が存在信念を必要としない可能性は、少なくとも開かれたままにはなっている。人が将来に対する見込み——世界核戦争など——に怯えることができるのは明らかであるが、この見込みは実現していないし、実現しないかもしれないことが知られている。この際反論として、恐怖が本物であるためには、その見込みには少なくとも起きる蓋然性があると信じられていなければならないという指摘を受けるかもしれない。しかし、どの程度の蓋然性があればよいのだろうか。虫の目をしたモンスターによる侵略は、わずかではあるが蓋然性があるのではないだろうか。見込みが論理的に可能であれば十分なのだろうか。しかし、それならば、自己矛盾していると信じられているわけではないどんなフィクションでも十分であるはずだ。もちろん、確率はもっと高いレベルであるべきだと信じられているという反論はあるかもしれない。しかし正確にはどれくらいなのだろう。

また、ここで問題となる見込みが非常に高い蓋然性をもつと信じられていることが必要なのかどうかさえ、わたしには確信がない。歯車が不気味に噛み合っているような、見たことのない機械を想像し、自分の手や他人の手がその中に飲み込まれるところを想像して、自分の思考に震えを覚えることもできる。反射的に手を握りしめて防御することさえあるかもしれない。わたしたちの恐怖の反応が過敏であるという事実——想像上の状況によって恐怖がかきたてられ、防御反応が呼び起こされる——には、確実に進化上の利点があるのだろう。機械に飲み込まれるという思考によって身震いするのは、息を飲むような美しい光景を想像してはしゃぐ場合に感じられる興奮と同じように、本物の反応なのだ。

ウォルトンは、準恐怖という概念を使ってこうした事例を扱おうとするのではないかと思われる。自分の手がバキバキに砕かれるという思考によって硬直を感じるとき、わたしが置かれているのは準恐怖の状態だ。ウォルトンによれば、準恐怖はごっこ遊び上の事実についての信念によって生み出され、それがごっこ遊び感情の基礎を与える。[22] この説明のひとつの問題は、ごっこ遊びの上で真であるものについての信念は、なぜ、本物の恐怖や感情ではなく、準恐怖やフリ感情を生み出すのかを説明していないことだ。つまり、なぜこれが事実でなければならないのかがまったく明らかにされていないのだ。この主張の唯一の支えは、事実ではないと知られているものにわたしたちが感情をもって反応しているように思われる仕方を理解可能にするためには、この立場を取らなければならないという仮定だけだと思われる。したがって、ウォルトンに対するこの議論をつづけるひとつの仕方は——次節でこれを進めるが——、このウォルトン立場だけが、フィクションに対するわたしたちの感情反応を理解可能にする唯一の仕方ではなく、フリ説に対抗できる別の説——思考説[23]——でもこれが実現できる上に、この立場では、わたしたちはホラーの物語に本当に怯えているという確信も維持されると示すことだ。このため、ウォルトンの立場を拒絶する試みを十全に遂行するには、代替的な立場をねりあげる必要がある。[24]

## フィクションへの感情反応の思考説

引き続きわたしたちが取り組む問題は次のようなものだ——感情反応には、その対象が存在するという信念が必要とされると考えられている。しかし、フィクションに関して、わたしたちは緑色のスライムが存在しないことを知っている。よって、この事例では、わたしたちの恐怖は知識と矛盾するように思われる。この矛盾がフィクションのパラドックスの根底にある。すでに見たように、特定バージョンの錯覚説の支持者は、フィクションが消費されるとき、わたしたちはそれがフィクションであることを知っているということを否定することで、この矛盾に対処する。そうではなく、わたしたちは緑色のスライムが自分に向かってきているという錯覚に陥っているのだ。フリ説の支持者は、これがデータに適合することを否定する。フィクションを鑑賞するには、緑色のスライムが虚構であることを知っていなければならないし、それを知っているからこそ逃げ出したりしないのだ。そのかわり、フリ説の支持者は、わたしたちが緑色のスライムを本当に恐れているという前提の方を否定する。わたしたちはただ自分が恐れているというごっこ遊びをしているだけなのだ。錯覚説の支持者は、わたしたちが恐れを抱く瞬間に緑色のスライムを虚構のものだと見なしているという前提の方を否定するのに対し、フリ説の支持者は、緑色のスライムに対する恐怖が本当の恐怖であるという前提の方を否定するのだ。

しかし、錯覚説の支持者もフリ説の支持者も、緑色のスライムの本当の恐怖には、スライムが存在するという信念が必要だという前提を受け入れている。錯覚説の支持者は、わたしたちは、フィクション鑑賞の間だけではあるが、感情をもつのに必要な存在信念をもっていると主張し、一方フリ説の支持者は、フィクションに関わるのは本当の感情ではないと主張する。しかし、おそらく否定されるべき前提は、錯覚説とフリ説の支持者が共有しているこの前提の方なのだろう。つまり、わたしたちがここで拒否したいのは、感情の対象が存在すると信じている場合のみ、感情的に動かされるという前提の方だ。パラドックスのこの前提を否定するという可能性によって、理論化の第三の道が開かれる。第三の道は、アートホラーの状態を生み出すのは、緑色のスライムが存在するという信念ではなく、緑色のスライムの思考であるという推測に基づいている。また、ここでいうアートホラーとは本物の感情であり、フリ感情ではない。なぜなら恐るべきものについての思考を抱くことで、実際に感情が生み出されることがありえるからだ。

（ここでいう思考とは、信念との対比を意図した専門用語だ。◇3 信念をもつことは、命題を主張的に心に抱くことだ。一方、思考をもつことは、命題を非主張的に心に抱くことだ。信念も思考も命題内容をもつ。しかし思考の場合、内容はそれが事実であると引き受ける（コミットメント）ことなしに、単に心に抱かれている。一方、信念をもつことは、命題が真であると引き受けることだ。）

断崖絶壁の上に立っていると、決して不安定ではなくても、崖から落ちるという思考をかすかに抱くかもしれない。普通こういう場合には突然の寒気や震えが伴うことがあるが、これはもうすぐ崖から落ちるという信念ではなく、落ちるという思考——もちろんこれは、不愉快な可能性と見なされている——によってもたらされる。思考が、実現しそうだと信じられている必要はない。足場はしっかりしているし、周りに押してくる人もいないし、飛び降りる意図もない。しかし、まったく起こりそうにないと知っている出来事の連鎖を想像することで恐れるのはありえることだ。また、わたしたちは、落下について思考するという出来事のために怯えたわけではなく、落下についての思考内容——おそらく空間を急速に落ちていくという心的イメージ——のために怯えたのだ。

思考内容によって怯えることがありえるという主張にさらなる証拠を集めるため、特別に恐いホラー映画の観賞中に、動揺を避けるためにどんなことができるのかを考えてみよう。スクリーンから目をそらすことができるし、場合によっては、興奮の対象が占めているスクリーンの一角から注意をそらすことができる。あるいは、何か他のことで頭をいっぱいにして、スクリーンの視覚に集中せず、最近購入したメルセデスの支払いをどうするか心配することもできる。この場合、注意をスクリーンから完全にそらす必要はない。いつ注意を完全に戻しても大丈夫なのかを知るために、何が起きているのかをかすかに追うだろう。

同じような鑑賞戦略は、耐えられないほどサスペンスを感じさせる展開だったり、不快なほど感傷的であったりする展開の場合にも使える。そして、これらすべての事例で行なわれていることは、スクリーンに描かれているものの思考から気をそらすことだ。鑑賞者は、表象の指示対象が存在するという信念や、表象そのものが存在するという信念を消そうとしているわけではない。そうではなく、表象の内容について考えないようにすること、つまり、表象の内容を自分の思考内容として心に抱かないようにしようとしているのだ。

思考内容が本物の感情を発生させることがありえると仮定することで、アートホラーの問題に関しては、明確な理論的利点が導き出される。ドラキュラのような恐ろしくて嫌悪をもよおすキャラクターについての思考は、ドラキュラの存在を信じていなくても、心に抱くことができるものだ。つまり、思考と信念は分離可能だ。このため、思考内容によって怖がることがありえると認めるのであれば、ドラキュラ伯爵に関するフィクションの標準的な読者や鑑賞者は、伯爵が存在することを信じていないと言っても問題はないだろう。また、わたしたちが信じることなく心に抱く思考内容は、本物の感情によって心を動かすことができるので、わたしたちの恐怖は本物の恐怖であってもいいことになる。

感情のフリ説に対するウォルトンの擁護が主として依拠しているのは、チャールズは緑色のスライムが自分に現実の危険をもたらすとは信じていないという論証だ。このことから、ウォルトンはチャールズが本物の恐怖の状態にあることはありえないと推論している。よって、ウォルトンは、チャールズの状態を準恐怖とフリ恐怖によって分析すべきだと想定する。しかし、チャールズが緑色のスライムを信じているという発想に対するウォルトンの反論と、最善の説明に訴えてフリ感情仮説を作る論証は、チャールズを動かすのは緑色のスライムの思考であるという説に反するものではない。思考は信念である必要はなく、緑色のスライムを信じていなくても緑色のスライムの思考を心に抱くことができるからだ。つまり、思考説は、チャールズが緑色のスライムを信じていることを前提とした他のあらゆる説──錯覚説など──に向けられたウォルトンの反論をすべて受け入れることができるのだ。

ウォルトンは、錯覚説の支持者と同様に、本物の恐怖には、フィクションの中で表現された危険なものに対する本物の信念が必要だということを信条としている。これは単なる信条の問題なので、本物の恐怖を生み出すのは、フィクションの表象内容の結果によって心に抱かれた思考内容であってもよいという可能性が排除されるわけではない。しかし信念だけではなく、思考内容によっても感情状態が生み出されうると考えるのが理にかなっているのであれば、鑑賞者に錯覚的信念やフリ感情を帰属させる理由はなくなる。

先に述べたように、ウォルトンのシステムの問題点のひとつは、虚構的真であること（あるいは「何らかの命題pについて」虚構的にpであること）についての信念によって、本物の恐怖ではなく準恐怖が生み出されることに、なぜ必ず同意しなければならないのかを説明できていないことだ。ここで、おそらく、この問題に関してわたしが保留していたことを、もっと明確にできるだろう。

ラヴクラフトの『クトゥルフの呼び声』を読むと、フィクションの中で、原初の旧支配者は、イカの頭、鱗のついた翼、竜の体、耐えられないほどの悪臭、ねばねばした質感、緑色の皮膚をもっていることがわかる[◇4]。虚構的に、旧支配者は非常に危険なものでもあり、人類を簡単に絶滅させることができる。わたしたちは旧支配者が存在するとは信じていないが、虚構的に、旧支配者がこのような性質をもっていることは信じている。こうした虚構のものについて考える際、ラヴクラフトによる虚構の怪物の描写の意義や語義を考え、旧支配者が嫌悪と恐怖を与える性質の複合体であることを認識して、わたしたちはアートホラーを感じる。

　わたしたちは、旧支配者に関する以上すべての事柄が虚構であることを知っている。しかし、ラヴクラフトのフィクションの命題内容によって、旧支配者についてのわたしたちの思考内容が構成され、わたしたちは旧支配者という観念によってホラーを感じるのだ。先の例が示したように、思考によってホラーを感じることがありえるなら、作家による恐ろしい記述によって生みだされた思考によって、ホラーを感じることも起こりえる。したがって、わたしたちが信じているのが、虚構的に、旧支配者はこれこれのものだということだとしても、その事実によって、わたしたちの反応が必然的に準恐怖とフリ感情になるということは導かれないように思われる。ウォルトンが見過ごしているのは、フィクションと知った上でフィクションを読むことで、モンスターの記述の内容について考えるように導かれ、その内容が思考の基礎となり、その内容によって恐怖や嫌悪が引き起こされるという可能性だ。つまり、わたしたちの信念が虚構的事実だけに関わっているという事実から、わたしたちの恐怖は準恐怖であり、フリ感情であるという主張へと進むことを支持するような理由は存在しないのだ。

わたしたちは、旧支配者が虚構だと知っており、また恐怖と嫌悪を与えているのは、単なる旧支配者についての思考だと知っているので、本を捨てて逃げ出すことはない。このため、思考説では、フリ説では説明できるが、錯覚説では説明できない種類の変則的事象を説明できる。同時に、思考説には、わたしたちが感じるホラーを本物のホラーとみなすことができるという利点もある。思考説は、アートホラーという個別事例やフィクション一般によって提起されていると思われる論理的問題をも扱うことができるばかりではなく、ホラーの現象学に適っているのだ。この点で、この説はフリ説——フリ説は、反直観的な一連のフリ活動(これは心的なものではあるが)を仮定することでパズルを解決する——よりも優れているように思われる。

思考説を阻却するひとつの仕方は次のようなものかもしれない。ここで本当に問題になっているのは、フィクションに対する恐怖や悲しみなどが非合理的ではないと示すことだ。一見したところ、フィクションに対する感情反応は、非合理的なものでなければならないように思われる。なぜなら、こうした反応の際、鑑賞者はふたつの矛盾した信念状態——緑色のスライムが存在すると信じることと、緑色のスライムが存在しないと信じること——を含むように思われるからだ。これは非合理的だろう。そこで思考説は、この特定の種類の非合理から逃れさせてくれる。明示的に虚構と見なされているものに怯えることがありえると示すことで、矛盾を取りのぞいているのだ。しかし、矛盾から逃れるために、わたしたちを別の仕方で非合理にしてしまっている。この説によれば、わたしたちが怯えているのは思考や思考内容だ。しかし、単なる思考内容に怯えるのは非合理的だ。よって、わたしたちをこのような種類の非合理に陥らせることのない説を求めるのであれば、やはりフリ説が最強の候補になるというわけだ。

このため、ここでの問題は、思考によって、怯えたり、他の仕方で感情的に動かされたりすることが非合理的かどうかというものになる。当然ながら、火星人に監視されているという精神病理的妄想によって麻痺することは非合理的だが、ここで念頭に置いている思考内容は、精神病理的妄想ではない。なぜならこの種の妄想は、火星人の存在を信じることを伴っているからだ。ここで念頭に置いている思考内容は、精神病理的妄想や、神経症的妄想をモデルに考案されたものではない。同様に、思考説は、もし読者が矛盾を受け入れていることを含意するならば、読者を非合理的にしてしまうだろう。しかし、思考内容について振り返って考えることで恐怖に導かれることに矛盾はない。

おそらく、思考内容に怯えることは単にばかげているということなのかもしれない。しかし、原初の旧支配者の観念によって怯えることができるというのが人間に関する単なる事実なのであれば、「ばかげている」という表現はまちがっているかもしれない。そこに矛盾はないので、人間のこうした特徴は非合理性という点では評価できないかもしれない。単に人間はそういう風に作られているというだけだ。それは、認知と感情の構造に自然に与えられた要素であり、その上にフィクションの制度が築かれてきたのだ。

また、思考内容によって感情状態に置かれることはばかげているという考えは、わたしには、本質的に道徳主義的であり、勇気や男らしさや有用さといった規範に暗黙のうちに訴えかけているように思われる。しかし、この種の発想は、フィクションの制度全体を疑問視することになりかねない。そうではなく、わたしが主張しているのは、フィクションの実践——テキストによって適切に動機づけられた感情反応も含む——は、実際には、思考内容に心を動かされ、心を動かされることに快を覚えるという能力の上に成り立っているということだ。さらに、フィクションに対する感情反応が、フィクションの制度の中で規範的に適切であることと一致しているのであれば、それを非合理なものとして軽視することは、賢明ではないように思われる。この意味では、フィクションの反応は正常であるという意味で合理的であり、異常であるという意味において非合理的なことではない。

もちろん、フィクションへの反応が何らかの点で実利の追求の妨げになるならば、非合理的と言えるかもしれない。しかし、この場合に非合理的なのはフィクションに溺れることであって、思考内容に心を動かされることではない。また、〔フリ感情説を取ったとしても〕フィクションに怯えたフリをすることに時間を使いすぎて実利の妨げになるのであれば、やはり同じく非合理になってしまうだろう。

ここまでの部分で、思考説の背景にある戦略と、それを支持するいくつかの考慮事項については十分に明らかになったはずだ。しかし、思考内容および、思考内容とフィクションのテキストとの関係について、もっと詳細に説明しておいた方が有益だろう。思考説は、一方では思考と信念の区別に依拠しており、他方では思考と感情を結びつけることに依拠している。わたしは、思考と感情の結びつきを支持するために、間主観的に確証できる事実——例えば、これから絶壁から飛び降りることについて考えたり、自分（や知人）の手がこれから機械によって押しつぶされると考えたりすることで、本当に怯えることができる能力（またその際こうした出来事が起きる確率はゼロであると実際に信じている）——について指摘した。そこで、次は思考と信念の区別に向かうことにしよう。◆25

フィクションへの感情反応に関して問題になっている難問は、感情反応には、反応の対象が存在するという信念が必要であるというものだった。一方、これは、知識あるアートホラーの消費者が信じていると考えられていることと一致しない。アートホラーの個別的対象はモンスターだ。そして『ドラキュラ』の読者は、吸血鬼の伯爵が存在することを信じていない。しかし、ドラキュラの存在を信じていなくても、ドラキュラの思考や、ドラキュラが不浄で危険なものであるという思考をもつことはできる。前章では、デカルトが思考の形相的実在と表象的実在を区別していることに触れた。ユニコーンの存在を信じていなくても、ユニコーンの思考、つまり、一本角をもつ馬という思考をもつことはできる。ユニコーンは、思考の中に表象的実在を（現代的な意味ではなく、先に議論したデカルト的な意味で）[5]、性質の集まりとしてもっている。同様に、ドラキュラを性質の集合体、すなわち、ストーカーの小説におけるドラキュラの記述によって特定されるような性質の集合体として考えることができる。そして、思考——例えば、小説の中で「ドラキュラ」というラベルを貼られた性質の集合体についての思考——が、わたしたちを感情的に動かしうる（この場合には、ホラーを感じさせうる）ことを否定する理由はないように思われる。

これまでわたしが与えてきたアートホラーの説明では、ホラーとは、ホラー作品の中の特定のキャラクター、もっと言えば、モンスターに向けられた感情だ。いわば、わたしたちがホラーを感じるのは、フィクション全体ではなく、フィクションの中で記述される（あるいは映像メディアの場合には描かれる）恐ろしいキャラクター——ドラキュラや、緑色のスライムなどの名前やラベルを付けられたキャラクター——だ。ホラー作品において、こうした名前は現実の存在を指示しないし、現実の存在を指示するとも信じられていない。また、わたしたちは、歴史書の中のアレクサンダー大王、リンカーン、チャーチルなどの名前が登場する文の真理値に関心をもつのと同じように、これらの名前が登場する文の真理値に関心をもっているわけでもない。

「意義と意味について」で〔ゴットロープ・〕フレーゲは次のように述べている。◇6

叙事詩に耳を傾けるとき、われわれを魅了するものは、言葉の心地よい響きと並んで、文の意義とそれによって惹き起こされる表象と感情だけである。真理への問いとともに、われわれは芸術の享受を去って学問的考察へ向かうであろう。それゆえに、また先の〔ホメロスの〕韻文を芸術作品として理解している限りは、例えば「オデュッセウス」という名が意味をもつか否かということはどうでもよいことでさえある。したがって、真理の追求が、われわれをしていつも意義から意味へ突き進むように駆り立てるものなのである。◆26

フレーゲにとって、あらゆる記号は、それが意味するもの――意味 reference――、および、その意義 sense――記号の語義 meaning であり、意味を選び出すもの――に結びついていると考えるのは自然なことだ。しかし、フィクションの場合、わたしたちが関心をもつのは言説の意義や語義だけであり、その意義を反省することによってもたらされる美的帰結という点での関心に限定される。

同じように、ホラー作品の場合、わたしたちが文の意義や語義に関心をもつのは、作品が喚起する感情――特にアートホラー――のためだ。そこに登場する名前は、自然なかたち、あるいは慣習的なかたちでは指示をもたない。これらの名前のふるまいは、フレーゲが言うところの間接話法、つまり引用の中の言葉のふるまいに非常によく似ている。

間接話法においては、例えば誰か別の人による発言の意義について語っているのである。このことから明らかであるが、間接話法においては、その語句はその通常の意味を持たず、通常はその意義であるものを意味しているのである。表現を簡潔にするために、われわれは次のように言いたいと思う。すなわち、間接話法において、語句は間接的に使用されている、ないし、その間接的意味を持つ、と。したがって、われわれは、一つの語の通常の意味と、その間接的意味とを区別し、また通常の意義と間接的意義とを区別する。それゆえ、語の間接的意味は、その語の通常の意義だということになる。[27]

叙事詩では、関心は意味ではなく意義に向いているというフレーゲの提案を受けて、ピーター・ラマルクは、虚構の名前は間接的に使用されているか、あるいは記号の意義への間接的意味をもっていると主張する。[28]「ドラキュラ」という記号は、その意義を意味する。では「ドラキュラ」という名前の意義とは何なのか。ストーカーが小説の本文中で伯爵に帰属させている、性質や属性の集まりだ。このような属性の付与は、本文中でのドラキュラの記述を通じて行なわれ、その記述は慣習的な意義において理解される。「ドラキュラ」は、いわばそれらの記述に付けられたラベルなのである。

このアプローチでは、虚構の名前は意義をもつと見なされる。言語哲学では、通常の使用における固有名が意義をもつという発想に反対する論証がなされているが、フィクションの名前が意義――主にテキスト上でのキャラクターの記述によって構成される意義――をもつと考えることは、少なくとも正しそうに思われる。「ドラキュラ」を思い浮かべるときには、人はこのキャラクターに帰属させられた性質の集まりについて考えているのだ。もちろん、厳密に言えば、それ以外に思考が向かうものは何もない。また、固有名に意義を帰属させることが、事実的言説〔非フィクションの言説〕とでも呼べるようなものに関して反論を受けてきたからといって、その立場をフィクションに適用してはならないことが示されたわけではない。なぜなら、事実的言説の固有名に関する説と、虚構的言説に関して適切な説が、同じ説でなければならないとあらかじめ想定する理由はないからだ。

フィクションにおけるモンスターの記述と、鑑賞者の思考内容の関係を理解するために、ジョン・サールによる、発話の発語内の力と、命題内容の区別を理解することが助けになるだろう。[29] ふたつの発話――「教会に行くと約束する」と「教会に行け！」――は、同じ命題内容――つまり「わたしが教会に行く」――をもつが、発語内の力が異なっている。フィクションの文を言語行為論のアプローチで分析すれば、例えば「ドラキュラには牙がある」などの命題内容に加えて、「ということが虚構的である」という発語内的要素ももつことになる。フィクションにおけるドラキュラの記述の意義ないし命題内容は、ドラキュラについての読者の思考の内容を与える。理想的には、読者のドラキュラの心的表象は、本文における記述の命題内容によって特定され、この命題内容によって構成される。ただし、個別の事例で、これが正確にはどのようにしてなされるのかを詳細に明らかにすることは難しいだろう。[30]

「ドラキュラ」という名前が意味するのは、その意義、つまり小説の中で吸血鬼に帰属させられる性質の集まりだ。自分が読んだものについて考える際、モンスターに帰属させられる性質について考え、その性質の組み合わせが不浄で恐ろしいものであることが認識され、その結果アートホラーの反応がもたらされる。思考内容にホラーを感じているため、わたしたちは自分が危険にさらされているとは信じていないし、自分の身を守るための手段を講じることはない。ホラーを感じているフリをしているわけではない。わたしたちは本当にホラーを感じているのだが、それは自分が次の犠牲者だと確信しているためではなく、ドラキュラの思考によってホラーを感じているのだ。

テキスト中のモンスターの存在を信じていないのと同時に、フィクションによって本当のホラーを感じることができるとがどのようにして可能なのかという問題は、思考説によって解決される。なぜなら、わたしたちは緑色のスライムの存在を認めることなく緑色のスライムのことを思考することがありえるし、その思考内容にホラーを感じることがありえるからだ。フィクション反応の錯覚説が鑑賞者に偽の信念を負わせ、フリ説がわたしたちの感情をごっこ遊びの感情にしてしまうのに対し、思考説はわたしたちの信念を尊重し、感情を本物のままにしてくれる。

フリ説を擁護する際、ウォルトンは、フィクションへの感情反応の問題と呼ばれているものを解決するという点だけでこの立場を薦めているわけではない。ウォルトンの主張によれば、フリ説は、フィクションについて語る際、どうしてわたしたちは様相的修飾をつけずに語るのかという点も説明してくれる。つまり、わたしたちは『カラマーゾフの兄弟』のフィクションにおいて、フョードル・カラマーゾフは道化者だ」ではなく、「フョードル・カラマーゾフは道化者だ」と言う。ウォルトンによれば、このことは、フィクションに対するごっこ遊びゲームの継続として説明できる。以上のような言明を様相的に修飾すれば、フリ遊びが台無しになってしまうというわけだ。

しかし、仮にわたしたちの感情に関してフリ説が正しかったとしても、それをフィクション作品についての語りにまで拡張するのは奇妙に思われる。ウォルトンの説明では、わたしたちがフィクションに感情反応をもつとき、わたしたちは虚構世界のキャラクター——例えば緑色のスライムに襲われるキャラクターになる。しかし、誰かに小説のことを話すとき、一般的に、わたしが会話の相手に対してフィクション——わたしがあげた例の場合は『カラマーゾフの兄弟』のフリ遊び——を演じていると考える理由はない。そのような演技をすることはできるかもしれないが、フィクションについて報告するときに、わたしたちが一般に演技をしていると考えるのは早急だろう。

わたし自身の考えでは、フィクションについて話すときには、実用面を考慮した結果、様相的修飾を省略することが多いのではないかと思う。つまり、会話の相手がフィクションについて話していることを知っていると信じる理由があれば、「小説の中では……」という修飾を削除する。一方で、聞き手が虚構のキャラクターについて議論していることを知っているかどうかわからない場合には、少なくとも発言の前置きとして、この修飾を付加する。これは、意見が対立する哲学者の信念について議論する場合に似ている。文脈からスピノザの説を報告していることが明らかな場合、「スピノザの信じるところでは……」と言って、パラフレーズに前置きをする必要はない。自分の立場ではなく、スピノザの立場を報告しているのが明らかであれば、一文一文を「スピノザの信じるところでは」というかたちで導入するのではなく、「唯一の実体があり、それは神である」といった修飾されていない文を多用することになる。

またこれらの反論が健全であれば、フリ説は、フィクションについて報告する際の修飾語の削除について説明と思われるものを与えることで、付加的な支持を引き出すことはできないことになる。フリ説の第一の強みは、フィクションへの感情反応の説明にあるが、その説明は、わたしたちの反応には本物の感情が伴うという強力な直観を否定するかぎり、わたしには思考説よりも説得力がないように思われる。もちろん、思考説は思考というものを認めているので、一部の者にとっては根本的な哲学的難問を引き起こすかもしれない。しかし、アートホラーの問題に関しては、思考に依存することは、わたしには、吸血鬼に対するフリ感情や、鑑賞者が吸血鬼の存在を信じていると仮定するよりも好ましいように思われる。

## 要約

少なくともサミュエル・ジョンソンがシェイクスピア全集の序文を書いて以来、フィクションへの反応には何か独特のものがあるという懸念が広く抱かれてきた。この問題——ここでフィクションのパラドックスと呼んでいる問題——は、フィクションの中で描かれたことが現実のものではないと知っているにもかかわらず、フィクションに感情的に動かされることはいかにして可能なのかということに関わる問題だ。ここで、わたしたちのとまどいの原因になっているのは、明言されないことも多いが、存在すると信じられているものだけが心を動かしうるという仮定だ。このパラドックスは、アートホラーについてのどんな議論にも強く関連するものだ。というのは、存在しないと知っているものにホラーを感じることがいかにして可能なのかが疑われるからだ。

このパラドックスの構造は、次の三つの命題を中心に展開しており、そのそれぞれは単独で考えれば真であるように思われるが、他のふたつと組み合わせれば矛盾を生み出すことになる。

（1）わたしたちは本当にフィクションに心を動かされている。
（2）わたしたちは、フィクションの中で描かれているものが現実のものではないと知っている。
（3）わたしたちが現実であると信じているものだけが、わたしたちの心を本当に動かす。

この矛盾を取り除くためには、三つの選択肢があるように思われる。錯覚説は第二の命題を否定し、フィクション鑑賞の間、わたしたちはフィクションで描かれていることが現実ではないと知っているわけではないと主張する。そのかわりに、フィクションに参加している間は、フィクションで報告されていることが現実であるかのような錯覚に陥っていると想定する。この説は、第二の命題を信じることを維持しつつ、第一の命題を否定することで、フリ説やごっこ遊び説が避けようとしている一連の問題に直面することになる。フリ説の支持者にとって、フィクションに参加するときに報告される感情は、本物の感情、あるいは真正の感情ではなく、ごっこ遊びの感情だ。この説にはたくさんの問題がある。しかし、主な問題は、フィクションへのわたしたちの感情反応をごっこ遊びやフリ感情にしてしまうことだ。この帰結を避けつつ、同時に、錯覚説のあらゆる問題を避けるため、わたしが「思考説」と呼んでいる立場を展開できる。この説は、先にあげた三つの命題のうちの第三の命題を否定する。心に抱いている思考内容によって、感情が動かされることがありえると主張するのだ。感情反応には、わたしたちの感情を動かすものが現実のものであるという信念は必要とされない。自分が想像する将来の見込みによって感情が動かされることがありえる。フィクションの場合、フィクション作品の作者によって、思考の対象となる事物――例えばアンナ・カレーニナの自殺――の捉え方が提示される。そして、わたしたちがこれらの表象内容を心に抱き、それについて考えることで、わたしたちの思考内容が与えられ、それによって感情が動かされ、哀れみ、悲しみ、喜び、憤りなどを覚えることになる。ホラージャンルでは、わたしたちが心に抱く思考は、モンスターの恐ろしくて不浄な性質を考えることを含んでいる。そして、わたしたちはアートホラーを感じる。

ビジョイ・ブロアは、ごく最近に出版された著作の中で、フィクションへの感情反応についてのどんな説明にも、想像への言及が含まれていなければならないと主張している。[31]「想像」によって意味されているのが、思考を非主張的に心に抱くことであれば、この立場はわたしたちの立場と両立する。一方で、ここで意味されているのが何か他のもの――鑑賞者がテキストに付け加えるものに関係した何か――だとすれば、想像の概念は適切ではないように思われる。想像する際には、わたしたち自身が、自分の思考内容の創造的な源泉であり、主に自発的な源泉になっている。しかし、フィクションを読む際には、わたしたちの思考内容は、主に外部、つまりわたしたちが読んでいる確定したテキストや、わたしたちが観ているすでに精巧に作られた画面からやってくる。標準的には、フィクションによってすでに述べられていることや暗示されていることに、イメージによって何かを付け加えなければならないと考える理由はない。

# キャラクター同一化は必要か

前節では、アートホラーを生み出す虚構のモンスターと鑑賞者との関係を中心に論じた。本節では、ホラー作品における、人間の主人公と鑑賞者との関係を簡単に見てみたい。[◆32] もちろんこれらのキャラクターが虚構のものであるかぎり、ここまでの箇所で作ってきた概念枠組はキャラクターにも適用される。例えば、虚構の主人公への感情反応は、虚構のモンスターへの感情反応と同様に本物であり、その反応は、思考内容という存在論的地位をもった対象に向けられている。しかし、虚構の主人公については（キングコングのように、モンスターが主人公になるのでないかぎり）、ホラーを与える虚構のモンスターに対してはめったに出てこない疑問が生じる。わたしたちは、虚構の主人公に同一化しているのだろうか、という疑問がそれだ。つまり、フィクションを追い、キャラクターの運命に夢中になるとき、鑑賞者と主人公の間に、ミスター・スポックのバルカン人の精神融合のような、ある種の奇妙な形而上学的過程が必要とされるのだろうか。[◇7] あるいは別の言い方をすれば、フィクションの主人公側のキャラクターへの反応は、わたしたちとキャラクターとの間に、キャラクター同一化という何らかの過程があると仮定することで最善の説明を与えられるのだろうか。

同一化は、フィクションについての日常的な語りではよく見られる概念だ。人は自分が昼ドラ（ソープオペラ）のあれこれのキャラクターに同一化していると述べたりする。しかし、その場合の「同一化」が何を意味するのかは明確ではない。実際、キャラクター同一化という概念が単なる隠喩なのか、それとも心的状態の文字通りの記述を意図しているのか、日常会話の文脈では決定できないことが多いだろう。当然ながら、キャラクター同一化はさまざまなことを意味する可能性があり、さまざまに異なる心理学理論と結びつく可能性がある。しかし、この用語は多くの場合——専門の批評家が使う場合であっても——、話し手がこれによって指示している心的状態がどのように特徴づけられるべきかを正確に特定できないような仕方で使用される。

キャラクター同一化の概念をもちだすことで示されていることの候補としては、以下のようなものが考えられる——主人公が好きであること。主人公の状況が、自分がかつて置かれていた状況や、現在置かれている状況に著しく似ていると認識すること。主人公に共感していること。関心や、感じ方や、原理原則や、あるいはそれらすべてが主人公と一致していること。フィクションの中で展開されるアクションを主人公側の視点から見ること。主人公の価値観を共有していること。フィクションとの関わりの間に、夢中になって（および／あるいは操られたり騙されたりして）、わたしたちのそれぞれが、いかなる仕方でか自分が主人公自身であるという錯覚に陥ってしまうこと。

これらの可能性のいくつかは、十分無害なものに思われる。つまり、これらの状態のうちの特定のものは、哲学的・心理学的な難問を投げかけるわけではなさそうだ。人はキャラクターを好きになることができるし、キャラクターと自分との間の類似点を認識できるし、キャラクターと価値観を共有できるし、あるいは、キャラクターのことを心配したり、キャラクターに同情したりすることができる。虚構のキャラクターに対してこういう種類のことをするのは、生きている人間に対する反応の正当な拡張であるように思われる――その拡張の論理を説明するのは非常に複雑であるかもしれないが。しかし、こうした用法は、一部の論者がキャラクター同一化という概念に訴えるときに念頭に置いていることの核心ではないように思われる。むしろ、キャラクター同一化という概念は、鑑賞者と主人公との間のもっと大胆な関係を示すために使用されているように思われる。そこで示されているのは、鑑賞者が自分自身がキャラクターと同一である、あるいはキャラクターと一体であると感じるような関係――すなわち、鑑賞者とキャラクターが同化したり融合したりする状態――だ。この理解のもとでは、鑑賞者がキャラクターの視点から進行中の物語の情報を受け取るとき、わたしたちは（誤って）キャラクターの視点を自分のものとして受け入れる（あるいは混乱してそう取り違える）。わたしたちはフィクションにあまりにも鮮烈に心を動かされ、まるで自分がそこに参加しているかのように感じる。もっと言えば、まる自分が主人公であるかのように感じてしまうのだと考えられる。

キャラクター同一化をこのように理解すると、この理解が錯覚――鑑賞者自身が主人公であるという錯覚――の概念に依存しているかぎり、すでに長々と論じてきた問題に対処しなければならなくなる。小説を読む際も、演劇や映画を見る際も、鑑賞者はありとあらゆる仕方で、自分が主人公ではないと知っていることを示している。深夜のテレビで『ドラキュラ』の再放送を見ながら、ソファの後ろに身を隠し、杭を研いだりはしない。前に論じたように、鑑賞者は自分が表象の意味〔指示対象〕ではなく表象を見ていることに気づいているだけではなく、自分が表象の主人公でないことにも気づいている。すでに論じたことだし、おそらくもう飽き飽きしているだろうが、錯覚を仮定することは――フィクションの現実性についても、主人公との同一化についても――ホラー作品を消費する鑑賞者の行動に照らし合わせれば、まったく筋が通らない。

もしキャラクター同一化という概念が筋の通ったものなのであれば、明らかに、鑑賞者が主人公と同一であるという錯覚を抱いているという仮定を基礎に置くことはできない。キャラクター同一化については、別の説明が必要だ。ひとつの可能性は、キャラクター同一化の際には、鑑賞者は主人公の心的状態と感情状態を正確に複製していると言うことだ。もちろん、これが正しいことはありえない。なぜなら、キャラクターは、おそらく自分が人狼に襲われていると信じているが、鑑賞者はそう信じてはいないからだ。このため、ここで言う複製は感情状態のみに関係しているのかもしれない。ゴジラが東京を襲うとき、キャラクターは人類の運命を恐れるが、これは鑑賞者も同様だ。

もしこれがキャラクター同一化の意味することだとすれば、この概念には深刻な問題がいくつも待ち受けていることになる。第一に、虚構の主人公へのわたしたちの反応の多く――おそらくそのほとんど――は、軽く見ただけでも、感情の複製という要件を満たしていない。ヒロインが気ままに波とたわむれている間に、知らないところで殺人鮫が殺しのために急接近してくる際、わたしたちはヒロインに心配を感じる。しかし、それはヒロインが感じていることではない。ヒロインは喜びを感じている。つまり、わたしたちは多くの場合、フィクションの中で何が起こっているのかについて、主人公とは異なる情報、もっと言えばより多くの情報をもっており、その結果、わたしたちが感じることは、キャラクターが感じていると思われることとはまったく異なったものになるのだ。

スティーブ・ラスニック・テムの短篇小説『Worms』の結末では、エラがホラーと驚きとともに、自分が飢えたミミズに囲まれていることに気がつくが、そのような場合でも、わたしたちの感情状態はエラの複製ではない。なぜならエラとはちがって、わたしたちはこの窮地が精巧な復讐計画の一部であることに気がついているからだ。

同様に、キャラクターが、生死をかけたゾンビとの戦いに巻き込まれたとき、わたしたちはサスペンスを感じる。しかし、キャラクターにはこの感情に興じるチャンスはない。キャラクターはゾンビに対処することで頭がいっぱいで、状況にサスペンスを感じることはできないだろう。もし、わたしたちが、オイディプスが父を殺し、母を寝取ったことに憐みを覚えるとしても、それはオイディプスが感じていることではない。オイディプスが感じているのは、罪悪感、自責の念、自己卑下だ。言うまでもなく、わたしたちはこれらの内のどれも感じていない。

こうした例から導き出される一般的な論点としては、非常に多くの事例で、鑑賞者の感情状態はキャラクターの感情状態の複製ではないということだ。鑑賞者と主人公との間の関係としてよく知られているタイプのものの多く——哀れみ（パトス）やサスペンスなど——では、キャラクターの感情状態と鑑賞者の感情状態との間に非対称性がある。しかし、キャラクター同一化の場合、鑑賞者と主人公の感情状態の間に対称性が必要であると想定される。少なくともここから含意されるのは、キャラクター同一化は、主人公と鑑賞者の関係を包括的に概念化してくれるわけではないということだ。ざっと調べてみただけでも、同一化を感情状態の複製と見なすという弱い同一化に合致していない事例があまりにもたくさんあるからだ。◆33

また、鑑賞者の感情状態と主人公との関係をもっと深く探ってみると、類似していない点は他にも出てくる。前節で述べた説が正しければ、鑑賞者の感情反応は心に抱かれた思考に根ざしているのに対し、キャラクターの反応は信念に由来する。キャラクターはホラーを感じているが、鑑賞者はアートホラーを感じていると考えるのは理にかなっているように思われる。その上、問題を複雑にしているのは、主人公に対する鑑賞者の反応は、他の人（または人のタイプ）への心配に関わるものであるのに対し、モンスターに襲われる主人公は自分のことを心配しているということだ。つまり、鑑賞者の感情状態を共感と表現するのは適切であるが、キャラクターは自分自身に共感しているわけではない。ゆるく言えば、このような事例でのキャラクターの感情は、つねに自己関与的、利己的なものであるのに対し、鑑賞者の感情は、他者関与的、利他的なものだ。よって、これら類似していない点が説得力のあるものであれば、キャラクター同一化が、鑑賞者から主人公への関係をまったく説明していないということも、十分に考えられるのだ。

こうした反論は、キャラクター同一化を、主人公の感情状態と鑑賞者の感情状態が厳密な複製になることと捉えるような立場に向けられている。このように解釈すると、鑑賞者はキャラクターにはない感情（サスペンス、心配、哀れみなど）をもっているのに対し、主人公は鑑賞者に欠けている感情や恐怖（例えば、人類絶滅の恐怖）をもっているため、キャラクター同一化はありえないことになる。

この段階で、キャラクター同一化仮説を救うために進むべき道はおそらく、主人公と鑑賞者の感情状態が厳密な複製になるという発想を捨て、鑑賞者と主人公の間に感情状態に関する部分的な対応だけを要求することになるだろう。

もちろん、この提案のひとつの問題点は、キャラクターの感情は自己志向的で信念に根ざしているため、キャラクターの感情状態と鑑賞者の感情状態の間に部分的な対応関係さえ可能なのかどうかが不明確なままであることだ。しかし、仮にこの難点をどうにか解決できたとしても、主人公と鑑賞者の感情反応が部分的に対応することに根拠をもつようなキャラクターの同一化の概念は、依然として疑わしいものになるように思われる。というのは、特に、もし対応関係が部分的なものでしかないのなら、そもそもなぜその現象を同一化と呼ぶのだろうか。あるスポーツイベントでふたりの人が同じ選手を応援している場合、その人たちがお互いに同一化していると言うのは適切ではないように思われる。両者はおたがいの存在に気づいていないかもしれない。また、もしおたがいに隣に座っていて、イベントに対して同じような態度を共有していることに気づいているとしても、同一化している必要はない。また、感情状態は、応援している選手のそれと文字通りに同じというわけでもない。選手とは、おそらく注意を向けている対象も、その強さも異なっているからだ。

キャラクター同一化という概念に対するここでの反論は、以前述べたアートホラーの説明と矛盾しているように思われるかもしれない。というのは、わたしは、ホラー作品のキャラクターの感情反応と、作品の読者や視聴者の感情反応の間には、特定の点で類似があると述べたからだ。さらに、わたしは、ホラー作品では、多くの場合、キャラクターのモンスターへの感情反応が、鑑賞者にとって、そのモンスターに対する適切な種類の反応の手掛かりとなるかもしれないと主張した。具体的には、鑑賞者がホラーを与えるモンスターに反応する際に喚起される評価基準――恐怖と不浄――が、フィクションの中のモンスターへのキャラクターの感情的評価反応を反映したり、それと一致したりするのではないかと主張している。しかし、モンスターに対する評価を共有することは、わたしがキャラクターに同一化していることや、キャラクターと同じ感情状態にあることを含意しない。類似した感情的評価をもつことは、同一化を含意しないのだ。[34]

モンスター襲撃の場面などの瞬間に、自分の感情状態と主人公の感情状態の間に決定的な違いがあることを確認するため、すでに述べた理由にくわえて、次の点も心に留めておくべきだろう。それは、こうした状況では、鑑賞者は単にホラーを感じているだけではなく、このホラー自体が、より大きな状況——ホラーを与えるモンスターが人間の主人公を危険にさらす状況——への感情反応の構成要素となることだ。この大きな状況を特徴づけるのは、鑑賞者がその外側にいる一方で、主人公がその内側にいるという事実であり、この事実によって、両者の間には実質的に異なる情動作用が含意される。また、この大きな状況を特徴づけるものとしては他にも、鑑賞者はおそらくある種の利他的な心配を抱いているが、一方、主人公が心配を感じている場合は、おそらく自己中心的なものとなるという事実もある。[35]つまり、鑑賞者の全体的な感情状態は、おそらくキャラクターの感情状態とは異なっている——キャラクターがモンスターについての信念に反応し、鑑賞者はモンスターについての思考を抱くことに反応するという目立った違いを置いておいたとしても異なっているのだ。なぜなら、鑑賞者の全体的な感情反応は、キャラクターやキャラクターの感情反応を含む状況全体に対するものになっているからだ。

したがって、鑑賞者の全体的な感情反応の対象は、キャラクターの感情反応の対象とは異なるものになり、それによって両者の反応も質的に異なるものになる。ふたつの反応が特定の点で重なっていること——例えば、モンスターは危険で拒否感を与えるものとして感情的評価を受けること——が示すのは、全体的な感情状態が同一であることや、鑑賞者が自分を主人公だと見なしているということではない。感情反応の共有は、同一化の十分条件にはならないのだ。仮にそうなるとすれば、鑑賞者は、モンスターに拒否感を覚える他のあらゆる鑑賞者と同一化していると言えることになってしまう。

もう一度悲劇の例を考えてみよう。わたしたちがオイディプスの苦境に反応するとき、その苦境には近親相姦に対するオイディプス自身の拒否感が含まれており、わたしたちはこの評価を共有するかもしれない。しかし、これによってわたしたちの内に喚起される全体的な感情はオイディプスの感情状態とは一致しない。例えば、アリストテレスが正しいとすれば、わたしたちは、そのような災厄が自分に降りかかることを恐怖し、その後にカタルシスを経験する。しかし、オイディプスは恐怖の時間が過ぎ去った後、罪悪感に苛まれる（わたしの知るかぎり、この罪悪感は何ひとつ解消していない）。また、わたしたちのオイディプスへの反応の一部は、オイディプスが罪悪感を覚えているという事実――オイディプスが自分と異なる感情状態にあるという事実――を中心に展開している。

同様に、ホラー作品の中で主人公がモンスターに追い詰められたとき、わたしはそのクリーチャーに対する感情的評価を主人公と共有するかもしれない。しかしその後につづく一連の感情――状況全体に向けられた感情――はキャラクターに帰属させることができそうな感情とはまったく異なっている。〔鑑賞者の〕アートホラーに対しては〔キャラクターの〕ホラーが対応し、〔鑑賞者の〕同情的心配に対しては〔キャラクターの〕自己中心的な心配が対応し、〔鑑賞者の〕サスペンスに対しては、主人公がモンスターから逃れようとしているのであれば注意の集中、あるいは主人公が無力な獲物であれば絶望に身のすくむ恐怖のいずれかが対応する。主人公がモンスターに襲われるとき、わたしたちはホラーを感じるだけでなく、このような人物――プロット上で付与されたさまざまな美徳をもった主人公――が、嫌らしい危険な存在の手に落ちることを心配する。一般的に、わたしたちのアートホラーの感情は、自分が主人公の窮地を心配しているというより大きな状況に向けられた包括的反応の構成要素になる。一方、主人公の感情状態は主にモンスターに向けられていると見なすのが妥当だろうと思われる。主人公の側は、自分のような人間が危険にさらされているということについて明示的に考えることはないだろう。

鑑賞者と主人公の感情状態の非対称性に関するこうしたコメントが正しいとすれば、キャラクター同一化という概念は不適切なものになると思われる。鑑賞者と主人公の間に完全な対称性が成り立つことが必要とされるのであれば、明らかにキャラクター同一化はありえない。また、必要とされるのが鑑賞者と主人公の感情状態の間に部分的な対応が成り立つことだけだとすれば、なぜその現象が同一化と呼ばれるのかがわからなくなってしまう。というのは、部分的な対応が成り立つとしても、その感情の担い手が同一であるという記述が有益なものになるとはかぎらないからだ。ホラーに関しては、わたしが論じてきたように、わたしたちはモンスターへの感情的評価をキャラクターと共有しているかもしれないが、全体的な感情状態が同じ対象に向けられているわけではないし、それぞれの主体が融合するわけではないのかもしれない。

一部の論者が虚構の主人公への反応の同一化説に惹かれる理由のひとつは、知らず知らずのうちに非常に過激な種類のエゴイズム――すなわち、自己利益に関わる状況だけが感情を動かすことができるという発想――を本当に信じてしまっているせいかもしれない。もっと言えば（このため、この立場は非常に過激なエゴイズムになっているのだが）、彼らが信じているのは、文字通りに自身の利益と見なされるものに対してのみ、感情的に反応することができるということなのかもしれない。このため、この立場では、虚構のキャラクターへの感情反応を裏づけるためには、どうにかして自分自身をキャラクターと同一化させ、キャラクターの利益を自身の利益にしなければならない。しかし、もしこれがキャラクター同一化という概念を動機づけるものであるならば、この立場は明らかに放棄されてしかるべきものだ。というのは、自身の利益につながりがあるとは思えない状況に、人々が実際に感情的に反応するという証拠はいくらでもあるからだ。◆36

先ほど、キャラクター同一化の概念には、無難な用法があるかもしれないと指摘した。例えば、わたしがあるキャラクターに同一化していると言った場合、それは単にそのキャラクターが好きだということを意味しているだけかもしれない。このような用法については、ふたつのことを言わなければならない。第一に、これらの用法がキャラクター同一化の概念の核心にあるとは思えないということだ。自分がその人と一体化していると感じることなしに、誰かを好きになることはまったく可能だろう。キャラクター同一化の核心にある意味は、他の人に一体感を感じたり、同一であると感じたりすることを必要としているように思われる。そしてもちろん、わたしが論じてきたのは、フィクションに関しては、わたしたちとキャラクターとの間に一体感があるという発想を否定する理由があるということだ。これは第二の論点につながる。融合という意味での同一化が問題含みであり、同一化についての語りのほとんどを動機づけるのがこの意味であるというのが正しければ、おそらく、言葉の使い方を統制し——少なくとも批評的な文章を書く際には——同一化という概念の無難な用法も使わないようにする方が有益だろう。この用法によって、同一化による精神融合というあやしげな概念が示唆されてしまい、混乱につながりかねないというだけであっても、そうした方がいいだろう。

キャラクター同一化は、フィクションについての批評的言説のいたるところで登場する概念だ。それが捨てられてしまうと、批評的言説の拠り所が崩れてしまうのではないかと危惧する人もいるかもしれない。この土台を崩壊させないためには、何をその場所に置くべきなのだろうか。つまり、もし主人公に同一化しないのであれば、キャラクターに反応するとき、わたしがするのは何なのだろうか。ここでわたしは、わたしたちはキャラクターに同一化するのではなく、キャラクターの状況に同化assimilateするのだと規約したい。

特定の状況の中にある主人公の記述を読むとき、わたしは（作中で与えられた）キャラクターの心を自分の中に複製するわけではない。キャラクターの状況に同化するのだ。この一部には、キャラクターの状況に対する内的理解の感覚をもつこと、つまり、キャラクターがどのように状況を評価しているのかという感覚をもつことが含まれる。例えば、ホラーでキャラクターがモンスターに襲われるとき、わたしの反応の一部を支えているのは、主人公が自分自身を、危険で拒否感を与えるものに直面していると見なしているという認識だ。これを行なうためには、わたしは主人公が状況をどのように見ているのかを理解していなければならず、また、その評価を理解可能にしているものにアクセスできなければならない。ホラー作品では、もちろんこれは簡単に達成できる。なぜなら、フィクションの消費者と主人公は同じ文化を共有しているので、わたしたちは、状況を主人公にとってホラーを与えるものにしている特徴を容易に識別できるからだ。そうするために、主人公の心的状態を複製する必要はなく、主人公が状況をどのように評価しているかを信頼可能な仕方で知ることだけが必要となる。そして、わたしたちは主人公が感じていることを複製することなく、どのように感じているかを知ることができる。わたしたちは、いわば主人公を憑依させずとも、その内的な状況評価に同化することができるのだ。

しかし、状況に同化する際には、状況を外部から見ることもある。つまり、わたしは、主人公がさまざまな理由で——知らないから、あるいは関心をもつような対象でないから——注目していない状況の特徴に同化している。このため、わたしは、状況を主人公の視点から見るだけではない。そうではなく、その視点を知ってはいるが、外から状況を見る者としても見ることになる——わたしは、この状況を、特定の視点をもった主人公を含む状況として見ている。モンスターが登場する際には、わたしは状況を、例えば、誰かが——怯えており、拒否感を感じつつ——危険にさらされている状況として見ている。つまり、わたしの反応には、主人公の内的視点に同化することが含まれているが、それだけではなく、それを含む別の反応、つまり、主人公の反応を考慮しつつ、主人公が、わたしたちの内的理解において示されるように状況を評価しているという事実に左右されるような反応も生じているのだ。

状況を内的に理解するためには、主人公と同一化する必要はない。わたしたちが必要とするのは、主人公の反応がなぜその状況に対して適切だったり、理解可能なものになるのかという感覚だけだ。ホラーに関しては、モンスターが登場するとき、これは容易に実現できる。なぜなら、わたしたちは主人公と同じ文化を共有しており、そのかぎりで、キャラクターがなぜモンスターを自然に反するものと考えるのかを容易に理解できるからだ。しかし、一度キャラクターの視点から状況に同化してしまえば、キャラクターのように単にモンスターに反応するのではなく、ホラーを感じている人が襲われているという状況にも反応することになる。このキャラクターの心の苦しみは、わたしたちがキャラクターに向ける同情や心配の構成要素だが、一方キャラクターの苦しみは、それがどれほど苦しいものだと推測されるとしても、キャラクター自身の心配の対象にはならない。キャラクターはモンスターに怯えてはいるが、〔わたしたちのように〕誰かが苦しんでいることを心配しているわけではない――少なくとも、そのように想定するのはもっともらしくない。あるいは、もっと正確に言えば、キャラクターの心配は、誰かが苦しんでいるという思考を抱いた結果として生じるわけではない。一方、仮説により、わたしたちの心配の一部はこれによって生じることになる。

要約すれば、キャラクター同一化という概念は、フィクション一般、および特にホラー作品の主人公への感情反応を分析するのに適した論理的構造をもっていないように思われる。「同一化」は、わたしたちがキャラクターと融合したり、一体化したりすることを示唆しているか、少なくとも、わたしたちがキャラクターの感情状態を複製することを示唆している。しかし、感情が麻痺した犠牲者に向かってモンスターが動くのを見るとき、わたしたちの感情反応は、犠牲者が麻痺してしまっていることを考慮に入れたものになっている。

形式的に言えば、強い意味でのキャラクター同一化は、見る者の感情とキャラクターの感情の間に、同一性という対称的関係があることを含意するだろう。しかし、一般には、ここに見られる関係は非対称的なものになる。キャラクターは、部分的には、その感情によって、見る者に異なる感情を引き起こす。この論理的な非対称性によって、対称的な関係である同一性では、見る者の感情反応を記述するための正しいモデルにはならないことが示されている。これは、サスペンスや哀れみ（パトス）など、鑑賞者に特徴的な反応の場合には明らかに正しい。また、虚構のキャラクターへのわたしたちの反応の強さが、こうした事例でキャラクター同一化を参照せずに十分説明できるのであれば、他の事例でも、同じような反応の強さを説明するために、キャラクター同一化を仮定する必要はないのではないだろうか。◆37

## 原註

◆1 Kendall Walton, "Fearing Fictions," in *Journal of Philosophy*, vol. 75, no. 1, (January 1978).〔ケンダル・ウォルトン「フィクションを怖がる」森功次訳、『分析美学基本論文集』西村清和編・監訳、勁草書房、二〇一五年、三〇一–三三四頁〕

◆2 この種の例をもっと知りたければ、Colin Radford, "How can we be moved by the fate of Anna Karenina?," in the *Supplementary Volume of the Aristotelian Society*, 49, (1975)を参照。

◆3 Samuel Taylor Coleridge, *Biographia Literaria, in Selected Poetry and Prose of Coleridge*, ed. Donald Stauffer (New York: The Modern Library, Random House, 1951), p. 264.〔サミュエル・テイラー・コールリッジ『文学的自叙伝』東京コウルリッジ研究会訳、法政大学出版局、二〇一三年。ただし引用の訳文は本書訳者が新たに訳し直した〕

◆4 Coleridge, *Biographia Literaria*, p. 264.

◆5 『省察Ⅳ　真と偽とについて』でデカルトは、わたしたちが特定の事例で、意志によって信念をもつことができると主張している。この想定は後にスピノザとヒュームによって反論を受けている。

◆6 もちろんフィクション一般や、特にホラー作品の文脈で信念を意志する可能性に関して言えば、自発的な不信の停止の支持者には、本当はこの反論を受け入れられない。なぜなら「５＋７＝１４９２」という命題と同じように、「ドラキュラが存在しないことは事実ではない」という命題や、それと等価な「ドラキュラは存在する」という命題は、偽であることが知られている命題だからだ。このため、偽であることを根拠に「５＋７＝１４９２」を意志できないのだとすれば、同じように「ドラキュラは存在する」を意志することもできないことになる。

◆7 わたしが不信ではなく信念について述べていることに問題があると考える人がいるなら、不信の例――「非白人は白人と平等ではない」――に変えてもいい。これでも論証は同じように機能する。

◆8 デカルト『省察Ⅰ』を参照。

◆9 不信の自発的停止に対するわたしの反論で強調したのは、意志の作用が遂行されているという証拠がないように思われることだ。しかし、モンスター映画のチケットを買ったり、ホラー小説を読もうと決めたりすることが、関連する意志の作用の証拠だと考えることもできるだろう。言い換えれば、小説をフィクションとして読んだり、映画をフィクションとして見ることが、関連する意志の作用なのである。しかし、この場合、不信の停止とは、フィクションをフィクションと知りながら読んだり見たりすることだということになるだろう。しかし、目下の議論の文脈では、不信の自発的停止は、フィクションをフィクションと知りながら読んだり見たりすることとは別の過程を示すことになっていたはずだ。不信の停止が、このような「追加の」過程でないのだとすれば、それがこれまで述べてきたようなフィクションのパラドックスをどのように解決するのかは理解しがたい。フィクションであると知りながら『エクソシスト』を読んでも、リーガンの悪魔もリーガン自身も存在しないという信念は無効化できない。もちろん、不信の自発的停止とは、単にフィクションをフィクションと知りながら読む過程なのであると規約することはできる。しかし、その場合、この概念がフィクションのパラドックスへの答えとしてどのように役立つのかは理解しがたい。「不信の停止」という語句に無害な意味を見つけても、問題はまた元に戻ってきてしまうのだ。

また、わたしの反論から不信の自発的停止説を救う別の試みとして、次のような議論ができるかもしれない。◇8 通常の不信の停止が起きるには、確立された信念が反対証拠によって攻撃されていなければならないと想定されており、わたしは、フィクションの場合には反対証拠がないと想定していた。しかし、例えば映画の場合、反対証拠は、映画の映像そのものによって与えられると主張する者がいるかもしれない。そもそも映画の映像は虚構の映像にすぎないので、描写されていることが真かどうかは疑わしい。しかし、もしこれが反対証拠であるとすれば、問題になっている信念――例えばラドンが上空にいるという信念――は、そもそもどうやって獲得されたのだろうか。虚構の映像そのものが、わたしたちの信念の源泉であると同時と疑いの源泉でなければならないことになる。そして、これがどのようにはたらくのか理解することは非常に難しい。むしろわたしは、ラドンの映像は、ラドンの観念、つまりわたしたちがその存在を認める傾向すらないようなクリーチャーの観念を提示しているのだと言いたい。このため、ラドンが存在するという唯一の証拠が映画の映像であることに気がついたとしても、わたしたちは、信念のひとつが反論を受けていると突然考えるようになったりはしない。なぜなら、そもそも最初から信念をもっていないからだ。

再び、単に映画をフィクションと知りながら見ることが、不信の自発的停止に相当すると言う者もいるかもしれない。しかし、この種の規約的定義をしても、不信の自発的停止の支持者は、矛盾と思われるもの——ホラーフィクションに対する本物の感情反応と、ホラーフィクションは存在するクリーチャーや出来事を描写しているわけではないという知識との間の矛盾——を解消するために必要な心的過程を見つけることはできない。不信の停止を、フィクションがフィクションであると知っていることとして再定義しても、矛盾と思われるものがまた戻ってきてしまうのだ。

◆10 わたしの考えでは、緑色のスライムの例が最初に導入されたのは、ケンダル・ウォルトンの古典的論文 "Fearing Fictions," *Journal of Philosophy*〔ウォルトン「フィクションを怖がる」〕だ。

◆11 この時点で、チャールズは誰に対して、何のためにフリをしているのかとたずねる読者もいるだろう。ひとりで遊んでおり、スーパーヒーローのフリをしている子どもをモデルに考えると、チャールズがフリをするのは自分に対してであり、楽しみのためにそうしているというのが答えになるかもしれない。

◆12 Kendall Walton, "Fearing Fictions"〔ウォルトン「フィクションを怖がる」〕および "How Remote Are Fictional Worlds From The Real World?," in *The Journal of Aesthetics and Art Criticism*, vol. 37, no. 1, (Fall 1978) を参照。これらの論考で使用されているごっこ遊びの概念の使用は、表象に関する一般的な問題を扱うためにウォルトンが使用したごっこ遊びの概念の使用を拡張したものだ。"Pictures and Make-Believe," *Philosophical Review*, vol. 81, no. 3 (July 1973) および "Are Representations Symbols?," *The Monist*, vol. 58, no. 2 (April 1974) を参照。

◆13 Kendall Walton, "Fearing Fictions," p. 11.〔ウォルトン「フィクションを怖がる」、三一〇頁〕

◆14 Kendall Walton, "Fearing Fictions," p. 24.〔ウォルトン「フィクションを怖がる」、三二五頁〕

◆15 ウォルトンはドイツ語の中に、これに関連したパズルを見つけている。ウォルトンによれば、ドイツ語では、直説法の使用はつねに、言明が真であることを話し手が引き受けているというしるしになるが、フィクションの事例はこの例外になる。ウォルトンはこの例外も、語り手のごっこ遊びのゲームによって説明する。しかし、わたしが話を聞いたドイツ語のネイティブスピーカーによれば、ドイツ語でも、英語と同じように、文脈が曖昧な場合は「虚構の」という接頭辞が使用される。

ウォルトンが自分の説で解決できると考えているパズルは他にふたつある。ひとつ目は、ハッピーエンドを好まない読者がストーリーに夢中になり、主義としてはそのような展開を嫌っているにもかかわらず、ヒロインが助かってほしいと思ってしまう事例だ。個人的には、これが大したパズルだとは思わないし、それを解決するためにウォルトンの説が必要だとも思わない。主義としては喫煙に反対していても、儀式用の葉巻を受け取ることが礼儀にかなっているという社会的状況に身を置いたときには、高級タバコの味を楽しむことができるのと同じように、主義としては特定のプロットに反対していても、そのプロットに夢中になることは確実にありえるだろう。

ウォルトンが自分の説を応用した最後のパズルは、どうしてすでに読んだことがあるサスペンス作品を楽しむことができるのかという問題だ。つまり、緑色のスライムが最終章で溶けてしまうことを知っているなら、どうしてもう一度その作品を取り出して繰り返し読み、ストーリーに入り込むことができるのだろうか。ウォルトンの見解では、これが問題にならないのは、わたしたちは〔再読時に〕単に新しい別のフリのゲーム——同じ小道具を使っているとはいえ——をしているからだ。このパズルの解決については、第三章でサスペンスとホラーの関係を扱う際に論じることにしよう。

◆16 この種の理論の例としては John Searle "The logical status of fictional discourse," in his *Expression and Meaning* (Cambridge: Cambridge University Press, 1979)〔J・R・サール「フィクションの論理的身分」山田友幸訳、『表現と意味』、誠信書房、二〇〇六年〕を参照。また Richard Gale, "The Fictive Use of Language," in *Philosophy*, vol. 46, (1971) も参照。

◆17 言語行為論の体系的な例としては、John Searle, *Speech Acts* (Cambridge: Cambridge University Press, 1969) を参照。〔J・R・サール『言語行為——言語哲学への試論』坂本百大・土屋俊訳、勁草書房、一九八六年〕

◆18 ウォルトン自身は、これが自分の説の利点だとは主張していない。このため、ここまでの記述はウォルトンに当てはまるものと見なされるべきではない。そうではなく、わたしがこのアプローチを選びたくなる誘惑を排除しようとしているのは、ウォルトンがそう試みているからではなく、他の人々とこの点について話し合っている際に、フリ感情説と、フィクションに関する主張のフリ説が混同されがちであると気がついたからだ。

◆19 観客にフリ感情を帰属させることを擁護する別の仕方は――メアリー・ワイズマンが提案してくれたものだが――、この説は、鑑賞者の現象学を与えようとしているのではなく、もし鑑賞者の反応が論理的に一貫したものであれば、本当は何が起こっているはずなのかを探求しようとしているのだと主張することだ。おそらく、ここで役に立つアナロジーは、わたしのような医学に無知な人間の体内で実際に有機的に起こっている出来事と、わたしが考えたり感じたりしていることの区別だろう。しかし、心理状態の説明が、ある種の医学的状態の場合のように、主体が自覚していることや、反省して確信していることから明確に区別できるのかどうかはわからない。また、鑑賞者の反応を論理的に一貫したものにするような説明を提供できるのは、フリ説だけではないかもしれない。そして、もしライバル説がこの種の説明を提案できるだけでなく、「理論的」なフリの状態を措定したり、アートホラーの現象学に反することなく説明できるなら、すべての条件が等しければ、その説はフリ説より優れたものになるだろう。そして、明らかに、わたしがここから先で作ろうとしているライバル説はまさにこのような説なのである。

◆20 もしウォルトン説が本当にこのように展開されるのであれば、この説は信じがたいものになる。恐怖の例を使うと、この困難をぼかしてしまうかもしれない。しかし、ロバート・ボルトの『わが命つきるとも』の最後に出てくる悲しみの感情を考えてみると、この悲しみは、ごっこ遊びだろうとそうでなかろうと、わたしたち自身が裏切られたとか、首をはねられたとか、友人に裏切られたとか、友人の首をはねられたことによるものではない。

◆21 ここでの論点は元の論証への反論にある。わたしは、感情にはつねに信念が必要とされるという論証の典型的事例のひとつ、すなわち、作り話であることを知ることで感情が消滅するという事例の説得力を弱めたいと考えている。この事例はおそらく見た目以上に複雑だ――複雑であるためにそこから一般化を引き出すことが躊躇される――と示すことによって、この事例に反論したいのだ。もう少し具体的に言えば、この事例で発生しうる憤慨という要素によって、作り話にだまされたことを知った場合に予想される共感的感情の喪失が説明されるのではないか、と提案したいのだ。また、話がフィクションであると知ることができても、感情反応が弱まらないことがもっともに思われるシナリオを作ろうと試みた。わたしが到達しようとしている結論は、フィクションであると知ることで、フィクションであると知ることとは無関係な理由で感情反応が弱まる場合もあれば、フィクションであることを知っても感情反応が変わらない場合もあるということだ。わたしの反論の要点は、存在信念がないことと感情が生じないこととの間に、つねに明確な相関があるという確信はえられないということだ。一方で、この箇所では、自分の一般理論を擁護する論証をしようとしているわけではない。わたしが主張しているのは、でたらめな話に関して感情が消滅する際、あらゆる事例でつねに憤慨が原因となるということではない。場合によっては、作り話であると知って単に興味を失ったり、退屈したりすることもあるだろう（もちろん反対に、泣きながら「作り話だとしてもすごくいい話だ」と言うこともある）。また、わたしは、存在信念を必要とする感情が存在しないと主張しているわけでもないと付け加えておくべきだろう。わたしはただ、でたらめな話という疑わしい例に則って提示されたテーゼである、感情にはつねに存在信念が必要とされるという一般理論に反論しているだけだ。反論の目的のために、ここまでの論証でわたしが受け入れる必要があるのは、一部の事例では感情が存在信念に結びついていないことがありえること、話が事実でないと知っても感情反応が排除されないこと、および、でたらめな話の事例で共感的情動の消滅が予測されることは、憤慨という点でも同様にうまく説明できるので、でたらめな話の典型例によって感情が信念を必要とするというテーゼが決定的に支持されるわけではないということである。

要約すれば、わたしがここで主張しているのは、存在信念を必要とする感情がまったく存在しないということではない。わたしは、あらゆる感情が存在信念を必要とするという主張に反論しただけだ。さらに、わたしは、でたらめな話という典型例から一般化して、あらゆる感情に必要とされるものを示すことは、通常考えられているほど単純ではないことを示そうと試みた。

◆22 ウォルトンは準恐怖についてはほとんど述べていない。わたしが疑っているのは、この準恐怖についてもっと多くのことが述べられれば、それはわたしたちが通常本物の恐怖と見なすものだと判明するのではないかということだ。そしてこの場合、フリ感情説は、本物の恐怖を裏口から密輸入することでのみ展開されることになり、もちろん、フリ感情説の目的は完全に損なわれることになるだろう。しかし、ウォルトンは準恐怖についてあまり教えてくれないし、本物の恐怖と正確にはどうちがうのかを容易に理解するには十分でないのは確かなので、この疑いを確信をもって展開することは難しい。

「フィクションを怖がる」でウォルトンは次のように述べている（"Fearing Fictions," p. 13.）。「チャールズが医学的検査によってしか確かめることができないような、準恐怖の純粋に生理学的な側面――たとえば、血中アドレナリン濃度の上昇――は、自分は怖がっているということをごっこ遊び的にする要因とはなりえないのか。これについては、議論の余地がある。よって、「準恐怖」という言葉は、単にチャールズの状態のより心理学的な側面――たとえばアドレナリン上昇、心拍数の増加、筋肉の緊張などと共に起こる感じ・感覚など――だけを指すものとして理解してもいいかもしれない」〔ウォルトン「フィクションを怖がる」、三三〇頁〕。

しかし、ウォルトンがこの準状態の「より心理学的な側面」と呼んでいるのは、明示的には感覚のようなものだ。そして、こうした感覚は、第一章で論じたように、多くの相異なる心理状態の構成要素として現われうる。それならば、チャールズはどうやって、これらの感覚に基づいて、自分の準状態が準興奮または準義憤ではなく、準恐怖であることを知るのだろうか。感覚を生じさせる認知状態を認識したためだろうか。しかし、この場合、チャールズの状態はただの本物の恐怖の状態であるようにわたしには聞こえる。あるいは、別の言い方をすれば、「準恐怖」は単なる普通の恐怖であるように思われる。つまり、それは恐怖のあらゆる要素をもっているのだから、恐怖なのである。

ウォルトンは、この論証を防ぐような感情の説明を明示的に採用することで、この論証を拒否するかもしれない。しかし、立証責任はウォルトンの側にある。また、もしこの論証から逃れることができないのであれば、チャールズは、反応の第一段階で、本当に恐怖していたから、恐怖のフリに参加していることを知ったのだと言うのが正しいように思われる。したがって、少なくとも、ウォルトンのフリ恐怖の概念は、本物の恐怖を（置き換えるのではなく）前提していることになる。

つまり、準恐怖には認知的要素が含まれるか、含まれないかのいずれかだ。もし含まれないのであれば、チャールズがどのようにして、準恐怖の助けを借りて、他のごっこ遊び状態ではなく、フリ恐怖を採用すべきだと認識するのか理解し難くなる。このため、この選択肢をとった場合には、ウォルトン説にはギャップがあることになる。他方で、準恐怖に認知的要素が含まれるのであれば、それは本物の感情だ。そして、準恐怖が本物の感情であれば、この説は、最善の場合でも冗長なものとなり、もっとありそうな可能性としては、自己論駁的な説になってしまう。ウォルトンにとってこのジレンマから抜け出す唯一の方法は、私見では、この本で想定される説にとってかわるような、代替的な感情の理論を発展させることだ。

ウォルトンが自分の説で準恐怖を必要とするのは、チャールズがフィクションに関してどのようなフリ感情が適切であるのかを知るためだと考えられる。しかし、もしわたしたちが準恐怖の概念に懐疑的な立場をとった上で、ウォルトンが述べたことをふまえ、チャールズがフリ恐怖が適切であると知っているのは、最初は本物の恐怖の状態にあるからだと仮定するなら、どうしてフリ恐怖を受け入れることでフィクションのパラドックスが解決するのか――ウォルトンがこの問題をどのように見ていたかという観点に照らしても――、理解するのは困難に思われる。次節では、フィクションのパラドックスを解決する別の方法を探ってみたい。

◆23

わたしが最初に思考説を発展させたのは、ケント・ベンドールやクリストファー・ゴーカーとの議論の結果であり、ウォーリック大学、ミュージアム・オブ・ザ・ムービング・イメージ、ルモインカレッジでの講演でこの説を擁護した。その後、本書の元となった論文 "The Nature of Horror," in the *Journal of Aesthetics and Art Criticism*, vol. 46, no. 1 (Fall, 1987) に、この説のひとつのバージョンを組み込んだ。この論文を読んだリチャード・シュスターマンは、ピーター・ラマルクの一連の論文に注意を向けてくれたが、これは虚構キャラクターの思考説を、当時わたしが取り組んでいたものよりも、はるかに高度で詳細に発展させたものだった。わたしが手探りで進めているだけだった事柄について、ラマルクはすでに明確な考えをもっていたのだ。結果として、わたしはラマルクの仕事から大きな恩恵を受け、この後の記述の多くはラマルクの出版された研究を元にしている。参

照：Peter Lamarque, "How Can We Fear and Pity Fictions?," *British Journal of Aesthetics*, vol. 21, no. 4, Autumn, 1981; Lamarque, "Fiction and Reality," in *Philosophy and Fiction*, ed. by Peter Lamarque, (Aberdeen: Aberdeen University Press, 1983); and Lamarque, "Bits and Pieces of Fiction," in the *British Journal of Aesthetics*, vol. 24, no. 1 (Winter 1984)。

◆24 ウォルトンはある箇所で、フィクションや、フィクションとごっこ遊び的相互作用をもつことの価値のひとつとして、感情的危機に対処する練習ができることをあげている。ホラー作品は、ウォルトンのお気に入りの例だが、この発想と非常に相性が悪い。なぜなら緑色のスライムに反応する仕方を練習する必要はほとんどないからだ。これは存在しない楽器の練習をするようなものだ。実際に演奏することは決してない。ドラキュラや、ロンドンの人狼〔映画『倫敦の人狼』から〕やアメリカの人狼や、他のホラーの怪物についても同様だろう。

◆25 アートホラーの感情が向けられる思考内容に関する、この先の議論は、多くの部分をピーター・ラマルクの "Fiction and Reality" および "How Can We Fear and Pity Fictions?" に負っている。

◆26 Gottlob Frege, "On Sense and Reference," in *The Logic of Grammar*, ed. Donald Davidson and Gilbert Harman (Belmont, California: Dickenson Publishing, 1975), p. 120.〔ゴットロープ・フレーゲ「意義と意味について」野本和幸訳、『言語哲学論文集』松坂陽一編訳、春秋社、二〇一三年、一六–一七頁〕。この言明に付加された脚注の中で、フレーゲは意義しかもたない記号のための特別な用語があると便利であると指摘している。フレーゲは「表象」という語を選んだが、現在の哲学的言説では、この用語は意義だけでなく意味をもつ記号にも適用できるので、現在では混乱させるものであるように思われる。しかし、フレーゲが意味を伴わない記号の主な例として挙げているのは、虚構の表象であり、戯曲の言葉や俳優自身であることは、注目に値する。これによって、フィクションが属する類は、意味をもたない記号という類であることが示唆される。フィクションに関しては、わたしたちは、テキストによって文字通りに伝えられるものの真理値を気にかけることなく、テキストの意義を考える。

◆27 Frege, "On Sense and Reference," p. 117.〔フレーゲ「意義と意味について」、一〇頁〕

◆28 Lamarque, "How Can We Fear and Pity Fictions?".

◆29 John Searle, *Speech Acts*, p. 30.

◆30

ここでの命題内容の話の代替案として、ジョン・ペリーとジョン・バーワイズが導入した「状況タイプ」の概念を採用することが考えられる。これはアートホラーの文脈では非常に有用かもしれない。なぜなら、ここで論じられる表象は、文学的テキスト（これに関しては、命題の概念がうまくあてはまるが、もちろん、命題を文と考えるべきではない）だけでなく、画像表象も含まれており、状況タイプは、発話だけでなく、画像を分類するためにも使用できる抽象物という触れ込みになっているからだ（例えば、『Situations and Attitudes』の p. 59 のイラスト）。状況タイプの概念を用いて、表象の中でなされた「主張」を分類するために使用される抽象的状況タイプによって、ホラー作品に関する思考内容を識別できるかもしれない。この際、こうした「主張」は、現実世界についてではなく、フィクションについてのものとして理解される。わたしたちの思考内容は、フィクションの中の表象を分類する状況タイプによって識別され、個別化されるべきものであると言うことになるだろう。この分析を詳細に行なうためには、バーワイズとペリーが『Situations and Attitudes』pp. 284–285 で提案しているフィクションへのアプローチを大幅に補完することも含めて、精緻化する必要があるだろう。これは非常に価値のある研究プロジェクトではあるが、これは本書の範囲を超えている。参考文献としては、Jon Barwise and John Perry, *Situations and Attitudes* (Cambridge, Massachusetts: The MIT Press, 1983) を参照されたい。

また、本文中で展開された説では、フィクションに関わる思考内容は、一般に、読んでいるテキストや、観ているものに相対化されなければならない〔つまり複数の作品に共通ではない〕ということも注記しておくべきだろう。この理由は、特定のフィクションでは、よく知られたホラー的存在であっても、その性質を追加したり、引き算したりすることができるからだ。例えば、パトリック・ホーレンの『Monastery』では、吸血鬼が放射能にどのように反応するのかという、吸血鬼神話の非標準的な部分を突如知ることになる。特定のフィクションでは、何度も繰り返された神話であっても性質を変化させることができるので、読者の思考の適切な範囲は、手元のテキストに限定されていると考えるのが最善だ。特定の神話の特徴の中に、サブジャンルのあらゆる成員をいわば横断しており、それに関しては、特定のフィクションによって述べられたり暗示されたりする必要がないというものがあるかどうかを判断することは、批評の仕事になる。もしそのようなフィクション横断の前提があるとすれば、それは読者の思考の正当な構成要素になるかもしれない。しかし、そのような知識がないのであれば、読者や鑑賞者にとっての正当な指針は、小説の中で述べられていることや暗示されていることと同一視されるという、より保守的な戦略が最善の道筋であるように思われる。

◆31 Bijoy Boruah, *Fiction and Emotion* (Oxford: Clarendon Press, 1988)。この本は、本書の出版準備中に出版された。この著作は詳細な研究に値するが、深く扱う機会がなかった。しかし、本文の段落中で大まかに述べたことが、ブロアの想像説に対抗して思考説を擁護する方法を素描的に予告したものになっている。

◆32 もちろん実際には、ホラー作品だけではなく、あらゆる種類のフィクションの主人公に対する関係についても一部で述べている。

◆33 実際、こうした考察だけでも、主人公への反応の記述としてキャラクター同一化を仮定する必要はまったくないという論証が示されるかもしれない。というのは、主人公への反応の中心的な事例——サスペンス、共感、哀れみ（パトス）、喜劇の対象に向けられた笑いなど——で、キャラクター同一化に訴えることが、例えば反応の強さの説明などのために必要ないのであれば、他のどんな事例で——もしそういう事例があればだが——、なぜキャラクター同一化に訴えざるをえないのかが知りたくなると要求できるからだ。つまり、わたしたちは、同一化が問題になりえないような多くの事例でも、キャラクターの窮地に強く心を動かされるのだから、キャラクター同一化によって、どんな説明の利点があるのかが問われてもよいはずだ。

◆34 もちろん、この段階で、同一化ということで、単に類似した感情的評価を共有することを意味しているのだと言ってしまえば、議論は終わりだ。しかし、このようなアプローチをとる場合、アイデンティティの融合を伴うような同一化の概念は事実上放棄したことになると考えられる。

◆35 もちろん、主人公の心配を利他的と呼んでもよいような典型的な状況はある。モンスターが恋人を追い、主人公であるヒロインが恋人を救うために格闘している場合——単にアドレナリンによって突き動かされているだけでないのであれば——、その感情状態は利他的であると推論することがもっともらしい。しかしこの事例であっても、鑑賞者の感情状態は異なっている。それはもっと利他的だ。なぜなら鑑賞者はヒロインの恋人だけではなく、自己犠牲するヒロイン自身のことも心配しているからだ。

◆36 キャラクター同一化を信じる動機のうちで、これと関連するのは次のような発想だ。キャラクター同一説の支持者は、わたしたちが同一化しているのでなければ、キャラクターへの反応の強さが説明できないと考えているのかもしれない。なぜなら、そのような強い反応が奮い起こされるのは自分自身に対してのみだからというわけだ。しかし、これは単に事実に反している。キャラクターにサスペンスを感じることについては、同一化に訴えてもうまく説明できないように思われる。しかし、サスペンスの多くは強い反応だ。また、サスペンスのような事例で、キャラクター同一化を参照せずに反応の強さを説明できるのであれば、他の場面でキャラクター同一化を仮定することについても疑うべきだろう。

もちろん、キャラクター同一性を想定することが必要だと考えるもうひとつの動機は、自分がモンスターによって危険にさらされていることを本当に信じていなければ、強い反応はできないという潜在的な信念をもっているためだろう。しかし、これはもちろん、前の節で否定された錯覚説の一種に戻ってしまう。

◆37 同一化に反対するわたしの論証を聞いて、ベレニス・レイノーなど一部の聞き手は、同一化の過程に関連するのは、キャラクターではなく、「ストーリー自体の知識をもつ立場」だと考えるとコメントした。これは内包された語り手のようなものを意味しているのかもしれない。つまり、『ジョーズ』のサメが警戒していないスイマーを襲うとき、わたしたちが同一化しているのはキャラクターではなく、ストーリー自体や、内包された語り手がもっているとされる、知識をもつ立場なのだ。同一化に関するこのような説は、わたしが強調してきた非対称性の問題を避けることができるだろう。しかし、この説には独自の問題がある。つまり、なぜ「ストーリー自体の知識をもつ立場」との同一性を仮定するのか、という問題だ。単に、わたしたちはサメがスイマーを襲おうとしていることを知っているが、スイマーはそのことに気づいていないと言うだけでいいのではないだろうか。「知識の立場」というものがあるという仮説や、わたしたちが「知識同一化」の過程を経験するという仮説を立てざるをえなくなるような、データからの圧力が果たしてあるだろうか。知識の立場や知識同一化のような理論的仮構を増やさなくても、鑑賞者が知っていることに関して、言う必要のあることはすべて述べられるのだ。もちろん、同一化の概念を前理論的に引き受けて（コミットし）いるのであれば、論理的に言えば、これらの仮構によって非対称性の問題に対処することができる。しかし、こうした過程を仮定する他の動機がないということは、これはわたしには、同一化を擁護するよりも、同一化を合理化するためのものにしか見えない。むしろ、このような同一化の過程を仮定することは、存在論的原理の経済性に反しており、わたしにわかるかぎり、いかなるデータにも動機づけられていないのだ。

## 訳註

◇1 「公害から生まれた怪物」の原語は、the Smog Monster だが、これは英語では『ゴジラ対ヘドラ』の「ヘドラ」を指す語としても使用されることがある。本文では映画が想定されているわけではないため、「ヘドラ」とは訳さなかったが、キャロルが念頭に置いているのはヘドラかもしれない。実際、本書では、他にもラドンやモスラが例にあがっている。

◇2 de re と de dicto はラテン語に由来する表現で、直接的な意味としては、それぞれ「事物に関する」、「言明（命題）に関する」を意味する（「事象様相」「言表様相」などとも呼ばれる）。ここでの文脈では、現実に存在するチャールズという事物について、何事かを信じることが de re と呼ばれている。一方、ごっこ遊び的信念として、〈チャールズはスライムに追われている〉という命題を抱くことが、de dicto と呼ばれている。言い換えれば、前者の信念は現実の対象に向けられたものだが、後者のごっこ遊び的信念は、必ずしも現実の対象に向けられたものではなく、単にある命題が成り立つかのようなごっこ遊びをしているだけだという点で両者が対比されている。

◇3 ここでの説明は少々わかりにくいので補足しておこう。まず、哲学用語の「信念」は、日常語の「信念」とはかなりニュアンスがちがうので、その点に注意してほしい。哲学用語における「信念」は「真だと思っていること」という程度の意味だ。例えば、わたしは東京は日本の首都だと思っているし、これを書いている今日は火曜日だと思っている。この場合、わたしは東京は日本の首都だという信念や、今日は火曜日だという信念を抱いていることになる。

一方、ここでいう思考の方は、必ずしも真だと考えることなしに、何らかの内容を頭に思い浮かべることに相当する。例えば、語学の勉強のために「今日は水曜日だ」という日本語の文を英語に翻訳しているとしよう。この際、わたしは「今日は水曜日だ」という内容を思考してはいるが、必ずしもそれを信じているわけではない。

◇4 旧支配者は、ラヴクラフトの小説に登場する太古の神々のこと。

◇5 一章訳註◇17を参照。

◇6 フレーゲのSinnとBedeutungは英語では「sense」と「reference」の訳があてられている。日本語では意義と意味と訳すことが定訳になっているため、以下でも「意義」、「意味」と訳す。また、キャロルがsenseと同義で使用している「meaning」の方は「語義」と訳している。

◇7 ミスター・スポックはドラマ『スター・トレック』に登場するキャラクター。精神融合によって、他人と精神を一体化させることができる。

◇8 この箇所の議論は非常にわかりにくい。不信の自発的停止説で停止される信念は、モンスターは存在しないという信念だったはずだが、ここではモンスターが存在するという信念が問題になっているように思われる。確信はないが、訳者としては、ここは次のように解釈している。元々の不信の自発的停止説で想定されている順番では、モンスターの存在を信じていない鑑賞者が、モンスターは存在しないという信念を停止し、モンスターの存在に関する判断を保留する。だが、この判断保留は、この反対のルート、つまりモンスターの存在を信じている状態から、モンスターの存在に対する反対証拠によって存在判断を保留するようになるという順番でなされてもよいはずだ。

　おそらくここで批判されているバージョンの不信の自発的停止説では、この後者のような順番で判断保留がなされるようになるのかもしれない。つまり、鑑賞者は映画の映像によってモンスターの存在を信じるようになるが、一方で、映画の映像は虚構であるために、映像が同時にモンスターが存在するという信念に対する反対証拠にもなるというわけだ。これに対し、キャロルの反論は、映画の映像がモンスターの存在を信じさせると同時に、その信念に対する反対証拠にもなるなどということがありえるのだろうかという点に疑いを向けている。

# 第3章

# ホラーのプロット

Plotting Horror

# ホラーのプロット

ホラージャンルが実践される芸術形式のほとんどは物語だ。本章の目的は、文学、演劇、映画、ラジオ、テレビなどのホラーストーリーで特に頻出する物語構造について調査することだ。最初に、わたしはホラージャンルで特に特徴的に繰り返されるプロットのいくつかを見ていく。ある程度体系的に調べるが、すべてを網羅していると主張するつもりはない。次に、物語的サスペンスという主題を探求する予定だ。サスペンスは決してホラーに限定される特徴ではないが――むしろわたしの主張では、サスペンスに含まれる感情の対象は、アートホラーの場合とははっきり異なっている――、にもかかわらず、サスペンスはホラーストーリーではきわめて頻繁に現われる効果であるため、ホラーの物語法 narration[1] について一般的に議論するのであれば取り上げる必要があるものだ。最後に、トドロフが「幻想 the fantasitic」と命名したプロット構造を精査する。ここでは、それが文学においてどのように機能しているのかという観点から、および、わたしたちがホラーに抱く関心についてそれが何を明らかにしているかという観点の両方から精査する。さらに、幻想に対するトドロフの考察を拡張し、ホラー映画に頻出するいくつかの映画的装置に新しい説明を与えるという試みにも取り組むつもりだ。

# ホラープロットのいくつかの特徴

ホラージャンルになじんでいる人なら誰でも、プロットに繰り返しが非常に多いことを知っているだろう。あちらこちらで目立って独創的なプロットに遭遇するということも起こりえるが、一般的には、個々のホラーストーリーで異なるのは、深い物語の構造というより、表層的な違いであるように思われる。ホラー慣れした人であれば、典型的には、ストーリーで次に何が起きるのかが何となくわかるだろう。あるいは、少なくとも、次にどんなことが起きる可能性があるのかが何となくわかるだろう。この理由の一部は、多くのホラーストーリーが――その大部分と言ってもいいかもしれない――非常に限定された物語戦略のレパートリーによって生み出されていることにある。多くのジャンルと同様に、ホラー物語のストーリーラインは大いに予測可能だが、予測可能性のために鑑賞者の関心がそがれるわけではない（それどころか、鑑賞者は同じストーリーが何度も何度も語られることを望んでいるように見える）。わたしの目的は、ホラージャンルで特に重要なプロット構造のいくつかを紹介し、その基本的な構成原理を明らかにするとともに、部分的には、ホラー愛好家がこのジャンルに見出す快の源泉の一部を示すことだ。繰り返しになるが、わたしはホラーのあらゆるプロットを特定できると主張しているわけではないし、おそらく、基本的なプロットすべてを特定することさえできないだろう。わたしの発見は暫定的なものだが、それが示唆に富んだものであることを願っている。

　ホラーで繰り返されるプロットを列挙するひとつの仕方としては、サブジャンルのそれぞれを精査し、頻繁に語り直されるストーリーを抽出することが考えられる。例えば、ごくありふれた幽霊譚（ゴーストストーリー）では、何かを言い残した者ややり残した者、知られざる事柄を明るみに出したいと願う者や、復讐や償いを求める者が死から帰還する。生者がこの秘密の動機を発見すると、それが一般には、幽霊を元いた場所へ送り返すことにつながる。

　同様に、悪意ある屋敷の物語——スティーヴン・キングの『シャイニング』、ジェイ・アンソンのノンフィクションとされている『悪魔の棲む家』、ロバート・マラスコの『家』など——の特徴となるのは、家に来た新しい住人が憑依され、過去の邪悪な出来事（幽霊屋敷（ホーンテッドハウス）は一般に、過去の住人が犯した罪によって呪われている）を再現するという展開だ。つまり、これらのストーリーには、忌しい過去の再演に基づく再生の物語が含まれている。

　しかし、ホラーのサブジャンルのそれぞれ——吸血鬼もの、ゾンビもの、人狼もの、巨大昆虫もの、巨大爬虫類もの、エイリアン侵略もの——で、特定の話（あるいは物語的テーマと言ってもよいが）が何度も何度も繰り返される傾向にあるというのは事実かもしれないが、それだけではなく、より抽象的で、より深層の物語構造は、多くの場合、複数のサブジャンルで共通している。このため、スティーヴン・キングの『人狼の四季』は狼憑き（ライカントロピー）という古典的な物語的テーマを再演し、ジェイ・アンソンの『６６６』はサタンによる世界征服計画を再び登場させているが、どちらのプロットでも重要な形式的構造は共通しており、この形式的構造は他のさまざまなサブジャンル、例えば悪いミュータントや、解けた氷から現われた先史時代の恐竜や、マッドサイエンティスト／死霊術師（ネクロマンサー）などの多様な例で繰り返されている。

本書の関心は、ホラーを非常に一般的な仕方で語ることにあるので、ほとんどの部分では、ホラーのさまざまなサブジャンルを横断・直交する抽象的な物語構造に焦点を当てることになるだろう。このような一般的なレベルを採用することは、ジャンルとしてのホラーの何が人を惹きつけるのかを提案する際にも役立つだろう。これは、ホラーのサブジャンルの物語的テーマの研究が有意義であることを否定するものではない。このような路線の研究は歓迎する。ただし、こうした研究は、ホラー一般の力について何かを明らかにするというより、各サブジャンル——およびその不可避の（繰り返される）神話——によって発揮される個別の魅力を明らかにするものになるだろう。

## 複合的発見型プロット

ホラージャンルの深層の抽象的プロット構造にアプローチするひとつの仕方は、きわめて複雑で一般的なプロット構造を見て、その基本的な構成要素や機能の一部を特定し、その機能をどのように修正・再結合すれば、他の一般的なプロット構造を作ることができるのかを理解することだ。この目的のため、ここで取り上げるホラーの物語法構造は十数個ほどあるが、最初のものをわたしは複合的発見型プロット complex discovery plot と呼んでいる。このプロット構造には、重要な展開・機能が四つある。登場 onset、発見 discovery、確証 confirmation、対決 confrontation だ[◆1]。

複合的発見型プロットの最初の機能は、登場だ。ここでは、モンスターの存在が鑑賞者に示される。

例えば、映画『ジョーズ』では、サメの襲撃を見ることになる。わたしたちは、モンスターが周辺の海の中にいることを知っている。ホラーの本筋はモンスターの登場によって始まるが、もちろん物語の中では、場合によってはモンスターの登場より前に導入の場面があり、そこで人間のキャラクターや舞台が紹介されたり、時にはホラーに関連するキャラクターの職業（例えば、極地探検家や、細菌戦の研究者）が紹介されるかもしれない。

一般に、モンスターの登場や出現を提示するにはふたつの方法があるが、これは探偵小説で犯罪を提示するふたつの方法に似ている。つまり、探偵小説が論じられるとき、スリラーとミステリが区別されることが多い。スリラーでは、たとえ作中のキャラクターが知らなくても、鑑賞者は最初から犯人が誰なのかを知っていて、その知識が大いにサスペンスを生み出す機能をもつ。あるいは、鑑賞者もキャラクターも「フーダニット〔誰がやったのか〕」を知らない場合もある。知られているのは、犯罪——多くの場合は殺人——が遂行されたということだけであり、読者と探偵が、謎（ミステリー）を解くために、同時に手がかりを精査していく。

同様に、複合的発見型のホラーストーリーでは、スリラーのように、モンスターの正体を鑑賞者にすぐに明らかにすることで始まる場合もあれば（例えば、『ジョーズ』やガイ・スミスの小説『Killer Crabs』）、ミステリのように、モンスターが引き起こした悲惨な結果——通常はここに死と破壊が含まれるが、何かに最近憑依された者が奇妙なふるまいをするといった場合も含まれる——だけを見せることで始まる場合もある。後者の場合、鑑賞者は、キャラクターと一緒に、この惨劇の背後にいったい何があるのかを知りたいという関心をもって、蓄積されていく、怪物的なむごたらしいふるまいの証拠を追っていくことになる。

同じように、モンスターの出現という意味での登場は、直接的なものかもしれないし、段階的なものになるかもしれない。つまり、ホラーなものは、序盤や冒頭の場面（例えば、映画『Night of the Demon』）ですぐに鑑賞者に正体を現わすこともあれば、その存在や正体が段階的に明らかになっていくこともある。わたしたちがモンスターの正体を知るのは、殺人やその他の結果にいくつか遭遇した後になるかもしれないし、もちろん、ストーリーの中のどのキャラクターよりも先に知るかもしれない。

この点で、多くのホラーストーリーでは、登場の展開に関して、段階的発展法とでも呼べるようなやり方を採用している。つまり、鑑賞者は作中のキャラクターより先に、何が起こりつつあるのかを結びつけることができ、キャラクターがモンスターの正体を知るのは、鑑賞者が先に気がついた後に段階的に進行する。鑑賞者がこの知識をもっていることによって、もちろん、予期を早めることができる。また、鑑賞者がこの立場に置かれることが多いのは、鑑賞者は語り手と同様に、個々のキャラクターよりも接近できる場面や出来事が多く、それが意味することを知ることができるからだ。例えば、ダニエル・ローズの小説『Next After Lucifer』では、わたしたちは、ベリアルの司祭クーデバルが、ジョン・マクテルに憑依していることに、マクテルよりも先に気がつく――またわたしたちは、アリスがクーデバルの探し求める乙女であることに、誰よりも先に気がつくかもしれない。なぜならキャラクターとちがって、わたしたちはアリスの入浴中に現われる亡霊の正体を知っているからだ。このタイプの構造は、非常によくあるものだ。そこで鑑賞者は、多くの場合、何が進行しているかという全体像をキャラクターよりもよく把握している。あるいは比喩を変えると、鑑賞者はパズルのピースをキャラクターよりも多くもっており、そこからえられる視点によって、キャラクターより先に発見に到達し、それによって、読者や観客から鋭い期待が引き出されることになる。

また、ホラーストーリーの他の多くの機能と同じように、登場は繰り返されることがある。例えば、登場は複数あってもいい。リチャード・ルイスの小説『Devil's Coach Horse』では、人食い甲虫がシカゴとイギリスのケンブリッジの両方に出現する。また、空間だけではなく、時間的にも複数の登場が存在することがある。〔スティーヴン・〕キングの『IT』のように、場所が異なるだけではなく、異なる時点にクリーチャーが登場するかもしれない。[2] また、登場機能は、非常に長く伸ばすこともできる。ドン・ダマッサの小説『Blood Beast』では小説のほぼ全体をかけて、ガーゴイルが登場するまでの長い過程を描いている。

クリーチャーの登場は、混乱やその他の不穏な結果を伴い、これによって、作中の人間のキャラクターは、その発生源である予想外の不可解な出来事の正体・本質を明らかにすることができるのかという疑問が投げかけられる。この疑問は、ここで論じているプロットの第二の展開・機能の中で答えられる。これを発見と呼ぶ。つまり、モンスターが出現した後に、ある個人や集団がモンスターの存在を知るのが発見だ。モンスターの発見は、キャラクターにとって驚くべきことかもしれないし、調査の結果かもしれない。また、モンスターの発見が調査の結果である場合、調査は、これまでのひどい出来事の裏には人間の行為者がいるという、無知の仮定の下で進められていることもありうるし、あるいは、何らかの自然に反する力（例えば、狂犬ではなく人狼）が動いているという仮説の下で進められていることもある。本来の発見が起きるのは、あるキャラクターやキャラクターの集団が、問題の背後にはモンスターがいるという正当な確信にいたったときだ。粗く言えば、登場は、モンスターが発見される以前の、モンスターが出現する場面やシークエンスからなる。登場の展開は、証拠（多くの場合殺人や他の不快な出来事という形をとる）が蓄積され、（生きている）誰かが何が起きているかにおぼろげに気がつくまで非常に長く引き伸ばされることもある。こうした兆候の原因調査がすでに進行中である場合、登場の展開から、プロット中の発見の展開へとうまくつながることになる。◆3

わたしが複合的発見型プロットと呼んでいるものでは、これまでの被害の根底にモンスターがいるという発見は、権威者によって否定されることが多い。つまり、ある個人や集団が、陰惨な連続殺人の背後に自然に反するものがいることを発見したにもかかわらず、その情報が、特定の第三者、多くの場合、権威をもつ者、例えば警察や、著名な科学者や、宗教指導者や、政府高官や、軍隊などによって懐疑的に扱われるのだ。モンスターの存在は、鑑賞者と、熱心な少数の発見者集団にとってはすでにはっきりしているが、何らかの理由で、モンスターの存在や、モンスターが与える危険の正体は認められていない。ホラーのプロットでは、この時点で警察署長が「吸血鬼などおらん」と言うかもしれない。映画『ジョーズ』では、観光業に打撃を与えるという理由で市議会がサメの存在を認めようとしない。同じように、デイヴィッド・マレルの小説『トーテム』では、地元の家畜の売上に危険を与えるので、ピアーソン市長がスローター警察署長の提案を拒否する。このため、モンスターの発見によって、第三者にモンスターの存在を認めさせるというさらなる確証が必要となる。ひとりの人物や集団によるモンスターの発見を、最初は懐疑的な他の人物や集団に対して証明しなければならないし、多くの場合、モンスターに抵抗するためには、この人物や集団が必要とされるのだ。

複合的発見型プロットでは、発見の後には次のプロット展開である確証がつづく。後述するように、確証機能があるからこそ、この特定のタイプのストーリーが複合的発見型プロットになるのだ。確証機能には、モンスターの発見者や、その存在を信じる者が、他の集団に、クリーチャーの存在を信じさせることと、および、それがどれだけ間近に迫っている致命的危険なのかを信じさせることが含まれる（一部のモンスターについては、わたしたちが知る人間生活に終わりを告げると言われることも多い）。

この種のプロットの確証部分は、かなり凝ったものになることもある。国連が殺人蜂や火星からの侵略者の攻撃を現実のものとして受け入れることを拒否したせいで、貴重な時間が失われ、多くの場合その間にクリーチャーらが力をえて優位に立つ。この間奏の間に、侵攻しつつあるモンスターについて多くのことを議論できる。そこでその不死身さや、想像を絶する強さや、悪質な習性が語られることで、怪物の特徴が定まり、それによって鑑賞者は次の登場を恐怖しながら予期することになる。虚構のモンスターに対する鑑賞者の反応の多くは、人を襲う姿がスクリーン上で提示されるより以前に、あるいは小説の中で襲う場面が記述されるより以前に、モンスターに帰属される特徴に依存していることが多い。モンスターがいないところでモンスターについて語ることで、モンスターが行動に移る姿を見たり読んだりする場面に対する鑑賞者の反応が準備される。そして、このようにしてモンスターにホラーを与える性質を付与するのは、大部分は、発見者たちがモンスターの存在とその恐るべき潜在的な力を証明している間になされるのだ。◆4

ホラーストーリーにおける発見の展開と確証の展開のいずれでも、いくつも推理が提示されるかもしれない。あるキャラクターが吸血鬼は近くにいるという仮説を立てたり、あるいはエイリアンの侵略者が侵略を始めつつあることを証明しようとしている場合には、議論や説明が前面に出てくることになる。モンスターの発見を確証するために、キャラクターは、自分の説が対抗仮説より事実に合っていることを立証しなければならない。この目的のために採用される推論の多くは、哲学者が「最善の説明に訴える仮説」と呼ぶ種類のものだ。例えば、吸血鬼仮説によって、ロンドンの真ん中で狼が吠えている、被害者の首に小さな噛み跡がある、何度も輸血しているにもかかわらず貧血がつづいているなどの異常事態を、どんな自然主義的説明よりうまく理解することができる。◆[5]

ミステリ作品の場合と同様に、推理のゲームは、まちがいなく多くのホラー作品で、ストーリーが与える認知的快に貢献している。証明のドラマがホラーストーリーで重要な役割を果たすのは驚くべきことではない。なぜなら、前に主張したように、アートホラーの対象は、わたしたちの概念図式から排除されているものだからだ。このため、この種のプロットでは、天と地には既存の概念枠組が存在を認めている以上の物事があることを、つねづね証明してみせるのだ。この種のプロット構造で特に興味深いのは、発見と確証の間の遅れによって引き起こされる緊張感だ。主題としては、この緊張感によって、鑑賞者が証明のドラマに引き込まれるだけではない。それに加えて、鑑賞者がモンスターの存在についての知識を発見者と共有することで、わたしたちは優越した立場に置かれて気分を良くするのだ。この優越した立場は、懐疑的な者たち――軍の将軍、司教、警察署長、科学者、組織の長、ありとあらゆる種類の官僚など――が明白な権威者であるときには特に強いものになる。

登場と同様に、ホラー物語における発見と確証の展開は繰り返されることがある。モンスターは異なる人物や集団によって複数回発見されることがあるし、ひとつ以上のグループに対して存在を確証しなければならないこともある。スティーヴン・キングの最近の作品『トミーノッカーズ』では、発見／確証のプロセスが何度か開始されるが、作中では、さまざまな理由で、この努力が頓挫することになる。

確証におけるためらいの後、複合的発見型プロットは、対決でクライマックスに到達する。人類はモンスターのもとへと行進し、対決は一般に大敗というかたちをとる。対決が複数あることも多い。複数の対決は、強さ、複雑さ、ないしその両方が段階的に増していくというかたちをとるかもしれない。さらに、対決の展開は、問題／解決というフォーマットを採用するかもしれない。つまり、モンスターとの最初の対決では、想像しうるあらゆる仕方でモンスターが人類に対して無敵であることが証明されるが、その後、人類は、形勢逆転の「最後のチャンス」となる対抗策を考え出すことで、死の淵から勝利をつかみ取る。この対抗策は、それが適用される以前の場面で開発され、理論化されていることもある。例えば『Devil's Coach Horse』で交配血清が導入される場面がそうだ。あるいは、激戦の最中、大詰め（カタスタシス）の瞬間に考え出されることもある。例えば『ジョーズ』の最後で警察署長がサメが口に咥えていた空気ボンベを撃つ場面など。大部分の場合には、人類がモンスターとの対決に勝利するが、人類が敗北する可能性も確かにある——リメイク版の映画『SF／ボディ・スナッチャー』の結末のように。あるいは、小説『Next After Lucifer』のように、モンスターは単に逃げ出すかもしれない。最近の映画、特にブライアン・デ・パルマの『キャリー』以降の映画では、勝利の対決の場面に続けて、モンスターが完全に殲滅されたわけではなく、次の登場（当然ながら続編になる）に備えていることを示唆する結末部分がついていることも多い。◆6 例えば『エルム街の悪夢4』の結末では、ヒロインが、フレディ・クルーガーの姿が一瞬反射するのを見る。

複合的発見型プロットがどのようにはたらくかを明確に理解するために、有名なホラー作品を取り上げて、このプロットがどのように機能しているのかを詳細に検討するのが有益だ。この点で非常に役に立つ例は、ウィリアム・〔ピーター・〕ブラッティの小説『エクソシスト』だ。これは、本当に、現在のホラーブームのきっかけとなった作品と呼ばれるに値するものだ。本書は単なるホラー以上のものを目指しているため、非常に複雑になっている——寓意的には、世界には説明不可能な悪が存在することを述べており（〔人類の残虐行為を並べた〕冒頭の引用のページを参照）、悪魔憑きの真の目的についての理論も与えている。しかし、こうした大きな目的があるにもかかわらず、本書は、ごく平凡なホラーストーリーと同様に複合的発見型プロットのかたちをとっている。

本書は、イラク北部での短いプロローグから始まる。これは、複合的発見の一部ではないが、小説全体に関しては重要な機能を果たしている。このプロローグでは、エクソシストであるランケスター・メリンが手短に紹介されるが、メリンは、これから起きることについて嫌な予感を感じている。病と病気を司る悪魔パズズが復活しようとしているのだ。また、メリンの精神的危機についても紹介される。メリンは他の人々への愛を（意志することではなく）感じることに困難を感じている。特に奇形や病気（悪霊パズズの司るもの）の人々に対して愛を感じることができない。このためメリンは自らの信仰に悩むことになる。

メリンの精神状態に関する情報は、ブラッティの悪魔憑きについての見方に関係している。ブラッティの考えでは、悪魔憑きの目的は、第一には憑依された者の魂をえることではなく、悪魔憑きの周囲にいて、目撃するあらゆる人々の信仰を弱めること——疑いをもたせ、自分自身を軽蔑させ、神が自らを愛することを信じられないようにすること――にあるからだ。このため、悪魔祓いの結果、悪魔はメリンが他人を愛することができないという問題を嘲り、同じようにカラス（若いエクソシスト）の母親に対する罪悪感が利用される。

『エクソシスト』は第一部「発端」で本格的に始まっていく。この箇所の主な役割は、悪魔の登場を慎重に演出することだ。『エクソシスト』の登場の展開は非常に長い。モンスターの出現の最初の証拠は、第一章の二ページ目で現われる。有名な映画女優であり、リーガン（もうすぐ憑依される若い少女）の母親であるクリス・マクニールが、屋根裏部屋で物音を聞き、それをネズミのせいにする。他にも異変が積み重なっていく。リーガンは、寝室の天井から奇妙な音がするのを聞く。行方不明のドレスが思いもよらない場所で見つかる。リーガンの机が移動されているようだ。リーガンはウィージャ盤〔降霊術に使う文字盤〕で遊んでおり、キャプテン・ハウディという名前の誰かと話す。リーガンのぬいぐるみのひとつが、屋根裏部屋のネズミの罠の中で見つかる。リーガンは夜になるとベッドが揺れると不平をもらす。

第二章では、カラス神父に切り替わる。神父はニューヨークの母親を訪問する。この間奏では、カラスが神父として奉職を果たすために母親の元を離れたことに大きな罪悪感を感じていることが明らかになる。後に悪魔祓いの際に、悪魔はカラスの母親に対する罪悪感を利用して、カラスの決意を弱める。しかし、第三章では、引き続き悪魔の登場が進んでいく。悪魔の存在を示す証拠は、頻度、規模、深刻さを増していく。クリスは医者に、リーガンがエキセントリックな行動で関心をひきつけようとしていると訴える――物音、物をなくす、家具が動いたことやベッドが揺れることに文句を言うこと。クリスがリーガンを医者に連れて行った後、クリスはリーガンが非常に卑猥な言葉を使っていることを知る。章の終わりまでに、リーガンの状態は急速に悪化している。リーガンにしては珍しく忘れっぽく、だらしがなくなっている。吐き気を訴える。リーガンがふさわしくない言葉を使ったという報告はますます増える。リーガンは自分の部屋で不快な「焦げた」匂いがすると言うが、誰にも確認できない。

悪魔の登場の兆候は、第四章の冒頭でさらに明らかになる。近くの教会では、黒ミサを彷彿とさせる冒瀆行為が発覚する。祭壇に人間の排泄物が置かれ、キリストの像に巨大な陰茎が取り付けられている。一方、リーガンの行動はますますおかしくなっていく。クリスがパーティーを開いている最中に階下に降りてきて、リビングの敷物に小便をしたり、客のひとりである宇宙飛行士が宇宙で死ぬという不吉な予言をする。本章の結末は、第一部の結末でもあるが、一気に展開が進む。クリスは、リーガンのベッドが激しく――説明不可能な仕方で――揺れているのを見る。

『エクソシスト』の第二部「崖縁」では、悪魔の登場から発見へと進む。リーガンは医学的な検査をいくつも受け、症状はますますひどくなっていく。リーガンは、体が宙に浮く経験をする。その際リーガンは超自然的な力を発揮し、説明できない仕方で体が柔らかくなり、声が変化する。医師らは当惑する。その後、クリスの監督であるバーク・デニングスがカルト教団による殺人と思われる事件で殺害され――死体の首は一八〇度回転している――、リーガンが関与していることが明らかになる。医師らは対抗手段として、悪魔祓いの可能性を示唆する。この部の結末では、悪魔の存在を示す、これまでで一番はっきりした兆候が現われる。クリスは、リーガンが十字架をもって自慰行為をしているのを発見する。リーガンはクリスの顔を、出血した股間へ押し込む。その後クリスは完全に超自然的なものを見る

――リーガンは、バークを殺したことを認めるかのように、自分の首を一八〇度回転させるのだ。[7] プロットのこの箇所で、クリスはリーガンが悪魔に憑依されたことを確信する。つまり、クリスはこのプロットにおいて発見者として機能している。第三部「深淵」の冒頭で、クリスはカラスに悪魔祓いを依頼するために近づく。しかし、カラスは反対する。この箇所から、プロットは確証の段階へ進む。カラスが関係する権威者であり、懐疑的に留保する彼に、リーガンが憑依されていることを確証しなければならない。このプロセスは非常に手が込んでいる。カラスが最終的に意見を変えるまでに百ページ以上かかる。

リーガンが憑依されていることを確証するのが複雑になる背景には、いくつか要因がある。カラスは精神科医であるため、まず自然主義的説明を探そうとする。また、調査は教会の手続きに従わなければならないので、所定の基準が明確に満たされていることを確認しなければならない。読者としては、本物の憑依とみなされるためには何が必要なのかについて多くのことを知ることができる。また、カラスがそれぞれの基準が満たされているかどうか――また他の説明がないかどうかを確認するために――テストを進め、長大な証明のドラマがテキストの大部分を占める。

リーガンが憑依されていることを確証するのを特に難しくしているのは、リーガンの中の悪魔がカラスを翻弄しているせいだ。あるとき、悪魔は意図的にカラスを惑わせ、水道水を聖水だと思っているふりをして、ベッドの上に水をかけられて身悶えする。悪魔はカラスの確信に躊躇を与えたいのだ。悪魔は、「疑う理由を与えなければならない。多少はね。最終的な結果を確認するのに十分なだけ」と言う。悪魔はカラスをからかい、リーガンが知るはずのない言語で話しかけてくるが、決まり文句を口にしているだけではないことにカラスが完全に納得するまで会話を続けることは拒否する。もちろん、読者はこの段階になるとリーガンが憑依されていることを確信しているが、その理由のひとつは、悪魔がカラスが確証したいことを正確に知っていて、カラスの戦略を巧妙に邪魔しているという事実に気づいているからだ。しかし最後には、その兆候は圧倒的なものになる。リーガンがカラスの質問に逆さ読みの英語で答えていることが発見されたからだ――憑依された者は未知の言語の能力を示さなければならないという要請を、いわば悪魔的な仕方で満たしたわけだ。そしてリーガンは、ベッドに縛りつけられたまま腹に「助けて」と刻み込む（この前にカラスはリーガンの手を縛ればこの種の現象はなくなるだろうと予測していたが、完全に的外れだった）。このため、「その朝九時、ダミアン・カラスはジョージタウン大学の総長室に出頭して、悪魔祓いの儀式執行の認可を求めた」[◇2]。

教会の権威はカラス神父ほど説得が難しくなく、本の第三部から第四部「わが号泣(さけび)の声の御前(みまえ)にいたらんことを……」へ進むにつれ、プロットは確証の段階から対決の段階へと進み始める。この部の冒頭では、ここまでの要約では触れていなかったプロットの一部――リーガンの憑依の発見・確証と並行して、バーク・デニングスの殺人に関する警察の捜査が行なわれている――について新しい情報が伝えられる。これは複合的発見型プロットに不可欠の要素ではない。しかし、テキストにさらに別軸の推理を追加することによって、『エクソシスト』を豊かにしている――キンダーマン刑事によって提示される推理や、さまざまな憶測や仮説によって証明のドラマが分岐していく。

『エクソシスト』第四部の最も重要な要素は、メリン神父の登場だ。あわせてその背景情報がいくらか導入され、その後に悪魔祓いが行なわれる。数え方にもよるが、悪魔祓いでは、悪魔との対決が複数にわたって行なわれる。悪魔は部屋を氷のように冷たくし、リーガンは浮かび上がる。だが最も重要なのは、悪魔が集まった者たち――特にエクソシストたち――の精神の最も弱い部分を攻撃することだ。最後から二番目の対決でメリンは死ぬが、パズズはそのせいで非常に苛立つ。なぜなら、彼／彼女／それは、もう少しでメリンの魂を手に入れられると思っていたからだ。パズズは、宇宙が汚い手口を使ってきたのだと考えているのかもしれない。その後カラスが最後の対決のため部屋に入り、対決は激化し、神父は自らの体に悪魔を呼び込み、意志の最後の力で、リーガンの寝室の窓から自分を（悪魔もろとも）身投げさせる。リーガンは浄化され、カラスは最後の瞬間に罪を免れる。この時点で、物語はほとんど終わっているが、正常な状態に戻ったことを描く短かいエピローグがある。

この種の複合的発見型プロット――登場、発見、確証、対決からなるもの――は、ありとあらゆる種類の数えきれないほどのホラーストーリーで繰り返されている。他の非常に有名な例としては、ハミルトン・ディーンとジョン・ボルダーストンによる、広く使われている『ドラキュラ』の劇場向け普及版がある。吸血鬼の登場は、第一幕の冒頭の場面で予告され、ルーシーが最近ミナを殺したのと同じ謎の病気にかかっていることがわかる。医学ではらちがあかず、ルーシーの父親であるスウォード博士は、かつての同僚であるヴァン・ヘルシング教授を呼び出す。

ヴァン・ヘルシングは典型的な発見者だ。ヘルシングはイギリスに来た時点ですでに問題は吸血鬼のしわざではないかと考えているようだが、この見解を支持するために証拠を集め、またもちろん吸血鬼の正体を明らかにしなければならない。最初のうち、正体はイギリス人にちがいないと考えるが（吸血鬼は祖国の土の中で眠らなければならないため）、やがて正体がドラキュラ伯爵であることを発見する。スウォード博士は吸血鬼など非科学的だと拒否するが、ヴァン・ヘルシングとルーシーの恋人ハーカーが説得し、吸血鬼仮説がいかに抗しがたいものであるかを示す証明のドラマが展開される。この確証の過程は『エクソシスト』ほどには続かず、スウォードは第二幕で心変わりしているように思われる。劇はその後、一連の対決に向かい、スウォードの隠れ家とカーファックス修道院の間の秘密の通路でドラキュラが杭を打たれるところで最高潮に達する。[8]

過去十年半におよぶ現在のホラーサイクルの中で、かなりの数の映画が複合的発見型プロットを採用している。特に成功した例としては、デヴィッド・セルツァー脚本、リチャード・ドナー監督の『オーメン』がある。この映画は、小説と映画の両方でこのホラーサイクルの先がけとなった『ローズマリーの赤ちゃん』と同じく、反キリストの誕生を扱っている。悪魔崇拝者の一団——ほとんどは司祭と思われる——が、裕福なアメリカ外交官であり、大統領の野心を抱くロバート・ソーン（演者はグレゴリー・ペック）の子どもを、サタンの息子ダミアンと入れ替える。こうして、サタンがホワイトハウスに手を伸ばしつつあることが暗示される。

もちろん、ソーンも妻も、ダミアンがサタンの息子であることには気がついていない。しかし、ありとあらゆる奇妙な出来事が起き始め、何か自然に反するものの登場の前ぶれとなる。いくつかハイライトをあげると、ダミアンの世話役は、おそらくトランス状態のまま、誕生日パーティーで首をくくる。獣のように笑う、新しい奇妙な世話役が疑わしい状況で現われ、乳母のすぐ後には、その怪しげな飼い犬（編集で示唆されているように、ダミアンはこの犬とテレパシーで対話している）も現われて、ソーン大使の指示に反して家族の一員になる。ダミアンは教会を見て不可解なかんしゃくを起こす。ダミアンは動物園でキリンを追い払い、ヒヒを怒らせる、など。

発見者の役割は、ふたりの人物にわかれている。ひとりめはブレナン神父で――ダミアンの本当の正体を知って――何とかしてソーンに息子の正体を教えようとするが、あまりに取り乱していたため、ソーンは真面目に受け取らない（だが、ブレナンの死後、神父が予言していたことの一部が実現することになる）。[9] その後発見者の役割は写真家ジェニングスに受け継がれ、ジェンニングスが撮ったソーンの周囲の人物のスナップショットは、奇妙にもその死を予言している。ジェニングスはまたブレナンを調査し、神父が知ったことのほとんどを知るようになる。

ジェニングスは、これまでの出来事に動揺しつつあるソーンの前に証拠――ソーンの妻の妊娠は、狂った司祭が予言した通りだったこと、ダミアンの誕生は、六月六日の午前六時（つまり６６６）であることなど――を提示する。しかし、ソーンはなお懐疑的だ。映画の残りの部分のほとんどの間、ソーンは、悪魔の陰謀の存在を確証すべき相手でありつづける。証明のドラマと推理のゲームに長い時間が割かれる。その後、ダミアンの状況に関連する黙示録の注釈が取り上げられ、おそらくダミアンの実母が犬であったことや、ソーンの本当の子どもが殺されたことが明らかにされる。隠し切れない証拠が蓄積されていく。

いくつかの場面では――例えば、墓地での襲撃の後や妻の死の後など――、ソーンは完全に納得しているように思われる。しかし、ソーンは後戻りしつづける。イスラエルではダミアンを殺すことを拒否したが、ジェニングスが殺すと言ったため、ジェニングスは斬首される。[10] 当然ながらソーンはこれに不安になり、儀式用の短剣と首をロンドンに持ち帰る。しかしロンドンでも、まだダミアンの悪魔崇拝を確認しようとしている。イスラエルのエクソシストに指示された通り、子どもの髪を切り、罪ある者の刻印(666)を発見する。これが最後の証拠となり、反キリスト仮説は、最終的にソーンが満足する形で確証される。そして、確証されるとすぐ、最初の対決へと雪崩れ込む。ソーンは、ダミアンの手先と思われる、獣のように笑う悪魔のような世話係に襲われる。また、地獄の猟犬と対決しなければならない。しかし、英雄的な努力にかかわらず、ダミアンを聖地で殺す前に、銃殺されてしまう。人類はサタンとの対決に敗れ、ダミアンはアメリカ大統領の被後見人になってしまったようだ。

複合的発見型プロットは、近年の文学や映画では、特に頻繁に使用されるホラープロットのひとつだが、それ以前のホラーサイクルでも見られた。五〇年代の巨大昆虫映画やエイリアンの侵略映画でも、『カーミラ』のような初期のホラー小説でも、このフォーマットがかなり広く使われている。しかし、このジャンルで見られる唯一のプロット構造というわけではない。[11] ここで、他のプロット構造をいくつか見ておくことが役立つだろう。

## バリエーション

他の利用可能なホラープロットを捉えるひとつの仕方として、多くのホラーストーリーが、複合的発見型プロットの説明で素描した機能やプロット展開のすべてを採用しているわけではないことに注意を向けてみよう。多くの場合、複合的発見型プロットからさまざまな機能やプロット展開を差し引くことで、特定のホラーストーリーのプロット構造の特徴づけがえられるということがわかる。例えば、よくある代替的なプロット構造のひとつに、(複合的発見型プロットではなく)発見型プロットがある。これは、三つの基本機能からなる(ただし、それぞれが繰り返されることもある)。基本機能は、登場、発見、対決だ。つまり、よく使用されるホラープロットのひとつは、複合的発見型プロットから確証機能を除いたものになる。

ここで発見型プロットと呼ぶものの例としては、チャールズ・グラントの小説『死者たちの刻』をあげられる。この小説はベンの残忍な殺人から始まる。殺人はその後も起きるし、他の奇妙なふるまいも見られる。ナタリーはやがて、新聞記者のマークと協力し、発見機能を果たす。魔女集会の発見が小説の大部分を占める——ミステリ作品のように、証拠の断片をつなぎ合わせていき——、最後の対決では、行方不明の指輪を使ってトアルが倒される。第三者の反論に確証することはない。

この小説内の構造に関して言えば、これには明らかな理由がある。あらゆる権威——魔女集会の存在を確証すべき相手全員——が魔女集会の手先になっているからだ。つまり、発見者たちは、超自然の侵略に自分たちだけで対処しなければならない。当然ながら、日常の世界が陰謀によって乗っ取られるという展開を含むホラーストーリーでは、発見者が頼ることができるのは究極的には自分だけなので、確証の展開が完了することはない。もちろん、ひとつのパターンとしては、発見者が知らずに接触した相手が、影で陰謀に加担していることもある。しかし、これは敵の正体をさらに発見するという結果になるだけだし、おそらくそのまま対決に向かうことになるだろう。

もちろん、発見型プロットは、大規模な超自然的陰謀が登場しないホラーストーリーでも見られるものだ。ホラーなものが登場した後、ヒーローやヒロインには、自分たちだけでモンスターと対決する以外の選択肢がないかもしれない――時間がない、機会がない、生きている人間が他にいない、居場所が孤立している、といった場合。

M・R・ジェイムズの『人を呪わば』では、悪魔の登場とカーズウェルの黒魔術が、ジョン・ハリントンの死の報告と、エドワード・ダニングに降りかかる一連の奇妙な出来事（曖昧にしか記述されていないモンスターの家宅侵入など）を通じて明らかにされる。ダニングはヘンリー・ハリントンに近づき、一緒に問題の原因がカーズウェルであることを突き止め、カーズウェルの処刑を実現する手段を発見する。ふたりはこの情報を武器に、カーズウェルの呪文をカーズウェル自身にかけ、第三者に自分たちの発見を確証しようと試みることはない。こうしてこのプロットは、発見の段階から、確証を経由することなく対決の段階へと移行するのだ。

キングの小説『人狼の四季』は、複合的発見型プロットと発見型プロットを横断するような作品の代表だ。この理由は、最終的な対決の場面を構成する一部に確証の瞬間があるからだ。人狼の登場後、人狼の片目を失明させたマーティ・コスローは、地元の神父がモンスターだと推理する。マーティは神父を自分の家に誘い込み、クリーチャーを倒すのに必要な銀の弾丸で武装する。この対決の前に、マーティは叔父のアルから銀の弾丸を手に入れるため、叔父に疑惑を打ち明ける。アルは懐疑的だが、それでもマーティを助ける。このため、最終的に人狼が撃たれたとき、マーティの仮説が証明され、アル（およびの他のすべての人）を驚かせることになる。この場合、確証機能は、いわば対立機能の上に便乗していることになる。

わたし自身は、この例を発見型プロットのカテゴリーに入れるよう規約したいと思っている。しかし、この事例が示すように、複数の機能を単一のプロット展開に組み合わせることができるので、このカテゴリーの適用には避けがたい曖昧さがある。つまり、物事はこの分類法が示すほどきれいに整理されていないのだ。しかしそれでもこの分類法は役立つ。特に現在のように、ホラーの物語論的分析がほとんど書かれていない場合には役立つだろう。

　複合的発見型プロットから、確証機能を差し引くことで実用的なホラープロットを引き出せるのと同じように、複合的プロットから対決機能を差し引くことによっても、使える物語を取り出すことができる。この手続きによって取り出されるのが確証型プロットだ。これは登場、発見、確証の三つの機能・展開からなる。このプロットの例としては、『ボディ・スナッチャー／恐怖の街』のオリジナル映画版がある。枠物語〔入れ子になった物語〕の中で、莢による侵略が登場し、医師がついにその大元を発見する。確証を試みて断念した後――断念するのは、街の権威者がすべて莢人間に変えられているためだ――医師は逃亡し、外部の人間に話を伝える。誰も信じないが、その後映画の結末では、突然、奇妙な莢を輸送するトラックが高速道路沿いで発見されたことがわかり、疑いが晴れることになる。人類と莢人間の対決を見ることはない。映画は、確証のプロセスの解決で終わっている。

　三つの展開からなるプロットで、もうひとつ可能性があるのは、登場、確証、対決という連鎖を含むものだろう。この構成は発見の要素を欠いているので、おそらく、それが見られるのは、物語の文脈ではモンスターの存在がすでに知られており、このため物語の登場の段階で蓄積される証拠がクリーチャーの発見に結びつかず、作中の世界ではすでに存在が知られている怪物を確証するだけになるという場合だけだろう。おそらく続編がこの良い例になる。つまり、作中では、ゴジラが存在することを誰もがすでに知っている場合、ゴジラが戻ってきたという証拠は、ゴジラがそもそも存在するということを示す（つまり発見する）のではなく、確証するだけになる。

また、発見、確証、対決という三つの部分からなるプロット構造を想像することもできる。ここでは、複合的発見型プロットから登場を差し引いている。この種のプロットは、発見の瞬間までモンスターの登場を示す証拠がえられない場合に発生する可能性がある。つまり、登場の展開全体が、クリーチャーの発見と同時に発生することになる。シェリ・S・テッパーの小説『Blood Heritage』はこの例かもしれない。百ページ以上にわたって、読者は、バジャーの家族の失踪の謎に関わることになる。この捜査の間、悪魔マトゥク・パゴ・パゴは直接には出てこない。バジャーと超能力者がバレフォードを訪れたとき、悪魔はその牢獄から怒涛のように現われる。クリーチャーの初登場が、発見の瞬間となる——少なくともマハリアと教授にとってはそうだ。また、モンスターの正体に関するマハリアと教授の推理を含んでいる点で、この一連の出来事を発見と呼ぶことは適切であると思われる。

バジャーは悪魔仮説を拒否しているので、バジャーがとっている懐疑的な立場には確証が必要とされる。対決が何度も繰り返されるにつれて、バジャーはしだいに確信していく。この個別の小説に関して言えば、少なくとも物語構造の観点から興味深い特徴は、マトゥク・パゴ・パゴとの対決の場面が入れ子になっており、別のモンスターであるサキュバスの発見を含むサブプロットになっていることだ。そのため、マトゥクとの対決に埋め込まれたサキュバスの登場と発見は、その後のマトゥクとの対決とうまく噛み合っている。これによって示されるのは、これまで識別してきた構造の多くは互いに組み合わさることで、さらに複雑なプロットに変化しうるということだ。

ここまででは、複合的発見型プロットから機能を差し引くことで、一連の三機能のホラーストーリーを素描してきた。さらに引き算をすることで、二機能の物語が示される。登場／対決、登場／発見、登場／確証、発見／対決、発見／確証、確証／対決だ。

登場／対決型のプロットの例としては、オーソン・ウェルズのラジオ版『宇宙戦争』があげられる。この作品は火星での爆発で幕を開け、その後すぐにエイリアンのシリンダー型宇宙船が着陸する。シリンダーはすぐに開き、人類と宇宙侵略者の間の戦争が始まる。発見はほとんどない。みながいっせいに、火星人の到着と、対決の始まりを知ることとになる。番組のオープニングには、確証のテーマの名残があり、科学者ピアソンが、火星に生命が存在しないと保証するが、その後すぐ火星人はニュージャージーに住みついてしまう。しかし、火星人の存在がすぐ全世界に明らかになってしまうため、確証のテーマはつづかない。残っているのは火星人に抵抗することだけだ。ストーリーの残りでは、対決が繰り返され、人類の敗北がつづき、ご都合主義（デウスエクスマキナ）の解決で終わる。

ハワード・ホークスの『遊星よりの物体X』やリドリー・スコットの『エイリアン』などの映画も、登場／対決型構造のモデルに当てはまるように見える。この場合も、これが当てはまるのは、登場と発見が実際に離れていないという事実のためであるように思われる。両者が同時に起きるだけではなく、関係者全員にとって、モンスターの存在や、当面の危機の正体に疑問の余地がない。つまり、あらゆるキャラクターが怪物の存在を見ているので、何らかの怪物――わたしたちの通常の形式の概念化を侵犯するもの――が人を殺していることを改めて立証する理由がなくなるのだ。一部のキャラクター（多くの場合は科学者）は、モンスターを倒すべきだとは考えず、モンスターを殺す努力を妨害するかもしれない。しかし、モンスターが跋扈していることに疑問の余地はない。

この種のプロットに何らかの推理のゲームが含まれ、そこでモンスターの驚くべき特性が発見されることもある。しかし、こうした推理の部分は、『宇宙戦争』の懐疑的立場の名残りと同じく、なくてもかまわないものだ。この種の作品はすぐ戦争ものになる。戦争のスケールはさまざまで、『宇宙戦争』のように、正規の戦術戦争になることもあるし、小隊もののストーリーになり、無防備な一握りの兵士たちが孤立して、モンスターの集団や、同時にあらゆる場所に存在するような能力をもつ一匹のモンスターによって実質的に包囲されることもある。『エイリアン』、『クリーチャー』、『遊星よりの物体X』などの映画は、小隊もののモンスター映画の良い例だ。また、このプロット構造は、宇宙からの侵略に関するものだけではない。映画『死霊のはらわた』もこの例になっているように思われる。

ロバート・ブロックの短篇小説『修道院の饗宴』は、登場／発見型プロットの例になる。登場の展開では、語り手が修道院を訪れ、やがて、修道士のふるまいには、何か不穏なほどまちがった部分があるという感じを強めていく。発見の瞬間は、最後の段落で起こる。ここで、目を覚ました訪問者は、修道院に見えたのは、繰り返し現われてきた、呪われた魔女集会であり、饗宴の間に出された肉は、自分の兄弟である司祭の遺体であったことに気がつく。

おそらく、イーディス・ウォートンの『あとになって』は、登場／確証型の例として解釈できるだろう。物語は、ドーセットシャーのある家に現われる幽霊の伝説から始まるが、地元の言い伝えによれば、この幽霊の存在は、長い時間が経った後になってはじめて知ることができるのだ。あるアメリカ人の夫妻――ネッド・ボインとメアリー・ボイン――がこの家を購入したが、夫妻は幽霊に会いたがっているようだ。しかし、時が経っても、幽霊が現われたという証拠はなく、夫妻はその存在を疑うようになる――「目に見えない同居人が言及されることはなくなったが、以前はたびたびそのことを口にしていたので、言及しなくなったことにもすぐには気がつかなかった」。

しかし、あまりにも奇怪な出来事が起きる。ある日、正体不明の見知らぬ男から電話があって、メアリーがその男をネッドの書斎に案内すると、ネッド・ボインが失踪してしまう。ネッドの捜索はつづく。しかし、不思議なことに何の痕跡も見つからない。超自然的なことが起きているという手掛りはない。しかし、事実として、ネッドは説明不可能な失踪をとげ、メアリーはしだいにそれにも慣れていくが、この失踪が本作における登場を示す第一の要素となる。

ストーリーが進むにつれ、やがてメアリーは、先に述べた奇妙な正体不明の訪問者は、ネッドがいかがわしい取引で不正を働いたロバート・エルウェルの亡霊だという結論に達する。どうやら、幽霊は復讐のために戻ってきたらしい。メアリーは、ストーリーの結末で弁護士との面談の際にようやくそのことに気づく。そして、メアリーのこの推理は、この幽霊屋敷に幽霊が現われても、その存在を認識できるのはそれから長い時間が経った後になるという冒頭の言い伝えを確証する機能を果たしている。

メアリーが幽霊の存在に気がついたことを、発見のテーマではなく確証のテーマに含めた理由のひとつは、この物語の状況設定では、これによって冒頭の言い伝えを確証する機能が果たされるからだ。また、メアリーが幽霊に気がついたのは、アメリカ人若夫婦が幽霊に会えずにどこかがっかりしていたという懐疑的な立場の文脈のもとで起こったことだ。

登場／確証型の構造を採用するストーリーでは、自然に反するものが先に発見されているという前提が、何らかのかたちで成り立っている必要がある。確証が成立するには、それ以前に発見や仮説がなければならない――さらに、こうした発見や仮説が、一般に懐疑の対象となるのだ。この条件を満たすひとつの仕方としては、地元の言い伝えがあり、それが議論の的となっている――例えば、ネス湖の怪物や恐ろしい雪男が存在するといった主張を考えてみればいい――という文脈から始めることだ。クリーチャーが登場することで、議論の的になっていた地元の仮説が確証される。この種のストーリーは対決に進むとはかぎらない。『あとになって』の場合のように、対決するのは手遅れという場合もある。あるいは、何らかの理由で、作中の人間には、クリーチャーと対決する理由も手段もないという場合もある。あるいは、モンスターの邪魔をせず、そのままにしておく方がいいと考える場合もあるだろう。この種のプロットは最近では珍しくなったかもしれない。というのは、ホラー小説やホラー映画では、アクションや冒険が重視されるので、対決をかきたてずにはいられなくなってきているからだ。

映画の古典『キング・コング』は、発見／対決型プロットの例になっている。映画は髑髏島への旅の準備から始まり、それから航海が始まる。興行師カール・デナムは、島で映画を撮るつもりだ。デナムの動機は、コングと呼ばれる伝説上の存在の噂だが、コングが存在するかどうかも、その正体が正確には何なのかもわからない。デナムがコングの存在を直接的に示す証拠をもっているという意味での登場は起こらない。航海は曖昧な憶測に基づいている。探検隊が島に到着すると――原住民がコングを信じていることは明らかだが――コングという怪物が存在することを直接示すようなことは何も起こらない。そうではなく、コングが最初に姿を現わすのは――生贄の花嫁を奪い去る――発見の瞬間だ。これ以降、この映画は、誘拐、追跡、および巨大な戦闘を含む対決の繰り返しになる。[12]

もしこの作品をホラーに入れてよいのであれば、アーサー・コナン・ドイル卿の『失われた世界』は、発見／確証のリズムにのっとった全体的なプロット構造をもっているように思われる。本の冒頭では、チャレンジャー教授による南米の先史時代の生物の発見が評価され、この発見は科学的権威によって疑問視されている。しかし、テキストの結末部分では、チャレンジャー教授が空を飛ぶガーゴイルのような恐竜を科学の権威に見せ、チャレンジャー教授の発見が裏づけられる。

『失われた世界』をこのように説明するのは、この範囲では問題ないのだが、この説明は主としてテキストの全体的物語構造に適用されている。証拠を確保するために探検家を雇った南米での冒険を飛ばしてしまっている。本書のその箇所には、対決がいくつも含まれている。しかし、この対決には、複合的発見型プロットの最後を飾る対決に見られるような締めくくりの感じがないので、独立したプロット展開を導入するものというより、確証のプロセスの内部に入れ子になった機能と見なしたい。しかし、この点でわたしがまちがっていたとしても、『失われた世界』を発見／確証型プロットの例として考えることによって、このプロット構造がどのように進むと思われるかが示されるので、発見法としては役立つと思われる。冒頭で争われていた発見によって、それを裏づけるための計画や遠征につながり、確証が成立したことで、物語にまとまりがつくことになる。

『エイリアン』の続編の映画『エイリアン2』は、確証／対決型プロットの例になる。前作で、惑星にはエイリアンの卵がいくつもあることが確認されていた。採掘基地との通信が途絶えたことによって、エイリアンによって工業地帯が占領されたことが推測され、この推測を確証するために宇宙海兵隊の小隊が派遣される。多様なメンバーからなる小隊が紹介された後、エイリアンの巣の存在が確証され、プロットは、ご承知のように、人命をかけた対決へと雪崩れ込む。

複合的発見型プロットを構成する機能が、二機能や三機能から成る別種のホラープロットを作るために使えるのと同じように、それぞれの機能が単独でホラーストーリーの題材となる場合もある。つまり、これまで精査してきたプロットに加えて、純粋登場型プロット、純粋発見型プロット、純粋確証型プロット、純粋対決型プロットもある。

スティーヴン・キングの短篇小説『浮き台』は、純粋登場型プロットのように思われる。十代の水泳選手たちが、シーズンオフの池にひっそりと出かける。若者たちは競っていかだを目指す。やがて、油汚れのようなものに気づく。しかし、それは奇妙にも自ら動き、人間の肉を好む。この「何だかわからないそれ」が若者たちに発見されたと言うのは奇妙だろう。むしろ、それが若者たちを発見したのだ。若者たちを発見するとすぐに、それはひとりずつ貪り食い始める。若者らにはそれが何なのかわからないし、それと対決する手段もない。この状況から別のもっと複合的なプロット構造が開始され、誰かが若者たちに何が起こったのか疑問に思うということも起こりえるだろう。しかし、この短篇ではそうはならない。プロットは、ひとりでいかだの上に乗り、死ぬ運命にあるランディで終わる。このストーリーには登場しかない。『ジョーズ』が最初のサメの攻撃で終わるようなものだ。

H・G・ウェルズの短篇小説『アリの帝国』は、純粋な確証型プロットの例だ。砲艦バンジャマン・コンスタン号は、グァラマデマ川のバテモ入江の軍隊アリの侵攻の報告を受けて派遣される。このため、ストーリー自体が始まる以前にアリはすでに登場し、発見されている。砲艦は、何度かアリと交戦するが成果はなく、その後、次の指示のため港に帰還する。ストーリーの実質は、アリの存在を確証し、その新奇で並外れた力を強調するところにある。この短篇は、イギリス人の目撃者ホルロイドが、この遭遇に動揺し、この新種のアリの危険を全世界に警告する役目を引き受けたという言及で終わっている。ホルロイドは「人類最大の危機の始まりを見たのだと信じている」と言われている。この短篇小説はその対決を扱うものではなく、危険の存在と程度を確証することに全力が注がれている。

ウェルズの別の短篇『クモの谷』は、純粋対決型プロットの例かもしれない。ある女性とその友人を追っていた騎馬の一団が、奇怪な蜘蛛の巣で飾られた領域へと乗り込んでいく。すぐに明らかになることだが、この蜘蛛の巣は何千匹もの蜘蛛が住む巨大な住処の一部だった。騎馬の一団は戦って谷から抜け出さなければならないが、全員が脱出に成功するわけではない。一団は自ら蜘蛛の支配下に乗り込んでいくので、この作品には登場というものがまったく存在しない。むしろ、自ら無鉄砲に乗り込んでいくのだ。危険の正体の発見や確証にもまったく時間は割かれない。無数の毒蜘蛛に囲まれていることに気がつき、生死をかけた闘いが始まるだけだ。騎馬の一団のひとりである奴隷の主がうまく逃げ切った後、追いかけていた女性がまだ生きていることを推測し、復讐を企てていることが示される。しかし、短篇の中心となるアクションは、蜘蛛の手から逃れるための戦いだ。アクションは主に、人間と蜘蛛の間の、恐ろしいが単純な対決を中心に展開し、そこでは特に、奴隷主の冷酷さが強調される。

多くのホラーストーリー――特に、古いものにこれが多いように思われる――は、純粋発見型プロットと呼んでよいものであるように思われる。語り手はいかにしてホラーなものの存在に気がついたのか、それがひとつずつ、ただ語られる。純粋発見型プロットの例としては、H・P・ラヴクラフトの短篇『ピックマンのモデル』がある。開始時点では、サーバーがエリオットに、自分がなぜ、芸術家ロバート・アプトン・ピックマン――《食屍鬼の採餌》といった題の病的な場面を描く画家であり、最近失踪した――と関係を断ったのか説明している体になっている。

サーバーははじめ、ボストン中産階級のアートコミュニティとはちがって、自分はピックマンの大胆なキャンバスに尻込みしなかったと述べる。まともな社交界から排除されたピックマンを擁護したことで信頼をえて、秘密のアトリエで個人的な面談の機会を与えられたのだ。

ピックマンは、街の下に張りめぐらされた、ありとあらゆる古代の隠されたトンネルのことを語り、サーバーにいくつか絵画を見せるが、それは、冷徹な目で陰惨な絵画を愛好する語り手のような者にとってさえ、不安をかきたてるものだった。これらの絵は、人間が動物へと退行していくという物語を語っているように思われる。サーバーが特に不快に感じたのは、これらの絵があまりに写実的に見えることだった。まるで生きたモデルを描き写したもののように見える。

あるところで、サーバーはピックマンの制作中の作品のひとつから写真を取り上げる。すぐには写真を見なかったが、ピックマンによれば、背景を描くヒントをえるために写真を使っているということだった。議論の間、一度ピックマンは一言断わってから、隣の部屋に行って、古代のトンネルの作業場にいるネズミ――と呼んでいるもの――を撃つ。この会合の後、サーバーは写真を見た。それは、ピックマンの怪物のひとつに生き写しの姿だった。サーバーは「神かけて、エリオット、それは生物の写真だったんだよ」と気がついた。つまり、ボストンの地下には退化した食屍鬼が存在し、穢らわしいピックマンは、自分の忌しいイメージを見つけだすためにそれらと取引をしていたのだ。だから、作品はあれほど写実的だったのだ。

この短篇小説には登場はなく、結末で開示されるまで、自然に反するものを扱っていると考える理由はない。もちろん、ピックマンの絵画は存在しているし、それは拒否感を与え、惹きつけられるような写実的な作品だが、フィクションとして表現されている。振り返って考えれば、ピックマンが撃ったネズミは本当は食屍鬼だったと推測できるかもしれないが、ストーリーのその時点では、サーバーにも読者にも、モンスターがそこにいると疑う根拠はない。ストーリーは、提示された複数の異常事態——特にピックマンの写実主義——を、たがいに結びつけて終わっている。しかしそこでは、これまで民間伝承上や虚構の生き物として以外では、存在していると明らかにされていなかったものの存在が発見されている。ストーリー全体が発見にいたるまでの準備であり、そこから対決にはつながらない。

ここまでのところ、ホラーストーリーのフォーマットとしてありえる十四の型を特定してきた。登場、登場／発見、登場／確証、登場／対決、登場／発見／確証、登場／確証／対決、登場／発見／確証／対決、発見、発見／確証、発見／対決、発見／確証／対決、確証、確証／対決、対決の十四だ。

この十四の基本的プロット構造は、もちろん、物語図式すべてを網羅しているわけではないし、この一連の機能の組み合わせさえ網羅していない。というのは、先に注記したように、これらのプロット機能は繰り返されることもありえるし、また、『Blood Heritage』の場合に見られたように、プロット機能の特定のシークエンスが、より大きなプロット展開の中で——サブプロットとして——入れ子になることもありえるからだ。こうした可能性を考えると、この一連の機能によって利用可能になるプロットの数は、原理的には、天文学的な数になる。◆[13] また、場合によってはプロット機能が多重になり、物語内の同じ出来事連鎖によって複数の機能が担われることからわかるように、もちろん、もっと多様な組み合わせがありえる。

これらのプロットを概略するにあたっては、機能の間に特定の直線的順序が成り立つことを尊重してきた。すべてのプロット機能が存在する場合には、登場の後に発見がつづき、その後に確証がつづき、その後に対決がつづく。また、機能が差し引かれている場合には、残存している機能の間に、この直線的順序が成り立つ。この直線的順序は、一定の論理に従っている。発見されるためにはモンスターが存在しなければならず、それは多くの場合、登場によって確立される。確証されるためには発見が行なわれなければならない。モンスターと対決するためには、人類やその代表がモンスターの正体と存在を知らなければならず、この知識は一般的に発見および/あるいは確証という手段によって確保される。言い換えれば、これらのプロット構造が組み合わされる順序には、一定の概念的制約があるのだ。

発見、確証、対決のためには、モンスターが存在していなければならない。これは、登場のシークエンスを導入することで確立できる。もちろん、すでに見たように、プロット展開のこの段階は省略できる。しかし、ストーリーが理解可能なものになるためには、モンスターの存在が何かしらストーリーに組み込まれなければならないのは変わりがない。同じように、モンスターの存在が確証されるためには、その存在が発見されていなければならない。もし発見がストーリーのアクションの一部ではない場合は、モンスターは、物語が語られる以前に発見されていたのかもしれない——この物語以前の発見がストーリーの中で参照され、前提される（有名作品の続編の場合）。同じように、モンスターと対決する場合には、たとえそれが対決の最中に行なわれるとしても、モンスターの存在を確立しなければならない。

明らかに、この概念的制約は、まず第一に、ロシア・フォルマリストの批評家やその支持者が、特定の物語に関して、その物語のファーブラ fabula やストーリーと呼ぶもの——つまり、物語の主題となる素材であり、時系列的・因果的順序を保持しつつ記述される出来事連鎖——に適用されるものだ。しかし、物語のシュジェート sujet やプロットは、語られる出来事の時系列的・因果的順序とは異なる構成をもつかもしれない。プロット——出来事が語られる順序という意味でのプロット——は、プロットの元になる基本的なストーリーないしファーブラの時系列的・因果的順序から、変更されているかもしれない。例えば、物語は中間から in media res 始まり、その後時系列をさかのぼっていくかもしれない。あるいは、フラッシュフォワード〔後に起きる出来事を事前に見せること〕があるかもしれない。このため、ホラーのプロット（フォルマリストの意味でのシュジェート）は、先に触れた直線的な順序に従うこともあるが、必ずしもそうでなくてもよい。

例えば、ロバート・ルイス・スティーヴンソンの『ジキル博士とハイド氏』のもともとのプロット構造では（舞台やスクリーン用の翻案の多くとはちがって）、先にハイドの登場と対決が展開され、その後ハイドの死後に、プールがアタスンに渡した手紙の束のおかげで、読者とアタスンがモンスターの正体と由来を発見することになる。これが示すように、ホラーの物語は、シュジェートのレベルでは、先ほど提示した直線的な順序とは異なるプロットをもつ可能性があり、その結果、この一連の機能には、これまで言及・推定してきたもの以外にも、さらに多くの利用可能なプロット連鎖があることになる。つまり、すでに認めてきた機能の組み合わせに加え、フラッシュバックやフラッシュフォワードなど、さまざまな時間的プロット装置を使うことで、さらに別の組み合わせも作ることができる。すでに言及した概念的制約の観点からすれば、この（説明の順序に関して）時間的に直線的でないプロットは、元になるストーリーやファーブラが時系列的・因果的に意味のあるものになるためには、制約に従わなければならない。しかし、この条件が満たされている場合、こうしたプロットで、機能を語る順序を再配置する仕方は無数にありえる。また、先に述べた制約に対応するのはそれほど難しいことではない。したがって、直線的に編成されたホラープロットすべて――つまり説明の順序が直線的であるもの――、およびその拡張（反復、入れ子、サブプロットなどの手段を用いるもの）だけではなく、さらに多数のプロットがこの集まりの中に含まれることになるが、この無数の組み合わせについて考える作業は読者に任せておきたい。

## 越境者型プロットおよびその他の組み合わせ

ここまでのところでは、四つの機能――登場、発見、確証、対決――によって生み出される一連のホラープロットを探求してきた。この結果、非常に抽象的で、ホラーのサブジャンルの多く――幽霊譚から、エイリアンの侵略、吸血鬼もの、人狼もの、ゾンビ、悪魔憑きまで――に適用できるプロット構造を抽出することができた。しかし、ホラーのプロットについてさらに理解を広げるために、いくらか一般性は低いにせよ、繰り返し登場するプロットタイプのうち、少なくとももうひとつ別のものを検討することが有益になるだろう――このプロットタイプは一個のサブジャンル、特にマッドサイエンティストのジャンルと密接に結びついているが、他のサブジャンルのプロットにも拡張できる。その場合には、冒瀆的な科学実験のかわりに、魔術によってサタンが召喚されたり、ラヴクラフトの『ダンウィッチの怪』のように、旧支配者が召喚されることになる。

わたしはこの構造を、メインキャラクターであるマッドサイエンティストやネクロマンサーに敬意を表して、越境者型プロットと呼ぶことにする。この例としては、カート・シオマドクの小説『ドノヴァンの脳髄』、H・P・ラヴクラフトの短篇小説『死体蘇生者ハーバート・ウェスト』、レオナルド・キャディの『ジキル博士とハイド氏』やビクター・ジャラネラの『フランケンシュタイン』など舞台向けの翻案、『X線の眼を持つ男』などの映画があげられる。このおなじみのタイトルが示すように、越境者型プロットは、禁断の知識――科学的知識であれ、魔術の知識であれ――に関わるものだ。こうした知識は、実験や、邪悪な力をもった呪文によって検証にかけられる。複合的発見型プロットから派生したこれまでのストーリーでは、科学の近視眼的側面が強調されることが多いのに対し、越境者型プロットでは、科学の知識への意志が批判される。つまり、複合的発見型プロットの根底にあるテーマは、多くの場合、天と地の間にはわたしたちの哲学（科学、概念図式など）には思いもよらぬものがあるということだが、一方越境者型プロットで繰り返されるテーマは、神々（あるいは他の誰か）に委ねておいた方がよい知識があるということだ。

越境者型プロットの基本となる直線的プロット構造、あるいはその基礎となるファーブラの形式は、一般的に四つの展開によって構成される。第一に、実験の準備が含まれる。準備の展開には、多様な構成要素がある。その第一は実践的なものだ。越境者は実験に必要な材料を確保しなければならない。このため、ジャラネラの『フランケンシュタイン』では、はじめの場面で（第一幕第一場）、ヴィクター・フランケンシュタインが地元の墓荒らしハンス・メッツとピーター・シュミットから墓場で死体を調達しようとしている。

しかし、実験の準備には、典型的には実践的側面だけではなく、哲学的側面と呼べるようなものも含まれている。越境者は、典型的には、実験の説明と正当化の両方を与えるからだ。つまり、都合のよいことに越境者には助手や友人やその他の対話相手がいることが多く、その相手に実験がどのようにはたらく予定なのか、およびその（道徳的、科学的、思想的、形而上学的などの）意義がどういうものになるのかを説明するのだ。この説明は通常、通俗技術とSF的なはったりの寄せ集めだが、一方、正当化の方は、きわめて誇大妄想的なものになることもある。◆14

ジャラネラの『フランケンシュタイン』第一幕第二場は、ヴィクターがヘンリー・クラーヴァルに自分の実験を正当化するところで終わる。「考えろ、ヘンリー、考えろ！　生と死を制御すること。おそらく、人間の体から病気を永遠に追放することができるだろう。偉大な精神の存在を永久に保証するために」。第一幕第三場の冒頭では、つづけてヴィクターが実験がどのようにはたらくのかを説明する。「小さな衝撃が痙攣運動を引き起こすならば、もっと大きな衝撃を与えれば［…］生命活動を存続させるのではないか」。

越境者型プロットの準備の展開に含まれる説明／正当化の要素は、議論や論争という文脈に置かれることが多い。例えば、キャディの『ジキルとハイド』では、実験の動機となるジキルの理論が第一幕第一場で説明されるが、そこで、ラニヨン博士とジキルは、身体が脳の一部であるかどうかについて毎週のように論争を続けている。ルーベン・マムーリアン監督の映画『ジキル博士とハイド氏』では、映画の冒頭で、「大胆な」講義というかたちで説明／正当化が与えられる。

準備の展開の前や、その合間に、ストーリーの舞台や、越境者以外のキャラクターを紹介する導入の場面が入ることもある。こうしたキャラクターは、越境者に特に近しい人々であることも多い。越境者の個人的関係、家族関係、および／または恋愛関係を確立することは、このプロット形式のいくつかのパターンにおいては、非常に重要なものになりえる。というのは、多くの場合、周囲の人物が実験に反対し、これによって越境者が自らの正当性を主張することが可能になるとともに、プロットの後半で（後で見るように）実験がまちがった方向に進んだとき、実験者の愛する者が危険にさらされることで、引き返す動機が与えられることが多いからだ――また、これが、サスペンスの素材にもなる。

越境者型プロットの準備の展開――および、おおむねその標準的構成要素に含まれるもの――は、複合的発見型プロットの機能と同じように、繰り返されることがある。また、準備の説明の要素と正当化の要素は、以前論じた発見機能と確証機能に見られるような、推理のゲームや証明のドラマを支えている。当然ながら、越境者が提示する推論は、厳密に言えば無意味なものだ。それにもかかわらず、この推論は論証や立証のかたちをとっており、それが実際にはどれほど妥当でないものであっても、こうした能力を駆使する形式的な快を与えることになる。

越境者型プロットの準備の段階の後につづくのは、実験そのものだ。舞台やスクリーンでは、これはパイロテクニクス［火薬による仕掛け］を大量に導入する機会になることがある。もちろん、実験は成功するまで、あるいは少なくとも成功したように見えるまで、何度も実行されなければならないかもしれない。実験が成功したように見えることで、越境者はさらに誇大妄想を増すかもしれないし、実験の正当化のために新たな論争をするかもしれない。一方、他のキャラクターは、実験者に計画を中止するよう説得するかもしれない。また、もちろん、メアリー・シェリーの『フランケンシュタイン』のように、越境者は、成功に直面したとたんに後悔する可能性もある。

実験が成功したように見えるか、部分的に成功した後、すぐに、実験が失敗したことが明らかになる。実験によって生み出された、あるいは他のかたちで存在するようになったモンスターは危険なものだ。モンスターは無実の犠牲者を殺し、傷つける。この種のプロットの標準的パターンのひとつでは、モンスターによって危険にさらされる可能性が最も高いのは、実験者の身近で親しい人たちだ。例えば、メアリー・シェリーの『フランケンシュタイン』では、モンスターは意図して、フランケンシュタイン博士の身近な人々――ウィリアム、ジュスティーヌ、クラーヴァル、エリザベス――を襲う計画に乗り出す。ジキルとハイドのストーリーが映画化される場合、ジキルに婚約者がいれば、主な標的になるのは婚約者だろう。もちろんモンスターの犠牲者は越境者の友人や関係者にかぎられない。モンスターは誰かれかまわずに暴れ回るかもしれない。また、この種のプロット展開が拡大され、大量殺人につながることもある。[15]

越境者型プロットの多くのパターンでは、モンスターによる死と破壊――多くの場合、越境者の愛する人に関わる――が越境者を正気に戻し、自らの創造物を破壊することを決意させる。これが越境者型プロットの最後の展開、すなわち対決につながる。言うまでもなく、あらゆる越境者が自分のやり方がまちがっていたことに気がつくわけではない。自分の実験や創造物を命がけで守る覚悟がある者もいるだろう。何しろマッドサイエンティストなのだ。このパターンの場合、プロットの対決段階では、怪物となった創造物が滅びるだけでなく、モンスターを生み出した、悔いることのない越境者自身も滅びることが多い。複合的発見型プロットの場合と同様に、プロットの最終対決の段階は繰り返すこともあり、すべてを賭けたかに思われる複数の戦いにつながることもある。

越境者型のプロットの基本的概略としては、実験の準備、実験そのもの、実験が失敗した証拠の蓄積、モンスターとの対決という四つの展開が含まれる。このプロット図式を具体的につかむため、カート・シオドマクの小説『ドノヴァンの脳髄』の短かいあらすじを検討してみよう。[16]

ストーリーの舞台は四〇年代前半の南西部。語り手パトリック・コーリイが越境者だ。コーリイの野心は、「人工呼吸器」と呼ぶものによって、体から切り離された脳を生きたまま保つことだ。ストーリーの冒頭、コーリイは実験の準備をしており、サルを購入する。なついた後でサルを殺し、脳を自分の機械に取り付ける。実験の成功を地元の医師シュラット博士に見せるが、医師はこの研究におびえ、ふたりは「神の半球を侵略する」ことの正当性を議論する。シュラットはパトリックには人間の感情が欠けていること、数学的正確さのフェティシズムに陥っていること、自らの研究の帰結に無頓着だと非難する。この議論は他の場面でも何度も繰り返される。また、パトリックは妻ジャニスと一緒に暮らしており、妻はパトリックを愛しているが、仲たがいしていることも序盤で明らかにされる。予想がつくように、決定的な実験が完全にコントロールを失なったとき、ジャニスが窮地に陥ることになる。

パトリックがシュラットと議論した翌日、サルの脳は死んでしまう。しかし、その直後、飛行機事故の現場での医療支援を依頼する緊急電話がかかってくる。パトリックは同意する。犠牲者のうちふたりは首が切断されているが、三人目——作品名の由来である——ドノヴァンは瀕死の状態だった。パトリックはドノヴァンの脳を利用しようと決心する。脳を取り出して適切な水槽に設置する手術が——必要な隠蔽工作を含め——詳細に記述される。

脳が正常に移植されると、パトリックはそれとコミュニケーションを試みる。この時点で、パトリックは読者に対し実験の正当性を語りかける。

まちがいなく、この目も耳もないかたまりの中に、まぎれもない思考の過程があった。それは、盲人が光を感じるように光を感じ、ろう者が音を聞くように聞いているのかもしれない。それは、その暗い静寂の存在の中で、強く明晰で洞察に満ちた思考を生み出すかもしれない。気をそらす感覚から切り離されたからこそ、重要な思考に脳の力を集中させることができるのかもしれない。私はそれが考えていることを知りたかった！　しかし、どうやって脳とコンタクトを取ることができるだろうか。脳は話すことも動くこともできないが、もし脳の思考を研究することができれば、自然界の未解決の大いなる謎について知ることができるかもしれない。脳は、その完全な孤独の中で、永遠の疑問への答えを生み出したのかもしれないのだ。

脳とコミュニケーションをとるための方法がさまざまに検討され、脳は不定形の新種の生物のようなものに成長していく。シュラットは「パトリック！　君が作っているのは世界を破滅させる機械の魂だ」と警告する。同時に、読者にとっては、脳がしだいにパトリックを操作するようになっていることは明らかだ。だが、パトリック自身はしばらくの間、自分が実験を制御していると信じつづけている。脳はすぐパトリックを遠隔で支配する力をもつようになり、自らの意志で動く道具に変えてしまう。

脳は自分の仕事をさせるために、パトリックをロサンゼルスに派遣することに成功する。脳は、わがままで不実な大富豪W・H・ドノヴァンのものだった。パトリックに与えられた奇妙な仕事は、脳が自分なりの仕方で、原始的な方法で報いを与えようとしたものであることがわかる。やがて、予想通り、これは殺人未遂に発展する。最後にはパトリック自身も、制御が効かなくなり、実験が暴走したことを認めざるをえなくなる。パトリックは電話でシュラットに脳への供給を止めるように指示するが、意外にも、シュラットはこれを拒否する。パトリックは「ドノヴァンの脳は吸血鬼のように私の体に宿っていた……」と言う。

ジャニスは、ドノヴァンの脳がパトリックを完全に支配していることに気づき、被害妄想のある（と判明した）ドノヴァンはパトリックの体を使ってジャニスを攻撃する。しかし、ちょうどドノヴァンのクリーチャーがジャニスを手にかけようとした瞬間、パトリックは、なぜか突然に自分の体のコントロールを取り戻す。小説の残りのほとんどは、ドノヴァンの脳がパトリックを乗っ取っている間に、シュラットが脳を破壊する準備をしていたことを説明するものだ。だから、ドノヴァンのクリーチャーがジャニスの上に乗ったその瞬間、シュラットは脳波計の怒りの動きに気づき、脳が殺人を犯そうとしていると推測し、水槽に飛び込んで脳を殺したが、同時に、脳は何らかの精神波でシュラットを殺した。このため、このプロットの対決の展開は、フラッシュバックと考えられるような仕方で語られることになる。

もちろん、『ドノヴァンの脳髄』のような越境者型ストーリーの元になった古典は、メアリー・シェリーの『フランケンシュタイン』だ。また、この小説の中には、準備／実験／失敗／対決という四機能構造の明確な証拠が見られる。このプロット構造の説明にシェリーの『フランケンシュタイン』を使わなかった理由のひとつは、『フランケンシュタイン』には、越境者型プロットが見られるが、他の面で野心的な作品であるため、この作品ほど文学的ではない、このサブジャンルの他の例より、提示の順序がいくらか複雑になっているからだ。この作品の野心は、主に愛の不在というテーマにかかわっている。

このテーマのひとつの要素として、シェリーは、家族や愛の要求と、知識の追求の間の葛藤を描いており、それが上部構造である出来事の提示の仕方に影響を与えている。このテーマは、〔物語の冒頭で〕ロバート・ウォルトンが妹のサヴィル夫人に宛てた最初の手紙の中で導入される。ウォルトンは科学的探求のために家を出ることを選んだ。この枠物語の装置は、明らかにヴィクター・フランケンシュタインの物語に類似したものとして提示されており、フランケンシュタインもまた、知識のために多くのもの、家族、友情、愛を犠牲にしてきたのだ。フランケンシュタインのストーリーは、ウォルトンへの忠告として読むこともできるようになっている。

フランケンシュタインのストーリーが始まると、このストーリーは越境者型プロットの基本的構造を取る。しかし、ここにも複雑さがあって、愛の不在というテーマのもうひとつの要素として、モンスターの疎外に焦点があてられる。このため、越境者型プロットの中に埋め込まれたサブプロットは、モンスターが仲間意識から排除されたり（それは場合によっては不公平なものに思われる）、仲間意識を剥奪されたりすることや、その心理的な影響に関するものになっている。このように、『フランケンシュタイン』には越境者型プロットが含まれており、一部では多くの越境者型ストーリーの最も人気のある先駆者だと主張されるかもしれないが、この作品は、テーマとその提示の仕方の両方において、後続の多くの物語よりも複雑なものになっている。

ここでは、まず越境者型プロットを、時間的に直線的で、前進していくものとして特徴づけた。しかし、複合的発見型プロットの類に含まれる機能と同じように、機能は並び替えられることもある。古典的なドイツ映画『カリガリ博士』では、元々の脚本では、チェザーレとの最後の対決の後で、実験とその準備について知ることになる。また、越境者型プロットの機能は、さまざまな仕方で繰り返したり、入れ子にすることができ、それによって豊富な組み合わせが作られる。

また、興味深い事実としては、越境者型プロットを複合的発見型プロットの機能の系列と組み合わせ、さらに複雑な物語を生み出すことができる。これを実現するひとつの仕方は、越境者や、実験や、実験の結果を、発見や確証の対象にすることだ。例えば、死体が消え始め、それが調査につながり、その結果ナントカ博士の実験の準備が発見・確証されるかもしれない。しかし発見者は実験を止めるには遅すぎた。発見者が実験室に足を踏み入れたちょうどそのとき、マッドサイエンティストがスイッチを入れる（しかし、マッドサイエンティストが実験について説明し、正当化する時間は十分に残されている）。実験による予想外の悲惨な結果は、新たに創造されたモンスターとの最終対決にいたるまで止まることはない。

あるいは、新たに創造されたモンスターの登場が発見され、その後に実験とその準備が、モンスターの登場につながる悲惨な結末にいたるまでフラッシュバックで語られ、それからおそらくモンスターの存在が確証され、最終対決の舞台が整えられる。この組み合わせ型プロットのスケッチには、七つの展開――登場、発見、確証、実験の準備、実験、予想外の結果、対決――が含まれる。この際、発見および確証は、この構造の中の次の三つの展開〔実験の準備、実験、予想外の結果〕の後や、その間に来てもいいだろう。明らかに、この構造は、提示の順序という点では、フラッシュバック、フラッシュフォワード、反復、入れ子などの方法によって修正することもできる。また同じように、機能を引き算することで、別の組み合わせ型プロットとして使えるものを作ることもできる。

この種の組み合わせ型プロットとして使用可能な組み合わせを詳細に追求するのは控えるが、こうしたストーリーがきわめてありふれたものであることは確かだろう。『カリガリ博士』についてはすでに言及したが、この作品では枠物語の内側のストーリーに、実験の発見と確証が含まれている。同じく、H・G・ウェルズの『モロー博士の島』では、発見型プロットと越境者型プロットの要素を組み合わせている。語り手であるエドワード・プレンディックは、モローの実験室で何が起こっているのかという長い発見の過程に関わるからだ。十四章でようやくモローが背景——実験の手段と正当化の両方——を説明してくれる。この種のプロットは、邪悪な科学実験に限定されるわけではない。ラヴクラフトの『ダンウィッチの怪』は、越境者型と発見型の要素を組み合わせており、ウィルバー・ウェイトリーの「実験」結果——アーミテイジ博士がこれを発見し、対決する——は、機械ではなく神秘主義に関わるものだ。

ここまでの議論で特徴づけてきた一連のプロットを使って、多数のホラー物語の基本的なストーリー構造の信頼可能な描像を与えられることを期待している。また、これによって、別の新しいホラーストーリーを作る方法がいくつも示唆される。しかし、この分類法がホラー物語のすべてを網羅していると主張したいわけではない。この図式にうまく当てはまらないストーリーがあることはよくわかっている。

最近の例としては、ディーン・R・クーンツのベストセラー『ウォッチャーズ』がある。このストーリーには、二匹の実験動物が登場する——超知能をもつゴールデンレトリバーのアインシュタインと、その宿敵、サルの怪物のアウトサイダーだ。二匹ともバノダイン研究所から脱走した。プロットは基本的に、三つの追跡を軸に展開する。政府は二匹の動物、特にアウトサイダーを追っており、アウトサイダーは行く先々で大量虐殺を引き起こしている。マフィアの殺し屋はゴールデンレトリバーを追っており、誰かに大金で売れると思っている。アウトサイダーはアインシュタインを追っており、みなが自分よりこの犬を愛するせいで憎んでいる。

ストーリーは、トラヴィス・コーネルが森の中でゴールデンレトリバーを見つけるところから始まり、トラヴィスの知らないところで、このレトリバーがアウトサイダーの登場を警告しようとする。しだいにトラヴィスと犬の間に友情が芽生え、トラヴィスはやがて犬がどれほどの天才であるかを発見していく。トラヴィスと犬はノーラと友人になり、ノーラも犬の賢さを知ることになる。これらの発見は、先ほど言及した三つの追跡のきっかけとなるプロット上の出来事と並行して展開する。犬はトラヴィスにアウトサイダーによる追跡と政府の追跡というふたつの危険が迫っていることを知らせ、友人を失なうことを恐れるトラヴィスとノーラは、追跡者から逃れる過程で、犬を一種の子どもとする家族になっていく。

このプロットには発見と確証の要素が含まれている。しかし、これは主に、犬の知性の発見と確証に関わるもので、犬はまったくホラーを与えるモンスターではない。アウトサイダー——この作品におけるモンスター——は、法律家ジョンソンのサブプロット以外では、主な発見の対象になることはない。したがって、『ウォッチャーズ』は、これまで論じてきたプロットの一部に、広い意味では類似しているが、そのいずれかの明確な例になっているわけではない。また、追跡と逃亡の強調が、この作品の主要なトーンを形づくっている。この作品はむしろモンスターが登場するアクションスリラーのようなものだ。これによって、この作品がホラー小説から除外されると言うわけではない。そうではなく、わたしが精査してきたこのジャンルで特徴的に繰り返されるストーリー以外にも、もっと多くのホラープロットがあるし、またおそらく、それ以外の基本的なホラープロットもあるということを認めたいだけだ。

しかし、わたしがあげたプロットの一覧が不完全だとしても、ジャンル内で特徴的に繰り返されているプロット構造のかなり多くの部分をを描きだすことに成功していると言えると思う。また、このプロット分類法には、特定のパターンが見られるが、これによってホラーストーリーから鑑賞者がえる快に関して示唆が与えられるかもしれない。

## 典型的ホラー物語が与えるもの

本章のはじめで、ホラーが実践される芸術形式の多くは物語であることに注意した。ホラーの隆盛が最も目立つのは物語的芸術形式においてだ。これは、非物語的形式（非物語的絵画など）のホラーが存在しえないと言うわけではない。単にわたしたちがホラーを考えるときに典型例として頭に浮かぶのは、長篇小説、短篇小説、演劇、映画、ラジオ番組、テレビ番組などのかたちをとった物語であるというだけだ。このため、ホラージャンルの快の主な源泉が物語に関係するという仮説を立てるのは理にかなっているように思われる。おそらくスティーヴン・キングが短篇集『ナイトシフト』の序文で次のように書くとき、そのような見解に立っているように見える。「これまで作家生活を送ってきて、フィクションでは、他のどんな作家の技術よりも、ストーリーの価値のほうがはるかに優位にあると私は考えてきた」[◇3]。しかし、いずれにしても、物語はホラーの核となる作品のほとんどにとって決定的に重要であるように思われる。このため、ホラーの物語に、目立って繰り返される特徴がいくつかあるなら、その特徴こそ、このジャンルの魅力を説明するのに役立つかもしれない。

　これまでに紹介してきた一連のプロット構造に目を向けると、大部分の例に共通するひとつのテーマが印象に残る。それは発見のテーマだ。越境者型プロットでは、越境者が――多くの場合、他の人類にとっては恐ろしいことだが――宇宙の秘密を発見する。また、複合的発見型ストーリーから派生したプロット構造のほとんどでは、それまで存在を否定されていたものの発見が前景化する。

　確かに、このふたつのプロットの系列では、わたしたちと未知なるものとの関係について示されているポイントが異なっている。越境者型プロットでは知りすぎることが警告を受けるのに対し、複合的発見型系列のプロットの多くでは、人類が未知なるものにあまりにも無警戒であることに警鐘が鳴らされる。一方の系列のプロットでは、すべてを知りたいという欲求が戒められるのに対し、他方のプロットでは、頑固で、ありきたりで、近視眼的な考え方が攻撃される――つまり、一方のプロット群では、未知のままにしておいた方がよいものがあると述べられるのに対し、他方のプロットでは、これまで未知だった存在を認めないことは深刻な欠陥だと示されるのだ。しかし、これらのテーマは、ある分析の水準では両立しないように見えるが、両者は基本的な主題――未知を知ること――を共有している。この主題が基本的なプロットの展開を動機づける役割を果たすだけではなく、ジャンルの中で親しまれている、わたしが推理のゲームや証明のドラマと呼んだ間奏も動機づけているのだ。

完全なかたちの発見および／または確証機能を伴わないプロットであっても、大多数の事例では、それでも何かしらの推理のゲームの要素が見られる傾向にある。モンスターを倒す最善の方法を議論するだけでも、通常は、モンスターの正体や起源に関する推測が登場する。モンスターの正体についての推理を入れずに純粋な対決だけからなるプロットは、モンスターの登場が完全に説明されない場合と同じく珍しい。これは、こうしたプロットの例がないと言うわけではない。それは規則ではなく例外だというだけだ。さらに、特に繰り返されるホラープロットには、発見、確証のいずれか、あるいはその両方が含まれる傾向があるように思われるが、これらの機能を欠いたプロットでも、その名残があって、何らかの推理のゲームを促すことになる。多くの場合、この推理のゲームは、モンスターとの対決で最善の策を見つけるために、その本性やその適切な特徴に関する推理をするというものになる。[17]

同じように、越境者型の系列に目を向けると、どんなにばかげたものであっても、説明および／または正当化のない実験や魔術は登場しづらい。ここでも、推論、証明、実証のある種の模倣がホラーストーリーを駆動する物語の原動力(エンジン)として一般に重要であることが改めて示されている。

まちがいなく、人類と何らかのモンスターの戦いを扱うだけのホラーストーリーはありえるだろう。発見や推理の要素がないからというだけで、ストーリーをホラーに分類することを拒否することはできない。人間的なものと非人間的なもの、または正常なものと異常なものの対立は、ホラーにとって基本的なものだ。また、人間的なものと非人間的なものの単純で飾り気のない対立だけでは、このジャンルの事例としても貧しいものになってしまうだろうと言うのは、経験的には正しいかもしれないが、それによってえられる理論的な利点は多くない。にもかかわらず、こうしたホラーストーリーが存在しうることを認めても、最も優れた作品を含め、ほとんどのホラーストーリーでは、工夫をこらして、未知なるものの発見（意図的に発見したかどうかはおいておくとして）、推理のゲーム、証明のドラマが、ホラージャンルの物語的快の持続的な源泉になるようにする傾向があるという洞察は排除されるべきではない。

もちろん、クライムストーリーには、発見や推理を含まず、悪党との殴り合いや銃撃戦が延々とつづくだけのものもある。しかし、だからと言って、刑事や私立探偵の推理のゲームに引き込まれ、夢中になることが、クライムジャンルの主要な物語的特徴のひとつであることが否定されるわけではないだろう。同じように、発見のドラマがないホラーストーリーもあるかもしれないが、それがこのジャンルの快の中心的・特徴的な源泉であることは変わらない。

またホラーの物語法に関するわたしたちの知見と、ホラーの本質に関するわたしたちの知見の間には、対応している部分がある。アートホラーの感情を生み出すのは、部分的には、物事の秩序を概念化する既存の方法・一般的な方法による分類に抵抗するものへの不安だ。この主題と結びつくべきものが、未知なるものの発見を措定し、詳述する物語構造であるというのは、実に適切であるように思われる。本書の前半部分が正しいとすれば、ホラーというジャンルのポイントは、少なくとも原理的には、未知なるもの、不可知のものを提示し、開示し、顕示させることにある。この不可避の認識の瞬間を動機づけるために特徴的に使用されるプロットが関わるのが、フィクションの中で未知なるものが既知になること、あるいは、プロットによっては、否定できないものになることを示すことであるのは偶然ではないだろう。未知なるものを既知なるものにすることは、実際、こうしたプロットのポイントであり、またその魅惑の源泉にもなっている。

つまり、ホラーストーリーが主として関わるのは知識というテーマだ。プロット構造のうち、最もよく使用されるふたつは、複合的発見型の系列と越境者型の系列だ。複合的発見型のひとつのバリエーションでは、モンスターは誰にも知られざるままに出現し、恐るべき所業に着手する。しだいに主人公や主人公の集団が、原因不明の死がモンスターのしわざであることを発見する。しかし、主人公たちがこの情報をもって権威者に近づくと、権威者はモンスターが存在するという可能性を否定する。そして、物語のエネルギーは、モンスターの存在を証明することに費やされる。この種のプロットは、常識的知識の限界を超越した存在を祝福するのだ。

発見と確証に関係するこのプロットの系列は、物語のレベルでは、開示や解明の過程——もっと言えば、わたしたちの既存の概念的カテゴリーから除外されるものの開示や解明の過程——に関わるものだ。ホラーストーリーにおいて感情が向けられる対象が未知なるものであることをふまえると、プロット構造の多くが開示、解明、発見、確証を中心に展開することは非常に適切に思われる。この解明に伴うべきものが、ホラーを与える未知のモンスターに関する推理のゲームであることも、優れて自然であるように思われる。というのは、未知なるものの提示は、もっと知りたいという欲求を呼び起こすからだ。

未知なるものというテーマのバリエーションのひとつとして、越境者型プロットには、隠された邪悪な禁断の知識の追求に乗り出す中心人物が登場する。科学者、錬金術師、司祭、魔術師がこの禁断の知識に基づいて行動する——例えばゴーレムに命を与える——と、計り知れない邪悪な力が解放され、それにつづく破壊がストーリーの主題となる。複合的発見型系列のプロットの主人公は、一般に、常識的知識の限界を超えなければならないのに対し、越境者は、常識的知識の範囲を踏み越えないよう警告される。しかし、このふたつの主要なプロット系列では、どちらの場合も、異なるテーマ上の効果のためではあるが、常識的知識の限界を基本的な所与として扱い、それが探求される。これはもちろん、認知的危険をアートホラーを生みだす主要な要因と捉える理論には非常によく合致している。

物語効果のレベルでは、証明と発見の過程を導入することが、鑑賞者の注意を確保し、維持する手段となる。だからと言って、作中で、この発見が純粋な思考の行使を祝福してくれるようなものでないことを否定するわけではない。というのも、これらの発見は通常人類の存続という問題に結びついており、それは解決すべき喫緊の課題であるか、あるいは、少なくともファーブラにおける対立の展開の中で頻繁に言及されることであるからだ。にもかかわらず、ホラーストーリーへの根強い関心の大部分は、未知なるものの発見に関わるものだ。ホラーストーリーの大部分は、かなりの程度までは、発見の過程を表現したものであると同時に、多くの場合は鑑賞者の仮説形成の場でもあり、それによって、これらのストーリーが証明のドラマにわたしたちを引き付けるのだ。

# ホラーとサスペンス

ほとんどのホラーストーリーで鍵となる物語要素がサスペンスだ。物語的サスペンスは、前節で説明した複数のプロット展開のうち、すべてではないにしても、そのほとんどで発生しうる。例えば、登場の展開における事件では、無実の犠牲者が追いかけられるというサスペンスが含まれるかもしれない。あるいは、発見者がモンスターに追われ、サスペンスに満ちた追跡場面につながるかもしれない。確証の展開でも、モンスターの存在について議論しているうちに、密かにモンスターに取り囲まれているかもしれない。一方、対決はもちろん、人類の命運を懸けたサスペンスに満ちた戦いになりえる。同じように、越境者の実験の準備や実験そのものにサスペンスが伴うかもしれない。

同時に、サスペンスは、個々のプロット展開――およびそれを構成するサブシーンやシークエンス――の中だけではなく、さまざまなプロット機能の組み合わせによって生じるかもしれない。モンスターの存在が確証されるには時間がかかり、権威者は、作中で理由と見なされるものに耳を傾けようとしない。しかし権威者が頑固なせいで貴重な時間が失なわれ、その間モンスターは力を蓄え、逃れ去り、それによって、人類はモンスターに打ち勝つことができるのかという疑問に関わるサスペンスが引き起こされる。同じように、越境者の創造物がひとたび暴走すれば、それとうまく対決し、制圧することができるのかという問題に関わるサスペンスが生じてくる。

このため、サスペンスは、ホラーストーリーでは、物語の分節のあらゆるレベルで生じうる。しかし、サスペンスはホラーだけに固有のものではない。サスペンスはジャンルを横断する。サスペンスは、コメディ、メロドラマ、クライムストーリー、スパイ小説、西部劇などで見出されうる。サスペンスは、ホラーストーリーを他の種類のものから区別する特徴ではないし、あらゆるホラープロット（『ピックマンのモデル』を思い出してほしい）で生じるものではないかもしれないが、すべてではないにしても大部分のホラーに組み込まれている。つまり、ホラーとサスペンスの関係は偶然的なものだが、避けられないほど浸透しているのだ。このため、ホラーストーリーの機能の仕方を完全に解明するためには、ホラーとサスペンスが――偶然的な仕方ではあるが――、どのように協調して機能するかを示さなければならないことになる。

サスペンスは、これから示すように、アートホラーとは別種の感情だ。アートホラーとは別の対象をもつからだ。だが、これと同時に、ホラーの対象は、サスペンスを生み出す上で決定的な役割を果たすことになる。しかし、これについて説明する前に、サスペンスの本質を解明しなければならない。そして、サスペンスの本質が明らかになれば、協調した物語構造の中でサスペンスとホラーがどのように組み合わされるかという説明に取りかかることができる。

しかし、サスペンスを特徴づけることが複雑な作業であることは明らかだ。サスペンスは、物語芸術を論じるためにいつも使用される概念であるにもかかわらず、十分に正確な理論化がなされていないからだ。つまり、頻繁に使用されているにもかかわらず、サスペンスは物語論において非常に捉えどころのない概念だ。例えば、エリック・ラブキンは著書『Narrative Suspense』の中で、ストーリーを通じて読者を引き込むものをすべてサスペンスの要素に含めている。[18] しかしこれは広すぎる。例えば、サスペンスというラベルの下に、イメージを反復的なモチーフとして繰り返し使用することを含めてしまっている。

芸術作品を論じる際、批評家は予期 anticipation を伴うあらゆる構造をサスペンスと見なす傾向があるようだ。しかし、それは類と種を取り違えている。芸術の外では、予期とサスペンスは区別可能だ。フッサールが指摘するように、あらゆる経験はある程度の予期を含む。しかしサスペンスの経験は、それよりははるかに珍しいものだ。[19] 同じように、物語芸術に関しては、サスペンスの概念を、予期一般の概念よりも狭く定義しておいた方がよいだろう。

現代の物語研究者の一部は、わたしの主張——サスペンスについての適切な説明がない——を誇張だと感じるかもしれない。この人たちの意見では、ロラン・バルトが『物語の構造分析』の中で、サスペンスの厳密な特徴づけを行なっていると考えられている。[20] そこでバルトは次のように述べている。

> サスペンスは、明らかにゆがみの特権的な形、またはこう言ったほうがよければ、過激な形にすぎない。サスペンスは、一方では（遅延と再開という強調技法によって）シークエンスを開いたままにしておき、読み手（聞き手）との接触を強め、明らかに話しかけの機能をもつ。また他方サスペンスは未完成のシークエンスの脅威、つまり論理的混乱がもたらす脅威を読者に提供し、まさにこの混乱が、不安と楽しみをともなって消費される（混乱が最後には必ず解消されるだけに、なおさらそうである）。それゆえサスペンスとは、いわば構造を危機にさらし、構造をほめたたえるように定められた、構

造との戯れなのである。それは、知的に理解できるものの真のスリルを構成する。序列（もはや系列ではない）のもろさを表わすことによって、言語の観念そのものを具現する[◇4]［…］

この凝縮され、典型的ではあるが、入り組んだ一節には、いくつも問題があるが、そのうちのいくつかは後で取り上げることにする。しかし、当面の問は、次のことを指摘しておけば十分だろう。「サスペンス」を、物語一般（少なくともバルト自身が用いている疑わしい物語の観念）および言語（「言語の観念そのもの」！）と連続したものとして位置づけるという関心において、バルトは——サスペンスは物語の中でも、強度をもち、特権化された外延であるという以外の点では——、サスペンスを自分の漠然とした物語の概念から区別し損ねている。これは真ではないように思われるし——一部の物語形式はサスペンスを生み出すこともないし、サスペンスの構造に似てもいない——、情報に富んでいるわけでもない。ごく普通の物語の単なるつながりの経験を超える、サスペンスの特権的な瞬間の生起は何によって説明されるのだろう。時折、バルトが想定しているサスペンスの概念は、緊張、構造的緊張、閉包の概念と混ざっている。こうしたサスペンスの概念はあまりに抽象的で、不定形すぎ、有用なものではない。このため、サスペンスとホラーの問題に立ち返る前に、サスペンスについて、もっと明確な捉え方を提示しなければならないだろう。

しかし、物語的サスペンスを語るためには、少なくとももう一歩手前に戻らなければならない。物語、特にポピュラーフィクションに見られる物語について少し語らなければならない。なぜなら、サスペンス、あるいは少なくともここで解明しようとしている種類のサスペンスは、ポピュラー文化における物語法の基本形式〔次で説明される疑問による物語法〕として使用可能なバリエーションのひとつになっているからだ。

## 疑問による物語法

ポピュラー文化における物語の論理を研究する上で、非常に強力であることが証明されているひとつの仮説は、ストーリーの提示の順序において、ストーリー前半に登場する場面・状況・出来事と、ストーリー後半の場面・状況・出来事との関係は、疑問と回答の関係にあるという発想だ。これを疑問による物語法 erotetic narration と呼ぼう。この物語法は、ポピュラー文化における物語法の中核をなすものだが、まず一連の疑問をかきたて、その後それに答えるようにプロットが進むというかたちで進行する。例えば、ミステリ作品では、序盤の殺人事件で疑問——犯人は誰か？（フーダニット）——が生まれ、その後半の場面が手がかりのかたちで答えに寄与し、さらに結末ないしその手前の場面——探偵が皆を集める場面——で結論となる答えが提示される。あるいは、V・C・アンドリュースの小説『屋根裏部屋の花たち』では、祖父母の家に連れて来られた後、子どもたちが過酷な扱いを受け、閉じ込められるが、これによって、この子どもたちはどんな罪のせいで罰を受けているのだろうかという疑問が呼び起こされ、ストーリーの結末でこれに答え〔近親相姦〕が与えられることになる。

同じように、スパイスリラーの冒頭で核兵器が奪われれば、誰が何のために盗んだのかという疑問が喚起される。プロットの大部分は、この疑問に答えることに割かれるだろう。そして、一般的には、この兵器を道義に反する恐ろしい仕方で使用する計画が明らかにされると、今度は、その計画を防ぐことができるかという差し迫った疑問が生じるのだ。

前節で検討した、複数の機能からなるホラープロットの内部構造は、疑問／回答のモデルを使って容易に分析できる。モンスターの登場は、モンスターが発見されるかどうかという疑問を投げかける。発見は、モンスターを倒すことができるかという疑問に直接つながるか、あるいは、発見者が外部からの支援を必要とする場合には、権威者にモンスターの存在とそれがもたらす危険を認めさせることができるかどうかという疑問につながっていく。

同じように、越境者の実験の準備は、鑑賞者に、実験が成功するかどうかという予期を抱かせる。プロットにおける実験の段階では、はじめその疑問に肯定的な答えが与えられるが、その後、もっと複雑になった事態――通常は無実の犠牲者が出るとか、その他の災難のかたちをとる――に注意が向けられる。この予想外の結果からその後、モンスターを倒せるのか、どうすれば倒せるのか、実験を完全に葬り去ることができるか、どうすればそうできるかという疑問へとつながっていく。このように、ホラーストーリーにおける基本的な物語の接続詞――プロット展開の修辞的結合――は、（他のポピュラー文化における物語と同様に）疑問／回答のかたちをとっているのだ。

また、ポピュラーフィクションにおける疑問によるつながりは、大きなプロット展開をつなぐだけでなく、より小さな物語法の単位にも修辞的結びつきを与えることが多い。ひとつの場面が疑問／回答モデルによって次の場面を生み出すこともある。スティーヴン・キングの（非ホラー小説である）『ミザリー』

の第二十章では、監禁された作家のポールが、車椅子でひそかにキッチンに忍び込み、包丁を盗みだす。これにより、ポールを監禁しているアニーが、部屋から抜け出したことに気がつくかどうか、さらに、ポールはアニーを殺すことができるかどうかという疑問が生じる。すぐ明らかにされるように、アニーは気がついており、包丁をすでに奪い返していた。今度は、これによって、この精神病者が報復するつもりなのか、どうやって報復するつもりなのかという疑問が投げかけられる——この疑問は、アニーが斧を手にとってポールの足に向けるときに答えが与えられる。

もちろん、場面内のアクションや出来事が、この疑問の構造によって理解可能になることもある。リチャード・マシスンの小説『アイ・アム・レジェンド』の十八章では、あらゆる対話とアクションが、ルースは信頼できるかという主要な疑問に答えることに——しばしば誤解を招くような形ではあるが——貢献している。

ほとんどのポピュラー文化の物語は一連のアクションを含んでいるため、ポピュラーフィクションでは、因果関係（つまり、前の場面が後の場面を因果的に帰結すること）が、場面および／あるいは出来事を結ぶ主要な接続詞になっていると考えるのが自然に思われるかもしれない。しかし、ほとんどのポピュラー文化の物語で、場面が因果的帰結の連鎖によって相互に結びつくと言うのはもっともらしくない。実際には、連続する物語場面のほとんどは、ストーリーにおける先行の場面によって因果的に決定されているわけではない。

先ほど『ミザリー』から引いた例で、プロットの前半部分に基づいて、アニーはポールのやっていることを知っていると推論することは不可能だろう。むしろ、ポールのアクションとアニーの知識の結びつきは、物語法の観点からすれば、因果関係よりも弱いものになっている。実際、読者に、アニーがポールのやっていることを知っていると明かされるのは、アニーがそう語る場面になってからのことだ。しかし、ポールのアクションの物語られ方と、後半の場面の関係が因果的帰結よりも弱い関係にあると主張したからといって、こうした物語上の出来事の間の結びつきが、読者にとって、非常に理解しやすいものと見なされることを否定しているわけではない。というのは、先行する場面では、きわめて明示的に、アニーはポールが自分の部屋を出る方法を見つけたことを知っているのかという疑問が投げかけられているからだ。このため、アニーがポールに知っていることを突きつける場面は、ストーリーの先行する場面から、因果的帰結ではないが、非常に一貫した形でつながるものになっている。この一貫性の基礎にあるのは因果ではなく疑問だ。

つまり、後続する場面によって、一貫し、結びついたかたちでストーリーを拡張できるのは、後続する場面が、先行する場面や出来事によってテキストの中ですでに読者に明示的に提起されていた疑問に回答を与えているからだ。この場合、物語が理解可能なかたちで進行しているという感覚が生じてくるのは、ストーリーの前半の場面で、きちんと構造化されたふたつの可能性――アニーは知っている／アニーは知らない――に注意が向けられていたという事実のためだ。この可能性のうちのどちらがストーリーの中で実現するのかは、先行する場面によって因果的に含意されているわけではない。そうではなく、この疑問に直接的に答えが与えられるのは二十二章だ。二十二章は、小説のそこまでの場面によって、厳密に含意されているわけではない。しかし、この展開は理解可能なものに思われる。この箇所が修辞的になめらかなものになっているのは、この箇所が先行する部分に最大限に関連しているという事実のためだ。この場面はそこにいたるまでの出来事に関して、重要で、きちんと構造化された疑問に回答を与えているのだ。

この例では、関連する物語上の可能性は二択の選択肢で構成されていた。だが、つねにそうであるとはかぎらない。ミステリで探偵が発見をまとめる前であれば、主要な疑問——誰がやったのか？（フーダニット）——の回答は、考えられる容疑者の数だけ存在する。探偵が示す推理によって、この選択肢がひとつに確定される。選択肢の確定と、それ以前の部分の論理的な接続は、疑問とその回答という関係になっている。『ミザリー』の事例で、物語上の複数の可能性を提起するという発想を捉えるために疑問の概念を使うことは適切に思われる。なぜなら、日常言語で、こうした可能性に言及するために最も便利な語り方は、「xが起きるかどうか？」——例えば「アニーは発見するか？」——というものだからだ。また、疑問という概念によって、ポピュラー文化の物語に対する鑑賞者の反応の中でも、特に明白な反応のひとつである予期を説明できる。つまり、鑑賞者が予期するのは、物語によって虚構世界について目立ったかたちで提起される疑問への回答なのだ。

ポピュラー小説はしばしば、読者があまりに引き込まれるために「ページターナー」と呼ばれる。また、これは一般的に、物語に強く力点が置かれているためだと考えられている。ポピュラーフィクションに疑問による物語法のモデルを適用することで、ページをめくる手が止まらないという現象と、ポピュラーフィクションで採用される物語法の種類の間にどのようなつながりがあるのかが示唆される。つまり、読者はページをめくりながら、目立ったかたちで提起された疑問への回答を見つけようとしているのだ。

同時に、物語上の疑問は一般に回答の範囲が限定されるので、ストーリーが提起する疑問によって、次に何が起こりうるのかという範囲が限定される。物語上の疑問によって次に起こることに制約が課せられ、それがストーリーの一貫性の源泉となる。このため、鑑賞者の予期は、鑑賞者が次に起きることを知っているという予期——明日仕事に行くことを予期しているという場合に見られるような意味——ではなく、次に何が起こりうるかという可能性の範囲についての予期になる。読者や映画の観客がポピュラー文化の物語を追うことができるのは、物語が目立ったかたちで提起した疑問や、鑑賞者の目に止まった疑問に物語が答えることで、物語が理解可能なかたちで進行するからだ。

読者がポピュラー文化の物語を追う仕方を、このように説明することに抵抗を感じる人もいるかもしれない。ポピュラーフィクションの読者が、つねに疑問形成の過程にあるという特徴づけはもっともらしくないと見なされるかもしれない。例えばこうした反論が返ってくるかもしれない——この種の鑑賞者は、自分の中で形成された疑問を内省して意識しているわけではないし、ものすごいいきおいでページをめくっている間に、疑問を内話しているわけでもない。したがって、ここでの課題は、この種の読者(および映画の観客)が、いかなる仕方で、ここまでの仮説にあるような疑問をもっているのかを述べることだ。

当然ながら、わたしが認めなければならないのは、ポピュラーフィクションの鑑賞者は多くの場合疑問を暗黙のうちに形成するし、回答に対する予期は、ストーリーを追う際、多くの場合暗黙のままになっていることだ。ここで「多くの場合」と言うのは、単に、場合によっては、自分の疑問に気がついていることもあるからだ。しかし、それ以外の場合には、わたしたちは疑問に気がついていないかもしれないし、この種の事例を扱うためには、暗黙の疑問という発想を導入しなければならない。

　暗黙的予期ないし潜在的予期という概念――おそらく、それが覆されるまで気づかれない予期――は信じがたいものではない。結局、考えることなしにグラスに手を伸ばし、そこにもうグラスがないことに驚くというのはよくあることだ。こうした場合、わたしたちは明らかに、グラスがそこにあると暗黙的に考えており、予期は暗黙に行動のうちで示されている。

　ポピュラー文化の物語、例えば何らかの映画を追うとき、鑑賞者はドラマの中で描かれた関心の構造全体を内面化するが、この構造にはさまざまアクションの連鎖に対して起こりうる結果が含まれていると主張したい。鑑賞者が、映画を理解可能なものとして受容するためには、その結果のひとつが実現する前に、何らかの意味で、この起こりうる結果を把握していなければならない。わたしの仮説では、鑑賞者は、結果として起こりうる範囲を、暗黙の疑問や潜在的予期として暗黙に投影することでこれを行ない、物語論の研究者はそれを疑問として表現することができる。

　かくして暗黙の疑問モデルでは、鑑賞者がいかにしてポピュラー映画を理解可能なものと見なすことができるのかという点を、鑑賞者が予期する回答の範囲が疑問によって論理的に制約されるという点から説明する。つまり、理解可能性を実現するのは、物語の進行が、一定の制限された行程にしたがい、先行するプロットによって明示的に提示された疑問によって限界づけられるからなのだ。

　暗黙の疑問モデルを受け入れる理由のひとつは、想定される予期を覆した結果を考えればいい。『ゾンビ』のような映画を途中で止めると、暗黙の疑問がすぐに表面化する。「彼らはゾンビになったのだろうか。ショッピングセンターから逃げ出したのだろうか。それともそこでいつまでも幸せに暮らしたのだろうか」。同じように、もし読者からトム・クランシーの『愛国者のゲーム』のようなポピュラー小説を途中で奪い取れば（つまり、そのせいで鼻を殴られたりしなければということだが）、暗黙の疑問が現われるだろうと推測できる。

一見すると疑問／回答モデルは、フラッシュバックのような非直線的な物語操作を扱うには不向きに思われるかもしれない。しかし、ポピュラー文化の物語におけるほとんどのフラッシュバックの目的は、なぜキャラクターが現在のように行動しているのか、あるいは、どうして状況がこのようになったのかという疑問に答えること（あるいは答える方向につながるような情報を提供すること）にある。例えば、シェリーの『フランケンシュタイン』の大部分を構成するフラッシュバックは、ヴィクターが氷山にぶら下がっているところをウォルトンが発見したのはなぜだったのかという暗黙の疑問に答えるために挿入されている。

疑問／回答モデルを、ポピュラー文化の物語を特徴づける核概念として用いるにあたって、わたしはそれが並行展開やフラッシュバックなど、時間関係に基づく物語編成の分類と競合するものだと言いたいわけではない。疑問文——xは処刑されるのかどうか——は、D・W・グリフィスの映画『イントレランス』のように、同時並行で進行するふたつの場面を交互に繰り返すことで形成されることもある。並行の語りという概念は、フラッシュバックの概念と同様に、フィクションにおける時間関係を記述するものであるのに対し、疑問／回答モデルは、物語の場面の修辞的・論理的な関係を記述するものだ。

また、わたしの中心仮説は——これはここでのサスペンスの分析にとってきわめて重要だが——、ほとんどのポピュラー文化の物語において、主要な接続詞ないし論理関係は、疑問によるものになっているというものだ。この仮説を確証する最善の方法は、ポピュラーフィクションを読み始めるか、および／あるいは、映画や、物語のあるテレビ番組を見て、それらの物語のプロットがほぼ完全に疑問モデルで説明できることに注目することだ。

もちろん、ここでいくらか留保が必要となる。疑問／回答構造は、ポピュラー文化の物語法の基本ではあるが、こうした物語は単純な疑問と回答だけで構成されているわけではない。ポピュラー文化の物語のあらゆる場面や出来事を、単純な疑問や回答を与えるだけのものとして記述することはできない。ほとんどの物語では、単純な疑問や回答を与えるだけではなく、場面や出来事の記述はもっと複雑な機能をもつからだ。

ポピュラー文化における物語の多くの場面は、必ずしも疑問を喚起するわけではなく、キャラクター、舞台、状況、出来事を導入したり、あるいはキャラクターや舞台などの重要な属性を導入するために機能している。導入の場面は、ポピュラー文化の物語の序盤にあることが多いが、ストーリーに新たなキャラクターや舞台などが追加される場合には、どの時点でも用いられうる。

ポピュラー文化の物語の場面や出来事は、単に疑問を投げかけたり、ストーリーの序盤で目立っていた疑問に答えたりすることもある。しかし、一部の場面では、話の前半で提起された進行中の疑問が維持されるだけということもある。例えば、『ジョーズ』で死体の数が増える場面が繰り返される際には、何に殺されているのかという疑問が強化・維持されているが、新しい疑問が提起されたり、元の疑問が答えられたりしているわけではない。

また特定の場面では、主要な疑問に対する回答は不完全なものかもしれない。前に引用したドラキュラの舞台化では、ヴァン・ヘルシングはある時点で吸血鬼が犯人だと結論するが、それが誰なのかはわからない。この疑問には後半の展開になるまで回答は与えられない。そして最後に、ポピュラーフィクションでは、ある場面や出来事がひとつの疑問に回答するが、それがさらに疑問を呼ぶことになる場合もある。例えば、前哨基地に凶暴なエイリアンがいることがわかったが、今度はそれによって、その正体は何なのか、エイリアンを殺すことはできるのか、どうすれば殺せるのか、という疑問が湧いてくる。この疑問に答えることが、プロットの残りの部分を左右するかもしれない。

ここまで論じてきた疑問による基本的プロット機能によって、非常に多くのポピュラーフィクションの物語の骨格を描き出すことができる。ポピュラー文化の物語の中のある場面や出来事が、プロットの核心の一部であるかどうかは、それがプロットにおけるアクションをまとめあげる疑問・回答の回路の一部――そこには、疑問の維持、不完全な答え、単純な疑問、単純な回答、疑問・回答の組み合わせが含まれる――であるかどうかによって決まる。キャラクターや舞台の導入に関与せず、疑問・回答のこのネットワークの外にある場面や出来事は脱線になる。もちろん、脱線が必ずしも悪いとはかぎらない。ヴィクトル・ユーゴーの『ノートルダムのせむし男』の象徴の歴史に関する論考のように、脱線が作品全体を豊かにすることもある。

ウィリアム・ジョンストンのポルノ・オカルト三部作（『The Devil's Kiss』『The Devil's Heart』『The Devil's Touch』）で定期的に繰り返される性交のように、ある種の脱線は、特定のジャンルやサブジャンルではお約束になっているかもしれない。したがって、ポピュラーフィクションにおいて、脱線を例外と見なすことには意味がない。しかし、ページをめくる手が止まらないという効果は、サスペンスという主題に特に関連するものだが、これは疑問による物語法の主な機能のひとつであり、この種の物語法は、ポピュラーフィクションにおいてアクションをまとめあげるための特に一般的な手段になっている。

ようやくサスペンスの話題に向かうが、その前に、きわめて重要な、物語上の疑問のふたつのタイプを区別しておく必要がある。ここまでのところでは、わたしは主に、疑問／回答モデルを場面をつなぐ手段として強調してきた。しかし、疑問は、物語全体を組織するための手段でもある。このため、ポピュラー文化の物語法においては、マクロの疑問とミクロの疑問の区別を強調しておいた方がいいだろう。〔スティーヴン・〕キングの『ミザリー』の全体は、いくつか導入のフラッシュバックと『ミザリーの帰還』のテキストを除けば、ポールの窮状を中心に構成されており、ポールが逃げられるかどうか、それとも死ぬのかという疑問を投げかけている。本質的には、『ミザリー』はひとつの包括的なマクロの疑問を中心に構成されているのだ。

さらに、ポピュラーフィクションには、複数のマクロの疑問があるかもしれない。ジェームズ・ホエールの映画『フランケンシュタインの花嫁』では、究極的には一致するものだが、ふたつの主要な疑問がプロットを構成している。第一の疑問は、フランケンシュタイン男爵がプレトリアス博士に説得され、再生実験を行なうことになるのかどうか（最後には、行なう）、第二の疑問は、怪物には最後には友人ができるのか（最後には、できない。花嫁は耐えられなかった）。このふたつの疑問によって、映画の大部分の場面で、交互に基本的な問題構成が与えられる。怪物が友人を探し求めて失敗に終わる場面が繰り返され（例えば、盲目の男との間奏）――それによって疑問が繰り返され――、一方、プレトリアスがフランケンシュタインを誘惑する場面も交互に登場する。その後、実験の目的が女性型の創造、具体的には怪物の友人になるかもしれない存在の創造になり、ふたつのマクロの疑問が収束する。

『フランケンシュタインの花嫁』には、ふたつの主導的なマクロの疑問があるが、それだけではなく、場面同士、虚構の出来事同士を結びつけるミクロの疑問も無数にある。例えば、溺れている少女が怪物に救出される場面では、少女が救い手にどのように反応するかという疑問が生じ、この疑問によって、その後怪物が拒絶される箇所に物語的統一が与えられる。このようにして、ミクロの疑問は、ストーリーのマクロな疑問を進めながらも、同時にプロットの小さな出来事を組織している。

この『フランケンシュタインの花嫁』の例では、ミクロの疑問は、いわば、繰り返される主要なマクロの疑問のひとつの例示になっている。しかし、ストーリー上のアクション連鎖を統一するミクロの疑問は必ずしも、主要なマクロの疑問を繰り返すだけではない。ジェームズ・ハーバートの小説『霧』では、生きた雲が人々を狂気に陥れる。環境省の特務員ジョン・ホルマンは、直近のさまざまな破壊行動の原因を発見するが、警察がその仮説を確証するには長い時間がかかる。この間奏の間に、霧はどんどん大きくなり、犠牲者を増やしていく。

第八章の後半では、最初は温厚なエドワード・スモールウッドというキャラクターが登場する。また、スモールウッドは上司のノーマン・サイムズを本当に嫌っていること、霧の中に入ったことがあること、そして頭痛を抱えていること――わかりやすい霧の汚染の兆候――が明らかにされる。これによって、そこまでのストーリーの展開をふまえれば、スモールウッドがサイムズを殺すのかどうかという疑問が設定される。スモールウッドの狂気は――無害なものだが――すぐに明らかになる。街を歩きながら人の尻を蹴って回るのだ。狂ってはいるが、殺人を犯すようには見えない。しかし、次の場面に移ると、スモールウッドはサイムズを銀行の金庫室に閉じ込め、サブプロットの始まりとなった進行中の疑問に答えが与えられ、それを締め括っている。スモールウッドがサイムズを殺すかどうかというミクロの疑問によって、権威者が霧の存在を認めるのが間に合うかどうかというマクロの疑問が維持され、それによってプロット全体の展開が進み、この短いエピソードに統一が与えられる。

ミクロの疑問とマクロの疑問を区別するためにいくらか時間を費したのは、サスペンスは、疑問による物語法のどちらのレベルでも生成されることがあるからだ。また、物語を特徴づけるための基本的なツールをいくらか整備したので、[21] これでフィクション一般におけるサスペンスの分析と、個別ホラー作品におけるサスペンスの分析に向かうことができる。

## サスペンスの構造

虚構の物語におけるサスペンスは、物語前半の場面や出来事によって提起された物語上の疑問の感情的な付随物として生成される。陳腐な例を挙げれば、ヒロインが線路の上に縛りつけられ、機関車が突進してくる。このまま衝突してしまうのか、それとも救われるのか。サスペンスは、きちんと構造化された疑問——適切な対立する選択肢によって構造化された疑問——が物語の中から生じ、先に単純な回答の場面（ないし出来事）と呼んだものが呼び起こされる際に発生する。サスペンスは、対立する複数の結果のいずれかが現実化される時点まで、そのような場面に付随する感情状態だ。

しかしサスペンスは物語上の疑問から生じると述べるだけでは、サスペンスを他のものから区別するには十分ではない。先に論じたように、疑問／回答の接続は、ほとんどのポピュラー文化の物語に特徴的な結びつきであるが、ほとんどの物語の結びつきは必ずしもサスペンスを伴うわけではないからだ。そこには予期が伴うかもしれないし、サスペンスは予期のサブカテゴリーではあるが、すべての予期がサスペンスであるわけではない。

予期はサスペンスの必要条件かもしれないし、疑問／回答の関係は物語的サスペンスの必要条件だ。しかし、うまく扱えるサスペンス概念をえるためには、予期の概念と疑問の概念にもっと多くのことを付け加える必要がある。

フィクションではなく、実生活におけるサスペンスは、単なる予期ではなく、何らかの欲求が賭けられた予期だ——仕事、入学、ローンの支払い、試験の合格、ひどい状況から逃れること。また、そこで賭けられているものがいくらか心理的に切迫したものになるのは、部分的には結果が何らかの点で不確実であるためだ。実生活からフィクションに目を向けると、大多数のポピュラーフィクションの事例では、日常的なサスペンスの要素——望ましさと不確実性——は健在だが、ポピュラーフィクションの大多数のサスペンスの事例では、この中心的要素の範囲が狭められており、フィクションのサスペンスの対象は、道徳的正しさ（望ましさの適切なサブクラス）と、起こりそうにないこと（不確実性の適切なサブクラス）になっている。ポピュラーフィクションでは、一般にサスペンスが生じるのは、先行する場面および／あるいは出来事から生じた疑問にふたつの対立する可能な答えがあり、それが道徳性と確率に関して特定の値をもつ場合だ。

現実化する結果——つまり、ありえる回答の選択肢のひとつであり、フィクションの中で最終的に確立される選択肢になるもの——は、場面、出来事、および場面・出来事の連鎖がサスペンスを含むかどうかという問題とは無関係だ。つまり、線路上のヒロインが最終的に救われるのか衝突するのかという問題は、結果にいたるまでの間にサスペンスが与えられるかという問題には関係しない。そうではなく、サスペンスは物語上の疑問の構造によって決定され、一方、疑問はストーリーの先行する要因によって喚起される。

もっと具体的に言うと、フィクションにおけるサスペンスが一般に生じるのは、ストーリーで設定された状況において可能な結果のうち、そのフィクションに内在する価値から見て道徳的に正しい結果が、より確率が低い結果（あるいは、少なくとも悪い結果と同程度の確率）となる場合だ。つまり、フィクションにおけるサスペンスが生み出されるのは、一般に、プロット中で喚起される疑問が論理的に対立する答え——xが起きる／xが起きない——をもち、さらにこの対立に関して、道徳と確率の値が逆になるように、道徳と確率の要素が結びつけられている場合だ。[22]

道徳／確率の値の組み合わせの可能な結果をあげると次のようになる。

Ⅰ　道徳的で／確率が高い結果
Ⅱ　悪く／確率が高い結果
Ⅲ　道徳的で／確率が低い結果
Ⅳ　悪く／確率が低い結果

わたしの主張は、一般に、ポピュラーフィクションでサスペンスが生じるのは、起こりうる結果——結末の回答の場面の選択肢——が、このⅡとⅢの特徴をもつ場合であるというものだ。ヒロインが線路に縛られている場合には、道徳的結果（救出）の確率が低く、悪い結果（衝突）の確率が高くなっている。これは経験的な問題だが、わたしの主張では、ホラー作品のサスペンスのほとんどがこのパターンに合致している。ここでの仮説を要約すれば、わたしの提案は、主に、ポピュラーフィクションにおけるサスペンスは、（a）物語における回答の場面・出来事の情動的・感情的な付随物であり、（b）その場面・出来事には論理的に対立するふたつの結果があり、（c）その結果の一方は道徳的に正しいが確率が低く、もう一方は悪い結果だが確率が高い、ということになる。◆23

この定式化は、少なくとも単純な例ではもっともらしく見えることが期待できる。リチャード・コネルの古典的なサスペンスストーリー『最も危険なゲーム』では、ザロフ将軍の「シップトラップ島（船罠島）」を偶然に訪れたサンガー・レインズフォードは、ナイフとわずかな食品をもってジャングルに放たれ、三日間ザロフの狩りの対象になる。レインズフォードには生存の機会はほとんどなさそうだ。ザロフは動物に関しても人間に関しても、博学で経験豊富なハンターで、助手がおり、猟犬がいて、島のことを知りつくしており、銃器を持っていて、人間を殺すことに何の躊躇もない。言い換えれば、ザロフは、ありとあらゆる点で有利をえている。同時に、ザロフの娯楽である人間狩りは道徳的嫌悪を与え、それは物語のいたるところで明らかにされている。このストーリーがこのような構造をもっているからこそ、サスペンスがわたしたちの感情を揺さぶり、興奮しながらページをめくっていくことになる。「レインズフォードは生き残れるのか、それとも死ぬのか」というのが主導的なマクロの疑問であり、その結果は、道徳的には正しいが確率が低い（レインズフォードが生き残る）か、悪いが確率が高い（レインズフォードがザロフの新たなトロフィーのひとつになる）かのいずれかになっている。[24]

あるいは、別の有名な事例を考えてみると、D・W・グリフィスの映画『東への道』では、ヒロインが滝つぼに飲まれそうになる。つまり、この場面が進む間、少年が氷の固まりを動かして助けようとするが、この試みは無駄に終わってしまいそうになる。もちろん、この場面が終わった後では、救出の確率は1になる。しかしその前まではヒロインが救出される見込みは非常に低い。また、無垢な犠牲者の人命と苦しみが、荒ぶる自然の力によって脅かされているため、この場面には悪、つまり神学用語で言う自然悪がある。道徳的努力――救出――は成功しそうになく、悪い結果――この場合は自然悪――は避けられないように思われる。

追跡、レース、脱出、救助、戦闘（拳での戦いから宇宙からの侵略まで）――どれもポピュラー映画の定番だ――がサスペンスを与えるのは、これらの出来事の結果に関して、論理的に対立するふたつの結論に鑑賞者の注意が向けられ、さらに、起きそうな結果は明らかに悪いものであり、道徳的な結果は実現しそうにないというちょうどその場合だ。サスペンスは、道徳的な結果が生じそうな場合や、悪い結果が滅してしまった場合には、フィクションでは――映画であれ舞台であれ文学であれ――成立しないように思われる。[25] スーパーマンの敵がサタデーナイトスペシャル〔安物の小型拳銃〕しか装備していなければ、鑑賞者はサスペンスを感じないだろう（もちろん、スーパーマンが何かをする前に、悪者が無実の人質にそれを使用する危険がある場合は別だ）。

ポピュラーフィクションにおけるサスペンスのこの特徴づけを踏まえれば、ホラー物語でサスペンスがどうやって発生するのかは容易に理解できる。ホラー作品におけるモンスターとその目論見は救いようのない悪だ。モンスターは一般にきわめて強力であるか、あるいは少なくとも、いくつかの点では人間より明らかに有利であり、さらに、多くの場合隠れて行動することで利益をえている。モンスターの存在が信じられていないことが多いのも、哀れで無知な人間に対する優位を増している。つまり、ホラー作品ではモンスターは一般に強者の側におり、ほとんどの場合、そうでなければこの種の作品の重要な部分が失なわれてしまう。その結果、モンスターが人間に遭遇した場合、モンスターの恐るべき動機が成功する見込みは非常に高く、状況はサスペンスに適したものになる◆26。

サスペンスは、ホラーストーリーでは、個々の事件やエピソードから全体的なプロット構造まで、物語展開のほぼすべてのレベルで生じうる。序盤の登場の場面では、モンスターが無辜の何も知らない犠牲者を追っていることに鑑賞者が気づくことでサスペンスが増す。あるいは、モンスターの犠牲者が迫り来る危険に気づいた場合には、モンスターが逃げる犠牲者を追いかけ始めるときに、サスペンスが喚起されるかもしれない。同じように、人間がモンスターと闘うときには、対決にサスペンスが伴うかもしれない。また大規模なプロット展開にサスペンスを組み込むこともできるかもしれない。例えば、邪悪な実験を止めることは難しい、発見者たちは報告を伝えるため追跡から逃れなければならない、人類は怪物との最終的対決の中で、検証されていない策に頼らなければならない、といったかたちで。実際、ホラーストーリーにおける発見と確証の過程それ自体が、サスペンスの対象となることも多い。なぜなら、モンスターの存在の発見と確証は、一般に成功しづらかったり、失敗のリスクにさらされており、この発見や確証が成功しなければ、人類ないし一部の人類が滅びてしまう（人間中心主義的かもしれないが、わたしたちはこれを道徳的に悪い運命と見なすだろう）。

また、ホラーの物語に特徴的な主要プロット機能やプロット展開は、サスペンスを与えるかたちで相互に関連することがある。すでに触れたように、ハーバートの『霧』は、複合的発見型プロットの非常に純粋な例だ。この作品では、警察が、主人公ホルマンの「霧」に関する仮説を確証するまでにかなりの時間がかかる。警察がそうするにはきちんとした理由がある。ホルマンは最近「霧」のために精神が衰弱しており、いくつか不名誉な状況とも結びつけられている。その結果、ホルマンの発見を確証するには長い時間がかかる。このように、確証の展開が進むのと織り交ぜながら、「霧」の力は強まり、新たな登場のエピソードが繰り返され、さらに多くの犠牲者が襲われ、不吉なことに霧はより大きな人口密集地へと向かっていく。言い換えれば、「霧」の存在の確証に時間がかかればかかるほど、「霧」が強力になる見込みが高まるということだ。警察が慎重であることが、小説の中で究極の悪が実現する確率を高める因果的要因として機能してしまうのだ。

先ほど導入した語彙を用いるなら、ホラー作品におけるサスペンスは、他のタイプのポピュラー文化の物語と同様に、ミクロの疑問とマクロの疑問の両方に伴うことができる。マシスンの『アイ・アム・レジェンド』には、ミクロの疑問から生まれるサスペンスの優れた例がある。それは、地上の最後の（したがって、伝説の（レジェンド））人間であるロバート・ネヴィル（他の者は皆吸血鬼になっている）が時間がわからなくなり、太陽が沈もうとしていること、何百もの飢えたアンデッドが徘徊し始めていることに突然気がつくところから始まる。第五章の大部分は、要塞と化した自分の家にたどりつこうとするネヴィルの試みに割かれている——さらに悪いことに、家の鍵は開いたままになっている。

吸血鬼の数は非常に多く、いたるところにいる上、ネヴィルの家の周りに集まる傾向があるので、最後の人間にとって状況は芳しくない。家に帰りついたとしても、招かれざる血に飢えた訪問者を自分と一緒に閉じこめてしまうかもしれない。この章の大部分は、家に帰還するためのアクション満載の挑戦に費やされている。ネヴィルはあらゆる場面で危険にさらされ、つねに間一髪で逃がれる。最終的に自分の家の前の道にたどり着くが、車の中に鍵を忘れ、家にたどり着ける見込みはさらに低くなってしまう。[27]

当然ながら、サスペンスはホラー作品全体を通じてはたらくこともある。映画『ナイト・オブ・ザ・リビングデッド』では、包括的なマクロの疑問は、序盤から、家の中に孤立した小さな生者の集団が生き残ることができるかどうか、ゾンビになることを避けられるかどうかというものになる。見通しは決して明るいものではないし、悪くなるばかりだ。ゾンビは数で勝っており、小集団は孤立し、罠にかかった小隊のように包囲されている。誰も彼らがそこにいることを知らない。グループのふたり——バーバラとジュディス——はヒステリーを起こしやすく、その結果重荷になっている。

人類が勝利する確率を低めるもうひとつの重要な要因は、集団が仲間割れしていることだ。黒人の主人公ベンは地上に留まってゾンビの攻撃を食い止めようとするが、批判的なハリー・クーパーは地下室に留まるよう主張する。この議論は単なる戦術の問題ではなく、誰が「ボス」になるかを巡る意地の張り合いになる。かくして、この議論は、そんな余裕がない状況でありながら、人間が仲間内で争い合う危険にさらされていることを示しているので重要な問題になる。同じように、ハリーの娘カレンは死にかけており、これが実質的に意味するのは、自分たちの中にゾンビ、あるいはグール（このクリーチャーは死肉を食べるのでグールと呼んでもいいかもしれない）が出現するかもしれないということだ。

これらのさまざまな要因によって、ゾンビに囲まれた集団の窮状が規定され、このせいで人間が生き残れる確率をますます低くしてしまう。この映画はもちろん、人間の視点から語られる物語なので、このため、人間の生存は議論の余地なく道徳的に正しい結果として想定されている。このように、この集団の状況はサスペンスを生み出すよう構造化されており、根底にあるこの構造のために、集団がゾンビと遭遇するたびサスペンスが与えられるとともに、個々の場面で確率的な要因が増えていく――例えば、ベンとトムとジュディスがトラックに燃料を補給しようとする場面では、取り囲むゾンビの数だけでもすでにサスペンスが感じられるが、トラックが燃え始めることでさらにサスペンスが高まる。この場面のミクロの疑問――トラックに燃料を補給できるかできないか――は場面内の出来事（偶然の発火）によって左右されるだけではなく、映画全体のマクロの疑問や、それを動機づける確率的要因にも関係している。[28]

サスペンスの核心は、鑑賞者が相対的な確率評価を行なうことにあるので、対立する選択肢の確率が明示的に提示される必要がある。『ナイト・オブ・ザ・リビングデッド』では、地上に留まるか地下に留まるかという議論によって、これが実に効果的に行なわれている。なぜなら、どちらの側が強いように見えても、それぞれの選択肢を示すことで、状況の危うさが明示されるからだ。前述した『ドラキュラ』の舞台版では、もしすぐにドラキュラに杭を打たれなければ、ドラキュラは百年間眠ることができ、それによって追跡者から永遠に逃れることができるとはっきりと述べられることで、より一層のサスペンスが生み出されている。

当然ながら、ほとんどのホラー作品では、序盤にモンスターが人間と遭遇して殺したり戦意喪失させたりすることでその強さが明確に示される。しかし、モンスターに対抗する人間の努力が成功しそうにないことは、発見者がモンスターの力や特徴について話したり、クリーチャーに弱点があるとすれば何なのかを確かめようとする場面でも繰り返され、強調される。よく言われるように、一般にモンスターに対処しようとする試みにほとんど成功の見込みがないせいで、ホラー作品では、モンスターに遭遇する機会のほとんどはサスペンスを与えるものになる。ホラー作品では、多くのエネルギーが、モンスターに立ち向かうあらゆる試みが成功しそうになく、非常に危ういものであることを確立するために費やされる。

大部分において、ホラー作品では、モンスターの悪を描くよりも、モンスターに対抗する人類の努力が成功しそうにないことを確立するために多くの時間が費やされる。ほとんどの場合、モンスターは、非人間的なものが人間の生命を危険にさらすかぎりにおいて悪であると想定されているだけだ。これは、さまざまな吸血鬼や悪魔や魔女や魔法使いなどが名状しがたい邪悪な存在であることを強調するために時間を費やしてはいけないということではなく、単に、モンスターが邪悪であること、およびその企みが不道徳であることは、非常に簡単に実現できるということだ。一般には、モンスターの侵攻が止められないことを確立する方により多くの注意を払わなければならない。

これは、モンスターがあまりに強力であるとか、無敵であることを自ら示すような場面や出来事を物語ることを通して確立される。モンスターは、かすっただけで人間を吹き飛ばし、ライフルでも大砲でも電気でも、何を使っても止められない。また、モンスターの強さについて喋ることでも、怪物に勝てるはずがないという鑑賞者の感覚を強めることができる。

もちろん、ほとんどの場合、モンスターには最終的に何らかの弱点がある。モンスターは火を恐れたり十字架を恐れたりするし、杭で心臓を貫くことや核ミサイルは効き目があるにちがいない。しかし、その場合でも、最終的対決がサスペンスを与えるものになるためには、対抗策が成功するかどうか、および/あるいは最後の瞬間に本当に効果を発揮するかどうかに、何らかの疑いがなければならない。繰り返しになるが、仮にモンスターに対抗する人間の努力が成功するしかないのであれば——それが成功しそうな場合や、特に高い確率で成功しそうな場合——対決はサスペンスを与えないだろう。[29]

ホラー作品の中で、これまで論じてきたサスペンスの定式化からの逸脱に見えるものが起きるのは、モンスターとの対決の中で、鑑賞者が悪魔への同情とでも呼べそうなものを感じ始める場合だ。この有名な例は、『キング・コング』の結末の手前の場面かもしれない。エンパイアステートビル頂上での戦いが激しくなり、コングが滅びの運命をたどっているように見えるどこかの時点で、鑑賞者はコングが倒されることはどこか悲しくまちがったことではないかと考え始める。だがそこにはまだサスペンスがある。しかし、これはわたしたちのサスペンスの理論に反するものに思われる。もし、コングがアンを誘拐したことが、この場面における悪であるとすれば、悪い結果——アンの誘拐の成功——が起きそうにないということによって(コングが機関銃の斉射に耐えられないということによって)、サスペンスが生じていることになるからだ。

しかし、この反例に見える例は、当初の印象よりももっと複雑なものだ。最後の場面の展開が進むにつれ、当然ながら大都市の生活をほとんど理解していないコングが、髑髏島でジャングルの獣からアンを守ったように、飛行機から最愛のアンを守ろうとしていることが明らかになる。また、コングが地下鉄を破壊するのをやめると、コングもまた犠牲者であり、自分の生まれ育った住処から軽率に追放されてしまった者であることがわかる。つまり、最後の場面で状況に対する道徳的評価が変更されるが、これは映画自体がコントロールしている要因のためだ。このため、コングの死によってサスペンスが生まれるのは確かだろう。しかし、これは反例にはならない。なぜなら、コングの明確な美徳と、不当に連れてこられたことが強調されるため、コングの死が道徳的にまちがったことだと感じられるようになるからだ。ビルの頂上でコングがよろめく際、これはまちがったことかもしれないと感じられる。

悪魔への同情は、〔メアリー・〕シェリーの怪物〔フランケンシュタインの怪物〕や、『吸血鬼ヴァーニー』から、クーンツのアウトサイダーや、レイモンド・フィーストの最近の小説『フェアリー・テール』に登場する蜘蛛のようなクリーチャーにいたるまで、ホラー作品で繰り返されてきたテーマだ。モンスターの死によってサスペンスが生まれるように見える場合、その作品を詳しく見れば、一般に、ストーリーの中のモンスターに対する道徳的評価、あるいは鑑賞者のモンスターに対する道徳的評価の根拠が、モンスターに味方する方向に変更されていることに起因していることが明らかになるのではないかと考える。

このサスペンスの理論に説得力があるとすれば、〔アートホラーのようにフィクションに向けられた〕サスペンスのアート感情と[◇5]、ホラーのアート感情が異なるものであることにも同様に説得力があるはずだ。サスペンスの対象は状況や出来事であり、ホラーの対象は事物、つまりモンスターだ。また、これらに対応するアート感情を喚起する評価基準も異なっている。もちろん、ホラー作品においてサスペンスを生み出す状況のタイプには、一般に鑑賞者がアートホラーを感じるモンスターが含まれている。しかし、サスペンスは、問題となっている悪がモンスターではない、ホラー以外の文脈でも発生しうるものだ。

ホラー作品においてサスペンスの感情が向けられる状況には主人公も含まれる。一般には、主人公はモンスターに襲われる側だ。しかし、鑑賞者がこの状況を見る際に伴う感情〔サスペンス〕は、鑑賞者反応の同一化理論がそう主張しているような、人間の主人公の感情の単純な複製ではないことを強調しておくことは重要だ。これは、非常に多くの場合、ホラー作品の読者や観客は、状況に関してキャラクターよりも多くの情報にアクセスできるということを思い出せば容易にわかることだ。例えば、モンスターに追われているキャラクターは、モンスターがそこにいること、あるいはそんなものが存在することすら認識していないかもしれない。こうした事例では、キャラクターには驚く手がかりがないので、鑑賞者がキャラクターの感情状態に同一化しているというのは問題にならない。

また、こうした状況は、鑑賞者のサスペンスという点では、キャラクターがモンスターがそこにいることや、モンスターが存在することに気づいている場合と質的に変わらないように思われる。このため、前者〔気づいてない事例〕で鑑賞者による同一化を想定する必要がないのであれば、後者〔気づいている事例〕でも想定する必要はないように思われる。また、キャラクターがモンスターと対面したときには、実際にはサスペンスに浸っている暇はないという仮説を立てたくなるかもしれない。キャラクターは何らかの信頼できる逃避行動を取るべきだろう。もしそうしないのであれば、キャラクターは、他の情動を感じる余裕もほとんどなく、単にひどく怯えていて動けなくなっているだけではないだろうか。

しかし、わたしのこのちょっとしたアームチェア心理学が思弁的すぎるとしても、鑑賞者が感じるサスペンスが状況の思考に根差しており――このため鑑賞者は自分が危険にさらされているとは感じておらず――、一方キャラクターが感じている感情がどんなものであれ、自分が危険にさらされているという信念から生まれているかぎり――この信念によって、キャラクターのふるまいと鑑賞者のふるまいが明らかに異なるものであることが説明される――、キャラクターの感情状態と鑑賞者の感情状態は依然として異なるものでなければならない。

　ホラーのアート感情とサスペンスのアート感情は別のものだが、それらを組み合わせることは簡単だ。そして、ホラーというジャンルを軽く知っているだけでもわかるように、両者が同時に生じることは多い。これらふたつの情動は共存しうるし、ホラー作品の物語の分節のあらゆるレベルで協調した効果をもたらすよう機能しうる。さらに、サスペンスはまた、前にホラーの物語法で特に特徴的なテーマのひとつとして指摘したもの、すなわち、発見（および発見の第二の形態としての確証）のテーマに関して、きわめて重要な役割を果たすことができる。ホラー作品ではモンスターの発見の過程そのものが、強いサスペンスの対象となりえるからだ。

　前節で論じたように、開示のドラマは、必ずしも絶対的に不可欠というわけではないにしても、ホラージャンルの根強い魅力になっている。一般に、モンスターの開示や発見は、ホラー作品の中では特別な強調つき（フェルマータ）で供されるものだ。何らかの障害によって、完全な開示が妨げられることも多い――はじめのうちキャラクターはモンスターの存在や正体を知らないかもしれないし、あるいはキャラクターと鑑賞者の両方とも知らないかもしれない。モンスターが発見されるかどうかがサスペンスの源泉になることも多い。なぜなら、モンスターが発見されないままであるかぎり、悪が栄えるわけではないとしても、鑑賞者にとって、悪が存続しそうに感じられるからだ。そして、鑑賞者が、争いの原因がモンスターや悪魔であることをまだ確実に知らない場合であっても、サスペンスは生じるかもしれない。なぜなら、フィクション作品それ自体によって、問題となっているものは何らかの恐ろしい悪であるという確率が高められ、緊張が高まったところでついに悪い選択肢が明らかにされるからだ。このように、サスペンスとホラーは別のものであるにもかかわらず——ホラーのないサスペンスストーリーも、サスペンスのないホラーストーリーもあるかもしれない——、両者には、偶然だが自然な親和性があるのだ。[30]

# 幻想

「幻想 the fantastic」は、ツヴェタン・トドロフが同名の著書の中で定義した文学ジャンルのラベルだ。[31]その中心的な効果である「幻想のためらい」は、主にプロットの問題であるため、これについての議論を本章に含めることにした。しかし、理由は後で明らかになるが、純粋幻想型のプロットは、わたしが定義しているようなホラーの例ではない。例えば、トーマス・マンの『衣装戸棚』は、ホラーストーリーではなく幻想の例になっているし、リチャード・オブライエンの『Evil』のような最近のパルプ小説もそうだ。

幻想は、それ自体が独立したジャンルだが、ホラージャンルの隣接ジャンルであり、ホラープロットの特定の形態と密接な関わりをもっている。このため、純粋幻想型のプロットは、ホラー物語の例ではないが、幻想について考えることで、文学や映画における多数のホラーストーリーの重要な特徴が明らかになるのだ。

トドロフの幻想の有名な典型例は、ヘンリー・ジェイムズの『ねじの回転』だ。一般に合意されているように、この物語では、この家が本当に呪われているのか、それとも霊のしわざに見えたものが、錯乱した家庭教師のヒステリーによる想像の産物なのか、話の最後になっても読者にはわからないように語られている。つまり、この本は、超自然的な読みと自然主義的な読み――後者の場合、ストーリーの中で起きる異常が心理学的に説明され、前者の場合、出来事は現実のものとして受け入れられる――というふたつの読み方の両方を支持している。鋭い読者は、これらの解釈のどちらも決定的なものではないことに気づき、そのため、両者の間で揺れ動き、ためらうだろう。トドロフにとって、この超自然的な説明と自然主義的な説明の間の揺らぎやためらいこそが幻想の特徴となる。

この点では、幻想はわたしが概念化したホラーのサブジャンルではない。わたしの説では、ホラーの特徴は、科学によって自然主義的に許容できないモンスターの存在にある。つまり、わたしがホラーストーリーと呼ぶものでは、読者／視聴者、あるいはキャラクターは、わたしたちが知っているような科学の指針に従わない超自然的な（あるいはＳＦ的な）事物が存在し、それによってあらゆる問題が引き起こされていることを遅かれ早かれ認めることになる。◆[32] このように、幻想文学が自然主義的説明と超自然的説明の間の揺らぎによって定義されるのに対し、ホラーでは、ある時点で通常の科学的説明を放棄し、超自然的（またはＳＦ的）説明を選ぶ必要がある。

幻想はホラーから区別されるが、まったく異質なものというわけでもない。なぜなら超自然的説明と自然主義的説明の間の戯れは多くのホラープロットで重要な役割をもっているからだ。例えば、複合的発見型プロットでは、キャラクターおよび読者はプロットの発見と確証の展開を通じて、超自然的説明と自然主義的説明の間で選択しなければならなくなるかもしれない。多くの場合、ホラーのプロットは、キャラクターや鑑賞者には隠されたところで、あたかも幻想の作品であるかのように展開し、その後、発見の瞬間に、直近の騒動の裏には超自然的存在があるのだという情報が与えられる。つまり、多くのホラーストーリーは、いわば幻想物語として始まり、モンスターの存在が読者に明らかにされ、認識された途端にホラーになる。このように、ホラーと幻想の間には明らかに関係があるため、トドロフの幻想に関する発見が、ホラー物語の特定の特徴とどの程度関連しているのかを探ることが有用になってくる。

トドロフは、形式的には、幻想文学を三つの特徴で定義している。

まず第一に、テクストが読者に対し、作中人物の世界を生身の人間の世界であると思わせ、しかも、語られた出来事について、自然主義的な説明をとるか超自然的な説明をとるか、ためらいを抱かせなければならない。第二に、このためらいは、作中の一人物によって感じられていることもある。その場合、同時にためらいもまたテクスト内に表象されることとなる。つまり、作品のテーマの一つとなってくる。そして、ごく素朴な読み方がされる場合、現実の読者はそうした作中人物と同一化するのである。第三に、読者がテクストに対して特定の態度をとることが重要である。すなわち、読者が「詩的」解釈も「寓意的」解釈も、ともに拒むのでなければならない。これら三つの要請は、すべてが等価ではない。第一と第三の要請が、真にジャンルを構成するものであって、第二の要請はかならずしも満たされなくてよい。[33]

第二の条件は選択可能なものであり、第三の条件は消極的なものであるため、ここで引用した第一の属性——ストーリー中の出来事が自然主義的解釈と超自然的解釈というふたつの解釈を受け、また、これらの解釈のどちらも他方を決定的に上回るものであってはならないこと——こそが、このジャンルの積極的本質を与えている。つまり、ストーリー中の出来事は、これら競合する説明に関して、読者にとって曖昧なままでなければならない。例えば、ストーリー中の出来事が驚くべきものであったとしても、わたしたちは、それを超自然の領域に委ねることを拒否するかもしれない。その理由は、ストーリー自体にあるかもしれない。例えば、これらの出来事の報告は本当は夢であったことがわかるかもしれないし、何らかのトリックの可能性があるかもしれない（屋敷が呪われているように見えるが、夜中にドンドン音がするのは遺言の受益者を狂気に追いやろうとする親類によって仕組まれたことかもしれない）。あるいは、その理由は、ストーリー中の情報提供者が錯乱しているためかもしれない。そして、ストーリー中では、この可能性が開かれたままになっているので、読者は超自然的解釈に落ち着くことができない。そうではなく、読者は自然主義的説明と超自然的説明の間で判断を保留するのだ。

シャーリイ・ジャクスンの小説『丘の屋敷』は、トドロフが理論化した純粋幻想型プロットの例であるように思われる。ジョン・モンタギュー博士は、呪われているという噂が長年ささやかれているヒルハウスを調査するグループを結成する。ストーリー全体を通して奇妙な出来事が起こり、超自然的な出来事が起きようとしているという可能性が高められる。しかし、テキストでは、この出来事が自然主義的に説明できないという可能性さえ実際には排除されていない。その理由は部分的には、研究者が落ちついて起きたことを調べ、これらの異変の原因と思われるものに関して決着することがないからだ。

ストーリーの結末を飾る出来事は、エレノア・ヴァンスを中心に展開する。エレノアは過保護に育てられた独身女性で、家族以外の世界をほとんど経験したことがないが、家族を嫌っている。また、自分が迫害されていると感じる傾向を示している。エレノアは、自分が軽んじられていると想像したり、暗黙に約束していたことが破られただけで、嫉妬したり憤慨したりすることがある。第九章までには、自分のうちに閉じこもり、他の誰にも聞こえない声を聞くようになっている。

エレノアは屋敷に誘いかけられ、支柱の腐った階段を登ったように思われる。読者は、屋敷のせいで、エレノアが過去の陰惨な出来事、特に数十年前に家の近辺で起きた自殺を再現しようとしているのではないかと思うだろう。エレノアは最終的に他の心霊研究者たちに救われるが、彼らはエレノアを家に返すべきだと考える。彼らは明らかにエレノアの行動に動揺しており、それがはっきりと危険なものだと考えている。しかし、エレノアが取り憑かれているという疑惑が明確に裏づけられるわけではないし、彼らのふるまいは、エレノアが単に錯乱しており、自分に害を与えようとしている信念とも両立するようになっている。

エレノアは車で去るが、大木に衝突する。この木もまた、ヒルハウスで以前に起きた死にまつわるものだった。研究チームはヒルハウスを去り、本は結末を迎える。

もちろん、強く示唆されているのは、屋敷がエレノアに取り憑いて、恐ろしい過去を再現させたということだ――これは確かに幽霊屋敷ものジャンルの定番のテーマのひとつだ。しかし、エレノアが精神的に不安定になっている可能性も残されている。超自然現象が問題になる以前から、エレノアは「所属したい」、愛されたいという強い欲求をもっている。この点に困難を感じたとき、エレノアは、ヒルハウスに所属している（あるいはヒルハウスのものになる?）と感じることで、拒絶されたと思っている自らの境遇を慰めているように見える。エレノアの状況の多くはエレノア自身の視点で語られているので、世間知らずのエレノアの共同研究者に対する評価が正確なのか、想像なのかはわからない。しかし、エレノアにはどこか感情的におかしなところがあるので、エレノアが自身の態度や欲求を、テオドラなど他の者に投影している可能性は、読んでいる間、開かれたままにしておかなければならない。

小説の結末で、超自然の凶行と思われるものの中でもとりわけ劇的な出来事が起きたとき、状況はそこでもエレノアの視点から語られる。エレノアの思考は強迫観念的で、取り憑かれているか、狂気に陥っているかどちらかに思われるほど上の空になっている。エレノアがおかしくなったのか、それとも家に支配されているのかはわからない。この物語に本当に欠けているのは――わたしはこれはジャクスンの戦略の一部だと考えるが――グループの他の人々が二度の「憑依」の場面のいずれかを分析することだ。つまり、わたしたちには出来事を超自然的に説明する傾向がそなわっているかもしれないが、わたしたちは、それが「外部」の観察者による何らかの推理の議論によって裏づけられることを望んでいる――観察者は、これまで触れられていなかった行動や、何らかの状況を見つけられる立場にあり、それが超自然的説明に関して決定的なものになるかもしれない。しかし、これは決して実現せず、このせいで、ためらいなく超自然的仮説を採用することは難しくなっている。幻想のモードにある多くのストーリーと同じく、『丘の屋敷』では超自然的な説明を採用したくなるようになっており、もしかするとわずかにそちらの側に立っていると言えるかもしれない。しかし、十分に曖昧な部分が残されているので、良識にしたがい、完全な確信をもってその説明を受け入れることはできないようになっている。

レ・ファニュの短篇小説『緑茶』は、この規範からの興味深い逸脱を示している。それはジェニングス師という牧師の自殺を記録したもので、ジェニングスは自分が小さな黒い邪悪な猿に苦しめられていると信じていた。この短篇は、形而上学的医学なる分野を専門とするヘッセリウス博士のメモや手紙から構成されている。猿が超自然のものであることは、話の中で少なくともほのめかされてはいる。ヘッセリウス博士がジェニングスの書斎のスウェーデンボルグの著作に目を通す際、悪霊に関する教義、つまり、おぞましき獰猛な欲望の化身である動物のかたちをとり、人間の魂に取り憑いて、「その人間と近しい」ことを知ると、その者を滅ぼすために話しかけてくるものがいるという説が紹介される。この記述はもちろん、後にジェニングスを襲う、ジェニングスにしか見えない猿にも当てはまっている。

しかし、この短篇では最終的にこの説明は支持されない。そうではなく、ヘッセリウスが手紙で主張するところでは、ジェニングスは緑茶を飲んでいたせいで幻覚に苦しんだのだという。これはヘッセリウスが奇妙な確信をもつ説、脳はある種の神経液で体をコントロールしており、緑茶を習慣的に飲むこと（ヘッセリウスからすれば乱用）によって、この神経液が汚染され、脳の内眼が乱されてしまうという説と結びついている。この状況は、氷で冷やしたオーデコロンを塗るだけで治る。残念ながら、ヘッセリウスはこの治療法をジェニングスの自殺前に適用することはできなかったが、機会があれば牧師を治療することもできたはずだとこぼしている。

しかし、この短篇は自然主義的解釈で終わっているが、これは信用できそうにない。神経液や、氷で冷やしたオーデコロンの話は、きわめてばかげたものに思われる。だが、より重要なのは、レ・ファニュがヘッセリウスを危うい立場に置こうとしているように見えることだ。ヘッセリウスはジェニングスを治療していないことを認めており、医学的診断をしたのかどうかすらはっきりしない。せいぜいジェニングスの話を聞いただけだし、自分が話をすべて聞いたかどうかすら疑っているように思われる。この文脈をふまえれば、ヘッセリウスはあまりにも自信過剰に見える。くわえてその仮説はあまりにもうさんくさく、この作品の結末の自然主義的説明を受け入れていいのかわからなくなる。作中において、この忌まわしい猿が「悪霊」かもしれないという可能性について、依然として考えつづけてしまうのだ。

　幻想物語の多くでは、はじめは超自然的説明が強く支持されるが、自然主義的説明が戻ってくるような無視しがたい抜け穴が残されている。一方『緑茶』では、レ・ファニュは自然主義的説明を盛大に喧伝しているが、それはどうも過剰すぎるし、拭いがたい超自然の抜け穴が残されている。[34]

　トドロフの用語は使っていないが、ダグラス・ギフォードは、ジェイムズ・ホッグの『悪の誘惑』を、幻想のカテゴリーに位置づけるような仕方で解釈している。ギフォードは次のように書いている。

> この小説の構成要素（編者の語り、罪人の回想録と告白、最後の編者の注釈の三つ）と、その中のキャラクターや事件の配置は、超自然的／主観的経験に対し合理的／客観的経験を対置するという全体的パターンに適合するように作られている。これは完全な分離ではないが、大まかに言えば、第一部では読者および作家の合理的精神がそこでの出来事に論理的な説明を課そうと奮闘し、一方第二部で

は、読者は、少なくとも一時的に、超自然的出来事による主観的説明を受け入れることをことを許す傾向があると主張できる。第三部では、双方の新たな証拠を用いてふたつの主張の秤量が行なわれ、一方または両方の側に決着するような最終解決にはいたらないことが明らかになる。◆35

ホッグの小説は、ロバート・ウリンギムという男の体験を描いたものだ。伝えられるところによれば、ウリンギムが殺した者の中には、兄、母親、自ら誘惑した女性、そして最後には自分自身まで含まれており、一方父親とされる人物を早死にさせたと言われている。ウリンギムの行為は、悪魔的なドッペルゲンガーに支配されたという仕方で理解できるかもしれないし、あるいは、宗教的狂信と恨みをこじらせ、そのせいで、空想の中で邪悪な悪魔の存在を作り上げ、自らのあらゆる悪行をその悪魔のせいにしたという風に理解できるかもしれない。

この物語の語りでは、ストーリーを二度語ることで、ふたつの解釈の均衡を保っている。はじめは、虚構の編者が義とされた罪人の経歴の説明を与える。この説明には、奇妙な出来事がいくつか記録されているが、大方においてはもっともらしく、自然主義的なストーリーのように読める（ただし、特定の箇所では、一部のキャラクターが錯覚に陥っている可能性を認める必要があるが）◆36。

本書の第二部は、義とされた罪人の視点から語られている。これは前の説明と食いちがっており、明らかな自己欺瞞に陥った語り手の心理的欲求によって歪められていることが強く示唆されている。例えば、ウリンギムは二度語られた出来事の中の自分の役割を前の説明より英雄的に描いている。また、超自然的解釈が最も詳細に述べられているのはこの箇所であるため、語り手がどんどん不安定になっているように見えるという事実によって、この超自然的説明を留保なしに受け入れることができないことが含意される。なぜなら、説明は自己防衛のための狂気の妄想の投影であり、ロバート・ウリンギムが自らの犯罪を否認する手段に他ならないからだ。[37]

最後の部では、どちらの側の解釈にもさらに多くの証拠が付け足されているが、どちらか一方に確定することはない。これらの論考の虚構の編者は、ロバート・ウリンギムについて次のように締めくくっている。「端的に言って我々としては、この人物が人間の姿をしたものの中で最大の愚かものであるばかりか、比ぶべくもない恥知らずであると考えざるを得ない。彼は狂信の徒であり、誤った教えに惑わされた人間について狂気の涯まで書きつづけているうちに、自分こそ描き込んでいた当の対象であると信ずるにいたったのだ[6]」。つまり、義とされた罪人は、超自然的な解釈の下ではひどい愚か者であり、哀れな者だ。オルターエゴが現実であれば、それが悪魔であることに気づかず、その見えすいた策略に引っかかるのは愚か者だけだろう。あるいは、ロバートは気が狂っていて、その告白は苦しまぎれのでっち上げかもしれない。テキストは、どの選択肢が最も有力なのか述べることを拒絶し、読者は判断保留の状態で残される。

狭義の幻想は、自然主義的説明と超自然的説明の間のためらいが物語全体を通じて維持され、読者が結末まで、対立する解釈のいずれも異論の余地なく正しいと判断できないストーリーから成る。もちろん、多くのストーリーは純粋幻想の例ではなく、自然主義的説明と超自然的説明の間のためらいが、特定の地点、多くは物語の終盤近くまでは維持されるものの、最終的にはいずれかの解釈が相手を凌駕することになる。これによって、もちろん純粋幻想とは異なる二種類のストーリーが生み出される。ひとつは、幻想の流れで始まるが、語られた異常事に対する自然主義的説明を選ぶもので、もうひとつは、幻想の流れで始まるものの、最終的にはその起源について超自然的説明を与えるものだ。トドロフは前者を「幻想的怪奇」と呼び、後者を「幻想的驚異」と呼んでいる。[38] これらのプロットは、いわば純粋幻想ジャンルの境界線上にあるジャンルを表わしている。

コナン・ドイルのミステリ小説『バスカヴィル家の犬』は、幻想的怪奇のプロットの実例になっている。古代の呪いという文脈で起きた殺人事件が、比類なきシャーロック・ホームズの手によって、人間の陰謀の産物であったことが示される。つまり、ホームズは最後に正しい自然主義的説明で事件を解決するのだ。一方、本章で取り上げたホラープロットの多くは、幻想的驚異に分類される。読者は、多くはキャラクターとともに、自然主義的説明と超自然的説明——例えば、野犬のしわざなのか人狼のしわざなのか——の間を行き来し、最後には自然主義的説明が尽き、モンスターの存在が発見され確証される。

もちろん、この種のホラーストーリーは実際に幻想的驚異のサブカテゴリーだ。しかし、だからと言って幻想的驚異のモードをとるすべてのストーリーがホラーストーリーであるわけではない。なぜなら、ホラーに関するわたしの立場では、その存在が最終的に認められる超自然的ないしSF的モンスターは恐怖と嫌悪を与えるものでなければならないからだ。しかし、幻想的驚異の方は、驚異を与えるものがホラーを与えるかどうかにかかわらず、等しく条件が満たされる。例えば、存在が最終的に認められる驚異的なものは、慈悲深い天使であってもいい。

幻想——ストーリー全体（純粋幻想）であれ、その一部の箇所（例えば、幻想的驚異）であれ——を生み出すコツは、証拠をできるかぎり非決定的なものにしておくことだ。証拠が不確定であることがストーリーの布地に織り込まれていなければならない。つまり、物語の語りによって情報の流れを調整し、競合する複数の仮説が発展し維持されるように、あるいは少なくとも、両方の仮説が発展し、どちらも発見の瞬間までは取り返しのつかないほどに損なわれないようにしなければならない。もちろん、純粋幻想作品の場合は、どちらの選択肢も完全に撤回されることはない。

これを可能にするひとつのやり方は、正気が疑われる（あるいは、他の何らかの仕方で信頼できない）キャラクターを通じて超自然的仮説の証拠を伝えることだ。これによって、物語の語りの一部に含まれる事件や考察については、それがキャラクターの「内部」の視点のものであれ「外部」の視点のものであれ、キャラクターの報告は不確かなものとなる。

また別のやり方は、トドロフが強調しているものだが、文のレベルで、認識論的に弱い命題的態度によって証拠を物語ることだ。トドロフは、ジェラール・ド・ネルヴァルの『オーレリア』から無作為に選んだ抜粋によってこの例を与えている。

> 見覚えのある家に戻っているように**思えた**。［…］マルグリットと呼びならわし、子供の頃からずっと知っているような**気がしていた**老女中が、私に向って言った。［…］地球を貫く深淵の中へと落ちて行くような**気がした**。自分が溶けた金属の流れになんの苦痛もなく運ばれて行くように**感じていた**。［…］その流れは、分子状の生きた霊魂からなっているような**感じであった**。◆[39]

つまり、ここでは「思える」「気がする」「感じる」「感じであった」という話法によって、報告されているはずの事態を、決定的に真正なものとして捉えることが許されなくなっている。このように、プロットを進めるにあたってこの種の話法を用いることで、作者は自然主義的に説明できない事件の可能性を導入することができる。同時に、報告されていると思われる事柄を無条件に支持することはできなくなっている。なぜなら、この報告が置かれている文脈の心理状態は、述べられている事態が実現しているという推論を論理的に保証しないものだからだ。◆40

このような話法の選択は、純粋幻想型の作品だけでなく、幻想的驚異のサブカテゴリーに含まれるホラー物語でも使用できるものだ。この種の作品では、作者は、おそらくプロット序盤の登場の展開では、モンスターが自然主義的に説明可能なのか、それとも超自然的なものなのか、読者にためらいを与えたいと望むだろう。弱い様相表現やその他の修飾語――「おそらく」や「きっと」など――や、仮定法構文を使用することで、作者は、超自然的なものの存在を完全に裏づけずに暗示することが可能となる。

ここまでの箇所ではトドロフにしたがい、議論を文学に限定していた。しかし、トドロフの考察の一部は、いくつかの仕方で映画についての議論にも拡張できる。最初はこの主張は疑わしく思われるかもしれない。なぜなら、映画には純粋幻想型の例がそれほど見られないからだ。おそらくジャック・クレイトンの一九六一年の映画『回転』（ジェイムズの『ねじの回転』の映画化）はそのひとつだろうが、こうした映画は珍しい。しかし、映画には、幻想的怪奇や幻想的驚異の例はたくさんある。それどころか、わたしたちの関心から言えば、映画における幻想的驚異ジャンルの大多数は、おそらくホラー映画なのだ。

映画における純粋幻想型の例がきわめて少ないのは、その媒体が写真という基礎に基づくことに関係しているように思われるかもしれない。つまり、一度超自然の存在を見せてしまえば、それで話は終わりだ。それ以上その存在に疑問を抱くことはない。普通の鑑賞者であれば、映画の映像によって、モンスターが作中で存在することが含意されると受け取るだろう、というわけだ。しかし、ここには見落されている事実があって、映画制作者が利用できる映画的装置や慣習は無数にあり、これによって、映画の中で提示された情報を、これまで論じてきた言語的手段と少なくとも機能的に等価な形で、曖昧にすることができるのだ。

映画のプロットではもちろん、不安定なキャラクターを表現できるし、それによって、そのキャラクター視点のショットが信頼できないという可能性を導入することができる。また、さらにこれに組み合わせ、ショットを視覚的に不明瞭なものにすることで、鑑賞者が自分（およびキャラクター）が何を見ているのかわからないようにすることができる。『回転』では、家庭教師の視点による「幽霊」のショットのいくつかは、ロングショットの上、露出過度ぎみになっており、見ているものに対する確信が薄まり――特に家庭教師の心理的に疑わしいふるまいを考えると――、解釈の余地を生むようになっている。実際、ホラー映画のスクリーンに映し出されるものの多くは、たとえそれが信頼できないキャラクターの視点からではなかったとしても、超自然のたくらみの決定的証拠として受け入れるべきかどうかに保留を与えるようになっている。例えば、モンスターらしきものが画面に出てこないことも多い。わたしたちはモンスターが存在するかもしれないと考えるが、その認識の根拠は、推論的なものだけに留められている。

例えば、『キャット・ピープル』――これは幻想的驚異のためらいを導入する複合的発見型プロットの作品だが――で、イレーナが公園沿いでアリスを追う場面では、人間の姿をしたイレーナとアリスのショットを交互に映しながら場面が進む。アリスのショットを見るときには、最初はイレーナのハイヒールが舗道を踏む音が聞こえてくる。しかし、ある時点からハイヒールの音が消え、イレーナが豹になった可能性が示唆される。わたしたちはイレーナが豹になったことを知っているわけではなく、変身したところは見ていない。あくまでそう推論しているだけだ。しかし同時に、この推論は、後から出てきた証拠によって簡単に覆されてしまうことにも気づく。ここでは、実に映画的な物語法——編集と非同期の音声——を採用することによって、わたしたちが超自然的な説明を採用するよう仕向けているが、一方で、この装置の「断片的」な構造によって、注意深い懐疑をかすかに抱くようになっている。

同じように、動物の足跡のようなものがハイヒールの痕跡らしきものにつづいているのを見て、わたしたちはこれがイレーナの変身の証拠だと推論するが、同時に、これはイレーナの変身を自分の目で見る場面ほどには説得力がないことに気づく。実際、ほとんどの観客がここで、弄ばれていることに気がつくのではないだろうか。わたしたちは、イレーナが変身する怪物（シェイプチェンジャー）であるという解釈を支持するように誘導されているが、その認識の根拠は、議論の余地のあるものであり、直接変身を見るよりはるかに弱い。またこれによって、映画を観る者は、理想的には、超自然的説明をとるか自然主義的説明をとるかの間で決着をつけるという問題が、画面上で文字通りに猫のクリーチャーを見るという予期が最終的に満足されるかどうかにかかっていることに気がつくのではないだろうか。

『キャット・ピープル』のような映画は、超自然的なものがはたらいているという確信をつき崩す映画的装置や慣習のレパートリーのひとつであり、同時に超自然的なものが存在する証拠も蓄積させている。この映画では、すべてがイレーナが変身する怪物（シェイプチェンジャー）である可能性を示しているが、映画の結末までは、疑問の余地なくこの見解を受け入れることがためらわれるようになっている。イレーナがアリスを追いかけた後、カメラは死んだ羊に切り替わり、イレーナが内臓を貪ったのではないかと推測できる。しかし、これもまた推論であり、わたしたちは目撃者ではない。むしろ、『キャット・ピープル』のような映画では、鑑賞者に推論させる編集の力を利用することで映画における視覚的な物語の可能性が追求されており、編集によって厳密には何が保証されているのかが鑑賞者にとって不確かなものになっている。あるいは、もっとシンプルに言えば、『キャット・ピープル』のような映画は、理想的に進んだ場合、編集によって鑑賞者の注意を自分の推論に向ける。鑑賞者は、自分が猫のクリーチャーの存在を推論していることに注意を喚起され、再びこれが理想的に進んだ場合には、これによって、この推測の根拠が実際に目撃するほど確実ではないという事実に敏感になる。[41]

別の例をあげれば、鑑賞者がイレーナのうなり声を聞いたと思ったときに、スクリーンに停車するバスが現われ、うなり声だと思ったものがバスのドアが開く音だったという可能性が導入される。わたしたちはそれがうなり声だったことにはっきり自信をもっている。しかし、これが例えば法廷での証言であれば、反論されうることは認識できるだろう。

同じように、アリスがプールで襲われたとき、動物の姿をしたイレーナは見えていない。うなり声は聞こえるが、それは屋内のプールで聞こえる反響音のようなものとして説明できるかもしれない。また、この場面は暗く、影が揺らめいており、視覚的にも混乱しやすい場所になっている。もちろん、『キャット・ピープル』全体を通じて、イレーナが猫型の姿で登場する場面のほとんどは非常に暗く、もし猫が存在するとしても、猫は黒く、簡単に隠れることができてしまう。猫の存在を示唆するものは、曖味な影とスクリーン外から聞こえるうなり声だけだ。さらに、この証拠は、イレーナの不安についての自然主義的説明が、どこかあやしげな精神科医によって進められているという状況の中で起こっている。その仮説を決定的に阻却するには、鑑賞者が猫のクリーチャーをはっきりと目撃する必要があると感じられるのではないだろうか。

イレーナが精神科医を殺した後、鑑賞者は豹の姿を垣間見ることができ[42]、映画の結末までには超自然的解釈が確立する。しかし、この映画のドラマは、鑑賞者が超自然的解釈は議論の余地なく正しいと確信する瞬間を長引かせることで成り立っている。また、超自然的解釈が議論の余地のない事実となっているのは、主に鑑賞者にとってのことだ。イレーナは、精神科医との争いで負った傷で死ぬ直前に、動物園から本物の豹を放つので、フィクションの世界の警察は、精神科医の死を逃げた豹によって説明するのではないかと思われる。つまり、アリスとイレーナの夫は、権威者に超自然的なものの存在を確証するには苦労するだろう。

『キャット・ピープル』では、暗闇、影、スクリーン外の音、編集の使用が、鑑賞者にとって「と思われる」などの言語的修飾のように機能している。これによって超自然的仮説が展開されるが、自然主義的な抜け穴の可能性が残されている。しかし、この抜け穴が機能する仕方は少し複雑だ。それは、反論の余地のない目撃者の証拠と推測との間の暗黙の区別に依存している[43]。

鑑賞者は、スクリーン外のうなり声を聞いたとき、アリスのローブがズタズタに引き裂かれているのを見たとき、精神科医と格闘している大きな猫の影を見たとき、イレーナが猫のクリーチャーであると推測する。しかし同時に、その知識が推論的なものであり、間主観的には議論の余地があるものであることにも気づくだろう。そのため、鑑賞者は、超自然的解釈が最も魅力的な解釈であるにもかかわらず、疑問の余地なく超自然的解釈の側に立つことをためらうことになる。

鑑賞者がこのようにふるまうのは、自分が第三者に超自然的解釈を納得させようとするのであれば、この感覚に基づく証拠を報告しても、果たして確実なものとして抵抗なく受け入れられるだろうかと自問するからではないだろうか。そしてもちろん、これが受け入れられないのは明らかだ。というのは、場面の暗さは認められるし、主張のおよそ九九％が推論に基づくものであることは事実だからだ。わたしたちは、自分が理想的な目撃者ではないことに気がついており、また、自分が満足いくまで、あるいは警察や裁判所などが満足いくまで、モンスターをじっくり見ることができないかぎり、超自然的仮説を受け入れられないと見なすのではないかと思われる。

『キャット・ピープル』のような映画で、超自然的説明を受け入れることにためらいを生むために利用されているのは、観察による知識に対し、わたしたちの文化で、法律などの実践において使用されている基準だ。つまり、スクリーン外の音、暗いライティング（あるいは『回転』のように、露出過度などによる視覚への介入や、カメラと被写体の距離を遠くするなどのかたちで視覚を曖昧にすること）、影などの装置を使った物語法によって、鑑賞者は、何が起こっているのかに関する自分の感覚が、目撃の確実性をもっておらず、印象や推論に基づいていることに気づく。この目撃の確実性がなければ、感覚からの証拠が合理的な疑いの範囲を越えることはない。そして、幻想的驚異の映画では、この種の目撃の確実性が与えられるまでは、超自然的仮説を留保なく受け入れることはできないようになっている。あるいは、わたしには、少なくとも、これがこの種のジャンル映画の主要な前提となっているように思われる。

言い換えれば、ホラー映画で「幻想のためらい」に必要な不確実性を生み出すために利用されるのは、観察からの知識に対するわたしたちの文化の標準、特に法的証言のような実践の中に具体化されたそれだ。わたしたちの文化には、感覚に由来する知識をもっているという主張に対する一定の評価基準がある。そこに含まれるのは、知覚の対象が、識別にふさわしい距離ではっきりと明確に見えていること、再認に十分な時間感知されていること、障害物なしに直接感知されていることなどだ。映画では——編集、カメラの角度、カメラの位置、ライティング、テンポ（ショット中、ショット間の）、対象の配置、セットのデザインなどの手段によって——、観る者の観察による知識の条件の一部やそのすべてに問題を起こすことができる。これによって観客は例えばイレーナについて——バスの場面などで——イレーナが変身したことを知っていいたと言うのではなく、豹の姿になってアリスを追いかけていると思ったとか、そう信じていいたと言う立場に置かれる。このように、映画的な物語法（視覚的装置と聴覚的装置の両方からなる）のレベルで、映画は幻想や幻想的驚異に必要なある種のためらいを喚起することができるのだ。

超自然的なものがいるのではないかという疑いを生みつつ、それを確証することを防ぐため、映画で使用できる他の装置として、わたしが「役割なきカメラの動き unassigned camera movement」と呼んでいるものがある。例えば、〔ピーター・メダック監督の一九八〇年の〕『チェンジリング』では、書斎にいるジョージ・C・スコット演じる主人公の周りでカメラが動き始める。カメラは新しい物語内の情報を与えているわけではないし、その動きが場面の中の特定のキャラクターの動きと明確に相関しているわけでもない。それは、物語性やキャラクター性の機能の観点からは、何の役割も付与されていない。しかし、カメラの動き自体が注意を引きつける。鑑賞者はそれを見る。そして鑑賞者は、カメラの動きが、邪悪な目的でスコットを観察している目に見えない超自然的な力がそこにいることを表現しているかもしれないと推測せずにはいられなくなる。鑑賞者はこれを確かに知っているわけではない。むしろ、このカメラの動きのポイントは、鑑賞者を不確実な状態に誘い込み、超自然的な説明をしたくなるようにしむけることにある。しかしこの超自然的説明は、これまでの論じてきたような目撃の確実性をもっているわけではないので、完全に受け入れられるわけではない。

また、映画制作者は特定のハリウッドのコードの曖昧さを利用して、「幻想のためらい」を引き出すこともできる。〔『キャット・ピープル』の続編の〕『キャット・ピープルの呪い』では――これはホラー映画ではなく純粋幻想カテゴリーの映画だが――、『キャット・ピープル』のイレーナというキャラクターが孤独な子どもの前に現われる。しかし、『呪い』の方では、イレーナはホラーを与えるのではなく、天使のような存在になっている。イレーナは子どもと友だちになり援助を与える。にもかかわらず、イレーナが妖精の名付け親（フェアリーゴッドマザー）のようなものなのか、それとも子どもが心理的必要に迫られて作り出した空想の友人（イマジナリーフレンド）なのかは、映画の中では曖昧だ。この曖昧さは、イレーナが訪れる場面にも反映されている。こうした場面は、映画の中の他の場面とは異なるライティングになっており、ハリウッドの「幽霊」のコードが利用されている。しかし、このコードは、神秘的な超自然的出来事でも、強烈な心理状態でも同じように使われるので、イレーナが心理的なものなのか、それとも形而上のものなのかという疑問を解決するのではなく、むしろ疑問をかきたてるようになっている。このように、夢の状態を含む心理状態に、〔幽霊と〕同じ映画的様式化を利用できるかぎりにおいて、すでに自然主義的解釈と超自然的解釈の間で対立が生じている物語の文脈の中で、この種のコード化された映像を導入することで、「幻想のためらい」を強化することができる。当初は、『エルム街の悪夢』もこうした曖昧さから恩恵を受けていたかもしれないが、現在では知識のある視聴者は、フレディが「現実」であることを知ってしまっている[◆44]。

また、映画でこの種の多義的なコードを使用することは、文学の内的独白の中で、不自然な話法や、曖昧な話法や、きわめて隠喩的な話法を使用することといくらか類似しているかもしれない。文学の場合、この種の書き方を採用することで、心理的解釈と超自然的解釈の間で曖昧になる。例えば、『丘の屋敷』では、エレノアが自殺するために車をカーブさせたとき、次のように書かれる。

> 今度は本当に大成功よ——彼女はそう思いながら、ハンドルを切って、私道のカーブに生えている大木めがけて突っ込んでいった。ええ、今度こそ本当に成功するわ。自分の手でしっかりと、ついに、やってみせるのよ。これがわたしなんだから。わたしが本当に、本当に、今度は自分で成功させるのよ！
>
> 大木に激突する直前の、まるで時間が止まったような、終わりのない一瞬の中で、彼女は最後にはっきり思った——なぜ、わたしはこんなことをしているの？　なぜ、わたしはこんなことをしているの？　なぜ、誰も止めてくれないの？[◇7]

わたしには、ここで執拗な繰り返しによって、心理的な錯乱だけではなく、取り憑かれて強制されていることも示唆されているように思われる。また最後の疑問は、これは本当はエレノア自身がやっていることではない（家がやっている）ことを示すものとして理解されるのか、それとも「わたしは何をしているの？　おかしくなってしまったの？」と理解されるのかが曖昧になっている。

文学も映画も、「幻想のためらい」を生み出すために近い程度のリソースを利用できる。映画の場合は、超自然現象と思われる兆候に、目撃の信頼性の点で問題を起こすことができるのと同じように、文学の場合は、作家が統語論的に選言的な報告を使用したり、曖昧な記述を使用したり、モンスターの登場と思われるものに伴う視界の悪さや雰囲気の影響を引き合いに出すことで、同様のことを行なうことができる。文学も映画も、実物を登場させるのではなく暗示に頼ることで、超自然的仮説への鑑賞者の予期を積極的に喚起しつつ、同時に、仮説が次のような目撃者の情報によって裏づけられてほしいという欲求をかきたてることができる――映画の場合はモンスターを直接に写すこと、文学の場合はモンスターを直接記述すること、あるいは、文学でも映画でも、信頼できるキャラクターが、そのメディアの視点の構造に合ったかたちでモンスターを目撃することだ。もちろん、純粋幻想型の作品では、この種の裏づけは決して与えられない。ホラー研究に最も関わる幻想的驚異のモードでは、この種の裏づけが必要とされる。

すでに論じたように、トドロフが特徴づけた純粋幻想型の作品は、本書で概念化されているホラーとは別のジャンルだ。しかし、幻想とホラーには明確な結びつきがあり、幻想のジャンルは、非常に多くのホラーのプロットに関して示唆に富んだものになる。なぜなら、多くのホラープロット、特に本章の最初で発見と確証と呼んだものを含むプロットでは、読者および／あるいはキャラクターに「幻想のためらい」が与えられるからだ。実際、多くのホラープロットは、明らかに幻想的驚異のカテゴリに分類される。しかしホラーは幻想的驚異と同一ではない。なぜなら、幻想的驚異のプロットの中には、驚異的な存在が恐怖も嫌悪も与えないプロットがあり、それはホラーの例に含まれないからだ。また、読者に「幻想のためらい」の間奏を与えないホラープロットもある。

にもかかわらず、ホラープロットの多くは、「幻想のためらい」の要素をいくらかは与えており、幻想的驚異の明白な例になっている。一方、この構成要素をもたないさらに多くの作品では、読者の経験ではなく、キャラクターのレベルで幻想のためらいを表現している。後者のような例は幻想的驚異ではないが、それでも、対立する複数の解釈の戯れという重要な要素を保持していることになる。ただし、鑑賞者には、何が正しく誰が正しいのかを知るという贅沢が与えられているのだ。

「幻想のためらい」のテーマは――純粋なかたちのそれであれ、キャラクターだけに委ねられたその亜種であれ――、多くのホラープロットに浸透している。そしてこれは、わたしがこれまで何度か指摘してきたような、推理、証明のドラマ、対立する仮説の戯れなど、ホラープロットで繰り返される要素の観点から興味深いことだ。なぜなら、当然ながら「幻想のためらい」は、鑑賞者の側、キャラクターの側、あるいはその両方に、この種の反応を呼び起こすからだ。つまり、「幻想のためらい」がある場合、解釈の対立があるだけでなく、その対立を、推理、証明のドラマ、競合する仮説の戯れと関係させつつ考えることになりそうだ。こうした要素は、ホラーでは、キャラクターによって表現されるかもしれないし、鑑賞者に対して喚起されるかもしれないし、あるいはその両方かもしれない。にもかかわらず、いずれの場合であっても、鑑賞者は、こうした要素によって、美的効果のための論証もどきに引き込まれ、突飛なものではあるが、発見の過程を通じて知的冒険のようなものに巻き込まれることになる。

もちろん、「知的冒険」ということでわたしが示唆しているのは、ホラー作品によって鑑賞者が大統一理論のような難解で厳密な理論を作り出すということではない。ホラープロットで使用される論証や発見は偽であるだけではなく——人狼はいないし、死体に電流を流しても肉が焼けるだけだろう——、比較的単純なものである。にもかかわらず、人はそこに引き込まれてしまう。なぜなら、それらは突飛な仕方で表現されており、その中身はさらに突飛な発見ではあるが、それでも、主張に対する反論という論証の構造をもつことが多く、これが注意を引き付けるからだ。また仮説が関わる場面では、予測が満たされれば満足感が与えられるからだ。これは非常に低いレベルの推理の行使だが、にもかかわらず、それによって、どんな発見と確証にも、あるいはどんなパズルと解決にも伴う程度の快はえられるだろう。あらゆる証明には、それについての何らかのドラマがある。ホラーのプロットは、この証明のドラマを利用するが、その利用の仕方は特にその主題に合っている。なぜならホラーストーリーの主題というのは、その存在が否定されているか、思考不可能であり、その結果、証明が要求されるようなものだからだ。

**原註**

◆1 この種のプロットについては、すでに“Nightmare and the Horror Film: The Symbolic Biology of Fantastic Beings,” *Film Quarterly*, vol. 34, no. 3 (Spring 1981) で論じている。この論考で、わたしはこのプロットを、発見型プロットと呼んでいる。理由は後で明らかになるが、わたしはプロット構造の名称を変えただけでなく、ホラープロットの説明を、この論考にあるものよりはるかに複雑なものにした。ホラーの物語法を扱う本章では、この主題について以前考察した内容を置き換え、この分析の長所を取り入れつつ、単純化しすぎていた部分を補うことを意図している。

◆2 ここでわたしが問題にしているのは登場についてだ。キングの『IT』は、直接的には複合的発見型プロットの例ではない。この作品は、発見型プロットだが、発見のプロセスが繰り返されていると考えた方がよいだろう。

◆3 多くの場合、キャラクターと鑑賞者は同時にモンスターの存在を発見する。しかし、上述したように、鑑賞者がモンスターの存在やその正体に気づくのは、キャラクターが同じことに気づくよりも先になるかもしれない。この場合、物語の語りの中のふたつの発見――ひとつは鑑賞者による発見で、もうひとつはキャラクターによる発見――を区別したくなる人もいるかもしれない(さらに複雑なことに、異なるキャラクターやキャラクター集団が、おたがい独立してモンスターの存在を発見することも起こりえる)。それにもかかわらず、これら複数の発見は、モンスターの決定的な出現、つまり中心的な主人公たちがモンスターの存在を完全に確信した時点に収束する傾向がある。この時点は、すでにモンスターの存在を知っている鑑賞者にとっても、非常に重要なものになる。なぜなら、鑑賞者は、人間のキャラクターがモンスターを発見するかどうかというサスペンスに引き込まれているからだ。

◆4 モンスターがスクリーン外にいて登場していない間に、ホラーを与える性質を詳細に帰属させることが重要であるということは、ホラー映画が、ミステリ映画と同じように、映画に音がついた後に盛んになった理由を説明する際に関係してくるかもしれない。どちらのジャンルも、サイレント映画では主要なジャンルではなかった。ミステリの場合、この理由は明らかだ。探偵もののストーリーのインパクトの大部分は語り――特に映画の最後の結末で、探偵が出来事の経過を語り直すところ――にかかっている。しかしサイレント映画のインタータイトル〔文字で表示される説明文〕に、この語りをすべて載せるとなると非常に面倒なものになってしまう。あるいは、ついでに言えば、法廷もののミステリードラマで対話に必要な台詞を並べるのにどれだけインタータイトルが必要になるかを考えてみてほしい。当然ながら音声映画では、同じ量の話し言葉を、もっと簡単に、途切れることのない情報の流れに含めることができる。これによって、ミステリー映画が、音声映画になってから成立するようになった理由が示唆されている。

◆5 しかし、同じ点は、ホラー映画に関しても成り立つと主張したい。言語、話し言葉は、ホラー映画において最も効果的な要素のひとつだ。そして、このジャンルがサイレント映画より主に音声映画で成功しているのは、サイレント映画に効果音がないことよりも、トーキー映画に、まだ見ぬモンスターについての対話があることの方が大きいのではないだろうか。ベラ・ルゴシは見た目が恐ろしいわけではないが、ヴァン・ヘルシングが吸血鬼について、および吸血鬼には何ができるかという講義を終える頃には、ドラキュラの侵攻を戦慄とともに迎える準備ができている（準備させられてしまっている）。

◆6 この推理ゲームはキャラクターによって演じられるだけではなく、鑑賞者も手がかりをつなぎ合わせているかもしれない。さらに、鑑賞者が、個々のキャラクターよりも多くの手がかりをもっている場合には、鑑賞者の仮説はキャラクターよりも先んじているかもしれない。

◆7 こうした仕掛けについての議論としては、Harold Schechter, *The Bosom Serpent: Folklore and Popular Art* (Iowa City: University of Iowa Press, 1988) を参照。

◆8 首が一八〇度回転するのは、黒ミサと結びついた乱交のしるしだ。サタンが魔女と肛門性交する際の習慣とされている。

舞台『ドラキュラ』のプロット構造についてのこの分析は、本節のプロットの説明の多くと同様にいくらか省略を含んでいる。本節では、プロットの詳細な形式的な分析は省略する。というのはわたしの目的は、この種のプロットがどのように機能するかという全体的感覚を伝えること、およびこの種のプロットの広範な例示にあるからだ。それぞれの例について事細かに物語論的分析を行なっていけば、うんざりさせてしまうだけではなく、関連するプロット機能の概要を示すという目的にとっては逆効果になりかねない。だが、これらの例について、説得力のある正確で詳細な形式的分析を提供することは可能だと考える。また、わたしが素描し、細部を詰めてきた抽象図式は、多くの場合、予備的な考察にすぎないが、扱ってきたテキストや映画についても、他の作品についても、もっと正確な分析を展開する上で役立つだろうと考える。

◆9

ブレナン神父はこれまで出てきた発見者の多くとは少しちがっている。神父は元々の悪魔の陰謀にはある程度加担していたようだが、その後は手を引いている。このため、神父がダミアンについてソーンに話したことのうち、どの程度が共謀者として知っていたことで、どの程度が発見の結果なのかははっきりしない。この点では、発見者というより開示者と呼んだ方がいいかもしれない。そして、この場合に関しては、発見の展開ではなく、開示の展開または開示機能と呼んだ方がいいかもしれない。本文での説明では、この改良を追加しなかった。なぜなら、発見機能と開示機能は、全体的な物語の観点から見ると、ほぼ同じ役割を持っているように思われるからだ。しかし、今後の研究では、先述したプロット構造に関して、こうした微妙な改良点を探っていくことが役立つかもしれない。

研究の現段階では、本章におけるプロット構造を、ホラーの基本構造の第一近似と見なしている。この第一近似は、他の研究者が別のプロット構造（わたしが見落としていたかもしれないものなど）を発見したり、わたしが特定した構造をより細かく改良した分析のための踏み台として利用されることを意図したものだ。わたし自身は、本章における研究や本書の他の部分は暫定的なものだと見なしている。ホラーのプロットに関する自分の説を十分に明確にするよう試みることで、他の研究者がその欠点を有益なかたちで批判し、この分野の研究を拡大していけるようにしている。これらのプロット構造が決定版だとは考えていないが、本書で提示したものが議論の末に取って代わられる場合であっても、それが刺激となり、その明確さを通じて、継続的な議論を促進することを期待している。

◆10

多くの鑑賞者の記憶に残っているだろうが、ジェニングスの斬首は映画のショッキングな場面だ。ジェニングスが身をかがめて儀式用の短剣を拾い上げるとき、トラックのブレーキが解除され、坂道を転がり落ち、障害物に衝突する。すると、トラックの荷台から板ガラスの破片が滑り落ち、ジェニングスの頭を胴体からきれいに切り離す。この場面は、非常に優美で、繊細とも言えるスローモーションのショットになっている。『オーメン』は、現在のホラーサイクルにおけるホラー映画の多くと同じように、映画における壮麗な死のスペクタクル――鑑賞者を歓喜させる見世物（グランギニョール）——を演出する。この種の場面には、見事な複雑さ、息を飲む映画の精確さが含まれている——例えば、ブレナン神父が串刺しになる場面など。こうした映画では、死と破壊の場面が徐々に凝ったものになっていくことが多い——まるでシークエンスを順番に積み上げていくような感じだ。例えば、『オーメン』の続編、『怪人ドクター・ファイブス』シリーズの殺人、オリジナルの『ハロウィン』や『13日の金曜日』の連続殺人などにこれが見られる。

スペクタクルを好むという点で——またスペクタクルをエスカレートさせるという点で——、近年のホラー映画は、エフェクトをフェティッシュと化す方向に向かう現代映画の大きな流れの一部である。近頃の映画の多くは、かつての「生産量」に代わって、「破壊量」とわたしが呼ぶもの、カーチェイス、殺人、銃撃戦など、増加の一途をたどる派手な映画技法を用いている。これは特にホラー映画に顕著であり、ホラー映画は、目のくらむような特殊効果や映画技法を導入する上で都合の良い目的となっている。おそらく、評論家がスペクタクルに夢中になる時代に、ホラー映画が覇権をえるというのは偶然ではないのだろう。

同じく、スペクタクルを求める流れはブロードウェイにも及んでおり、ブロードウェイの劇場は、これまでハリウッドに結びつけられてきた規模のショーを次々と上演しようとしているように見える。そして、この特殊効果が使用される劇の中でも、現在最大のスペクタクルは『オペラ座の怪人』だ。

◆11
複合的発見型プロットはホラージャンルだけに特有のものではないことにも注意すべきだ。このプロットは、わたしが（ホラーではなく）至福 beautific/beatific ファンタジージャンルと呼ぶタイプのファンタジーにも見られる。例えば、『未知との遭遇』は、『ジョーズ』などの映画によく似た複合的発見型プロットをもっているが、『未知との遭遇』で発見され、存在を確証されるのは、拒否感の対象ではなく、畏敬の対象となっている。犯罪ものや探偵もののスリラーでもこのプロット構造が採用されるかもしれない。このように、複合的発見型プロットは、ホラーのテキストに特徴的に見られる装置にすぎず、このジャンルに不可欠の装置ではない。とはいえ、特徴的な装置ではあるので、このジャンルについて多くのことを教えてくれるかもしれない。

◆12
物語構造や、その源泉についての議論など、『キング・コング』に関するもっと詳細な説明としては、わたしの

"*King Kong*: Ape and Essence" in *Planks of Reason*, ed. Barry Keith Grant (Meteuchen, New Jersey: The Scarecrow Press, 1984) を見よ。

◆13 もちろん、可能なプロットのうちの大多数は、きわめて熱心なホラーファンすら耐えられないほど繰り返しが多くなってしまうので、実際には使用されないだろう。

◆14 越境者（多くの場合ナントカ博士）は、特にストーリーのこの段階では、一般に非常に誇大妄想的で、この側面は、例えば、ユニバーサル映画の『フランケンシュタイン』や『フランケンシュタインの花嫁』では、めまいがするほど高くそびえ立つ実験室のセットによって表現されている。

◆15 本文で述べたことは、特に有名な越境者型ストーリーの多くを的確に記述していると考えるが、このプロット展開に関して、一部の越境者の場合には、大混乱を引き起こすモンスターを存在させることが実験の重要な部分であるという事実を許容する必要がある。ここで、フリッツ・ラングの古典映画『メトロポリス』でのロボットの創造を考えてみよう。ロボットは破壊を引き起こすよう作られているので、これは実験が失敗した例とは言えない。破壊のために創造するマッドサイエンティストや魔術師に合わせて、この越境者型プロットのこの展開を、「実験の悲惨な結果」として概念化した方がいいかもしれない。しかし、すでに述べたように、このプロットの最良の例では、悲惨な結果は通常、越境者の期待していたことが予想していない仕方で挫折するという物語の文脈で起こるように思われる。

◆16 このプロット機能の別名についてはひとつ前の註を参照。

◆17 場合によっては、この「最善策を見つける」という要素はクライヴ・バーカーの『髑髏王』のように読者に任されることもある。そこでは、主人公よりも読者の方が女体像の重要性について多くを理解している（対決の最中に主人公はその場かぎりの推理をいくらかしてみせるが）。

◆18 Eric Rabkin, *Narrative Suspense* (Ann Arbor: University of Michigan Press, 1973).

◆19 Edmund Husserl, *The Phenomenology of Internal Time-Consciousness* (Bloomington: Indiana University Press, 1964). 七六ページで、フッサールは次のように書いている。「根源的構成の過程はすべて〈到来するものそのものを空

虚に構成し、捕捉し、充実へもたらす未来把持〉によって活かされているのである」〔エトムント・フッサール『内的時間意識の現象学』立松弘孝訳、みすず書房、一九六七年、七〇頁〕。

◆20 Roland Barthes, "Structural Analysis of Narrative," in *Image-Music-Text* (New York: Hill and Wang, 1977). p. 119 からの引用。

◆21 疑問による物語法に関する完全な説明については、わたしの *Mystifying Movies* (New York: Columbia University Press, 1988) を参照。また "The Power of Movies," in *Daedalus*, vol. 114, no. 4, (Fall 1985) も参照。

◆22 このサスペンスの分析のひとつの帰結は、サスペンスとミステリの関係を論じることができるようになることだ。ミステリとサスペンスは密接に関連した現象のように思われる。多くの場合、ミステリ作品は、半ば自動的にサスペンス作品の例として扱われる。しかし、先に述べたサスペンスの理論は、本当にミステリの本質を捉えているだろうか。もちろん、非常に広い意味ではそうだろう。ミステリには、容疑者が捕まるのか、捕まらないのかというマクロの疑問がある。おそらく、容疑者の逮捕は、道徳的善であり、証拠が不確かであるため、生じにくいことのように思われる。しかし、サスペンスの定式化をこのように適用すると、ミステリの特別な部分、または、少なくとも、ジョン・カウェルティのような人が古典的な探偵ミステリと呼ぶものを適切に特徴づけることができない（John Cawelti, *Adventure, Mystery and Romance* [Chicago: University of Chicago Press, 1976] を参照）。〔J・G・カウェルティ『冒険小説・ミステリー・ロマンス――創作の秘密』鈴木幸夫訳、研究社出版、一九八四年〕

　足りていない特徴は、古典的探偵ミステリの中心的な要素であるパズルだ。この問題に対するわたしの解決は、古典的な探偵小説は、ゆるい仕方でサスペンスの領域に属してはいるが、サスペンスとは重要な点で異なる独自のカテゴリーであると考えた方がよいと主張することだ。サスペンスとミステリを区別する際、わたしは、トドロフが犯罪小説を分析する際に、スリラー作品と探偵作品を区別するのと同じような区別をしている（トドロフの "The Typology of Detective Fiction," in Tzvetan Todorov, *The Poetics of Prose* [Ithaca: Cornell University Press, 1977]）。

この図式をふまえると、サスペンスにおける疑問と古典的ミステリの疑問の構造を考えることで、サスペンスとミステリの違いに焦点を当てることができる。サスペンスの疑問にはふたつの競合する回答がある。しかし、典型的なミステリの疑問（誰がやったのか）には、フィクションの中の容疑者と同じ数だけ回答がある。ミステリ作品の大部分は、一連の不確かな手がかりを導入し、犯罪を犯した可能性のあるあらゆる容疑者を精査することに費やされる。しかし、犯人——わたしたちはその正体が明らかになることを予期している——は、小説の結末近く、ないし結末の場面まで、正体が明かされることはない。

限定された範囲ではあるが、この時点でわたしたちの予期はサスペンスの性格をもっている——容疑者が明らかになるのかならないのかが疑問になるだろう。しかし同時に、この予期は結果よりも解決、つまり誰がやったのか（フーダニット）のパズルの解決に焦点が向けられている。また、このパズルにはふたつ以上の選択肢があるかもしれない——容疑者の数だけ回答の可能性がある。このため、映画『影なき男』の結末では、夕食の席にいた全員に犯人の可能性がある。探偵はそれぞれの証拠を秤にかけて推理の技を見せる。しかし、わたしたちの予期は、ふたつの可能な結果によって構造化されるのではなく、いくつかの可能な解決に分散されている。『オリエント急行の殺人』では、探偵が人々を集める場面——古典的探偵ジャンルの真髄とも言える瞬間——の前までに、可能な解決が十程度ある。

このため、サスペンス作品と古典的ミステリは、いくつかの点で重なり合ってはいるが、相異なる形式をもち、形式の違いは、主導的な疑問の構造の違いを参照することによって述べられると考えた方がよいかもしれない。サスペンスでは、主導的な疑問にはふたつの対照的な結果が求められるのに対し、ミステリでは、鍵となる疑問は、ふたつの対照的な回答に限定されず、可能性のある回答は容疑者の数だけあるのだ。

◆23

サスペンスに対するこのアプローチは、もともとは "Toward a Theory of Film Suspense," in *Persistence of Vision*, no. 1 (summer 1984) で進められたものだ。この論考の後で、わたしは、このアプローチが認知心理学における特定の研究と重要な点で関係していることを発見した。特に、Paul Comisky and Jennings Bryant, "Factors Involved in Generating Suspense," in *Human Communications Research*, vol. 9, no. 1 (Fall 1982), pp. 49–58 を参照。

この論文では、サスペンスは、不確実性と、危険にさらされた主人公を好む鑑賞者の傾向性によって決まるとされている。論文の著者らは、状況の道徳性ではなく、主人公を好む傾向性について書いているが、被験者の傾向性の根底に道徳的配慮があることは、キャラクターに関する実験資料の枠組から（キャラクターは人間嫌いの隠者、または善人、または好ましい人物である）明らかだ。

◆24 最近の映画『プレデター』はわたしには、本質的には『最も危険なゲーム』の焼き直しであるように思われる。

◆25 Comisky and Bryant, "Factors Involved in Generating Suspense," p. 57 を参照。

◆26 また、ホラーストーリーにおける人間の主人公は、一般的に、道徳的に忌しいモンスターとは対照的に有徳な存在として描かれる。このため有徳な人間のキャラクターが倒されてしまう可能性によって道徳的不正が含意されるので、人間が倒されるかもしれないということによってサスペンスが与えられるのだ。サスペンス的状況の道徳的評価を確実にする上での徳の役割については、わたしの "Toward a Theory of Film Suspense," を参照。

　コミスキーとブライアントは、サスペンスの特徴づけの中で徳について語っていない。しかし、鑑賞者は主人公に対して肯定的な傾向性をもつことに関する著者たちの説明は、わたしが徳と呼んでいるものをもつことと密接に関係しているようにわたしには思われる。ここで触れた傾向性の編成に関する研究としては、以下を参照。D. Zillman, "An Anatomy of Suspense," in *The Entertainment Functions of Television*, ed. P. H. Tannenbaum (Hillsdale, New Jersey: Erlbaum, 1980); D. Zillman, J. Bryant, and B. S. Sapolsky, "The Enjoyment of Watching Sport Contests," in *Sports, Games and Play*, ed. J. Goldstein (Hillsdale, New Jersey: Erlbaum, 1978); and D. Zillman and J. R. Cantor, "A Disposition Theory of Humor and Mirth," in *Humour and Laughter*, ed. A. J. Chapman and H. C. Foot (New York: Wiley, 1976).

◆27 これはサスペンスではよくある仕掛けだ。善の力を代表する者にはチャンスが与えられるように見えるだけではなく、いつも何らかの困難——鍵を忘れるなど——が導入され、サスペンスの機構が何度も駆動されるのだ。クライヴ・バーカーの『髑髏王』では、主人公のロンが、お守りのおかげで優位を保っているように思われるところで狂った助祭デクランが飛びつき、そのため一時的に髑髏王が勝利する見込みが高まる。

◆28

本文中で述べている蓋然性や確率の話は、物語の中でひとつの結果が実現する以前に、場面で起こりうる結果に関して、個々の鑑賞者に相対的に評価される蓋然性を指している。また、わたしが語っているのは、フィクションによって提示された結果の確率であって、実生活の類似した状況における確率のことではない。つまり、ゾンビ化しているかどうかに関わらず、人体が30‐30の弾丸〔ライフル用の弾丸〕を至近距離から受けて耐えられる確率は実際には低いだろう。だが、『ナイト・オブ・ザ・リビングデッド』で、グールたちの身体構造について作中で語られていることを踏まえれば、グールが生き残ることは十分ありえるだろう。

また、鑑賞者によって相対的確率が推定される際、「ヒロインは一般的にギリギリのところで助けられる」とか「主人公は普通殺されない」など、ポピュラーフィクションに求められるものに関する知識は、カテゴリー的に除外していることも付け加えておくべきだろう。

この相対的確率の話は、サスペンスを成功させるためには（ショックではなく）鑑賞者が知識をもつことが重要だということを強調した――*Hitchcock/Truffaut* (N.Y.: Simon and Schuster, 1967)〔フランソワ・トリュフォー『定本　映画術――ヒッチコック／トリュフォー』山田宏一・蓮實重彦訳、晶文社、一九九〇年〕――アルフレッド・ヒッチコックの本質的真理を具体化したものだと考えられる。わたしの考えでは、鑑賞者が必要とする知識とは、場面において起こりうる結果の相対的確率の知識だ。

さらに、本文でのサスペンスの特徴づけにおいてわたしが念頭に置いている確率の概念は、専門的なものではない。読者や観客がxが起きる確率が高いとか低いと信じるということは、鑑賞者が確率計算の観点からxに何らかの順位や値を付値することではない。そうではなく、鑑賞者はxの確率が高いならばxが生じやすいと信じているか、あるいは、作中で利用可能で許容可能な証拠に基づけば、xが生じることは合理的に予期される、と信じている。これは、鑑賞者が映画館の座席で、専門的なものであれ非専門的なものであれ、能動的に確率を計算していることを含意するわけではない。二台の車を見れば――車同士が向かいあっており、距離一メートルで、どちらも時速一二〇キロで走行しているとすれば――、衝突する確率は高い、あるいはむしろ、すごく確率が高いという信念がただちに形成されるだろう。同じように、ヒロインの首から数センチ離れたところに電動のこぎりがあり、主人公がまだ別の部屋で電光石火の六人の忍者と戦っていれば、意識的な計算をせずとも、ヒロインの命は高い確率で風前の灯だと推定されるだろう。

◆29 ここまでのサスペンスの議論では、映画、文学、演劇の例を自由に行き来してきた。その明白な理由は、わたしがサスペンスの一般理論を素描しようとしているからであり、その一般的な概略はメディアを横断して適用されるべきものだからだ。もちろん、だからと言って、サスペンスをはたらかせるためのリソースや慣習がメディアによって異なることがありえないと言いたいわけではない。例えば、わたしの考えでは、文学におけるサスペンスと映画におけるサスペンスの形式的手段には一定の違いがあり、前者から後者へ単純に移植しようとすることには問題がある。文学におけるサスペンスでは例えば、キャラクターの心の中に入り込み、キャラクターが何を感じているのか、これから何が起きると考えているのかを直接的に細かく時間をかけて説明することで、サスペンスが物語られることが多いようだ。つまり、キャラクターの思考が直接提示されることで、さまざまな結果の蓋然性や確率の低さが精査されるとともに、ホラーを与える敵に嫌悪が付与される。また、このようにキャラクターの内的な評価に基づいて詳しく記述することは、文学では、アクションシーンの最中でも持続できる。しかし、映画におけるサスペンスの場面で、（おそらくボイスオーバーナレーション〔音声のコメンタリー〕を使って）同じように描写するとすれば、少なくともアクション映画の一般的な規範からすれば、不器用で非映画的なものになってしまうだろう。

◆30 本文で概略したサスペンスの分析と擁護についてのより詳細な説明については、わたしの"Toward a Theory of Film Suspense"を参照。

◆31 Tzvetan Todorov, *The Fantastic* (Ithaca, New York: Cornell University Press, 1975).〔ツヴェタン・トドロフ『幻想文学論序説』三好郁朗訳、東京創元社、一九九九年〕

◆32 ひとつ、わたしがトドロフの説明から逸脱しているのは、わたしは、説明が超自然的なものに頼っている場合だけではなく、SF的なものを持ち出す場合も、超自然的（あるいは、少なくとも、自然主義的ではない）説明に含めていることだ。これは、SFに登場するモンスターは、ホラーストーリーに登場するモンスターと質的に変わらないことが多いというわたしの確信に合致している。この洞察を維持するため（もしそれが洞察であればだが）、科学によって許容されないモンスターの存在に依拠する説明は、自然主義的説明に反したものであると見なす。

◆33 Todorov, *The Fantastic*, p. 33.〔トドロフ『幻想文学論序説』、五三－五四頁〕

◆34 ここでの「抜け穴」という発想は、M・R・ジェイムズに触発されたものだ。ジェイムズは幽霊譚のメカニズムを説明する中で、「自然主義的説明のための抜け穴を残しておくことは悪くはないが、その抜け穴はおよそ使い道がないほど狭くしておくようにと言っておきたい」と述べている。ジェイムズのアンソロジー『Ghosts and Marvels』の序文を参照。当然ながら、幽霊譚ではなく幻想作品では、自然主義的抜け穴は、自然主義的説明を救うのに十分なほどに広くなければならない。

◆35 Douglas Gifford, *James Hogg* (Edinburgh: The Ramsay Head Press, 1976), p. 145.

◆36 ギフォードは *James Hogg*, pp. 149–51 でこの光学的錯覚を論じている。

◆37 ここで「義とされた罪人」という表現は意図的に曖昧なものになっているかもしれない。一方では、ウリンギムが受け入れる宗教的教義、すなわち、選ばれた者になるよう運命づけられた者が、義とされた罪人（罪を犯しても救われる者）であることを指している。一方、自然主義的解釈では、ウリンギムは、ドッペルゲンガーに投影することで、自分に向けられるあらゆる非難に対して正当化（自己正当化）することができる。

◆38 Todorov, *The Fantastic*, p. 44.〔トドロフ『幻想文学論序説』、七〇頁〕

◆39 *The Fantastic*, p. 38 のトドロフによる引用〔トドロフ『幻想文学論序説』、六二頁〕。強調はトドロフ。

◆40 つまり、これらの例は、哲学者が指示的に不透明な文脈と呼ぶものになっている。「わたしはJFKの背の高さは2・4メートルだと思っている」という言明から、「JFKの背の高さは2・4メートルだ」と推論することはできない。これは、トドロフが精査した命題的態度によって導入されるト節〔that 節〕すべてに当てはまる特徴だ。

◆41 本節で「目撃の確実性」について語る際、わたしが念頭においているのはデカルトが求めたような確実性ではない。むしろ、わたしが考えているのは、「裏庭に職人がいるのを見た」と言ったときに表われるような種類の目撃の確実性だ。通常の言説では、一定の基準が満たされていれば、たとえデカルトにとっては、わたしが悪霊による幻覚に悩まされていないと確信できないのだとしても、わたしはこの観察に確信を抱くことができる。

この種の確信をえるためには、知覚の対象がはっきりと邪魔されずに見えており、それを認識するのに十分な時間があること、識別するのに十分な近さがあること、そして、知覚を妨げるような異常な身体的状態または心理的状態にないことが必要となる。これは日常生活の中で扱われる目撃の確実性だ。目撃の確実性の基準は、日常の言説の中で具現化されており、特に法廷での証言のような特定の場面では、前面に出てくることがある。わたしのテーゼは次のようなものだ。映画では、映画制作者は「幻想のためらい」を生じさせるために、映画的な物語の語りの手段――視覚的なもの・聴覚的なもの両方――を採用することで、目撃の確実性についての日常的な直観――および法廷での目撃証言として何が認められるかに関する非公式的な理解――を利用し、これによって、超自然の存在や超自然の出来事の表象が、目撃の確実性の基準を満たしていないことが問題化されるように仕向けることができる。

◆42 この場面の豹のショットは、非常に短いものではあるが、ずっと欲しかった観察による証拠を手に入れたということで、わたしたちを満足させるには十分なものだと思う。しかし、もちろん、場合によっては、映画の編集の仕方しだいでは、観察が非常に短いものになることによって、超自然的仮説を選ぶことに対する信頼が損なわれるかもしれない。つまり、見るのが短すぎて安心できない場合もあるだろう。それは映画の制作者にとっては、事実を視覚的に不確かで曖昧なものとして表現する別の仕方にすぎないのかもしれない。

◆43 この暗黙の区別は、文化全体の認識実践に根ざしているが、それが映画自体の中で目立ったものになるのは、部分的には、自然主義的解釈と超自然的解釈の対立を導入したためだ。

◆44 前に、純粋幻想の例は映画ではめずらしいと述べた。しかし、「幻想のためらい」を与える映画的装置や慣習が利用可能であるということまでの議論によって、純粋幻想を映画で実現することに技術的・形式的な障害がないことが示されている。では、こうした作品が非常にめずらしいという事実は、どのように説明されるのだろうか。

うか。わたしの推測では、ここでの答えは、おそらくそうした映画が想定している市場に関係しているのではないだろうか。

多くの場合、こうした映画のターゲットは非常に若い層の鑑賞者であり、超自然的なものを好む傾向があるかもしれない。また、多くのファンタジー映画はアクション映画でもあり、鑑賞者がチェイスや破壊を好むことが示唆される。純粋幻想型の映画は、幻想的驚異と比べて、こうした好みに合わないかもしれない。なぜなら、こうした好みに合わせるためには、一般に、超自然的存在を作り、それと対決することが必要とされるように思われる。そして、そうすればもちろん、純粋幻想を実現するという目的は果たされないことになる。

当然ながら、『回転』の結末のように、本物の暴力ではなく爆薬(パイロテクニクス)の仕掛けによる映画的スペクタクル(それでも曖昧さの範囲内にとどまるもの)に置き換えるなど、この問題に対処する方法はある。しかし、映画の鑑賞者は通常、判断が保留されることよりも、超自然的な仮説が映画の中で直接的に満足されることに惹かれているのかもしれない。要するに、この疑問に答えるには――わたしの試みた説明がすべてうまくいかないとしても――、ホラー映画やファンタジー映画に典型的に惹かれる種類の鑑賞者についてある程度知っておく必要があるのではないかと思うのだ。

## 訳註

◇1 英語の「narration」は、物語 narrative の関連語であり、直接的な意味としては物語を語ることを指す。本章では、物語の語り方の技法というニュアンスで使用されることが多いため、基本的に「物語法」という訳語を採用している。ただし、一部の箇所では「語り」などの訳語を採用した。

◇2 ウィリアム・ピーター・ブラッティ『エクソシスト』宇野利泰訳、東京創元社、一九九九年、四四八頁。

◇3 スティーヴン・キング『深夜勤務:ナイトシフト1』高畠文夫訳、扶桑社、一九八八年、三三頁。

◇4 ロラン・バルト『物語の構造分析』花輪光訳、みすず書房、一九七九年、四八頁。

◇5 ここではアートホラーなど、フィクションに向けられた感情全般を「アート感情」と呼んでいる。フィクションに向けられたホラーの感情がアートホラーだが、それと同じように、フィクションに向けられたサスペンスの感情を考えている。

◇6　ジェイムズ・ホッグ『悪の誘惑』高橋和久訳、国書刊行会、一九八〇年、二七〇－二七一頁。

◇7　シャーリイ・ジャクスン『丘の屋敷』渡辺庸子訳、東京創元社、一九九九年、三二〇頁。

第

4

章

# なぜホラーを求めるのか？

Why Horror?

# なぜホラーを求めるのか？

ホラーだけに限定されるわけではないが、にもかかわらず、ミステリ、ロマンス、コメディ、スリラー、アドベンチャー、西部劇など他のポピュラーなジャンルでは生じにくい理論的問題がある。そもそもなぜこのジャンルに興味をもつ人がいるのか、なぜこのジャンルが存続しているのかという問題だ。わたしはこのジャンルの内的要素について多くのことを書いてきたが、多くの読者は、その際、ホラーに関する中心的な問題から注意がそれてしまっていると感じたかもしれない。中心的な問題とは、つまり、このジャンルの存在をどうやって説明するのかという問題だ。そもそもどうして、ホラーを、あるいはアートホラーであってもいいが、そんなものを感じたがる人がいるのだろう。

また、ホラーの本質に関するわたしの分析を受け入れるなら、この問題は特に深刻なものになる。なぜならすでに見たように、アートホラーの感情における主要構成要素は、拒否感や嫌悪だからだ。しかし――この問題は、最も基礎的なかたちでは「なぜホラーを求めるのか」という疑問のかたちをとるが――ホラーに必ず拒否感を与えるものが出てくるとすれば、鑑賞者はどうしてホラーに惹かれるのだろう。確かに、たとえホラーが恐怖を引き起こすだけだったとしても、人々がこのジャンルを求める動機は何なのか、という説明を求めることは正当であるように感じられるかもしれない。しかし、恐怖に拒否感が組み合わさっている場合、言ってみれば、さらにその賭け金が釣り上げられていることになる。

普通の場面では人は嫌悪を与えるものを避ける。嫌悪感や不浄を感じるものに拒否感を感じることは不快な経験だ。例えば、退屈な午後のひとときに、湯気の立つゴミ箱の蓋を開けて、崩れた肉片や、腐りかけた果物や野菜や、虫がバラバラにして何だかわからない有毒な塊になったものを鑑賞することで快をえようとしたりはしないだろう。また普通は病院のゴミ袋をチェックするのは、楽しい時間を過ごすアイデアではない。しかし一方で、多くの人々が――少なくとも統計的な意味では正常であることを認めざるをえないほど多くの人々が――、ホラー作品を求めるのは、通常は拒否感を与える光景や描写から快をえるためなのだ。

要するに、ホラージャンルには何かパラドックス的なものがあるように見える。ホラーは明らかに消費者を惹きつけているが、拒否感を与えることが明白なものによって惹きつけているように思われるのだ。また、ホラージャンルが鑑賞者に快を与えるものだという証拠はさまざまにあるが、このジャンルがそれを実現する手段は、不安や苦痛や不快を引き起こすものを用いることだ。このため、「なぜホラーを求めるのか」という問いを別の仕方で明確にするには、次のようにたずねてみるといい。「なぜホラーの鑑賞者は、典型的には（日常生活の中では）、忌避すべき（実際忌避している）ものに惹きつけられるのか」、あるいは「なぜホラーの鑑賞者は、本質的に、つらく不快であるものに快を見出すのだろうか」と。

本章ではこれから、鑑賞者はホラージャンルの何に惹きつけられているのかという問題に対する包括的ないし一般的な答えを見つけることを試みるつもりだ。つまり、わたしがこれから組み立てようとしている一連の仮説は、多様なかたちのホラー――数世紀、数十年に渡って、さまざまなサブジャンルやメディアで実践されてきたホラー――の魅力について説得力のある説明を与えるものだ。しかし、この点に関して次のことを強調しておくのは重要だろう。ホラーについて一般的な説を作るとしても、個別のホラー小説やホラー映画や、個別のサブジャンルや、ホラーの歴史の中の個別のサイクルについて、それらがホラーのモード一般に共通する魅力を超える特別な何かをもっているのはなぜなのかという追加の説明を与えることで、一般的な説を補完する可能性は排除されていない、と。つまり、ホラーのモードの基本的な快や魅力について説明を与えることは、追加の説明を与えること、例えば『ローズマリーの赤ちゃん』が独自の魅力を発揮するのはなぜなのか、人狼物語が、幽霊譚やその他の恐怖譚と魅力を共有しながら独自の魅力をもっているのはなぜなのか、また、三〇年代ハリウッド映画のサイクルのようなホラーサイクルが、時代に合致した問題をテーマとして発展させることで魅力をえるのはなぜなのか、といった説明を与えることと両立するのだ。

ホラーの一般理論は、ホラーという類全体の魅力や快の根源と思われるものに関して何かを語るだろうが、だからと言って、このジャンルのさまざまな種や実例が、それとは別の魅力や快の源泉ももっており、それに対応する追加の説明が必要とされることが否定されるわけではない。ほとんどの場合、そのような（追加の）説明は、このジャンルの批評家によって作られる。しかし、本章では、本書の読者にとって特に関係の深い個別事例を取り上げるつもりだ。本章の結論部分では、現在のホラーが強く訴えかけるものになっているのはなぜなのか――つまり、わたしたち自身がその中に置かれているホラーサイクルが、継続的で熱心な鑑賞者に、かくも強力な感銘を与えるのはなぜなのか――という説明を試みたいと思う。これは、わたしたち自身（あるいは少なくともわたしたちの多く）について語ることになるだろう。

# ホラーのパラドックス

以前の章では、ホラーに関連して、フィクションのパラドックスと呼ばれる問題——なぜ人は、存在しないことを知っているものに心を動かされる（例えば、ホラーを感じる）ことがありえるのかという問題——に取り組んだ。本章では、このジャンルに関連する別のパラドックスと思われるもの——ホラーのパラドックスと呼んでもいいかもしれない——を見てみよう。このパラドックスは、人々はなぜ拒否感を与えるものに惹かれることがありえるのかという問題に帰着する。つまり、ホラー作品におけるイメージは必然的に拒否感を与えるものだと思われるが、それでも、このジャンルに消費者がいないわけではない。また、この消費者を——その数が膨大であることを考えれば——論点先取にならないかたちで、異常であるとか変態であると見なすのは無理があるだろう。にもかかわらず、消費者は、特定の記述の下では避けるのが自然に思われるものを求めているように見える。これは難問と思われるが、どのように解決すればいいのだろうか。

ホラー作品には、何らかの意味で魅力と拒否感の両方があることは、このジャンルの理解に欠かせない。ホラーについて書く際、この対立の一方の側だけが強調されることはあまりにも多い。多くのジャーナリストは、ホラー小説や映画をレビューする際、作品の拒否感を与える側面だけを強調する——気持ちが悪く、下品で不快なものとして拒絶するのだ。しかし、こうした方向に進んでも、人々がなぜこの種の作品に関心をもつのか説明を与えることはできない。むしろ、このジャンルの人気は説明不可能なものになってしまうだろう。

他方で、ホラージャンルやその特定の事例を擁護する人たちは、寓意的な読みにかまけて対象の魅力的な面ばかりをアピールし、拒否感を与えるような側面を認めないことが多い。かくして、フランケンシュタインの神話は、本当は、世界へ被投された人間、「孤独な受難者」の実存的寓話であると語られる。◆1 しかし、このように寓意的に捉えた場合、死体安置所のイメージの不穏な効果にどのような目的があるのかを説明することができるだろうか。つまり『フランケンシュタイン』に〔サルトルの〕『嘔吐』〔のような実存主義小説〕のような部分があるとしても、この作品には実際に嘔吐をもよおさせる部分もあるのだ。

こうした寓意化／誇大化をしてしまう危険な傾向は、現代ホラー映画の最も精力的な擁護者であるロビン・ウッドの著作にも見られる。『悪魔のシスター』について、ウッドは次のように書いている。

> 『悪魔のシスター』は家父長制社会の中で、女性が抑圧される仕方を分析しているが、この抑圧は、職業（グレース）と性心理（ダニエル／ドミニク）として定義できる。◆2

これには「そうかもしれないが、しかし……」と言いたくなる。もっと言えば、おどろおどろしいものや不快なもの、血まみれの殺人事件や、シャム双生児の呪われた絆はどうなったのか。一般的に言えば、ウッドの戦略は、モンスターを英雄的なものとして特徴づけることだ。なぜなら、ウッドにとってモンスターは、社会が（多くの場合、核家族が）正常の名の下に無意識に抑圧しているものを表現しているからだ。しかし、モンスターの解放的で向上的な側面と見なしているものを解明しているうちに、本質的に拒否感を与えるものであるというモンスターの本性が見えなくなってしまうのだ。もちろん、ウッドは自分が扱っている映画のモンスターが拒否感を与えないと言っているわけではない。しかし、抑圧されたものの回帰という繰り返される物語によってモンスターの魅力を説明しているうちに、もっと嫌悪されるような側面である――だが、本質的ではある――ホラーを与える特徴がほとんど忘れ去られてしまったのだ。

にもかかわらず、ホラー作品は、完全に拒否感を抱かせるだけのものでもないし、完全に魅力的なだけのものでもない。いずれの見方もこの形式の本質の一部を見落してしまっているのだ。このジャンルが、魅力と拒否感が奇妙に入り混じったものであるという側面を存在しないかのように扱うことで、パラドックスに見えるものを単に無視して済ませるわけにはいかない。

ホラーの奇妙な本性を説明する必要があることについて、十八世紀の著述家はすでに直面しはじめていた。ジョン・エイキンとアナ・リティティア・エイキンは、「恐怖の諸対象を起源とする快楽について」という論考の中で、「[…]道徳的な感情が一切関わらないうえに、恐怖という陰鬱な感情以外のいかなる感情もかきたてられはしないような場合に、純粋な恐怖の諸対象に対して思いをめぐらすにあたって私たちが明らかに抱く歓びは、心のパラドックスに他ならず、解明するのはより難しいのだ」と書いている。[3] この問題はもちろん恐怖譚やホラーだけに関わるものではない。ヒュームはほぼ同時期に『悲劇について』を発表しており、そこでヒュームは、この種の劇〔悲劇〕の観客がどのようにして「悩まされるのに比例して快をえる」のかを説明しようとしている。[4] またさらにヒュームは、苦痛からいかにして快をえられるのかという問題に関心を持っていた初期の理論家として、ジャン＝バティスト・デュボスとベルナール・フォントネルを挙げている。一方、エイキンら自身も、「An Enquiry into those Kinds of Distress which excite agreeable Sensations〔快適の感覚を興奮させる苦悩の種類についての探求〕」で、この一般的な問題にも取り組んでいる。[5] また、崇高なものと恐怖の対象に関連して、エドマンド・バークは『崇高と美の観念の起原』の第四編と第五編で、どのような仕方で苦痛が喜びをもたらすことができるのかを説明しようとしている。[6] このように、ホラーのパラドックスは、より一般的な問題、つまり、通常は忌避される出来事や対象が、芸術によって提示されることで、どのようにして快が生じたり、関心を惹きつけるのかを説明するという問題の一種になっている。

しかし、このパズルに与えられた十八世紀の解答――わたしの考えでは、その一部は、現在でもホラーの問題に役に立つ一般的な解答を与えている――に目を向ける前に、もっと最近のこの問題に対する有名な解答をいくつか想起しておくと役立つだろう。そうすれば少なくとも、ホラージャンルの魅力の一般的な説明にいたる道のりと、それに対する制約をある程度認識することができるからだ。

## 宇宙的畏怖、宗教的経験、ホラー

ホラーの説明を試みる際、しばしば引用される権威のひとりであるH・P・ラヴクラフトは、このジャンルの著名な実践者であり、『文学と超自然的恐怖』と題された影響力のある論考を書いている。[7] ラヴクラフトの見解によれば、超自然的ホラーは、畏怖と、「宇宙的恐怖」と呼ばれるものを喚起する。それどころか、ラヴクラフトによれば、あるホラー作品が宇宙的恐怖を喚起するかどうかがジャンルを識別するしるしになるのだ。ラヴクラフトは次のように書いている。

それが真の恐怖小説 weird であるかどうかを確かめる方法は一つしかない——即ち、読者に深い恐怖心を与えるかどうか、未知の世界・未知の力と接触したという感覚を与えるかどうかを確かめるしかない。真黒い鳥の羽撃(はばた)きとか宇宙の最果てに棲む得体の知れぬ怪物の引っ掻く爪の音でも聴いているかのように、読者が畏怖の念を抱きつつじっと聴き入っている様子をしているかどうか。[8]

ラヴクラフトにとって宇宙的恐怖は、恐怖と道徳的拒否感と驚異が精神を高揚させるような仕方で入り混じったものだ。ラヴクラフトは次のように述べている。「この恐怖感と不吉な気分に捉えられたうえ、さらに驚異的現象についつい心を惹かれて好奇心をあおられると、いよいよ人間の心の中では激しい情動と刺激的な想像力が結びついて、さながら一つの複合物といった様相を呈すのだが、この複合物の生命力たるや人類が存続する限り絶対に失われることはないというほど根強いのである」。[9] ラヴクラフトが宗教的感情と同列のものと見なしているこの恐怖の感覚を感じる能力は、本能的なものだ。人間は生まれつき未知への恐怖をもっているように思われるが、それは畏怖の念にも近しい。このため、超自然的ホラーの魅力は、世界についての人間の根深い確信、つまり、世界には広大な未知の力が存在すると

いう確信を確証するような畏怖の感覚を喚起することにある。◆10

この畏怖の能力は、「唯物論による洗練」と呼ばれるものによって弱められ、それがおそらくわたしたちの文化を害している。それにもかかわらず、想像力と、日常から自分自身を切り離す能力をさずけられた鋭敏な人々は、それに自覚をもたらすことができる。その自覚とは、「渾沌（カオス）からの襲撃や底知れぬ宇宙の魔神から、唯一我々を守ってくれる確固たる自然の法則を、悪意をもって一時停止させたり破棄したりすること」の認識に相当する。◆11

このすべてをまとめるのは難しいが、ラヴクラフトの理論の要点は、宇宙的恐怖の文学は、現実についての本能的な直観——これは唯物論的洗練の文化によって否定されている——を確証するために人を惹きつけるということのように思われる。これは宗教的畏怖の感覚、驚異に満たされた未知なるものの認識に類似している。

わたしが個人的によくわからないのは、これが主として客観的な視点から見た場合と、主として主観的な視点から見た場合のどちらにおいて重要だと言われているのかということだ。客観的解釈では、超自然的ホラーの文学は、この世には唯物論による洗練が受け入れようとしない事物が本当にあるという感覚を感情的に高揚させるが、一方、主観的解釈では、本当は何が事実なのかについては中立的なままで、超自然的ホラーの文学は未知への畏怖という本能的情動を高揚させるという立場をとる。もし後者の解釈がラヴクラフトが念頭に置いていることだとすれば、この畏怖の情動や宇宙的恐怖が維持されることがなぜ重要なのかについては述べられていないと認めざるをえないだろう。おそらくラヴクラフトは、それが人間であるということ（すなわち、世界に対する人間的反応）の本質的な部分であると考えているのかもしれない。あるいは、これと関連するが、唯物論による洗練によってもたらされた非人間化の侵害を矯正するために必要だからなのかもしれない。

しかし、いずれにしても明らかなことは、文学における超自然的ホラー——病的なほど自然に反するもの（嫌悪感を与えるもの）によって宇宙的恐怖を呼び起こす作品——が魅力的なのは、この種の畏怖が世界についてのある種の原初的・本能的な人間の直感に反応するから、あるいはそれを回復するからということになる。恐怖のような不快なものが、どうして積極的に魅力的なものになりえるのかという疑問に対し、ラヴクラフトが宇宙的恐怖に訴えることで答えているという事実は、一見してそう思われるほど循環的ではないかもしれない。恐怖それ自体は不快であり、避けられることが自然なものだ。しかし、宇宙的恐怖は単なる恐怖ではなく畏怖であり、恐怖に何らかの幻視的次元が加わることで、鋭敏に感じられ、活気にあふれたものとなる。このため、宇宙的恐怖や畏怖は、もしそのようなものがあるとすれば、ただの恐怖とはちがった仕方で望ましいものになるかもしれない。

ホラーにおける嫌悪感を与えるものと、この畏怖の感覚の間には、畏怖を引き出すのは病的で自然に反するものであるという関係が成り立っている。したがって、わたしたちがホラー小説の中に病的で自然に反するものを求めるのは、畏怖、つまり本能的な人間の宇宙観に呼応する幻視的次元をもった宇宙的恐怖を経験するためだ。病的で自然に反するものは畏怖を抱くための手段であり、それ自体のために求められるのではなく、それが鑑賞者にもたらす状態のために求められる。もう少し具体的に言えば、ラヴクラフトは超自然の文学が宗教的経験に似た何かを与えてくれるばかりか、ある種の息苦しい実証主義的世界観への抵抗を与えると考えているようだ。こうした理由のため、「敏感」な人々は超自然の文学を求めることになる。[12]

超自然的ホラーの起源と魅力を扱った数ページの中で、ラヴクラフトは驚くほどさまざまな仮定をほのめかしているが――その一部は心理学、一部は社会学、一部は形而上学的なものだ――、その一方で、非常に曖昧なものではあるが、自分でも多数の主張をしている。これらの見解を解きほぐすにはまちがいなくかなりの紙幅をとってしまうだろう。これは部分的には、論証に役立つような解釈を作るのに時間がかかってしまうからだ。しかし、ラヴクラフトの手続きの問題点を一点だけ短かく指摘しておいてもいいだろう。これによって、その欠点が明らかになるとともに、ホラーのパラドックスに答える際に繰り返し現われる問題を明らかにすることができる。

先に注記しておいたように、ラヴクラフトは宇宙的恐怖に訴えることで、このジャンルの積極的な魅力を位置づけているだけではなく、宇宙的恐怖を超自然的ホラーのジャンルを定義するものとして捉えている。言い換えれば、ラヴクラフトは同じ基準によって、ホラー作品の分類と称賛の両方をやっている。このため、超自然的ホラーに分類される候補となる作品は、宇宙的恐怖を生み出すという称賛に値する役割を果たさなければ、そのうちに含まれないことになる。

しかし、確実に、宇宙的恐怖――世界観と結びつき、宗教的経験の境界線上にある情動――を喚起しないホラーストーリーはいくつもあるだろう。実際、多くのホラーストーリーは、宇宙への畏怖を生み出すという壮大な（哲学的な？）計画にはかかわっていない。わたしの本棚を見ていくと、ガイ・N・スミスの『Crabs on the Rampage』〔カニの大乱闘〕がある（スミスは『The Origin of the Crabs』〔カニの起源〕、『Crabs' Moon』〔カニの月〕などの作者でもある）。これがホラーの一例であることは否定できないだろうと考えるが、宇宙的恐怖や畏怖を呼び起こすものではない。カニはそれ自体、わたしたちがアートホラーと呼ぶものを喚起するが、アートホラーは必ずしも、ひとつの世界観（宗教と同列に並び立つような世界観）を感情的に確証するものではなくてもいいし、別の世界観（唯物論的洗練の世界観）を否定するものでなくてもいいのだ。◆13

結果として、当然ながらラヴクラフトは、超自然的ホラーの文学という集まりの一員に『Crabs on the Rampage』〔カニの大乱闘〕を含めることを拒否したくなるだろう。だが、これは恣意的だ。畏怖は、ホラージャンル内で（おそらく）比較的高く評価される達成のひとつであり、ジャンルそのものを示すしるしではない。つまり、畏怖を喚起するホラーストーリーは（おそらく）非常に良いホラーストーリーであり称賛に値するが、このジャンルについて知っている人なら誰でも認めるように、このジャンルは良作ばかりで知られているというわけではない。ラヴクラフトのジャンル分類基準はあまりにも狭すぎる。それは実際には、ジャンルにおける良さや、称賛に値する特徴や、高度な達成のひとつのかたちに対応するものになっている。

むしろ、わたしは畏怖、宇宙的恐怖、準宗教的経験が超自然的ホラーの文学に付随することは稀ではないかと疑っている。チャールズ・ウィリアムズの一部の作品にはそれがあるかもしれないし、そこでは、こうした特徴が作品の長所になっているだろう。しかし、多くのホラー小説では、これらが喚起されることはないし、喚起させようとしているようにも見えない。ラヴクラフトは、宇宙的恐怖がホラーの文学を定義する特徴であるという見解をとっているが、実際には、自分自身が好む美点を、ジャンルの分類規準に仕立て上げようとしているだけに思われる。つまり、ラヴクラフトは、自分がジャンルにおける高度な達成と見なしているものと、ジャンルを識別するものを混同しているのだ。

ラヴクラフトが強調する宇宙的恐怖と畏怖は、アルジャーノン・ブラックウッドの『柳』などの作品にはよく当てはまっている。なぜならこのストーリーでは、畏怖の感覚と宇宙の直観が直接に述べられているからだ。ラヴクラフトがこの作品を超自然的ホラーの最も偉大な物語のひとつと見なしたのも不思議ではない。そして実際この作品は偉大であるし、その理由の一部はラヴクラフトが述べている通りだ。しかし、この個別の作品を称賛すべきホラーの物語にしているものを、このジャンルのあらゆる作品に要求される期待として設定するべきではない。

さらに、もしこれが正しいとすれば、このジャンルの鑑賞者にとっての強い魅力に関してラヴクラフトが言っていることにも、ただちに影響を与えることになる。もし畏怖がジャンル共通の効果ではないとすれば、ジャンル全体の魅力は――宇宙的恐怖を扱った事例は別として――、畏怖を参照することでは説明できない。宇宙的恐怖、畏怖、準宗教的感覚といった概念は、このジャンルの平凡な営みの魅力を捉えるほど十分に包括的なものではないし、十分に一般的でもない。それによって、典型的な事例におけるホラーのパラドックスが解決されるわけではない。

宇宙的恐怖は、一部のホラー作品が鑑賞者を惹きつける理由を説明する際に関係してくるかもしれない（ただし、それはラヴクラフトが考えるほど多くの作品ではないと考えられるが）。しかし、ホラーの魅力を全面的に説明できるほど根本的なものではない。この点はラヴクラフトを読んでいると曖昧になってしまうかもしれない。なぜなら、ラヴクラフトが想定している分類図式では、このジャンルは宇宙的恐怖によって識別されているからだ。しかし、ラヴクラフトの分類図式が実際には、特定の（おそらく）特別な称賛に値するホラーの効果に対する隠れた好みを表現したものであることがわかれば、宇宙的恐怖は、一部のホラー作品にのみ現われる特別な関心の源泉にすぎず、ジャンルの一般的魅力を説明できるほど幅広く登場するものではないことに気づくだろう。

ホラーに対するわたしたちの反応を宗教的感覚と類比したり、ある種の本能的感覚を参照したりすること——特に唯物論や実証主義の文化に欠けており、そこで否定されているものという観点からのもの——は、ラヴクラフトだけでなく、ホラーに関する他の説明でももち出されることが多い。紙幅の都合上、こうした要素をホラーの説明に組み込む仕方をすべて論じることはできない。しかし、ここで、こうした発想に訴えることの限界についていくらか述べておくと役に立つかもしれない。

第一に、芸術における超自然的ホラーの経験は、しばしば宗教的経験に類比される。もしこの類比に説得力があれば、アートホラーを求めることは、あらゆるものを犠牲にして宗教的な経験を求めることと同じ程度には理解可能なものだと想定できるだろう。おそらくどちらも、わたしたちの日常の概念を超えた何かがあるという本能的確信を満たすものであり、おそらくその確信が刺激されることには、そこに伴うかもしれないさまざまな不快や不安に見合う価値があるのだろう——とりわけ、唯物論および／あるいは実証主義の時代には、と付け加えてもいいかもしれないが。

ここには多くの実質的な主張があるが、それについて論じることは本書の範囲をはるかに超えたものになる。しかし、アートホラーの経験と宗教的経験の間の類比が適切なものかどうかを問うだけで、多くの議論を正当に避けて通ることができるかもしれない。なぜなら、もしこの類比が適切でないなら、わたしたちの本能的な渇望（もしそんなものがあるとして）についてどんな真実が成り立つのであれ、説明は失敗してしまうからだ。

ホラーと宗教的経験の間の類比は、明に暗に、非常に影響力があり、広く読まれてきた初期現象学の古典、ルドルフ・オットーの『聖なるもの』で展開された宗教的経験またはヌミノーゼ経験の分析によって枠づけられていることが多い。[14] この本の宗教的経験の分析が正しいかどうかはわからないが、この本の分析は、論者がホラーと宗教的経験を結びつけようとする際、オットーを知っているか知らないかにかかわらず一般に採用されている。このため文学におけるホラーの経験がオットーが概念化している宗教的経験やヌミノーゼの経験と類似しているかどうかを問うことは適切に思われる。

オットーにとって宗教には非合理的な要素、つまりオットーがヌーメンと呼ぶ、いわく言いがたい対象がある。これが宗教的経験ないしヌミノーゼ経験の対象となる。この経験を特徴づける用語が、よく知られているように、*mysterium tremendum fascinans et augustum*〔戦慄させ魅了する高貴な神秘〕だ。つまり、宗教的経験の対象——ここでは神のようなものを念頭に置けばいい——は途方もないものであり、主体に恐怖を引き起こし、自分を上回る大きな力があり、自分は依存しており、何ものでもなく、無価値であるという麻痺の感覚を引き起こす。ヌーメンは畏怖に満ちたもの〔awe-ful〕であり、畏怖の念をもたらす。[15] またヌーメンは神秘的でもある。それはまったき他であり、日常的なもの、理解可能なもの、なじみのあるものの領域を超え出ており、昏睡や、頭が真っ白になるような驚異の感覚、唖然とさせる驚愕、一種の驚異的な絶対をもたらす。[16] このまったき他との接触は主体を恐怖させるだけではなく、魅了する。実際、その途方もない tremendous エネルギーと切迫感（*tremendum*）は、敬意の念をかきたてる（それゆえ、*augstum*〔高貴〕と呼ばれる）。

さて、この定式化を曖昧で文脈から外れた仕方で読むと、この定式化の大部分（すべてではないが）を、アートホラーの対象について述べたくなるようなことに簡単に結びつけられる。アートホラーの対象は力をもっている、つまり恐ろしいものであり、自分を上回る力による麻痺の感覚を引き起こす。もし作品がよくできたものであれば、アートホラーの対象は神秘的であり、茫然とさせ、他なるものの登場によって沈黙させ驚愕させる。そして同様に、これによって鑑賞者は魅了される――おそらく虚構のキャラクターさえ魅了され、[17] だからキャラクターは麻痺していることが多いのかもしれない。

しかし、このごくわずかな結びつきだけで話は終わりだ。オットーのヌーメンはまったき他だ。それは述語の適用を拒み、多数の述定の組み合わせすら拒む。[18] だが、これはホラーのモンスターには当てはまらない。モンスターは、文化における既存の概念によって直接的に名指すことはできないが、すでにあるものの概念を組み合わせたり拡張したりすることで位置づけられるからだ。つまり、モンスターはまったき他ではなく、拒否感を与える側面は、いわば、既知のものを歪曲することで作り出されている。モンスターは述語の適用を拒むのではなく、非標準的な仕方で性質を混ぜ合わせる。モンスターはまったき未知ではなく、おそらくこのことによってその特徴的な効果――嫌悪――が説明される。また、ホラーのモンスターに直面しても、神の前でそうであるように、自分が無価値だ（あるいは依存している）と感じることはないだろう。

ヌーメンは *tremendum*〔戦慄させるもの〕であるため、魅了を喚起するだけではなく、高貴なもの august、つまり客観的に価値のあるものであり、敬意を喚起する。これはホラーの場合にはまったく当てはまらない。ほとんどの場合、わたしたちはモンスターに敬意を払わなければならないとは感じない。

確かに、一部のホラープロットでは、モンスター——サタン、髑髏王（ロウヘッド・レックス）、ドラキュラ、原初の旧支配者など——に敬意を払うことがストーリーに含まれるかもしれない。しかし、これは一部の事例にのみ当てはまることであり——したがって、ホラーの一般的な特徴ではなく——、その場合であっても、それはストーリーの中の一部のキャラクターにのみ関係しており、鑑賞者には関係ない。つまり、ブラックウッドの『邪悪なる祈り』の中の悪魔崇拝の会について読んだからといって、わたしたちがルシファーの司祭になるように促されるわけではない。またオットー自身も、自分が特徴づけているヌミノーゼの経験をホラーにまで拡張することを認めていないのではないかと思われる。オットーの意見では、デーモンへの恐怖や幽霊への恐怖は、宗教的経験よりも発達の段階が低いとされているからだ。[19] このため、宗教的経験とアートホラーの経験の間の類比が頼りになるかどうかは明らかではないため、ホラーの魅力を宗教的経験の魅力との類比に基づいて説明しようとするのは、危うい試みに思われる。[20]

同じように、唯物論や実証主義の時代に、ホラーが宗教的感情の避難所のように機能するという仮説には無理のある部分がある。というのは、ホラージャンルが現在隆盛しているアメリカ合衆国のような非宗教的文化であっても、宗教は（神秘主義的宗教であっても）、簡単に手が届くものだからだ（大統領さえ占星術に手を出している）。もし人々が本当に宗教的経験を求めているなら、ホラー作品のような代用品を探さなくても、直接それを手に入れることができるだろう。

また、何らかの先祖返りの本能とホラーを結びつけることも有用には思えない。確かに、ホラーに登場するイメージは、古代のアニミズムの暗示に由来したり、種を合成する文字通りのトーテム的な発想の名残りに由来しているかもしれない。しかし、これはおそらく、人種的な記憶の概念に頼らなくとも、文化的に説明できることだろう。さらに、もしここでの本能がある種の本能的恐怖であるならば、それを持ち出すことはホラーのパラドックスの解決にはならないだろう。なぜなら本能的恐怖はごく普通の恐怖と同じように、通常は避けたいと思うようなものだと想定される点に変わりはないからだ。

もちろん、「本能的恐怖」という言葉は、本当はもっと複雑な発想を手短に表現しているだけかもしれない。つまり、穴居人の祖先にとっては当たり前だったある種のスリルや恐怖は、わたしたちの実証主義的で唯物論的なブルジョワ文化においては珍しいものであり、ホラー作品を消費することでこのスリルをある程度取り戻すことができると考えているのかもしれない。スリルを感じることは、（たとえ美的経験の中でとはいえ）怯えていても、現代生活と呼ばれるものの感情的空白を和らげてくれると言えるのかもしれない。[21]

この背景にある前提は、何らかの感情状態にあることによって活力が与えられるが、もし、その感情状態にあることに代償（例えば、通常は恐怖には危険が必要となる）を払わなくてよいなら、こうした状態にあることには価値があると見なされるだろうというものだ。[22] ここで、感情状態がこうした仕方で活力を与える（つまり、アドレナリンの急上昇をもたらす）ことが多いというのは事実かもしれないし、リスクがない場合には、わたしたちはまさにこの理由によって感情状態を求めるというのも事実かもしれない。またこれによってホラー作品が魅力的である理由の一部が与えられるというのも事実かもしれない。しかし、アドベンチャー、ロマンス、メロドラマなどが魅力的であることも、同じように説明されるということも事実かもしれない。つまり、ここでの要点が――本能的感情であれ、そうでないのであれ――離脱（デタッチト）した感情状態（それが何を意味しているにせよ）によって、ホラージャンルの魅力が部分的に説明されるということなら、これはそれほどホラーに特有の説明になっていない。おそらく、人気のあるジャンルならどれであっても、この説は、鑑賞者にとっての魅力を説明するために役割を果たすからだ（もし、この説が本当に説明の役割を果たしているならばだが）[23]。

ホラーの魅力を説明するには別の仕方もあり――これは宗教的説明の一部の要素と関連しているかもしれないが――、この説明によれば、ホラーなもの（神やデーモン）は、力によってわたしたちを惹きつける。ホラーなものは畏怖を喚起する。言ってみれば、モンスターがもっている力のために、わたしたちはモンスターに同一化していると言えるかもしれない――おそらく、モンスターは願望充足のための類型なのだ。本書の前半では、同一化という概念について慎重な姿勢をとってきた。しかし、この立場は、称賛に結びつけることで、中立な仕方で述べられるかもしれない。わたしたちはモンスターがもつ力をとても称賛しているので、それがモンスターへの嫌悪を上回るのだと論じられるかもしれない。

この説明は、一部の事例には非常にうまく当てはまる。放浪者メルモス、ドラキュラ、ルスヴン卿（ジョン・ポリドリの『吸血鬼』に出てくる）などの類型では、怪物的な存在は蠱惑的なものであり、蠱惑がモンスターの力と関係していることもある。しかし、繰り返しになるが、『ナイト・オブ・ザ・リビングデッド』のゾンビは蠱惑的ではないし、また、その不可避の力――数で勝っていることくらいだが――が称賛を呼ぶこともない。このように、この説明――これをホラーに関する「悪魔への称賛」型説明と呼ぶことにしよう――によって、ジャンル全体を説明することはできない。これは、ホラーの一部のサブジャンルの魅力のいくつかの側面を説明するのには役に立つが、ホラー一般を包括するものではない[24]。

# ホラーの精神分析

これまでのところでは、ホラーの魅力を説明する試みのうち、よく知られたものを検討してきたが、精神分析については触れてこなかった。これはまちがいなく、近年ホラーを説明する上で最も人気のある方法になっている。また、（わたしがこれから主張するように）精神分析がホラーについての包括的説明を提供していないことが判明したとしても、精神分析にはホラーの中の個別の作品や、サブジャンルや、個々のホラーサイクルについて、語るべきことがたくさんあるかもしれない。ただしその理由は、さまざまな精神分析の神話やイメージや自己理解が二十世紀を通じて継続的にホラージャンルの中で利用され、その機会がますます増えているせいかもしれないが。[25] つまり、精神分析がホラーの包括的理論を提供しないとしても、精神分析的なイメージがこのジャンルの作品で参照されることが多いのは変わりがない。このため当然ながら、このジャンルの特定の作品を解釈するには精神分析が密接に関係してくることになる。言い換えれば、精神分析は、ジャンルとその魅力について適切な一般理論を提供しているかどうかにかかわらず、このジャンル――より正確にはこのジャンルの特定の事例――を論じる上で欠かせないものになっているのだ。

言うまでもなく、精神分析を使ってホラーを説明する仕方は過去にも数多くあったし、他にも可能な仕方が数多くあるだろう。本書の紙幅や、おそらく忍耐力を考えても、それらすべてを子細に検討することはできないし、それなりの数を検討することさえできない。ここから先では、わたしがホラーのパラドックスと呼んでいるものについて、精神分析の中でも特に強力な主張と考えられるものをいくつか見てみよう。また、わたしの考えでは、これらの主張がここで提起された問題に包括的な答えを与えるかどうかは疑わしいが、特定の事例――個別の作品やサブジャンルやホラーサイクル――では、精神分析の枠組みによって、素材に対する理解を深めることができる可能性があることは否定しない。これが特に疑問の余地のないものになるのは、ホラーの特定の事例が精神分析の神話に影響を受けている場合や、精神分析のイメージそれ自体が重要な文化的神話に近づいている場合（これによって精神分析のイメージが、特定のホラー作品の中の、いわば、その類似の神話に合致したものになる場合）だ。

わたしがホラーの研究に真剣に取り組み始めたとき、わたしは精神分析の説明モデルに惹かれていた。[26]具体的にはアーネスト・ジョーンズの『On the Nightmare』で展開されたモデルに惹かれた。[27]このアプローチは、ホラーが課していると思われる本質的な両義性――魅力と拒否感の両方の牽引力――に敏感だったので、特に実りあるものであるように思えた。このため、ジョーンズが作った精神分析モデルはホラーの分析という課題に特に合っているように思われたのだ。なぜなら、それはわたしがホラーのパラドックスと呼ぶものに正面から取り組んでいるからだ。

『On the Nightmare』でジョーンズは、悪夢に対してフロイト由来の――つまり、願望充足というかたちの――分析を使用し、中世の迷信に現われるインキュバス、吸血鬼、人狼、悪魔、魔女などの類型の象徴的意味と構造を解明している。悪夢のイメージを扱う際のジョーンズの中心的な概念は、対立または両義性だ。夢の仕事の産物は、願望とその禁止の両方を具体化するために機能するので、しばしば魅力的であると同時に拒否感を与えると言われる。ジョーンズは次のように書いている。

悪夢の中に見出される対象が恐ろしく、忌しいものであるのは、単純に、潜在的願望をむきだしの姿で表現することが許されていないからであり、それゆえに夢は一方では願望の妥協であり、他方では禁止に属する強烈な恐怖になっている。[28]

例えば、ジョーンズによれば、吸血鬼の迷信は、復讐と吸血というふたつの基本的な構成属性をもっている。映画やパルプ雑誌に出てくる現代の吸血鬼とはちがって、神話上の吸血鬼は最初に親族のもとを訪れる。ジョーンズにとって、これは親族が愛する者が死から蘇ることを切望していることを表わしている。しかし、その姿には恐怖が込められている。恐ろしいのは吸血であり、ジョーンズはそれを誘惑と結びつけている。要するに、死んだ親族との近親相姦的な接触への欲求が、否認というかたちをとることで、暴力へと変容させられる——魅力と愛が拒否感とサディズムに変形するのだ。同時に、生者は投影によって自分自身を受動的な被害者とし、死者には非難されることなく快楽を享受することができる能動的な行為者の側面を付与する。つまり、死者は罪深い加害者として提示されるが、生者は、不運と見なされた（したがって、「無実の」）犠牲者となる。最後に、ジョーンズは吸血をインキュバスの精力を奪う抱擁と結びつけているだけでなく、心理性的発達段階における口唇期に特徴的な吸うことと噛むことが退行において混合したものと結びつけている。否認——愛から憎しみへの変形——、投影——これによって死者が能動的になることと生者が受動的になることが欲求される——、退行——性器期から口腔期への退行——を通じて、吸血鬼伝説は、近親相姦の欲望や屍姦の欲望を恐怖のイメージ（イコノグラフィ）の集積と混ぜ合わせることで満足させる。

つまり、ジョーンズにとって、悪夢や、吸血鬼のような悪夢に表われる類型――つまりホラー作品の構成要素――は願望、特に性的願望を顕在化させるため、人を惹きつける。しかし、これらの願望は禁止されていたり、抑圧されていたりする。願望は表立って認めることができない。そこで、ホラーを与え、拒否感を抱かせるイメージが登場することになる。イメージは認めることができない願望を偽装し、覆い隠す。それは迷彩(カモフラージュ)として機能する。夢見る者は、このイメージのせいで内なる検閲者から咎められることはない。なぜなら、自分は襲われる側だからだ。当人にとって、イメージは恐怖と拒否感を与えるので、それを楽しんでいるとは思われない(だが本当は、それが深層の心理性的願望を密かに表現しているかぎりそれを享受している)。ホラーイメージが喚起する拒否感と嫌悪は、願望充足のために夢見る者が払う代償になる。

ジョーンズがこの仮説を作ったのは、夢の特定の分類型、すなわち悪夢を分析するためであり、悪夢に繰り返し現われる類型と見なしているものに適用している。しかし、この流儀の分析をホラー作品に拡張することは難しいことではないし、特に、フロイトのように、ポピュラーフィクションを願望充足の一種と見なすつもりがある場合にはそうだろう。◆29 この延長で考えれば、このジャンルの中のホラーイメージが表現しているのは妥協の形成だ。ホラーのイメージの拒否感を与える側面は、さまざまな種類の願望充足、特に性的な願望充足を、覆い隠しながら可能にしている。ドラキュラが誘惑するように見えるのはまちがいではない。ドラキュラは願望、もっと言えば近親相姦の願望を実演している。鑑賞者は自らの内なる検閲に対して、自分は吸血鬼を怖がっていると弁明することで、これを否認できる。しかし、これは本当はごまかしだ。拒否感は、心地良い願望充足の実演を認めるためのチケットになっている。

したがって、ジョーンズを拡張する論者からすれば、ホラーの対象に対して感じられる二律背反的感情は、わたしたちの深層にある非常に根強い心理性的欲望の二律背反から派生したものだと述べることで、ホラーのパラドックスを説明できる。〔こうした論者によれば〕ホラーなものは拒否感の側面をもつが、それは検閲を満足させるために機能している。一方これは実際には、主要な心理性的願望を満足させることによって、より深い快楽を可能にする欺瞞の装置になっている。わたしたちがホラーのイメージに惹かれるのは、見た目とはちがって、そのようなイメージが深層の心理性的願望の充足を可能にしてくれるからだ。また、これらの願望を何とか満足させるには、内なる検閲者に代償が仕払われなければならない。つまり、ホラーのクリーチャーに対する拒否感は――個人のエコノミーについてフロイト的な見方をすれば――、快楽を確保するための手段となる、というわけだ。

結果として、〔こうした論者によれば〕ホラーには本当の深いパラドックスは存在しない。なぜならホラーのモンスターへの拒否感は、巧みだが遠回りな仕方で、精神にとってモンスターが魅力的なものになるためにあるからだ。ホラー作品に含まれる不快な要素に見えるもの、比喩的に言えば苦痛は、抑圧の構造を考慮すれば実際には快楽にいたる道となる〔と、こうした論者は考える〕。

ジョーンズのような二律背反を強調する精神分析的なホラーの理論は、わたしたちの目的に適した構造をもっている。これによって、表向きの嫌悪にかかわらず、ホラーがどうして鑑賞者を惹きつけるのかが説明される。この嫌悪は、もちろん錯覚ではない。鑑賞者は実際に拒否感を覚えている。しかし、より重要なのは、この嫌悪が機能を果たしていることだ。それは、少しの不快感を与えることで引き換えにより大きな快を与える。また、この不快感が与えられないかぎり、快は確保されない。

しかし、この理論には明らかな欠点がある。(1)活気を与えるような願望を必要としていること、および、(2)その願望が性的なもの——フロイト心理学で認められる拡張的な意味での性の概念にすぎないとしても——として理解されなければならないことだ。この第二の要求に関して言えば、少なくとも、ホラー作品に登場するありとあらゆるモンスターの背後に潜在的な**性的**願望を見出すことは簡単なことではない。

もちろん、ホラーなもののうちでも特定のものはこの特徴づけにうまく適合しているように思われる。吸血鬼はその最たる例だろう。吸血鬼は誘惑するが、キャラクターも鑑賞者も、このクリーチャーが耐え難いほど嫌悪を与え、恐ろしいものであるかのようにふるまっている。ヴァル・リュートン製作の『キャット・ピープル』(もちろんフロイトの発想に影響を受けている)のような映画を見れば、〔登場人物である〕イレーナと鑑賞者のどちらにとっても、表向きは穢れた変身する怪物(シェイプチェンジャー)である自己が、セクシュアリティの代償と見なされていることがわかる。また、M・R・ジェイムズの『笛吹かば現れん』のような特定のストーリーが、抑圧された同性愛の欲望——この特定の事例の場合には、ベッドの中の霊の関与を通じて表現している——を表現したものであることも否定したいとは思わないだろう。◆30 しかし、〔『キング・コング』の〕巨大なゴリラに踏みつぶされたり、ゴジラの死をもたらす放射火炎に溶かされることが、どのようにして**性的**願望を満足するのか理解するのははるかに難しい。

ここで、独創的な精神分析的解釈者なら、何とかして連想の連鎖を作り出し、植物に憑依される人間すら性的欲求に結びつけてしまうかもしれない。だが、こうした無理な連想やアドホックな仮説は、データを性的願望充足説に適合させようとする試みという以上のものではなさそうなので、疑われても仕方ないだろう。

　このため、強硬なフロイト主義者であるジョーンズは、悪夢の中の葛藤が、どれだけ近親相姦的欲望によって形づくられているのか（また、この説を拡張した場合は、ホラー作品の怪物がこの欲望によって形づくられること）を過度に強調しすぎるせいで苦しむことになる。ジョーンズは、これらがつねに性行為に関連すると主張しているからだ。[31] わたしの意見では、この立場はホラージャンルのクリーチャーの大多数を許容できる十分に包括的な立場にはならないだろう。

　しかし、こうした形式の分析を好む論者は、こうした類型が本質的に性的な願望充足を体現するという要求をゆるめることで状況を挽回しようとするかもしれない。包摂主義の態度をとって、こうした類型もまた（消しがたい願望ではなく）抑圧された不安を表現しているのだが、それは必ずしも本質的に性的なものとはかぎらないと主張する論者もいるかもしれない。悪夢に関するジョン・マックの主張によれば、強硬なフロイト主義の立場は狭すぎ、「悪夢の分析は通常、人間が被る最初期の最も深い不可避の不安や葛藤にわたしたちを導く。そこには、破壊的な攻撃性、去勢、別離と捨てられること、むさぼり食うこととむさぼり食われること、アイデンティティの喪失と母親との融合に関する恐怖が含まれる[32]」。

　このように抑圧の表現と見なされるものの範囲を広げることで、精神分析モデルの適用範囲を明らかに強めることができる。ホラークリーチャーやそのふるまいは、必ずしも単純な性的願望の表現に由来するものではないかもしれないが、その他の抑圧に結びつけることができ、そこには性的願望だけではなく、不安や幼児期の幻想も含まれる。これによって、『エクソシスト』、『キャリー』、『フューリー』、『パトリック』といった最近の映画や小説で、念力を使ったいたずらが人気を集めていることを説明できるかもしれない。こうした作品では、抑圧された怒りの無限の力――思考の全能性に対する信念――に対する幼年期の自信が満足され、同時に、この抑圧された幻想がホラーに偽装させられていると説明されるのだ。

つまり、読者はキャリーの止むことのないさまざまな怒りをモンスターとして扱っているが、同時に、キャリーは、幼児期の復讐の幻想――見ただけで都合よくも人を殺すことができる――を現実化し、実演していることになる。モンスターとしてのキャリーはホラーを与えるが、同時に、キャリーは罪悪感を負わされた――不安に満ちた――幻想に浮上の機会を与える。このためキャリーがもつホラーを与える側面は、より深い快、すなわち、意志の全能性という幼年期の妄想の表現を可能にするのだ。◆33

当然ながら、分析者が、ホラーにおいて密かに(そしておそらく満足のいくかたちで)表現されていると見なす抑圧された精神的源泉の種類が――抑圧された性的欲求以外に――増えれば増えるほど、こうした仕方で説明できるホラーの類型の種類も増えることになる。この仮説が成功した場合、ホラーにおけるあらゆる類型は、幼児期の不安、幻想、願望(性的なものにかぎらない)、トラウマなどと結びつけられる。また、抑圧されているものが何であれ、抑圧された素材が表現されることで快がもたらされ、モンスターがホラーを与えるという側面は、抑圧を昇華し解放するための代償と想定されるようになるだろう。

だが、ホラー作品に登場するあらゆるモンスターを、こうした仕方で抑圧に結びつけることができるかどうかは疑わしい。モンスターの作り方についての議論で見たように、文化的カテゴリーに特定の決まった操作を遂行しさえすれば、わたしがホラーなものと呼ぶものを作り出すことができる。つまり、ホラーなものは、文化的カテゴリーに対するほぼ形式的な操作と見なされるものによって作り出すことができるように思われるのだ。

昆虫の頭を人間の胴体の上に乗せ、水かきのついた足を加えればモンスターのできあがり。このモンスターを適切なドラマの構造に配置すれば、誰かを食べたり誘拐しようとしなくても、ホラーを与えることはできるだろう。こうやって作られたモンスターが、必ず幼児期のトラウマや抑圧された願望や不安に触れるものでなければならないということは、明らかなことではないように思われる。

あるいは、例えば、さまざまな種類の虫――おそらく蝶やてんとう虫はここから除外されるが――を群集化し、知性と「大義」を与えて行進させれば、おそらくホラー作品の敵役としてはふさわしいものになる。しかし、ここでもまた、ふたつ前の段落で紹介した精神分析的仮説の拡張に反することになるが、これらのモンスターが作品の文脈の中で精神分析的な意味をもつ象徴になるかどうかは明らかではない。これは単にわたしが想像しただけの反例というわけでもない。精神分析による分析――ここで考察している拡張された種類の分析であっても――を適用できそうにないモンスターは、ホラー作品の中にあふれている。

これにふさわしい反例として、H・G・ウェルズの短篇小説『海からの襲撃者』の人間を食べる頭足類――ハプロテウシスと呼ばれる――をあげられるだろう。このホラーなものを発見した後、作品はすぐに対決の場面に向かい、その後で、この貪欲な深海生物がさらに出現しているという情報がもたらされる。ストーリーは第一にアクション中心で、第二に、頭足類の襲撃の原因に関して多少の推理が与えられる。しかし、ストーリーの中で、これが幼児期のトラウマや葛藤にさかのぼる連想の連鎖と結びつけられることはまったくない。どのキャラクターについても、頭足類が抑圧された心理的葛藤に対応する客体になっているとは考えられないし、また、頭足類が精神分析的象徴の標準的な形式に訴えたくなるような仕方で記述されているわけでもない。

頭足類が〔精神の深層をイメージさせる〕深海から来ているのは事実だが、これを精神的素材の抑圧としてまとめることは難しい。なぜなら、頭足類が表現しているはずの抑圧された素材の内容を特定することができないからだ。頭足類は人を食べるのだから、食べられることに対する抑圧された幼児期の不安を表わしているのだ、と言う人もいるかもしれない。しかし、他方で、そもそも深海生物の一部は人間を食べるものであること、文字通りに食べられることは正当な大人の恐怖であること、また、このストーリーには、両親や両親の代理に食べられてしまうことに子どもがもつとされる恐怖との関連性を示唆するものは何もないことなどを考えれば、頭足類が何らかの仕方で両親に関わるものであり、ママやパパにむさぼり食われてしまうという幼児期の深い恐怖を表現しているという主張には実際には何の説得力もない。

この事例が反例として機能するのは、ホラーの類型を抑圧された性的願望に還元しようとする狭義の精神分析の試みだけではなく、性的なものであれ、何か他の幼い頃の隠れた素材に関わるものであれ、類型を不安や願望に還元しようとするもっと広いアプローチにも当てはまる。

またこの反例に説得力があれば、同じような起源をもつ（深海にかぎらず）例が、いくつもあることは容易にわかるだろう。頭足類と同じく、氷山で氷漬けになっていたり失なわれた大陸で発見される数えきれないほどの恐竜や、ジャングルの巨大な昆虫や、宇宙空間より訪れるタコが精神的葛藤の象徴と見なされる必要はない。したがって、精神分析によって、ホラーのクリーチャーを抑圧の対象に還元することで、このジャンルを包括的に扱うことはできない。あらゆるホラーのクリーチャーが精神的葛藤や欲求のしるしになるわけではないからだ。したがって、精神分析によってホラーのパラドックスを——抑圧されたものの回帰の代償という点から——解消することは、完全に一般的なものにはならないだろう。[34]

ここまでの論証を進めるにあたって、わたしが反論しているのは、精神分析が解釈や説明の方法として見込みのあるものかどうかという点ではない。また、そうした反論は、本書のような著作に適したものでもないだろう——この主題を論じるなら、それだけで一冊書く必要があるだろう。しかし、わたしの目的にとっては、科学としてであれ、解釈学としてであれ、精神分析の全体的な認識論的地位の問題については、中立的な立場を保つことが可能だ。これまで見てきたように、たとえ精神分析に十分根拠があるとしても、ホラーに現われる類型や、ひいてはホラーのパラドックスについて包括的な説明を与えることはできないからだ。

精神分析のモデルに合致するホラー作品はあるかもしれない。当然ながら、作品自体に精神分析の影響が見てとれる場合は、特にその見込みが高い。しかし、作者の意図を抜きにしても、精神分析に関係するような種類のトラウマや願望や葛藤に触れるホラー作品もあるかもしれない。また、こうしたストーリーでは、もし精神分析や、その一部の形態が正しければ（これは確かに大きな「もし」かもしれないが）、問題の事例における精神分析的な魅力は、本書ではまだ明らかにされていないこのジャンルの一般的な魅力の源泉にくわえて、そこに追加される別の力になるかもしれない。精神分析によって追加される力が、当の事例で補足的なものになるのは、もちろん、すでに認めたように、精神分析による説明ではこのジャンルを包括的に扱うことができない――つまり、明確な事例すべてをカバーしているわけではない――ためだ。

精神分析とホラーの話題から離れる前に、抑圧概念の関連性についてさらにコメントしておくと役立つかもしれない。ほとんどの精神分析的ホラーの理論では、ホラーやそれに関連するファンタジージャンルを論じる際に、抑圧の概念を採用している。これらの理論では、こうしたジャンルの対象は、抑圧された素材による類型と見なされ、それがフィクションの中に現われることで、快を与えるような仕方で抑圧が解放されると考えられている。このため、精神分析によるアプローチのほとんどは、半ば公理のようなかたちで、もしホラーのクリーチャーを抑圧された精神的素材の類型と見なすことができれば、それによって、その類型から、抑圧されたものを表現することで快が生み出されるという説明が支持されることを仮定している。その次の一歩としては、抑圧されたものの表現が侵犯や転覆と見なされることになるが、これらの概念もまた、ここでの用法においては、快、つまり解放の感覚とつながりをもつように思われる。

精神分析において、モンスターや幽霊などと抑圧を対応させるのは、フロイトの論考「不気味なもの」が先駆であり、影響力をおよぼしてきた。フロイトが不気味なもの、というラベルで捉えられると考えていたものは、わたしがアートホラーの対象と見なすものよりも数多く、もっと多様ではないかと考えられるが、アートホラーの対象がどれも（他の多くのものとともに）不気味なものの集まりに含まれるとフロイトが考えていたという推測は妥当に思われる。

不気味なものの経験について、フロイトは「抑圧された幼児期のコンプレックスが何らかの印象によって蘇ったとき、あるいは、わたしたちが克服した原始の信念が再確認されたと思われるときに起こる」と書いている。[35] このため、不気味なものの経験は、既知のものの経験ではあるが、それを知っていることが隠蔽されていたり、抑圧されていたりするものの経験になる。フロイトによれば、これは不気味なものの経験の必要条件ではあるが、十分条件ではない。「不気味なものとは、抑圧を受けた後で、そこから生じてくる、隠蔽された馴染みのあるものに他ならず、また不気味なものはすべてこの条件を満たす」[36]。

現在では、ローズマリー・ジャクソンなどの現代理論家の多くは、文化的なカテゴリーを、存在するものを抑圧する図式化と見なしている。[37][◇1] また、この観点から見ると、アートホラーのクリーチャーは、文化の図式化によって抑圧されているものの表現となる。ジャクソンは次のように書いている。

> 幻想文学はこのようなやり方で、文化的秩序の基盤を指し示し、ほのめかす。どのようにかと言えば、幻想文学はわずかの間ではあるが、無秩序な状態への、違法状態への、法の外側に横たわるものへの、支配的価値体系の外側にあるものへの扉を開けて見せてくれるからである。幻想文学は、文化の語られぬものと見えぬものの痕跡をたどる。沈黙させられてきたもの、見えなくされたもの、覆われて「不在」にさせられたもの。[38]

また、次のように書いている。

幻想文学のテーマは見えないものを可視化し、口にされないものをはっきりと表現することの問題を巡って展開する。幻想文学は、区分けがされていない状態を確立してそれを露わにし、物事が分かれていながらも接続されている状態として現実表象する「通常の」、すなわちありふれた見方を侵犯する。幻想文学は、限界にとり憑かれている。制限されたカテゴリーが気になり、そのカテゴリーを意図的に崩壊させようとしている。幻想文学は、支配的な哲学的前提を転覆させる。そうした前提は、一貫した単一の視点から見られた統一体を「現実」として称揚している。[…]同じ源泉から派生した幻想文学のテーマの諸要素を見てみることはできるだろう。その源泉とは、分かたれたカテゴリーの崩壊である。時系列的な時間の構造と三次元的な空間構成を通じ、「現実」が位置づけられ、名づけられることによって隠された空間、暗闇の中に押しこめられた空間、暗闇そのものとされた空間を前景化することが、幻想文学の源泉なのである。[39]

ジャクソンにとって、幻想文学と、おそらくホラー（幻想文学のサブカテゴリーとして）は、存在するものを文化において定義する図式の限界を暴いている。ファンタジーは、文化が抑圧しているものを示すような仕方でカテゴリーを問題化する。この点で、このジャンルには転覆的な機能があると見なすことができる。文化の概念的カテゴリーを逆向きにしたり、逆転させたりすることで、幻想文学は、抑圧的な文化の分類図式を転覆する。こうした抑圧的と見なされるカテゴリーのうち、中心的な重要性をもち、こうした仕方で転覆されるもののひとつは、人格の概念であると考えられる。「脱構築され、破壊され、分割されたアイデンティティの幻想文学、そして崩壊した身体の幻想文学は、統一された自己という伝統的な範疇に対抗する」◇2。

ジャクソンは、ホラーのパラドックスの問題を直接取り上げているわけではないが、それに対する暗黙の答えがどうなるのかは簡単に理解できる。アートホラーの対象は、文化における既存の概念やカテゴリーを侵犯する。幻想文学は、文化における事物の図式にしたがえばありえない（存在しえない）ような類型を提示する。文化における事物の図式が抑圧的であるかぎり、その図式化に反するものを提示することで、一時的ではあっても、抑圧を解除したり、解放したりすることができる。これが快を与えると想定できるだろう。さらにジャクソンは、これにはいくらか曖昧な政治的価値があること、つまり文化政治の領域で「転覆的」であることを示唆している。

ある程度の範囲では、ホラーなものの本質に関するジャクソンの見解は、本書でこれまで述べてきた特徴づけと一致している。わたしの説明では、ホラーの対象は不浄なものであり、この不浄さは、ホラーなものが狭間に位置したり、異なるカテゴリーのタイプを組み合わせて融合させるなど、既存の文化的カテゴリーを問題化する仕方に応じて理解されなければならない。このため、ホラーの対象が、文化において、見えないもの、語られないものであるというジャクソンの発想には同意できる。しかし、ジャクソンとはちがって、わたしには、これらのカテゴリーの組み合わせが、必ずすべての場合において抑圧されたものであると考える理由は見出せない。このカテゴリーの組み合わせは、文化における既存のカテゴリーの一部ではない以上、（当該フィクションの制作者が登場するまでは）思考されてこなかったかもしれない。また、それらはわたしたちの標準的な概念レパートリーの範囲から外れるので、一般的には気づかれておらず、無視され、認められていないなどの状態にある可能性を表現している。しかし、抑圧は単に自覚されていないという以上のことを含んでいる。抑圧に含まれる自覚の抑圧は、精神の機能の特定の次元のためになされるのだ。

しかし、ホラーなものの大多数は、この種の抑圧的類型ではない。映画『宇宙水爆戦』に登場する大型の昆虫奴隷について、わたしたちにはそれに合った文化的カテゴリーの用意がない。その一部は昆虫であり、一部は人間であり、一方脳が明らかにむき出しになっているため、内と外についての通常の期待を混乱させる。こうした組み合わせの可能性は、わたしたちの文化的カテゴリーにおいて期待されるものではない。おそらく多くの人は『宇宙水爆戦』の映画やポスターを見るまで、こうしたクリーチャーの可能性についてわずかにでも思い描いたことはないだろう。しかしこれは、わたしたちがこのモンスターの可能性を抑圧してきたからではない。

わたしの考えではこの主張を支持する理由はふたつに別れる。第一に、ホラー作品のモンスターの多くは、抑圧する以前には気づかれていない——単にそれについて考えたことがない。第二に、こうした事例は、わたしたちの文化的カテゴリーに対するほぼ形式的な操作によって取り出せると考えられるが、それを抑圧することによって、どのような心理的価値が促進されるのかを特定することは難しい。つまり、ホラーにおける虚構のクリーチャーは、わたしたちの文化的カテゴリーの典型例に対し、お決まりの変形や再結合や引き算などの手段を適用することで作り出すことができるかもしれない。しかし、こうした形式的操作があらゆる事例において、抑圧された素材と結びつくと予測する根拠はない。実際、わたしが提示した事例——ウェルズの頭足類や『宇宙水爆戦』の奴隷生物——については、抑圧という発想は的外れに思われる。よって、もしこの論証に説得力があるとすれば、ジャクソンなどが唱えている抑圧仮説は、ホラーというジャンルを包括的に説明するものではないということになる。◆40

　抑圧仮説に関するジャクソンの言明には、時に困惑させられる。ジャクソンの主張のひとつの読み方は、文化における見えないもの、語られないものとジャクソンが呼んでいるもの――つまり文化の分類図式によって不可視になり、隠蔽されるなどしているもの――には、おそらくイデオロギー的な目的のために、現実を否認することが含まれている。当然ながら、ある文化における概念によって、いくつかの可能性について思考することは、他の可能性についての思考よりも難しくなるだろう。しかし、これが現実の否認を含意するとはかぎらない。わたしたちの文化のカテゴリーは、家と同じくらいの大きさのクラゲが火星からやってきて世界を征服することについて思考することを、困難に（不可能でないにしても困難に）しているかもしれない。しかし、これは現実に対する反抗にはなっていない。現実にはそんなクラゲはいないからだ。また、そう述べたところで、自民族中心主義や、人間中心主義のような好ましくない態度になるわけでもないだろう。

　さらに、ジャクソンは文化の分類図式に対して、極端に懐疑的な態度をとっているが、これはほとんどパラノイアの域に達している。文化は、現実との相互作用を妨害するものとされている。しかし、むしろ文化は――特に概念が世界との交渉を組織する仕方という点においては――、わたしたちが現実を知る手段と考えられるべきだろう。

　また、幻想文学は本質的に政治的にも文化的にも転覆的なものであるというジャクソンの発想には無理があると言うべきだろう。ここに見られるのは、このジャンルにおいては、文化によって存在が否認されるものが肯定されるため、このジャンルは対抗的なものであり、おそらくユートピア的でもある――文化の想像力の限界を超えた可能な事態を祝福する――という発想のように思われる。

こうした一連の論証と形式上類似した点が多いのは、フィクションは――事実ではないものを表現するから――、ないし芸術一般は――実用的・道具的領域から自律しているから――、それ自体で解放的だと主張する急進的論証だ。フィクションと芸術は（例えばハーバート・マルクーゼによれば）、今ある姿以外の現実や、文化によって述べられた以外の現実の可能性を祝福するものであり、それによって現実（特に社会的現実）の変革は可能だという感覚を促進する。こうした立場によれば、幻想文学やフィクションや芸術は、その本性を前提とするかぎりにおいて、その存在論的な先行条件のために自動的に解放的であると言われる。特定の幻想文学のストーリーや、フィクション、芸術作品の内容は、当該の形式に内在するユートピア的な次元を打ち消すことはない。

しかし、わたしはこうした論証は非常に疑わしいものだと考える。これらの論者は、フィクションや芸術や幻想文学を、その本質的機能において解放的であると見なされるような仕方で実体化してしまっている。フィクション、芸術、幻想文学は、その存在論的地位によって道徳的に善なるものとして扱われている。これはあまりにも感傷的であるように思われるだけではなく、事実に反していると思う。確実に、道徳的にも、もっと言えば政治的にも不愉快なフィクション、芸術作品、幻想文学は存在しうるし、これまでも存在してきた。

また、フィクションが事実でないことを表象するからと言って、何らかの社会的な意義をもつ変革が自動的に含意されたり動機づけられたりするわけではない。ロビンソン・クルーソーが存在しないことと、資本主義が転覆されうるかどうかということには何の関係もない。同様に、単に人狼を表象しても政治的行為にはならないし、文化／政治的行為にすらならない。フィクションを読む際、それがある文化の存在についての見方と合致しないクリーチャーについてのものだったとしても、認知における現状維持を打破することにはならないし、ましてや体制における現状維持の打破にはつながらない。

ホラーや幻想文学のクリーチャーは、文化的カテゴリーに合致しないという意味で、文化的カテゴリーを転覆していると述べることはできるかもしれない。しかしこの意味での転覆を政治的意義をもったものと見なすのは、多義性による誤謬の一種だ。これは、個別のホラー作品や幻想文学作品が政治的に動機づけられていることがありえないと言っているわけではない。『カリガリ博士』は元々の計画では、よく知られているように、政治的に先鋭的な寓話を目指していた。しかし、ある幻想文学作品が政治的に転覆的であるかどうかは、存在論的地位によって決まるのではなく、作品の内的構造と、それが作られた文脈によって決まることだ。

ジャクソンの考えによれば、幻想文学ジャンルで特に転覆の火にさらされることになる文化的観点のひとつは、単一の自己としての人格だ。このジャンルには、例えば、複数の自己によって構成されるものや、自己の分解を経験するクリーチャーがあふれている。ジャクソンは、こうしたものを自己に関する支配的な文化的理解への攻撃として読んでいる。しかし、この特徴づけはほとんど精査に耐えないだろう。幻想文学作品における分割された自己、分解する自己の多く——ジキル博士、ドリアン・グレイ、人狼など——は、実際には、人格についての宗教的・哲学的見解のうちの人気があるもの（善と悪の分割、理性と本能の分割、人と獣の分割）を具現化している。このためこうしたクリーチャーは、人格性に対する文化の理解を覆すのではなく、むしろそれをなぞっている、あるいは、少なくともそのうちの一部の理解をなぞっていることになる。ジャクソンの過ちは、他の多くの現代の理論家の過ちと同様に、わたしたちの文化には人格の概念がひとつしかなく、かつ、それはつねに単一の自己の概念であると仮定していることだ。ハーバート・スペンサーは、事実によって殺された理論こそ悲劇であると考えていたと言われているが、この見解はまさにそのような意味で悲劇的なものだ。

## ホラーの魅力の一般理論と普遍理論

本章でこれまでのところ見てきたのは、ホラーのパラドックスを包括的に扱おうとして失敗した試みばかりだった。宗教のアナロジーと精神分析の理論はどちらも十分に一般的ではないために拒否された。宗教仮説に反し、アートホラーの対象すべてが畏怖を植え付けるわけではないし、一方精神分析に関しては、必ずしもすべてが抑圧の対象になるわけではない。ホラーのパラドックスに対する、よく知られたこれらのアプローチを放棄したため、今度はわたしが自分の説を提示する責務を負うことになる。

すでに指摘したように、ホラーのパラドックスは、十八世紀の理論家にはすでに萌芽的なかたちで気づかれていた。恐怖譚に対して彼らが提示した疑問は、すでに引用したように、実際には、もっと一般的な美的問題の一部、つまり、どんなジャンルであれ——ホラーだけでなく悲劇も含めて——、その対象が通常は苦痛や不快感を引き起こすものである場合、どうして鑑賞者が快をえることができるのかという問題の一部だった。つまり、幽霊やデスデモーナにおける虐殺のようなものに「実生活」で遭遇した場合、楽しむより動揺するだろう。またもちろん、スクリーンの上やページの上で嫌悪を与えるものは、本当に嫌悪を与えている。それはわたしたちが通常は回避しようとするものだ。では、ならばなぜわたしたちは芸術やフィクションにそれを求めるのだろうか。それはどうやってわたしたちに快を与えるのだろうか、および／または、なぜ興味を惹くのだろうか。

こうした疑問に答えるために、最初にこの疑問を提示した著述家——特にヒュームとエイキン姉弟——に立ち返り、彼らが何を言いたいのかを確認することが非常に有益だと考える。当然ながら、彼らの説明には修正や強化が必要だろう。しかし、これらの論者が考えたことを精査することで、ホラーのパラドックスへの包括的な答えの少なくとも一部になるとわたしが考える方向へ向かうために役立つだろう。

悲劇に関するヒュームの考察が、ホラーのパラドックスに答えることにどのように役立つかを評価するために重要なのは、ホラージャンルは悲劇と同様にほとんどの場合、物語の形式をとっていることを念頭に置いておくことだ。実際、わたしは第三章を使って、ホラージャンルの物語要素の多くを評価しようと試みた。ホラーは物語である場合が多いため、多くのホラーでは、わたしたちの関心や、えられる快は、第一にはアートホラーの対象それ自体——つまりモンスターそれ自体——に向けられたものではないという可能性が示唆される。そうではなく、物語こそが、関心と快の重要な焦点になるかもしれない。というのは、ホラージャンルにおいて魅力的なもの——関心を保持し、快を生み出すもの——は、何よりもまず、アートホラーの対象が単純に提示されることであるとはかぎらないし、むしろ提示や開示が、全体の物語構造の中で機能する要素として位置づけられる仕方に魅力があるかもしれないからだ。

つまり、ホラーというジャンルの魅力を説明するためには、モンスターの何がわたしたちに快を与えるのかを問うだけではいけないのかもしれない。なぜならモンスターおよびモンスターの開示によってえられる関心や快は、より大きな物語構造の中でモンスターが提示される仕方によって決まるかもしれないからだ。

語り手による憂鬱な出来事の提示について、ヒュームは、そこからえられる快は、出来事それ自体への反応ではなく、その修辞的な枠づけ（フレーミング）への反応であると指摘している。悲劇に目を向けると、この機能を果たすのはプロットだ。ハムレット、ガートルード、クラウディウスなどの死に関心を惹かれるのは、サディスティックな趣味のためではなく、プロットが生み出す関心のためであり、この関心は、特定の力がひとたび動き出したあと、どのような結果がもたらされるのかに向けられる。快がえられるのは、わたしたちが、そのような疑問を満足させることに関心をもっているからだ。

ヒュームは次のように書いている。

> もしかりに、ある人にあることがらを話してその人の心を非常に動かそうという意図をもったならば、その効果を増す最善の方法は、それを彼に知らせることを巧妙に遅らせ、まず彼に秘密をもらす前に、彼の好奇心と辛抱をかきたてることであろう。これはシェイクスピアの有名な舞台でのイアーゴーによって行なわれた技法であり、オセロの嫉妬心が先の辛抱から増し加わった力を得て、

付随的な情念がここですぐに優勢な情念に変えられることに観客はすべて感づいているのである。◆41

ヒュームのアイデアは、悲劇的で心をゆさぶる出来事が、ひとたび美的文脈――美的文脈には独自の契機が含まれる――の中に位置づけられると、優勢な情動反応は、快と関心の観点では、全体的物語構造の機能としての出来事の提示に向けられる。つまり、表向きは「付随的な情念」であるが、構造において重要な情念が優勢になる。ヒュームは次のように注意している。

これらの事例（さらにもっと多く集めることができるであろう）は、自然の類比に対する洞察力をわれわれに与え、詩人、雄弁家、音楽家が悲嘆、悲しみ、憤慨、同情を引き起こすことによって、われわれに与える快は、一見したほど途方もない、もしくは逆説的なものではないことを示すのに十分である。想像力、表現力、詩句の力、模倣の魅力、これらはすべてそれ自体本来、精神に喜びを与える。また、演じられる対象もまた多少の愛着心をもたれているときは、快は、この付随的な心の動きを支配的な心の動きに転換することによって、さらに高められる。しかし情念は、おそらく本来、実際の対象物がそのまま現われることによって引き起こされる場合、それは苦しいものとなるかもしれない。だがそれにもかかわらず、洗練された技巧によって高められると、非常に穏やかにされ、和らげられ、静められて、それは最高の楽しみをもたらすのである。◆42

悲劇に関して、ヒュームが支配的だと見なしている「情動」は、物語における予期だ。これは確実にアリストテレスによる考察、悲劇という種の演劇における鑑賞者の認知と逆転に関する予期についての考察にさかのぼるものだろう。このため、快を与えるのは悲劇的出来事それ自体ではなく、悲劇的出来事がプロットの中に組み込まれる仕方によって快が与えられるのだ。

同様に、エイキン姉弟は、恐怖の対象からえられる関心と快を説明するために、大筋ではプロットに注目している。[43] この著者らの考えでは、恐怖作品からえられる快を、恐怖の対象——ここでの目的においてはモンスター——それ自体がどれだけ魅力的であるか、あるいは快を与えるかを語ることだけで説明しようとするのは問題設定がまちがっていることになる。著者らは（〔共著だが〕一人称単数で）次のように書いている。

それでは私たちは、そのような諸対象から生じる快楽を、どのように説明すべきなのだろうか？私はしばしば、こうした事例にはペテンがあるのではないかと想像するように思わされてきた。私たちが何かを注視する際の貪欲さは、真の快楽を受け取っている証拠にはならないのではないかと。私たちはサスペンスから感じる心痛、好奇心を満たしたいという欲望は、それが一度惹起されるや、ぞくぞくするような出来事を最後まで読み切ろうとする私たちの熱意を説明するだろう。私たちは、満たされない欲望をそわそわと恋いこがれるよりも、激しい感情のひりひりするような痛撃を甘受することを選ぶものなのだ。この原則のせいで、嫌悪しているものであっても、自らすすんでではないにしろ、多くの例においてそれを味わい切ってしまうことを、私は経験から確信している。[44]

ヒュームとエイキン姉弟の主張をすべて受け入れる必要はない。わたしは個人的には、サスペンスを苦痛を与えるものだと述べることが適切かどうかについては疑っているし、一方、ヒュームが述べているような、付随的な情念を優勢なものへと移行させるメカニズムは、仮にまちがっていないとしても、いささか理解しがたい（出来事の悲劇性と、それに対して生じるであろう苦痛を含む反応は、わたしには物語の語りにおける不可分の要素であるように思えるからだ）。しかし、両者に共通する発想である、通常は動揺させる出来事に対する美的工夫は物語などの構造において文脈化することに依存しているという発想は、ホラーのパラドックスに関しては特に示唆に富むものとなる。

というのは、前述の通り、ホラージャンルの大部分は物語だからだ。実際、わたしたちの文化では、ホラーは何よりも物語の形式において盛んになっていると言ってもよいだろう。このため、わたしたちがホラーにもつ関心と快を説明するための仮説として、わたしたちの満足の焦点となるのは、主として、モンスターそれ自体ではなく、モンスターの提示の背景となる物語構造全体であるという仮説を立てられるかもしれない。もちろん、だからと言って、モンスターがこのジャンルと無関係だということにはならないし、また、このジャンルにおける関心や快が、どんな物語でも満足させられるとか、および／あるいは代用されるということにはならないだろう。なぜなら、前に主張したように、モンスターはホラーストーリーに見られるタイプの物語の機能的構成要素であり、すべての物語がホラー物語とまったく同じように機能するわけではないからだ。

ホラーの物語の分析で見たように、これらのストーリーは、不可能なもの、つまり既存の概念図式に従わないものの存在を証明し、開示し、発見し、確証することを中心に展開することが多い。こうしたストーリーの一部には――物事の本質についてのわたしたちの日常的な信念に反して――このようなモンスターが存在することが含まれる。その結果、鑑賞者の予期は、モンスターの存在がストーリーの中で確証されるのかどうかという点を中心に展開することになる。

多くの場合、これが達成されるのは、ヒュームが物語における「秘密」全般について述べているように、モンスターが存在するという決定的情報をそれなりに長い期間先延ばしにすることによる。時には、この情報は作品の最後の最後まで先延ばしにされることもある。そして、この情報がすぐに鑑賞者に与えられる場合でも、物語の中の人間のキャラクターは、モンスターの存在を発見する過程を経なければならないのが一般的であり、それが、その後の場面やその後の場面の連鎖の中で、その発見を〔第三者に〕確証するという別の過程につながることもあるだろう。つまり、モンスターが存在するかどうかという問題は、物語の中の人間のキャラクターがモンスターの存在を立証できるのか、いつ立証するのかという問題へと変容するかもしれない。ホラーストーリーは多くの場合、一連の発見の引き延ばしになる。最初に読者がモンスターの存在を知り、次に一部のキャラクターがモンスターの存在を知り、次にさらに多くのキャラクターがモンスターの存在を知る、などのように。反復される開示のドラマ――ただしそれぞれ別の人々に対する開示だが――が多くのホラー作品を支えている。◆45

越境者型プロットであっても、モンスターが存在するのかどうか――つまり悪魔の場合はそれが召喚できるのかどうか、あるいはマッドサイエンティストやネクロマンサーがそれを創造できるかどうか――が問題となる。また、モンスターの存在が開示された後も、鑑賞者は、モンスターの本性、正体、起源、目的、そしてその驚異的な力と特徴――その中には、最終的には、人類にとって効果的になりうる、モンスターの弱点も含まれている——の情報を求めつづけることになる。

このため、ホラーストーリーの大部分は、明示的に好奇心によって動かされている。ホラーストーリーは、開示、発見、証明、説明、仮説、確証の過程に関与させることで鑑賞者を惹きつける。モンスターの存在を信じることは一種の狂気かもしれないという疑いや、懐疑主義や、恐れもあるが、それはモンスターの存在を（鑑賞者、キャラクター、ないしその両方に）明かすための見えすいた飾りにすぎない。

ホラーストーリーのかなりの事例が、モンスターの存在を証明し、モンスターの起源、正体、目的、力を（多くの場合は少しずつ）明らかにしていくドラマになっている。またモンスターは明らかに、この種の好奇心を生み出し、証明のドラマを支えるにはうってつけの媒体だ。なぜなら、モンスターは（一般的には、論理的不可能ではないとしても物理的には）不可能な存在であるからだ。モンスターは、わたしたちの既存の文化的カテゴリーから見れば、説明のつかないものとされたり、あるいは非常に奇怪なものであるため、関心と注意を喚起し、その結果、モンスターについてもっと教えてほしい、もっと知りたいという欲求が植え付けられる。またモンスターは、何が存在するのかに関する広く行き渡った（正当な）定義の外部にあるので、当然ながら、懐疑主義に直面することになり、その存在証明（あるいは虚構の存在証明）の必要性が促される。モンスターは好奇心にとっては自然な主題であり、プロットにおいてモンスターに推理の力が惜しみなく注ぎこまれることを直接的に保証してくれる。

知りたいという欲求——少なくとも、プロットの中で目立つ力が相互作用した結果について知りたいという欲求——は、あらゆる物語に含まれていると考える人もいるかもしれない。しかし、ホラー作品は、こうした一般的な物語の動機の中でも、特別なバリエーションのひとつになっている。なぜなら、ホラーストーリーの中心には、原理的に不可知のもの――仮説上、わたしたちの概念図式の構造を前提とすれば、存在することが不可能であり、もつはずのない特徴をもつもの――があるからだ。だからこそ、非常に多くの場合、ホラーストーリーの真のドラマは、モンスターの存在を立証し、ホラーを与える特徴を明らかにすることにある。ひとたび立証が終わると、一般的にはモンスターと対決しなければならず、物語はこのクリーチャーを倒すことができるのかという疑問に動かされるようになる。しかし、この時点にいたっても、推理のドラマはつづくかもしれず、さらなる発見――論証、説明、仮説を伴った発見――によってモンスターの特徴が明らかにされ、それがモンスターを倒す助けになったり、妨げになったりする。

これを手短に説明するために、コリン・ウィルソンの小説『精神寄生体』を考察しよう。この作品は、精神寄生体と人類の対決の年代記を集めた著作集として提示されている。この年代記は、多くの資料から引かれている。したがって、フィクションの提示順序の観点からは、この作品は、精神寄生体――ツァトグァン人と呼ばれる――が存在するという前提で始まっていることになる。しかし、小説の叙述は、他のさまざまな発見（古代都市の遺跡の発見など――あとでわかるように、これはミスリードだが）とともに、このクリーチャーが発見される過程をはじめから終わりまで述べることで進行していく。主人公であるギルバート・オースティンが発見するのは、第一発見者である友人のカレル・ヴァイスマンによるツァトグァン人の発見だ。また、ヴァイスマンの発見もそれ自体発見の物語を構成している。オースティンはその後、自らの発見の過程を進めていく。どちらの発見の過程でも、発見者が正気ではないという可能性に対処しなければならなくなる。オースティンはその後、自分の同僚のライヒに精神寄生体の存在を確証させる。これは難しくないが、それによって推理が足され、証拠の蓄積も少し増えることになる。オースティンとライヒは、その後、選ばれた他の科学者のグループに発見を伝え、そのうちの多くが精神寄生体に殺される。しかし、十分な数の科学者が生き残り、最終的にはアメリカ大統領に発見を共有する。言い換えれば、このプロットは、ツァトグァン人の存在をしだいに多くの人々に明らかにすることによって進行していくのだ。しかし、オースティンが精神寄生体と対決するために政府の援助を十分に確保した後も、ストーリー上では、さらに発見が必要となる。オースティンは言う。

これにはすっかり参った。なるほどわたしたちは大きな秘密をつかんだ――世界に警告も与えた。が、つきつめた意味では相変らず何も分ってはいないのだ。これらの生きものはいったい何者なのか？　どこからやってきたのか？　彼らの究極の目的は何なのか？　彼らはほんとうに頭脳がすぐれているのか？　それともチーズにわいた蛆虫みたいに無知なんだろうか？[◇3]

もちろん、読者もこの疑問の答えを知りたがっており、答えを知るためにプロットの最後までついていくことになる。さらに、結末になってようやく、ツァトグァン人の特徴（および月とツァトグァン人の関係）が明らかにされ、それによって最終的に打ち勝つことができる。

『精神寄生体』は、多くのホラー作品以上に「哲学」を含んでおり、フッサールが怒って復活しかねないような仕方で現象学を神秘的にアレンジし、ツァトグァン人に対する武器として導入している（『精神寄生体』では、登場人物が、フッサールを読んで現象学を学ぶことで念力などの超能力を身につける）。しかし、連続的な明示化や開示の物語と呼ぶことができるようなものであるため、多くのホラー作品を代表するような作品になっている。

明らかにされ、開示されるのは、もちろん、モンスターとその特徴だ。未知なるものであるという点だけでも――探偵もので殺人者が未知であるというのと同じような意味においてだけではなく、知識の範囲外、つまりわたしたちの既存の概念枠組の外部にあるという点でも――、モンスターは発見と開示の対象として適切なものとなる。またこれによって、モンスターについて明らかにし、その特徴を開示することが、どうして証明、仮説、論証、説明（説明と言っても、SF的な空想の飛躍や、神話の領域だの、薬草だの、呪文に関する魔法の伝承だのを含むが）、確証の過程と頻繁に結びつくのかが説明される。つまり、ホラー作品の基礎にあるのは、未知であり、不可知であり――および、信じがたく、とてつもないものであり――不可能なものを明らかにすることであるために、ホラー作品は発見と証明の物語というかたちをとることが多いのだ。なぜなら、モンスターのように未知なるものは、当然ながら証明のための格好の題材となるからだ。

ホラーのパラドックスに適用すると、こうした考察によって示唆されるのは、〈ホラー作品からえられる快〉、および〈そこに向けられる関心の源泉〉は、まず何よりも、ホラー作品の多くに含まれる発見、証明、確証の過程のうちにあるということだ。ホラーなものの存在を開示し、その特徴を開示することが、このジャンルの快の中心的な源泉になっている。明らかにする過程が完了したあとは、そのクリーチャーと対決し、倒すことができるかどうかというかたちで好奇心が維持され、この物語上の疑問によって、わたしたちはストーリーの結末へと導かれることになる。ここに含まれる快は、広い意味で認知的なものだ。興味深いことに、ホッブズは好奇心を心の食欲と考えていた。ホラー作品でこの食欲を刺激するのは、不可知のように思われるものについて知る可能性であり、その後この欲求が連続的な開示の過程によって満足され、さらにそれを強めるのは、（確かに単純なものではあるが）証明のまねごとや、仮説や、因果推論らしきものや、説明だ。その細部や展開は、本物の証明や仮説に似た仕方で心を刺激する。◆46

また、これら個々の認知的快は、本書で言うところの不可知なものによって駆動されるため、ホラーを与えるモンスターが特にこの役に立つことは明らかだ。このため、ホラージャンルを特徴づけるもの〔モンスター〕と、多くのホラー作品において維持される快や関心の間には、特別な機能的関係がある。この関心と快を生み出すのは、未知なるもの、不可能なもの、――つまり、証明、発見、確証が求められるように思われる種類のもの――を開示することだ。したがって、こうした事物によって喚起される嫌悪は、開示の快のために支払われるべき代償の一部と見ることができるかもしれない。つまり、ホラージャンルにおいて物語上予期されるのは、ストーリーの中で存在するかどうかが問題になっている事物が、既存の文化的カテゴリーに逆らうものであることだ。このため、ホラーの物語においてはたらく好奇心の種類を考えれば〔それが不可知のものに対する好奇心である以上〕、嫌悪はいわば多少なりとも避けられないものになる。モンスターの開示によって、実際に嫌悪が喚起されるか、あるいはモンスターが嫌悪の対象となる可能性が高い種類のものでないかぎり、ホラーの物語は、物語上の主要な疑問に対してうまく肯定的な答え〔不可能なものが存在するという答え〕を与えることができなくなってしまう。

つまり、一方におけるアートホラーの対象と、他方における情報開示的なプロットの間には、強力な対応関係がある。ホラーにおいて用いられるプロットの種類と、ホラーを与える開示の対象は、単に両立するという以上に、むしろ非常に適切な形で組み合わさっており、合致している。鑑賞者が未知なるものに対して自然な探究心をもつことと、発見、説明、証明、仮説、確証などの過程を通じて未知なるものが既知のものになることに関わるプロットはうまく嚙み合っているのだ。

もちろん、ここでホラーなものが「未知」であると言うことによって意味されているのは、既存の概念図式によって許容されないということだ。さらに、メアリー・ダグラスの不浄についての説明が正しいとすれば、わたしたちの概念図式に違反するものは、(例えば)狭間に位置するものであることによって、嫌なものと感じられる傾向にある。このため、ホラーなものは、それがわたしたちの分類図式を侵犯する仕方のために、予想通り嫌悪感や拒否感の対象となる。

ホラーを与えるクリーチャーに関して第一に重要なことが、それがわたしたちの概念のカテゴリーにとって不可能なものであるというまさにそのことによって、発見と確証のドラマにおいてかくも強く心を捉えるものになるということだとすれば、クリーチャーの開示は、それがカテゴリー違反であるかぎりにおいて、ある程度の嫌さや苦痛や嫌悪を伴うことになるだろう。その結果、こうした物語においてホラーを与えるクリーチャーが果たす役割——こうした物語の中では、クリーチャーについて開示することによって、関心が惹きつけられ、快がもたらされる——のせいで、クリーチャーはおそらく同時に拒否感も与えることになる。つまり、プロットにおいて、不可能と見なされるものを開示することでわたしたちの関心を満足させるためには、開示の対象は、ダグラスなどの理論家が文化の分類に適合しない現象について予測しているように、嫌なもの、苦痛を与えるもの、拒否感を与えるものでなければならないのだ。

このため、ホラーのパラドックスの解決にいたる第一近似として次のような推測を与えてもいいかもしれない――わたしたちがホラー作品の大部分に惹かれるのは、発見のプロットと証明のドラマによって好奇心が刺激され、関心が強められ、理想的には快を与えるような仕方でそれらが満足させられるからだ。[47] しかし、開示を通じて満足されるのが不可能なものについての物語的好奇心なのであれば、その過程は、おそらくは嫌悪を与えるだろう要素を含んでいなければならない。なぜなら、不可能なものは、仮定上、嫌なもの、苦痛を与えるもの、拒否感を与えるものだからだ。

ひとつ重要な点を強調しておくと、こうした開示の物語に登場するモンスターは、その発見の過程が快を与えるような仕方で満足させるものであるなら、嫌なもの、苦痛を与えるもの、拒否感を与えるものでなければならないということだ。あるいは他の仕方で言えば、開示の物語がもたらす主要な快――すなわち、わたしたちが開示の物語に対してもつ関心と、その魅力の源泉――は、物語を構成する発見の過程、証明のゲーム、推理のドラマにある。わたしたちが求めているのは嫌悪ではなく、むしろ嫌悪は未知なるものの開示に付随することが予測されるものとなる。物語は鑑賞者に、未知なるものを開示したいという欲求を植え付け、それから開示が鑑賞者に楽しみを与える。モンスターが、わたしたちの自然の理解に違反するものでないかぎり、この欲求は満たされることはなく、そのため、モンスターはおそらく一定の拒否感を喚起するようなものであることが必要とされる。

ホラーの物語についてのこの解釈では、ホラーの大部分は、開示のドラマによる認知的魅力を利用しているように思われるが、一方でアートホラーの感情の経験は、ジャンルの成員を識別する決定的な特徴であるにもかかわらず、ホラー作品を消費する際の絶対的な主目的ではないということになる。むしろ、アートホラーはわたしたちが喜んで支払う代償であり、この代償によって、不可能なもの、未知なるもの、わたしたちの概念図式に反するものの開示がなされることになる。不可能なものは嫌悪を与えるが、嫌悪は全体的な物語受容の一部であり、それは快を与えるだけではなく、むしろその潜在的な快は、文化における既存の分類法に違反し、反抗し、それを問題と化すようなモンスターの存在を確証することに依存している。このため、この種のホラー作品が嫌悪を与えるという事実にもかかわらず、わたしたちはそれらに惹きつけられ、多くの者がホラー作品を求めようとする。なぜなら、この嫌悪は、未知なるものへの好奇心に含まれる快や、開示や推理などの過程に引き込まれる快をえるために必要なものだからだ。

こうした仮説に対するひとつの反論として、ホラー作品に見られる種類のプロット構造の多くは、他のジャンルにも見られるものだという指摘があげられる。推理に支えられた発見と確証の戯れは、探偵もののスリラーにも見られる。また、七〇年代前半のディザスタームービーのプロットも、ホラーのプロットに似ていることが多いが、そこで発見と確証が求められるのは、グールや吸血鬼ではなく、地震、雪崩、洪水の可能性や、爆発寸前の電気系統が犯人になっている。

もちろん、探偵ものやディザスタームービーでは、開示される悪は不可能なものではないし、原理的に未知なるものでもない。これが意味するのは、こうした物語の特徴には嫌悪を与えることが含まれないというだけではなく、そこでかきたてられ満足される好奇心の種類にも、質的な違いがあるということだ。ここでわたしが論点にしたいのは、ある種の好奇心が、他の種類の好奇心より高度であるとか低度であるということではない。そうではなく、一定の抽象的記述のレベルでは、主要な展開が形式的に等しく見えるプロット構造であっても、そのプロット構造によって喚起される好奇心の種類が異なることがありえるというだけだ。しかし、いずれにしても、未知ではあるが自然主義的に説明できるものに好奇心を抱くのと、不可能なものに好奇心を抱くのとは別のことだ。そして、ホラー作品が典型的に扱うのは、この後者の形態の好奇心なのである。

わたしの考えでは、ホラーのパラドックスに関する先述の仮説に対しては、他にもっと深い反論がふたつある。

(1)これまでのところ、この仮説では、ホラーの物語だけ、もっと言えば、特定の種類のホラーの物語だけ——すなわち、発見、確証、開示、明示化、説明、仮説、推理などの要素を含むもの——を扱ってきた。しかし、ホラージャンルには、例えば絵画のように必ずしも物語性を含まないものもあるし、かつ、わたしが特徴的なホラーのプロットを精査した際には、これらの要素を伴わないホラーの物語もあった。例えば、純粋登場型や純粋対決型のプロットは存在しうるかもしれない。また、ホラーのパラドックスに関するこれまでの仮説は、十分に包括的ではなかったために却下された。しかし、物語性のないホラーの事例が存在し、また、ホラーの魅力の中心的源泉と見なされている開示の要素を含まないようなホラーの物語が存在しうるのであるから、この仮説は、自ら立てた一般性の基準を満たしていないものとして却下されなければならない。

(2)この仮説では、ホラーを感じる経験が、このジャンルの経験からあまりにも離れたものになってしまうように思われる。ホラーなものに対して感じる拒否感が、このジャンルに見出される魅力の源泉から切り離されすぎてしまったのだ。このジャンルを他から区別しているのは、アートホラーの感情なのだから、これは奇妙だろう。実際、特定の作品が何らかの感情によって定義されるかぎり、他のジャンルではなく、このジャンルを選択するのは、その感情のためであると予期するのはよくあることだろう。そのため、そのジャンルを特別なものにしているものと、鑑賞者を特にそのジャンルに惹きつけるものには強いつながりがあると想定することは正当に思われる。しかし、この説明は、これまでのところ、この点で失敗している。

この第一の批判は、現状のわたしの仮説の限界を非常に的確に捉えている。わたしの見解はまだ十分に包括的ではない。ホラージャンルには、写真や絵画のように、時間的に持続する物語の語り、特にわたしが強調してきた特定の種類の語り〔開示や推理による物語〕を含まない例もある。また、純粋登場型や純粋対決型のようなホラーの物語もあるが、これらの物語においては、上述したような、洗練され、時には複雑に組み合わされた開示の戦略が鑑賞者に与えられない。しかし、わたしは、こうした考察によって、わたしのアプローチに対する決定的な反例が与えられるとは考えていない。むしろこれによって、このアプローチをさらに深め、拡張する機会になると考えている。それだけではなく、第一の反論に対処するために自分の立場を調整する過程で、第二の反論にも対処できるようになるはずだ。

わたしの考えでは、ホラー芸術の大多数において、ホラーのパラドックスに与えられる最善の説明はわたしがすでに与えたものと非常によく似たものになる。しかし、これまでの説明では、非物語的ホラーや、開示のドラマにほとんど関係しないホラー作品をカバーできていないことは事実だ。これらの事例を扱うためには、もっと多くのことを述べる必要がある。ただし、この「もっと多くのこと」は、すでに述べてきたことと噛み合っており、それによってここまで作ってきた理論を強化し拡張できる。

わたしのアプローチの中心となっているのは、ホラーの対象は根本的には認知的関心、特に好奇心と結びついているという発想だ。開示／発見の物語というプロット手法は、この大元の認知的欲求を多方面に利用し、拡張し、維持し、発展させる。また、これはホラー作品の通常の進行の仕方にもなっている。

しかし、特定のタイプのフィクション作品のプロット——つまり開示に関わるプロット——で、この好奇心が特に強められるとしても、好奇心がプロットだけによって作り出されると考えるのはまちがいだろう。なぜなら、アートホラーの対象は、それ自体として、好奇心を生み出すからだ。だからこそ、すでに述べた開示のプロットを支えることができるのだ。その結果、ホラーの好奇心に最善の説明が与えられるのは開示のプロットであるのは事実であるし、また特に頻出する事例や、好奇心が特に強まる事例で、開示のプロットが利用されることも事実ではあるが、一方、開示／発見型のプロットという物語的文脈がなかったとしても、好奇心を生み出したり満足させることができるというのもまた事実なのである。このため、ホラーが作られるのは開示の物語の文脈であることが最も多く、またおそらくその場合が最も強力であり、さらにそれが最も主要なかたちであることも事実かもしれないが、一方、非物語・非開示の文脈であっても、同じ理由で——つまりアートホラーの対象の力によって好奇心が喚起されることによって——、ホラーが作られることもありえるのだ。

アートホラーの対象は定義上、不浄なものであったことをここで再度思い出してほしい。これは、アートホラーの対象が異質なものであるという仕方で理解されなければならない。当然ながら、異質であるという本性のため、それは嫌なものであり、苦痛や嫌悪を与える。こうした対象によって、わたしたちの事物の分類が侵犯されるが、このような世界観の挫折は不安を与えることになるだろう。

しかし、異質なものは関心を惹くものにもなる。それが異常であるという事実それ自体にわたしたちは惹きつけられるのだ。異質なものは、わたしたちの分類図式の典型例(パラダイム)から逸脱しているため、即座に注意を惹きつける。それはわたしたちを魔法のように魅了する。それによって注意が奪われ、保持される。異質なものは吸引力をもち、好奇心を惹きつける、すなわち、好奇心を駆り立て、その驚くべき性質についての探究を誘うのだ。人は、変わったものを見ると、拒否感を覚えながらも同時に注視してしまう。

異質なものの中でも、本書の主役であるモンスターが拒否感を与えるのは、既存のカテゴリーを侵犯しているためだ。しかし、それと同じ理由で、モンスターは、注意を惹きつけるものでもある。モンスターは、関心を集めるという点で魅力的であり、また、多くの人にとって、抵抗しがたい注意の原因になっているが、これも、モンスターが既存のカテゴリーを侵犯するためだ。モンスターは好奇の対象となる。モンスターは、それが嫌なものであり、苦痛と嫌悪を与えるのとまったく同じ理由で、注意を惹きつけ、スリルを与えることができる。

これが平凡な見解であることは認めるが、もしこれに説得力があるなら、三つの興味深い結論が示唆される。第一に、ホラーにおける非物語、および非開示型の物語の語りの魅力は、開示型の物語の語りと同様に、根本的には好奇心――ホラーなものが、文化における既存の図式を侵犯する異質なものであることから生じる特徴――に由来するものだということになる。第二に、ホラーを与えるクリーチャーは、開示型のプロットでは、関心を惹くために非常に役立つものだが、それは、かなりの程度、モンスターが異質なものであり、それゆえ関心を向けざるをえないというだけの理由による。最後に、ホラーのパラドックスに特別に言及すると、アートホラーの対象であるモンスターは、それ自体が両義的な反応の源泉になっている。なぜなら、モンスターは、文化における既存のカテゴリーを侵犯するという点で、不安や嫌悪を与えるが、一方、同時に魅惑を与える対象にもなっている――これもまた、モンスターが思考の既存のカテゴリーに違反しているだけの理由による。つまり、ホラーのパラドックスのうちで示されている両義性は、アートホラーの対象それ自体のうちにすでに見出される――アートホラーの対象は異質なものであるという本性ゆえに、嫌悪を与えると同時に魅惑的であり、拒否感を与えると同時に魅力的なものとなるのだ[48]。

わたしは、アートホラーの本質的な特徴のひとつとして不浄を挙げてきた。具体的には、アートホラーの対象は、一部において不浄なものであり、わたしたちの概念図式によって設定された事物の自然な秩序の外部にあるものと見なされるモンスターだ。この主張は、ホラー作品においてこうしたモンスターが登場する際には、非常に高い頻度で、テキストの中で、拒否感、嫌悪感、忌避感、吐き気、忌しさなどが言及され、両者の間には明確な相関があるということに注意することで確証できるかもしれない。また、こうした態度の源泉は、デヴィッド・ポールが言う次のような事実にさかのぼるように思われる。モンスターは「ある意味で混乱したものと呼ぶことができるかもしれない。モンスターは既存のカテゴリーに逆らい、混乱させる［…］。はじめに嫌なものだと思われたものは多くの場合、種を寄せ集め（あるいはかき混ぜ）たものにすぎない[49]」。しかし、わたしたちの概念カテゴリーを破壊することで嫌な気持ちを与えるのと同時に、モンスターはわたしたちの注意を固着させる。モンスターは、それ以前には思考すらできなかった何かを予感させることで、わたしたちの認知的食欲を刺激するのだ。

ホラーなものへの魅惑は、嫌さとともに生じる。また、実際、このジャンルに惹かれている人にとって、ホラーの魅惑は少なくとも嫌さを埋め合わせてあまりあるものだと主張したい。このことは、本書の前半で〔二章〕で述べたフィクション感情についての思考説を参照することで、ある程度説明できるかもしれない。この立場によれば、鑑賞者は、アートホラーの対象が目の前に存在しないことを知っている。鑑賞者は、このような不浄なものが存在しうるという思考に反応しているにすぎない。これによって、アートホラーの対象が嫌なものであるという側面を排除することなく和らげることができ、モンスターに魅惑されるという可能性をもっと見込みのあるものにすることができる。◆[50]

万が一「実生活」でホラーのモンスターに遭遇したとしたら、魅惑されるような余裕はないと考える人もいるだろう。その場合わたしたちは、ホラー作品のキャラクターのように、悲痛な無力を覚えるだけだろう。なぜなら、こうしたクリーチャーは、わたしたちの概念図式に逆らうものであるかぎり、それにどう対処すればいいかはわからないからだ。困惑して現実的な対応をとることはできず、恐怖に麻痺してしまうだろう（ホラー作品のキャラクターも一般的には、同じ理由でそうなっている）。しかし、アートホラーに関して言えば、問題になっているのはクリーチャーの思考にすぎない。わたしたちはモンスターが存在しないことを知っている。わたしたちは、自分が何をすべきかという現実的な問題を文字通りに課せられているわけではない。このため、モンスターが与える恐怖や嫌悪の側面が、現実の場合ほど差し迫ったものになることはなく、魅惑が入り込む余地が残される。よって、ホラーのパラドックスを解決するための第二の近似として、仮定により一般的には苦痛を与え、嫌なものであり、嫌悪を与えるものが、なぜ快や関心や魅力の源泉でもありえるのかを説明できる。アートホラーに関して言えば、その答えは、モンスター――カテゴリーの侵犯――が、嫌悪を抱かせるのと同じ理由で魅惑を与えるから、および、わたしたちはモンスターが虚構の作り物にすぎないことを知っているので、好奇心を覚える余裕があるからというものになる。

この立場によって、ホラーのパラドックスへの最初の回答へと向けられたもっともな反論に答えることができる――要約すれば、反論はこの回答が開示型の物語と結びつきすぎているというものだ。美術に見られるような非物語的なアートホラーの例や、開示の装置を採用していない物語ホラー作品が鑑賞者を惹きつけるのは、アートホラーの対象が苦痛を与えると同時に魅惑を高めるからだ。実際には、どちらの反応もホラーなものの同じ側面から生じてくる。このふたつの反応は、（偶然的）事実の問題として、ホラーにおいては分離不可能なものになっている。また、ここで問題になる苦痛は、行動に関わるような差し迫ったものではないので、わたしたちにはこの魅惑を味わう余裕がある。苦痛は、あくまでもモンスターの思考への反応であって、嫌悪や恐怖を与えるものが実際に目の前にいることへの反応ではないからだ。

魅惑がアートホラー一般の魅力の重要な部分であるというのが確かなら、このジャンルの基礎をなす好奇心や魅惑が、開示と発見の物語と呼んだものにおいて特別に強められることも確かだろう。そこでは、好奇心、魅惑、知的探求が、非常に明確な仕方で、惹きつけられ、満足され、維持される。また、この過程は、わたしが証明のドラマと呼んでいるもの、および推理、発見、仮説形成、確証などの継続的な開示の過程を通じて行なわれるのだ。

そろそろ、ホラーのパラドックスに対するわたしのアプローチをまとめてもいい頃合いだろう。このアプローチは二重の理論であり、その要素をわたしはそれぞれ普遍理論と一般理論と呼ぶ。アートホラーの魅力（非物語的ホラー、非開示型の物語的ホラー、および開示型の物語を含む）の普遍理論によれば、人々がホラーを求めるように導かれるのは、先ほどの分析で特徴づけられた魅惑のためだ。これが、この形式における基本的で一般的な代表的要素となる。

同時に、アートホラーの魅力について、わたしは普遍理論以外に、一般理論と呼ぶものを作りたいと思う。ホラージャンルでよく繰り返される——つまり、特によく見られる——パターンは開示型のホラー物語だと思われる。このジャンルの他のすべての例と同じように、こうした事例における魅力は、好奇心と魅惑という側面から説明される必要がある。しかし、こうした事例では、このジャンルに見られる元々の好奇心と魅惑が、好奇心を高め、持続させる工夫によって、特に高いレベルにまで発展している。このジャンルがいわば好奇心から始まるのだとすれば、好奇心は開示のプロットという統合的構造によってさらに強化される。このため、こうした事例で、わたしたちがこの種のホラー——最も浸透しているホラーの例はこの種の事例だと思われるが◆51——に惹きつけられるのは、物語の全体構造と、物語における好奇心の高まりのためであり、それによって、さらに拡張されたかたちで魅惑と戯れる経験が与えられるからなのだ。つまり、ヒュームが悲劇について指摘したように、こうしたホラーの例においてわたしたちの美的快の源泉となるのは、主として物語の全体構造であるが、そこではもちろん普遍理論が示すように、ホラーなものが登場することが不可欠であり、それを促進する要素になっている。

アートホラーの魅力の第一近似に対して前に提起した反論のひとつは、ジャンルの魅力の源泉が、ジャンルを特徴づける感情からあまりにもかけ離れたものになってしまうというものだった。この立場ではわたしたちの快はプロットだけに関わっており、そうなると当然、ホラーなものがなくても同じようなプロットだけ――探偵もののスリラーやディザスタームービー――でも、アートホラーを代用できるように思えてしまう。しかし今や、ジャンルの魅力を好奇心や魅惑によって説明しても、アートホラーの中心的感情からその魅力を切り離すことにはならないということを説明できるようになっている。

というのはわたしが論じてきたように、アートホラーの対象は、分類にうまく適合しないため、嫌悪とともに魅惑を与え、嫌なものであるとともに関心を惹きつけるからだ。ここでの魅惑とホラーの関係は、必然的なものではなく、偶然的なものだ。つまりアートホラーの対象は本質的にカテゴリー違反であり、事実の問題として、カテゴリーの違反は一般的に関心を呼ぶものであることが多い。魅惑とホラーは定義によって関係づけられているわけではない。魅惑を与えるものがすべてホラーを与えるわけでもないし、ホラーを与えるものがすべて魅惑を与えるわけでもない。しかしホラー作品という特別な文脈を考えると、ホラーを与えるモンスターは異質なものであるという事実のため、魅惑とホラーの間に強い相関がある。つまり、魅惑とアートホラーは、同じタイプの対象に向けられるが、それはそれらがカテゴリーの侵犯であるというだけのためなのだ。アートホラーがある場合には、少なくとも魅惑をえられそうだという見込みが強くなる。魅惑はアートホラーから離れているのではなく、それに伴うことが多いものというかたちでアートホラーと関係している。また、魅惑が伴うことが多いのは、このジャンルが不可能なものや原理的に知りえないものに関わっているからだ。これがこのジャンルの魅力だ。探偵もののスリラーやディザスタームービーで同じようなプロット構造を採用しても、同じタイプの魅惑を与えられるわけではないし、そのためホラー作品の完全な代用品にはなりえない。わたしたちがホラー作品を求めるのは、ホラーが与えてくれる特殊な魅惑には、その魅惑はアートホラーを生み出すのと同じ種類の対象によって活気づけられているという事実が結びついているからなのだ。

ホラーのパラドックスに対するこの説明に対して――特にアートホラーと魅惑というふたつの状態の偶然的関係に関連して――次のような疑問が提起されるかもしれない。〔アートホラーと魅惑という〕このふたつの状態は正確にはどのように関係すると考えられるのかという疑問だ。ゲイリー・アイゼミンガーによれば、一方の、フィクション（例えばアートホラー）によって喚起される苦痛を与える感情と、他方で、そのフィクションからえられる快（例えば魅惑）の間には、ふたつの可能な関係を考えることができる――統合説 integrationist view と併存説 co-existentialist view だ。[52] 統合説によれば、メロドラマから快をえようとするとき、描かれた出来事に悲しみ、まさにその悲しみが、フィクションからえられる快に寄与することになる。一方併存説の立場では、苦痛を与えるフィクションに快を感じるのは、「涙の中の笑い」のように、一方の感情が他方の感情に勝る十分な強さをもっている場合だ。メロドラマの場合、併存説の説明では、悲しみと快が同時に存在し、快が悲しみを埋め合わせている。

併存説と統合説というふたつの仮説の間の論争は、あらゆるジャンルに当てはまるようなかたちで決着がつくわけではないかもしれない。あるジャンルでは統合説の説明がうまく当てはまり、別のジャンルでは併存説の説明が当てはまるかもしれない。また実際には、ひとつのジャンルの中であっても、どの鑑賞者の層を参照するかによって、併存説の説明と統合説の説明の両方が成り立つかもしれない。アートホラーに関して、先に述べた、魅惑が恐怖や嫌悪と偶然的な関係にあるという説明は、併存説の立場の方に傾いている。[53] この説明が対象としているのは、（後で論じるような特定の特殊な消費者とは対照的に）

ホラーの平均的消費者だ。アートホラーの平均的な消費者の場合、この説明で主張されるところでは、わたしたちが感じるアートホラーよりも最終的にはモンスターの魅惑が上回るし、また多くの事例では、モンスターの登場と開示が演出される過程で、プロットが生み出す魅惑がアートホラーを上回ることになる。

しかし、この解決を批判する者は次のように反論するだろう。もしこの併存説路線の発想に同意したとしよう。その場合、読者が求めている魅惑が、ホラーを与えないモンスターの記述でも満足できるなら、モンスターがホラーを与えないストーリー——おとぎ話や神話——でもおそらく満足されるだろう。また、もしこれが事実であれば、ホラー作品からえられる快は完全にホラー固有のものというわけではなく、このジャンルを識別するようなものではなくなってしまう。さらに、もしホラーを感じることなく魅惑を手に入れることができるなら——つまり、同じ快を与えてくれるにもかかわらず、例えば、嫌悪を与えないジャンルを選べるなら——、つねにおとぎ話の方を選ぶことが理にかなっているのではないだろうか、と。

一定のかぎられた範囲ではあるが、わたしはこれを部分的には認めたいと思う。しかし同時に、これが大問題だとは考えていない。ホラーの消費者はほとんどの場合他の種類のモンスターファンタジーの消費者でもあるように思われる。◆[54] 非ホラー映画である『アルゴ探検隊の大冒険』とホラー映画である『狼男アメリカン』の鑑賞者はおそらくほぼ同じであり、どちらの例でも、モンスターの登場によって鑑賞者がえる快は近いものだろう。ある程度、こうした鑑賞者は、快に関して、一方の映画は他方の映画と同じくらい良いと感じるかもしれない。しかしだからと言って、多くのホラー映画、特にこのジャンルに特徴的な特定のプロット構造をもつ映画によってえられる快が、ホラーを感じることによる代償を差し引いたとしても、同じようなおとぎ話や神話からえられる快と同等以上の快を与える場合もありえるというのは、これと矛盾しない。したがって、他の選択肢からえられる快が同じ種類のものであったとしても、ひとつのジャンルの例からえられる快が、別のジャンルよりも大きいという保証はない。このため、ホラー作品よりもおとぎ話や冒険譚（オデュッセイ）を選ぶことがつねに理にかなっているということにはならない。また、本書で作ってきた理論において、明らかにホラーと同系統に属するジャンル——超自然的なファンタジーやモンスターファンタジーなど——がどれも同じような快を与えるのは、わたしには問題はないことのように思われる。例えば、これを認めたからといって、これらのジャンルを他の面でも区別できなくなってしまうことにはならないだろう。

一般に、平均的な消費者がホラー作品からえる快は、ホラーのイメージによる魅惑と、ほとんどの事例では、プロット構造によって与えられる魅惑を参照することで説明できるように思われる。ホラーがどんな苦痛をもたらすとしても、それは魅惑をえるための代償として、平均的な消費者にとっては、好奇心を刺激され、満足される快の方が上回る。しかし、これがホラーのほとんどの消費者にとって事実であるとしても、単にホラーを感じるためだけにホラー作品を追い求める鑑賞者もいるかもしれないということは否定できないだろう。『13日の金曜日』シリーズの鑑賞者の一部には、これに近い人もいるかもしれない。こうした人々は単に気持ちが悪いものを求めている。魅惑的なモンスターが出てくるホラー映画であっても、ものすごく強い嫌悪や拒否感を与える映画でないかぎり、こうしたゴア〔残虐シーン〕愛好家からは劣ったものだと見なされるかもしれない。

　これが一部のホラー消費者の正確な記述だとすれば、これは併存説型の説明ではうまく捉えられないように思われる。なぜなら、この場合、作品が生み出す嫌悪は、偶然的なものではなく本質的に特定の鑑賞者の快に結びついているように見えるからだ。したがって、ホラーに関して、統合説の一種である説明が必要とされるかもしれない。こうした事例に対して統合説型の説明を作るひとつの仕方は、マーシャ・イートンにならって、スーザン・フェイギンが悲劇に対するメタ反応と呼ぶものを使った説明を拡張することだ。[55] フェイギンによれば、悲劇に対する快の反応は、実際には反応に対する反応になっている。つまり、エイキン姉弟を彷彿とさせる仕方で、フェイギンは次のように考える。フィクションの中の悲劇的な出来事に共感をもって反応することからえられる快は、自分がこのような仕方で道徳的、人間的に心配するタイプの人間であることがわかったという快の反応であるとされる。これと同じように、アートホラーにおける忌避感を楽しんで味わう――だが、それが魅惑のためではない――者は、自らの忌避感にメタ反応をもっているのかもしれない。

　この反応はどのようなものになりうるだろうか。おそらくひとつには強烈な嫌悪とショックに耐えることができるという事実に対する満足のようなものが含まれるだろう。ここでももちろん、ホラー作品の鑑賞者は多くの場合若い男性で、その一部は作品をマッチョな通過儀礼として使用しているのかもしれないということを思い起こすべきだろう。彼らにとって、ホラー作品は耐久テストのようなものになるのかもしれない。明らかに、これはホラージャンルにとってすごく明るい側面ではないし、この目的のためだけに作られたホラー作品は健全なものでもないだろう。しかし、このような現象が存在することは認めざるをえないし、この個別事例の場合には、メタ反応という発想を用いた統合説型の説明が必要かもしれないとも認めざるをえない。

しかし、ほとんどのホラー消費者にとって、また作品の構成から判断して、ほとんどのホラー作品に関しては併存説の仮説が最も正しいものであるように思われる。この仮説によれば、アートホラーから与えられる快は魅惑から引き出され、魅惑のために、フィクションによって引き起こされる負の感情が埋め合わせられる。このテーゼは、純粋かつ単純なモンスターの登場だけでも適用できる（ホラーの魅力の普遍理論）。あるいは、モンスターの登場が、物語の文脈内に埋め込まれ、物語の演出の過程全体が快の主要な源泉となるよう複合的に組織される場合にも適用できる（ホラーの魅力の一般理論）。先に述べたように、わたしの考えでは、後者のような適用の仕方は、これまでに作られたアートホラーの多くの事例に当てはまるだけではなく、特に強い魅力をもつ事例に当てはまるし、さらにそこで、最も重要で最もうまく当てはまる説明になるように思われる。

精神分析のようなライバル説の一部に対して、この理論的アプローチが優れている点のひとつは、ホラーなものの中でも、そのイメージが直接的には（あるいは遠回りにであってさえ）抑圧などに根ざしているとは思えないようなものへの関心を許容できることだ。つまり、ホラーに関する宗教的畏怖による説明や精神分析の説明に訴える場合、ほとんど形式的な「カテゴリーのかき混ぜ」の過程と考えられるものによってモンスターが生み出されているように見えるホラーの事例で反例に直面することになる。ウェルズの頭足類は、宇宙的な畏怖を生み出すこともないし、テキストの中で、それとわかるかたちで抑圧された素材と結びつくように作られているわけでもない。このため、こうした説明の試みは、形式的に（あるいは紋切り型で）作られたホラーなものには適用できないため、十分に包括的なものとは言えない。

一方、わたしのアプローチでは、ホラーなものが分類を攪乱する操作だけで作られている場合にも、こうした問題は生じない。なぜなら、わたしの立場では、モンスターが与える魅惑（およびそれが与える苦痛）はカテゴリーのかき混ぜに由来するものだからだ。このためわたしの説は、こうした反例に対しても包括的であることができ、これがわたしの説を支持する強力な考慮事項となる。

この時点で、読者には次のことを思い出してもらうと有益かもしれない。わたしはホラーの魅力について包括的な説明を見つけることに関心をもっていたこと――つまり、傑作であるかどうかにかかわらず、時代を超え、サブジャンルを超え、個別のホラー作品を超えた魅力にうまく当てはまるようなホラーの説明を見つけることに関心をもっていたことだ。この点でわたしは、部分的には、ホラーをフレドリック・ジェイムソンが「モード」と呼ぶようなものと見なしている。ジェイムソンは次のように書いている。

わたしたちがモードについて語るとき、それによって意味されているのは、ただこの特定のタイプの文学的言説が、特定の時代の慣習に縛られているわけでもなく、特定のタイプの言語的人工物と不可分に結びついているわけでもなく、むしろ、歴史的時代の全範囲にわたって、誘惑や表現のモードとして存続しており、断続的ではあったとしても、復活し、新たに生まれ変わることができる形式的な可能性として、自らを与えているように思われるということなのである。[56]

モードとしてのホラーの何が心に迫るのかを問うことは、平均的な鑑賞者として想定される人々に対し、そのジャンルによって繰り返し与えられる最も基本的な「誘惑」について問うことだ。これに対するわたしの答えが、ここまで詳細に述べてきた魅惑と好奇心についての説明だ。この答えは、モードとしてのホラーに関して、精神分析の説明や宗教的説明よりも、より包括的なものになっている――最も広範な事例により広く当てはまっている――ように思われる。[57]

しかし、このように述べたからといって、精神分析や宗教的な説明によって、補助的な洞察――個別のホラー作品や、個別の周期的なサイクルや、特定のサブジャンルが、モードの一般的な魅力を超えて、なぜ独自の特別な魅力を発揮しうるのか――がえられる可能性を排除しているわけではない。こうした説明に説得力があるかどうか、およびどの程度の説得力があるかということは、個々のサブジャンルやサイクルや作品の批評的・解釈的な分析次第で決まることだ。こうした批評的な仕事によって、特定のサイクル、サブジャンル、個々の作品について、ホラーのモードの一般的な魅力を超えたところで、魅力の軸について学ぶことができないとあらかじめ宣言するような理論的理由はわたしにはない。こうした批評的な仕事の説得力は、ケースバイケースで判断しなければならないだろう。わたしが関心をもっているのはホラーモードの一般的な力に関する説を作ることだけであり、ホラーモードの中の独立したサイクル、サブジャンル、作品に対し、宗教的批評、神話的批評、精神分析批評、宇宙的畏怖による批評などを適用する可能性を、ここで原理的に保留したいというわけではない。

わたしの印象では、ホラーのパラドックスに対してわたしが提示した好奇心／魅惑による解決は、いくらか専門的な概念――カテゴリーの侵犯や併存説――に依存しているにもかかわらず、非常に明白なものだろう。確かに、多くの還元主義的な精神分析の理論のように派手なものではない。それどころか、多くの人にとって、この説はまったく理論的なものではなく、長々と常識的なことを述べているだけに思われるかもしれない。

わたしは、このアプローチによって、問題は明確なものになっていると考える――特に魅惑と拒否感の力の相互作用を明らかにするという点において。だが、省略したかたちで述べられると――ホラーが人を惹きつけるのは、異質なものが注意を引き、好奇心を刺激するからだ――、これが陳腐な見解のように聞こえるという理由も理解できる。ここで三つのことを述べておくことが適切かもしれない。第一に、わたしたちが求めている現象の説明は非常に包括的なものなので、解決策は、実際以上に、自明でつまらない広い範囲のものに見えてしまう傾向にある。第二に、理論が常識的なものに思われることは、それに反するものではない――常識だから洞察を与えないと考える理由はない。そして最後に、これはおそらくこの第二の指摘の帰結のひとつではあるが、対立する説明が難解な源泉に頼っていたとしても、必ずしもそれが対立説にとって有利にはたらく徳にはならないということだ。

# ホラーとイデオロギー

わたしは、ホラージャンルがどうして存続しているのかという問題から議論を始めたが、この問題を、人々が苦痛を与えるはずのものを求める原因は何なのかという問題へと変形させた。ホラージャンルが存在しつづけるのはなぜかという問題は、わたしたちがホラージャンルを単純に避けるだけではないのはなぜかという問題に還元された。なぜなら、わたしの立場では、ホラーは本物の恐怖と嫌悪を促進するからだ〔だから、わたしたちがホラージャンルを避けてもおかしくないのに、なぜそうしないのかが問題になる〕。わたしはこの問題を、ホラーの普遍理論と一般理論によって説明しようと試みた。この説明では、このジャンルを定義するホラーなものは、関心、魅惑、好奇心を喚起し、それによる快が、異質なクリーチャーによってもたらされるどんな否定的感情をも上回っているという仕方で説明がなされた。ジャンルのこうした特徴——関心、魅惑、好奇心——は、特にホラージャンルの主要な物語形式において強められるが、これによって、なぜホラー作品が消費され、生産されるのか（多くの場合一定の周期に従いながら）という理由が説明される。

しかし、政治的な心性をもつ批評家であれば、ホラージャンルの存続をこのような仕方で扱うことを嫌うかもしれない。こうした批評家にとって、この立場は、あまりにも個人主義的なバイアスに偏ってしまっているが、一方ホラージャンルが存続することを真にうまく説明するには、それを生じさせる適切な社会的・政治的要因が強調される必要がある。このような場合、強調点は、最近では、ホラー作品が果たすイデオロギー的役割に置かれる傾向にある。その際の議論は、ホラーが存続するのは、それがつねに現状の体制維持に役立つからだというものになるだろう。つまり、ホラーは確立された秩序のためにはたらく不変の作用となる。確立された秩序にとって利益になるからこそ、ホラーは作られつづけるというわけだ。この立場では、ホラージャンルの創作物はつねに政治的に抑圧的なものであることが前提されており、そのため、前に議論した、ホラー作品はつねに解放的である（すなわち、政治的に転覆的である）という見解（これも同じくまちがっているが）とは直接矛盾することになる。

ホラージャンルを政治的に抑圧的な社会秩序の目的と結びつけようとするひとつの仕方は、テーマに関するものだろう。つまり、特定の政治的に抑圧的なテーマがジャンル全体に包括的に見出され、ジャンルがこれを強める傾向にあると示そうとする者もいるかもしれない。例えば、ホラージャンルは本質的に異質なものへの恐怖症〔xenophobic 外国人嫌悪〕に陥っていると主張する者もいるかもしれない。〔こうした立場によれば〕モンスターは、人類に対し本来的に敵対的な態度をとっていることから、侵襲的な他者を表現しており、国家、階級、人種、ジェンダーのレベルで確立された社会秩序を脅かす政治的／社会的存在の否定的なイメージを相互に強化しあうような仕方で利用する。

明らかに、この仮説を少なくとも理解可能にしてくれるような否定しがたい証拠はいくつかある。H・P・ラヴクラフトの人種差別や、エイリアンの侵略者を明らかに共産主義の象徴として描いた五〇年代のSF映画や、クローネンバーグの映画『シーバース／人喰い生物の島』や『ラビッド』など、女性の攻撃的なセクシュアリティを梅毒のように〔有害なものとして〕描いた作品などだ。

あるいは、関連したテーマで言えば、ホラー作品は、人々を怖がらせ、社会的役割を従順に受け入れるようにさせる機能をもっていると考えられるかもしれない。これについても、示唆に富む証拠がいくつかある。フェミニストが指摘するように、最近の多くのホラー作品では、モンスターのおぞましい襲撃の餌食になるのは性的に活発な若い女性である場合が多い。ひとつの解釈としては、これは女性たちに教訓をたれている。「遊んでばかりいるとこうなるんだぞ／こうなって当然だ」というわけだ。さらに、女性の犠牲者はゴシック時代からホラーの定番となっている。女性の誘拐は――これは多くの場合レイプ被害を少し婉曲的に表現したものだが――、古くからある性差別主義者の警告として、女性は、家父長制社会においてつねに男性に情けをかけられ、またそうあるべき存在なのだから、従順でなければならないという表現と見ることができるだろう。

当然ながら、この種のテーマ的な解釈は、特定の社会的文脈の中の特定のホラー作品には当てはまることがある。つまり、ホラー作品がイデオロギー的に抑圧的なテーマのための媒体にはなりえないと考える理由はない。五〇年代のホラー映画は、おそらく、多くのアメリカ人の共産主義観と強く相互作用していた。しかし、ホラーの存続をイデオロギー的テーマの布教手段として説明しようとする試みには、最初にぶつかる問題がふたつある。

第一に、こうした論者によって主張されるイデオロギー的テーマは、どれも十分に一般的なものではないということだ。性差別的、人種差別的、反共産主義的、外国人嫌悪的なホラー作品はあるが、あらゆるホラー作品がこれらのカテゴリーのどれかひとつに含まれるわけではないし、これらのカテゴリーすべてを選言的に組み合わせても〔つまり、性差別または人種差別または反共産主義というかたちでも〕、あらゆるホラーがそこに含まれるわけではない。これら特定のカテゴリーの一部に当てはまらないホラー作品があることは、例えば性差別という非難を受けないホラー作品の例で示すことができる。女性キャラクターが登場せず、モンスターが（文化的に派生した）女性のイメージによって特徴づけられておらず、女性キャラクターが登場しないことで女性をおとしめようとしているようにも見えない作品はこの例になるだろう。また、当然ながらほとんどのホラー作品は反共産主義とは関係ないし、イギリスの幽霊譚の多くはイギリス人の幽霊を扱っており、これは人種差別や外国人嫌悪の例にはなりそうもない。むしろ、多くのホラー作品は、政治的な観点からすれば非常にぼんやりしているので、いかなる特定のイデオロギー的テーマにも結びつけることができない[58]。

あらゆるホラー作品に共通するイデオロギー的テーマがいつか誰かに発見される可能性は否定できない。しかし、それが明確にかたちにされないかぎり、これまであげられてきたようなイデオロギー的テーマによる説明は、このジャンル全体に当てはまるほど十分に包括的ではないと考えるのが妥当だろう(ただし、個々の作品や、サブジャンルや、サイクルを分析する上では有益かもしれない[59])。

あらゆるホラー作品は、テーマの点で抑圧的であるという主張を疑う第二の理由は、単純に進歩的なテーマを扱ったホラー作品の例があるように思われることだ。メアリー・シェリーの『フランケンシュタイン』が描いていることのひとつには、人は生まれながらにして悪なのではなく、社会による扱い方の結果として、現在では反社会的行動と呼ばれるような行動に駆り立てられているという発想を示すことが含まれている。フランケンシュタインの怪物は小説の中でこの点を何度も主張しており、本文中にはそれに反するものは何もない。わたしの考えでは、これは当時も政治的には啓蒙的な立場であったし、現在でもそうだろう。

また、エドガー・ライス・バローズの太古世界(キャスパック)シリーズや地底世界(ペルシダー)シリーズなど、(多くの場合貴族的な)専制政治に対する反乱を称賛するホラー小説も多数ある。非常に多くのホラー作品が奴隷制と人種による抑圧に反対しているし、ホラージャンルの中で、優れた種とされる単一の集団によって支配がなされている場合、それはほぼつねに反乱の前触れであり、それによって支配的種(支配的人種)はふさわしい報いを受けることになる。

ジョージ・ロメロの『ナイト・オブ・ザ・リビングデッド』は、明らかに反人種差別主義的であると同時に、アメリカ社会の消費主義と悪に対する批判にもなっており、[60] 一方『フランケンシュタインの復讐』のようなハマー・フィルム作品の一部では、悪役の正体は明らかに上流階級とわかる男爵であり、男爵が実験に必要な臓器や手足を下層階級（予想通りこうした人々が反乱を起こす）から集めていたことが示され、それによって階級主義が非難を受けている。

ベトナム戦争の時期には、ボブ・クラークのような映画制作者によって反戦ホラー作品が作られたし、多くのホラー作品は、企業や政府が環境に与えるダメージに反対しており、他の作品では日常生活の「医療化」に反対している。こうした例はいくらでもあげられるだろうが、要点は一般的なものだ。カール・マルクスが資本家を吸血鬼や人狼と呼び、ホラーのイメージの集積を進歩的な目的のために利用したように、ホラー作品の制作者は、恐怖と嫌悪を与えるイメージを政治的・社会的抑圧の力に反対するかたちで適用することができるのだ。

あらゆる人がこうした反例のすべてに同意するとは思わないが、この一般的な要点は否定できないだろう。ホラーのイメージは、特定の社会的文脈の中で政治的に進歩的なテーマのために使われることがあるし、これまでも使われてきた。もしわたしがあげた個別の具体例を否定するのであれば、問題になる事例はいくらでもあるので、どれを選ぶかは読者にお任せしよう。

よって、ホラージャンルが存続しているのは、イデオロギー的に抑圧的なテーマを伝えるのに役立っているからだという発想は疑問視されうる。まずホラー作品はつねにこの機能を果たすわけではないし、このため信頼可能なかたちでこの機能を果たすわけでもない。なぜなら、（1）ホラー作品の多くは、抑圧的なものであれそれ以外であれ、何のイデオロギー的テーマも伝えていないからだ。また（2）非常に進歩的なテーマを伝えている場合も多いからだ。

もしこれに対して、反論として、ホラー作品はつねに不可避に抑圧的なテーマを伝えているというなら、なぜそれが不可避なのか説明が与えられることを望んでしかるべきだろう。もしそれが不可避だという根拠が、現代資本主義社会におけるすべての記号活動は抑圧的なテーマを伝えることを避けられないというものであるなら、（a）これ自体に疑問を覚えるかもしれないし、またいずれにしても（b）政治的抑圧がホラーを存続させているという説明はうまくいってないと指摘できるだろう。なぜなら、この説明では、抑圧があらゆる記号活動に付随するにもかかわらず、それでも存続しない記号活動も多くあるからだ。

これまでわたしたちは、ホラーが存続しているのは、つねに政治的に抑圧的なテーマを発信しているからだという発想に反論してきた。この仮説が否定されたのは、さまざまなホラー作品には、イデオロギーに汚染されたテーマを見出すことが困難なものもあるし、ホラー作品における政治的に重要なテーマが進歩的に見える場合もあると指摘されたからだ。この時点で、ホラーの存続に関する抑圧説を支持する者は、路線を変更して、ホラー作品が体制維持のために行なっているイデオロギー的な仕事は、明示的なテーマ――プロパガンダ的なメッセージと考えられるもの――のレベルではなく、ジャンルの基本的形式のレベルにあると論じようとするかもしれない。つまり、ホラー作品の深層構造の中にある何かのために、ホラー作品が確立された秩序のために役立つことになり、その結果として、この社会秩序によってホラーの存続が保証される（おそらく、こうした社会秩序のもとでは、解放的な娯楽ではなく、ホラーの娯楽を作りつづけることでホラーの存続が保証される）という風に考えるのだ。
かに表現している。

スティーヴン・キングは、ホラー作品の構造と確立された秩序の結びつきを、さまざまな機会に鮮やかに表現している。

ホラー作品は本当は、三つぞろいのスーツの銀行員のように共和党的〔保守的〕なものなんだ。ストーリーの展開はいつも同じ。タブーとなる土地に侵入する。行ってはいけない場所があるのに行ってしまう。お母さんが見世物小屋には行っちゃだめよと言うのに行ってしまうのと同じことだ。中に入った後も同じだ。三つ目の男を見るか、太った女を見るか、骸骨の男を見るか、電気男を見るか、あるいは誰であろうとね。そして、出てきたときには「おい、わたしはそんなに悪くないぞ。大丈夫だ。思っていたよりもずっといい」と言うだろう。この結果、価値観が再確認され、セルフイメージや自分自身についての良い感情が再確認される。◆61

また次のように書いている。

モンスターが人を魅了してやまないのは、心の中にひそむ三つぞろいのスーツで決めた保守的な共和党的部分に訴えるものがあるからだ。人がモンスターという概念を愛し、必要とするのも、人間ならだれしも切望してやまない秩序を再確認させてくれるからにほかならない〔…〕そして、もうすこしいわせていただければ、人がモンスターを恐れるのは、肉体が異常だからとか精神が異常だからというのではなく、異常という状態そのものが含んでいるように思われる秩序の不在のためなのだ。[62]

また、次のようにも書いている。

ホラーの作品の作り手は何にもまして規範を代表する立場にある。[63]

キングがここで念頭に置いているのは次のような発想かもしれない——これは、現代の理論家が、もっと難解な言葉で述べていることだが[64]——ホラーの物語は、異常なもの（モンスター）を、正常な世界に導入することによって進むが、そこには異常なものを排除するという特別な目的がある。つまり、ホラーストーリーはつねに正常なものと異常なものとの戦いだが、そこで正常なものが復権され、それゆえに肯定される。ホラーストーリーは、文化における正常の規準を象徴的に防衛するものとして捉えられる。このジャンルでは異常なものが導入されるが、それはただ正常なものの力によって異常なものが打ち破られることを示すという目的のためにすぎない。異常なものは、文化秩序を守るためのかざりとしてのみ表舞台に立つことが許されており、この文化秩序は最終的に作品の結末において確立される。

わたしのホラーの説明では、モンスターは、既存の文化的カテゴリーの侵犯として理解されるべきだと主張してきた。このように考えると、ホラー作品におけるモンスターとの対決、およびモンスターに対する勝利は、既存の文化の図式に見られる確立された世界観が回復され防御されるものとして体系的に読解できるかもしれない。さらに、ここで問題となっている世界観は、認識論的なものであるだけでなく、価値と結びつき、価値を負荷されている。文化の認知地図の外部にあるものは、単に思考不可能なだけではなく、価値負荷的な意味においても、存在論的な意味においても、自然に反したものとなる。

つまり、わたしが議論してきた異質なものは、存在論的に逸脱しているだけではない。たいていの場合、異質なものは道徳的にも逸脱している。このジャンルにおいては、未知のものであることと禁断の行為を行なうこと――血を吸うこと、黒ミサのために赤ちゃんをさらうこと、乙女をさらうこと、高層ビルを破壊することなど――が結びついている。実際、両者の結びつきは多くの場合、単にともに現われることが多いというよりもずっと密接なものだ。なぜなら、特別な科学的・哲学的な訓練を受けていないかぎり、人間には自分たちの社会のカテゴリー構造を評価の面でも重要と見なす傾向があるからだ。自らの分類体系の外部にあるものは、タブーであり、異常であり、より一般的には悪となる。このため、ホラー作品の中で、モンスターによる日常の破壊と対決し、それが打ち倒されるとき、道徳的価値を帯び、文化に根付いた分類秩序の正当性が同時に再肯定されると考えられるかもしれない。

この立場によれば、ホラー作品の深層構造は、三つの展開からなる。（1）正常（わたしたちの存在論的・価値的図式が無傷で存続している状態）から、（2）その破壊（モンスターが現われ、文化の認知地図の根幹を揺るがす――このように認知の根幹を侮辱すること自体も不道徳／異常なことと見なされるかもしれない。また予想通り、モンスターは人間を食べるなど禁断の行為を行なう）◆65。（3）それから最終対決と、異常なもの・破壊的なものの敗北（これによって、異常なものが排除され、道徳的秩序への違反が罰されることで、文化における事物の図式が回復される）。この連想の配置において、秩序の回復は、これ以上殺される者がいなくなるという意味だけでなく、おそらくは、作中の事件以前に支配的だった、確立された文化的秩序が再び機能するようになるということも意味している。

この種の説明の感じをつかむためには、この説明と、かつて人気があった「反逆の儀礼」の人類学的説明の間に、簡単な類比を描いておくと役立つかもしれない。「反逆の儀礼」とはつまり、古代のサトゥルナリアや現在のカーニバルのような儀礼を指すが、この種の儀礼では隔離された一種の「空間」が用意され、そこで慣習的な礼儀作法、道徳、タブーが緩和される。また概念の図式化――例えば種同士の関係など――が逆転され、反転され、裏返される。もちろん、こうした儀礼は典型的には社会秩序の回復で終わり、経験を文化によって組織化する中で生じた緊張を解放するための社会的な安全弁を提供していると解釈されることもある。こうした儀礼は、明らかに社会秩序への批判を含んでいるが、社会秩序を維持し、強化するような仕方で、抗議を許容していることになる。[66]

ホラージャンルに適用すれば、これに対応する解釈は次のようなものになるかもしれない。ホラー作品では、モンスターが登場することによって、ひとつの文化的空間が開かれ、そこで文化の価値や概念が逆転され、反転され、裏返される。これはおそらく鑑賞者にカタルシスを与え、文化において許容できると考えられるものの外部にある思考や欲求をかたちにする機会を与えてくれる。しかし、この規範からの逸脱が許されるには条件があって、すべてが終わり、物語が結末を迎えたときには、規範が再構成されなければならない――存在論的にやっかいなモンスターが排除され、不快なふるまいが罰される。これによって、規範は以前よりも強力なものとして現われる。いわば規範が試練を受け、異常なものに打ち勝つことが確立され、また――支配的な文化の観点から見て――手に負えないものとされ、場合によっては薄気味悪いものとされる思考や欲望が、比喩的に言えば、槍で突かれることになる。

こうした観点からすれば、現代のホラー作品を、大衆社会のための反転の儀礼と考えることができるかもしれない。そして、こうした儀式の機能は——そのプロット構造の中で文字通り演じられているように——支配的な文化の観点と、その規範についての考え方を祝福することにある。ここで関連してくる規範は政治的なものと見なされるし、その安定にはイデオロギー的負荷が伴う。こうして、ホラー作品の根底にあるシナリオを繰り返し上演することで、現状の体制維持を強化することが不可避となる。

もしこの説明がうまくいっているなら、これによってホラージャンルがイデオロギーに奉仕することが不可避であると考える根拠が与えられるかもしれない——またさらに、これによってホラーがなぜ存続するのかという説明も与えられるように思われる。しかし、この説に説得力があるとは思えない。第一に、この説はホラージャンルに関する包括的な立場を与えてくれていない。この説は物語型のホラーにしか当てはまらない。物語型のホラーは、わたしが強調してきたように、このジャンルの最も中心的な形態ではあるが、それでもそれがすべてというわけではない。美術におけるホラーは、非物語的なものであり、そのため、正常／異常／正常というシナリオを含まない。ホラーに関するこの立場は、こうした事例については何も述べていない。[67]

したがって、非物語的ホラーに関して言えば——その結果、ホラー全体に関してもそうだが——、それらがこの説で注目されているような潜在的な構造的特徴によって、イデオロギーに奉仕するということはいまだ確立されていない。

第二に、場合によっては、ストーリーの結末になっても、ホラーなものが追放されないし、排除されない事例は、ホラージャンルの標準的なバリエーションに含まれている。場合によっては、屋敷が被害者への憑依に成功することもあるし（〔ロバート・〕マラスコの小説『家』）、サタンが生まれることもある（〔アイラ・〕レヴィンの小説『ローズマリーの赤ちゃん』）、宇宙からの侵略者が侵略に成功することもある（フィリップ・カウフマンの映画、リメイク版の『SF／ボディ・スナッチャー』）、あるいは少なくとも負けていないということもある（トビー・フーパーの『スペースバンパイア』）。また、ホラー作品の結末になっても鑑賞者が、モンスターによる攻撃が本当に地球から一掃されたのかどうか疑ったままで終わることもある（ジョン・カーペンターのリメイクの『遊星からの物体X』、ウェス・クレイヴンの『エルム街の悪夢』シリーズの第一作）。また、ゲイリー・ブレンダーの短篇小説『ジュリアンの手』の結末における切断された腕や、〔スティーヴン・〕キングの『ペット・セマタリー』のアンデッドや、ダニエル・ローズの『Next, After Lucifer』の憑依された中世研究者は、結末にいたっても野放しのままだ。

これは別に現代のホラー作品と見なされるようなものだけにかぎったことでもない。ブラックウッドの『いにしえの魔術』の結末では猫人の町が今も残っている。ジョン・メトカーフの『メルドラム氏の憑依』では、メルドラム氏が最後にトト神に変身する。オリバー・オニオンズの『手招く美女』では、手招く美女がオレロンに憑依する。ハーヴィーの『五本指の怪物』に登場する手は倒されたのかどうかわからないままだ。ラヴクラフトの古代の支配者である宇宙種族は、発見された後も生き残っている、等々。

このため、正常／異常／正常型のプロット構造を、現状の体制維持に回帰する寓意として読み解くなら、正常から異常へと移動し、そのままの状態にあるという例外がよくあることについては何と言えばよいのだろう。このよくあるプロット法が反体制的なものだということになるのだろうか。これらの作品は現状の体制維持に異議を唱えているのだろうか。この結論は疑わしいが、目下検討中の理論で、どうやってそれを回避するのだろうか。さらに、このような場合、カタルシス（そもそもこれ自体が怪しげな概念かもしれないが）はどのように作用するのだろうか。正常な状態を回復することが安全弁を閉じるための重要な要素であるならば、異常なものが放逐されない場合には、どうやって元の状態に戻るのだろうか。◆68

こうした反例への反論として、この説を再構築して、正常／異常／正常モデルによる物語法がはたらいているようなホラーの事例だけを特徴づけることを目指すと主張する者もいるかもしれない。その場合、この説はホラーの包括的な理論にはならないだろうが、それでも、多くの分野をカバーすることになるだろう。しかし、ホラーの存続に関する説をこのように縮小したとしても、成功するかどうかは疑わしい。

なぜなら、この説は非常に多くの概念に頼り、それらを結びつけているが、わたしの考えでは、それらは区別しておいた方がいい概念だからだ。例えば、この説では、多かれ少なかれ、正常なもの――すなわち分類的・道徳的なカテゴリーの意味での規範――と、特定の政治秩序の現状維持とを同一視している。こうした規範に異義が唱えられるとき、政治秩序にも異義が唱えられる。また、規範が再肯定されるとき、政治秩序も再肯定される。

しかし、こうした規範と、政治秩序の要素をそう簡単につなげられるだろうか。侵犯される規範がどのような種類のものだったのかを思い出してほしい。それは概念的な側面では、動物と植物の区別や、人間とハエの間の区別であり、道徳的な側面では、人肉食や、不当な殺人や、誘拐などの禁止だ。もし、これらの規範を不変のものとみなす支配的な政治秩序があるとしても、社会の中の非支配的・対抗的・解放的な運動の側も同様にこれらの規範に従うだろう。

つまり、ホラーなものが違反する規範は、いかなるレベルにおいても、現状の支配的体制と、被抑圧者とされる側との政治的な違いに対応するような文化的規範ではない。人肉食や、虫と人間の違いを否定することは、わたしの知るかぎり、どんな解放運動でも政治的アジェンダになっていない。このため、こうした抽象的なレベルの文化規範に異論を唱えても、社会秩序の政治的基盤に抵触することにはならないし、結果として、こうした規範を再肯定したとしても、[69]現状の政治体制を再確立する上では何の意義ももたないのだ。

この点を別の仕方で理解するには、ここで、ふたつの「正常」概念のスライドが起こりうることに注意してみればいい。一方で「正常」は、わたしたちの分類と道徳の図式における規範を指していると見なすことができる。他方で、「正常」は、（文化的、道徳的、政治的に）満足した中流階級――あるいは、組織人や道徳的マジョリティやサイレントマジョリティ――の価値観に、何の疑いもなく適合できる人々の精神（エートス）や行動を指しているという風にも考えられる。今問題にしているホラーのイデオロギー説では、ホラーなものが第一の意味で異常であるという考察から、それを打ち倒すことによって、第二の意味での正常性（もちろん現代の文化政治の一部に関係するのは、こちらの意味だ）が再肯定されるという見解へと進んでしまっているように思われる。しかし、これは確実に、単に正常の複数の意味を混同してしまったせいだろう。

確かに、トロルはテーブルマナーが悪いだろうし、共和党には投票しないだろう。仮にトロルが国際政治に関心をもつなら、共産主義者かもしれない。しかし、ホラー作品の中で典型的に侵犯されるのは、こうしたレベルの正常性ではないし、モンスターと対決する際に、こうした種類の正常性が賭かっているわけではない。ただし、テキストの中で、両者の結びつきがはっきりと提示されている場合は別だが。

ホラージャンルのイデオロギー的受容を構造的に説明する際に、多義的に使用されるもうひとつの概念が秩序だ。概念秩序と道徳秩序——およびそれについての文化の図式——が、抑圧的な社会秩序と同じようなものとして扱われている。しかし、繰り返しになるが、虫と人間の区別や、村を荒らすのを禁止することが、必ずしも抑圧的な社会勢力と結びつくわけではない。それらは、もっと一般的に受け入れられている文化的原則であり、どのような共同体においても、社会的政治的に競合する集団のいずれにも共有されているはずだ。このため、それらを再肯定しても、特定の社会集団の支配を再肯定することにはつながらない。ただし、無秩序の脅威が支配的な社会集団の存続と明示的に結びつけられている作品の場合は例外だろう。

しかし同時に、特定のホラー作品の文脈であれば、秩序の回復のイメージを使って、対抗勢力となる側の感情を安定化させることもある。つまり、ホラー作品で回復されるような種類の秩序は、文化のあらゆる社会的・政治的派閥にとって（それが回復される場合には）望ましいものとして認識されるため、対抗的なホラー作品で、支配的な社会階級を異常なものとしてスティグマ化するために使用される場合、作品の結末で規範が再肯定されると、対抗集団が規範的に優位であることが肯定されることになる。つまり、正常／異常／正常という順序つきパターンは、最初に位置づけられる正常が現状の体制であったとしても、それに反対する側であったとしても、似たような展開をとげることになる。

しかし、特定のホラー作品において、モンスターを倒すことに関連する意味での秩序が、個別の作品の文脈次第で、既存の体制を確立することにも、それに反対することにも結びつけられうる（実際には、どちらでもないという可能性もある）と認めるのであれば、ホラー作品がつねに支配的な社会階級の利益に奉仕するという構造的説明は放棄されることになる。

こうした物語の中に組み込まれた意味での秩序は、本来的に抑圧的なものや、保守的なものというわけではなく、特殊な事例を考えれば、現状の体制を打破するような仕方でも使用できる。一方、別の作品では、そうなっていないこともある。もっと言えば、特定の作品において、どのような仕方で秩序の意味が使用されているのかを決定することは、ケースバイケースで行なわれなければならないだろう。このため、ホラーは一般に反動的な本質をもつという構造的説明が批判の圧力にさらされることで、問題は構造それ自体にあるわけではなく、個別の作品において、特定のテーマを表現するために、特定の構造的可能性——どのような意味での秩序を採用しているかなど——がどのように用いられているかが問題となってくるのだ。

しかし、ここまで論じてきたように、このようなテーマ上の立場は、現状の体制に関して賛成・反対のいずれにも向いうる。さらに言えば、ホラー作品において今問題にしている意味での秩序が取り入れられているとしても、現状の体制に関して、いかなる政治的・イデオロギー的立場も見出されないこともありえると主張したい。ここでの論点はもちろん理論的な問題だ。特定のホラー作品が、特定の状況下で、支配的で抑圧的な社会秩序を支持するためのレトリックとして使用されうることは否定していない。また、そのような事例に関して、イデオロギーに敏感な批評家によって、ある特定の作品や作品群がイデオロギー的に悪質な立場をどのように強化しているかが示されうることは疑っていない。わたしが否定しているのは、ホラー作品が、つねにあるいは必然的に、こうした仕方ではたらくということだ。また、支配的イデオロギーに奉仕する作品が非常に多いという点についてもわたしは懐疑的だ。というのは、ホラー作品の多くが先進的だからというわけではなく、わたしの感覚では、その多くは政治的にはどっちつかずだったり、大したことを言っていないからだ。◆[70] しかしいずれにしても、どのホラー作品が反動的なのか、あるいはどれだけの作品、どれくらいの割合が反動的なのかという問題は——構造仮説の支持者が考えるように——アプリオリに解決できるものではなく、経験的調査が必要な事柄だろう。

こうした調査の結果、もちろん、非常に多くのホラー作品が反動的であると示されるかもしれない。こうした例は確実にたくさんあるだろう。しかし、これによって、ホラージャンルの存続に関するイデオロギー的説明の方が、わたしたちが提示した説明よりも優れていると示されるわけではない。その理由は、仮にホラー作品が支配的イデオロギーに奉仕していることが事実であったとしても、それによって、このジャンルが存続する理由が説明されるわけではないからだ。なぜなら、支配的なイデオロギーに奉仕するためには、作品には鑑賞者を惹きつける何かがなければならないからだ。イデオロギーに関する主張によって説明できるのは、最善の場合でも、支配的な社会秩序がなぜホラー作品の存在を許すのか、および、場合によっては、なぜこの社会秩序において（資本主義企業という形で）ホラーが生み出されるのかを部分的に説明できるだけだろう。鑑賞者がなぜホラー作品を受け入れるかがこれによって説明されるわけではないし、人々がなぜホラーを見に行くのか、それどころかなぜ自分からそうした作品を追い求めるのかが説明されるわけではない。

つまり、人々は、銃をつきつけられて〔権力に強制されて〕ホラー作品を読んだりホラー映画を観に行くわけではない。また、（わたし自身が身に染みて学んだことだが）ホラーを消費することで税金控除や政府の支援を受けられるわけでもない。このジャンルには一定の魅力があり、その魅力に関しては理論が必要であり、ホラーが現状の体制に奉仕しているという仮説を立てたがっている論者もこうした理論を必要としているのだ。なぜなら、現状の体制の維持に貢献するためには、そもそも鑑賞者を惹きつける能力がなければならないからだ。そして、前節で作ったホラーの魅力の普遍理論と一般理論は、その魅力を一般的なかたちで説明してくれるのだ。

ホラーの存続に関するイデオロギー的説明――テーマに関するものであれ、構造に関するものであれ――は、実際には、わたしが提案する説と競合しているわけではない。なぜなら、仮にあらゆるホラー作品が現状の体制に適合するとしても、なぜホラーが関心を惹きつけることができるのかを説明するためには、そのような理論では、わたしの説のような水準の分析が必要とされるからだ。こうした作品が魅力的なものになるためには、イデオロギー的に忠実であること以上のものがなければならない。なぜなら現状の体制にイデオロギー的に忠実だったとしても、それによって芸術や娯楽の一形式が鑑賞者にとって魅力的なものになることが保証されるわけではないし、したがって、その形式が存続することが保証されるわけではないからだ。

したがって、仮に現状の体制がホラーに関心をもっていることが事実だとしても、なぜホラーがその関心を実現する有効な手段になりうるのかという疑問は残る。つまり、ホラー作品によって現状の体制を維持するためにつねに何らかの役割が果たされるとしても、どうしてホラーが鑑賞者にとって魅力的なのかを知らなければならないのだ。なぜなら、この疑問が答えられないままであるかぎり、ホラーがどうしてイデオロギー的目的のために利用可能であるのかが理解できないことになってしまうからだ。

繰り返しになるが、わたしは、特定のホラー作品が現状の体制の利益に役立ちうることは疑っていないし、批評家によって、特定の作品や作品群がいかにしてそれを実現するのかが示されうることも疑っていない。示すことができないと考えているのは、ホラー作品が必然的にイデオロギーに加担するということだ。また、既存のあらゆるホラー作品が救いようのないほど政治的に抑圧的であると示すこともできないのではないかと疑っている。そして、いずれにしても、ホラーが政治的および／または文化的な抑圧的勢力にとって、イデオロギー的に有用であることを示したとしても、このジャンルがその魅力によって存続することを本当に説明したことにはならないだろう。なぜなら、このジャンルが、現状の体制維持にとって役立つには、それ自体がすでに何らかの魅力をもっていなければならないからだ。そしてそれを説明しようとすれば、わたしが定式化しようと試みたような、先行するホラーの魅力の説明を与えなければならない。

前の箇所でわたしは、ホラー作品の魅力に関するこれとは別の政治的な見解――ホラー作品はつねに解放的であるという立場――を否定した。もちろん、この立場はホラーはつねに反動的であるという立場とは正反対のものだが、興味深いことに、どちらの立場も、自らの主張を推し進めるにあたって、ジャンルの特定の深層構造を、寓話的読解と考えられるような仕方で読むこと依拠しているのかもしれない。わたしは、いずれの立場についてもどこがまちがっているのかを詳細に示すよう試みた。いずれの立場も失敗に陥るということをもって、フィクションの構造を「アプリオリに」寓意化する試みへの警鐘として役立てることにしよう。

# ホラーの現在

わたしは、どうしてホラージャンルが長年にわたって――何十年、何世代もの間――存続してきたのかに関する包括的理論を与えることに取り組んできた。わたしはこの問題を、次のような疑問のかたちで提示した――なぜ人々は、一瞥のかぎりでは、苦痛を与え、避けるべきものと見なすことが期待されるようなものに楽しみを見出し、それを追い求めようとするのか。これに対して包括的な解決策――この解決策では、ここまでの章で扱ってきた、ホラーの本質とこのジャンルの特徴的なプロットについての知見を利用しようと試みた――が提案された。

論証は次のようなものだ――ホラーを、おおむねカテゴリー上不可能なものが登場することによって識別するなら、この場合、ホラー作品は、他の条件がすべて同じであれば、わたしたちの注意、好奇心、魅惑を喚起し、さらにこの好奇心は、このジャンルで非常に頻繁に登場する種類の物語構造によって、いっそう刺激され、複合的に組織される。また、不可能なものの魅惑が、それがもたらす苦痛を上回ることは、フィクションに対する感情反応の思考説と呼ぶものによって、より理解しやすいものになる。この説の主張によれば、鑑賞者は、ホラーなものが目の前にいない、むしろそれどころか存在しないことを知っており、このためホラー作品における記述や描写によって、鑑賞者は逃げたり、防御するのではなく、むしろ関心を引かれることになる。

この説は、ホラージャンルの基本的な魅力を説明するものだ――ホラージャンルの幅広いメンバーに共通する潜在的な魅力になるジャンルの基礎的特徴に説明を与えている。つまり、わたしは、ホラーに関して、平均的な鑑賞者による評価の最大公約数を取り出そうとしてきた。これによって、個々のホラー作品や、サブジャンルや、サイクルが、ジャンル一般の基礎的魅力・一般的魅力を超えて、別の魅力の源泉をもつという可能性が排除されるわけではない。[◇4] 特定のホラー作品には、文学的な長所や、鋭い社会観察や、暗いユーモアや、緻密なプロットなどがそなわっているかもしれない。そしてこれらの属性は、他の条件が同じであるかぎり、ジャンルそれ自体の魅力を超えたところで、作品の魅力を強めることになる。そして、一部の鑑賞者にとってホラーは、通過儀礼的な耐久テストの役割を演じることで、非常に特殊な仕方で役立つこともある。

また、わたしがジャンル受容の最大公約数的な包括的説明になっていないとして却下した立場の多くは、実際には、特定のホラー作品、特定のサブジャンル、特定のサイクルの力を捉えているかもしれない。つまり、ホラー作品の一部は、その内部構造と、生産・受容の文脈の相互作用によって、わたしが検討してきたような魅惑を刺激することにくわえて、「宇宙的畏怖」をもたらしたり、心理性的抑圧を解除したり、抑圧的な文化的秩序を侵犯したり、あるいは保守的な心性を持つ鑑賞者に現状の体制を追認させるなどの理由で鑑賞者を惹きつけるのかもしれない。こうした魅力の源泉がジャンル全体で包括的に利用できるものではないと思われるからと言って、それによって個別のホラー作品や、特定のサブジャンルや、特定のサイクルの魅力を説明する際にも関係しないということが示されたわけではない。こうした発想がホラージャンルの一部に関するわたしたちの知識に貢献するかどうか、およびそれがどの程度貢献しているかはさらなる研究の課題だが、おそらく、（わたしではなく）これらの仮説をすでにある程度信じている人が取り組む方がよいだろう。

ホラーの包括的理論では説明されないままになっていることはいくつもあるが、中でも、ホラーが、他の時代ではなく、ある特定の時代に特別人気をえるように思われるのはなぜなのかという問題がある。包括的理論は、この概念のわたしの用法では、このジャンルの鑑賞者が存在するさまざまな時代や場所を横断して、ジャンルがどのような魅力の源泉をもっているのかを教えてくれる。しかし、ホラーの一般的な力についてわかったとしても、包括的理論では、ある時代にはホラーが大きな支持をえるが、他の時代には、熱心だが少数の鑑賞者しか集めないのは正確にはいったいなぜなのかが説明されるわけではない。つまり、わたしの説では、ある特定の歴史的時期に——わたしたちの時代もそうだが——どうしてホラーが突然人気のあるジャンルとして君臨するようになるのかを説明できないのだ。一方、ホラーの人気が周期的に盛り上がる傾向があることは明らかであるように思われる。

本書では、ホラーサイクルの理論を作るつもりはない。しかし、おそらく本書それ自体が、自らがホラーサイクルのただ中にいることを見出し、それに対する反応として書かれている。そのため、この文脈において、現在のホラーの人気と魅力の原因についていくらか思弁を述べることで、ホラーの一般的な魅力に関する説を補足することが適切に思われるかもしれない。

本書の冒頭では、ホラーが十年半以上にわたって人気ジャンルとして君臨してきたことを指摘した。一九八七年のある時期には、出版界では、印刷された本の四冊に一冊には扉にスティーヴン・キングの名前があるという噂があった。[◆71] また、ホラーが近年かつてないほど愛好者を集めているという事実がなければ、おそらく本書の出版社も見つからなかっただろう。そこで、このホラーについての論考を締めくくるにあたって、今日のホラーの魅力について――つまり現在のホラーサイクルの魅力について――いくらか考えを述べておこう。もちろん、自らが属する時代や状況について歴史的説明を書こうとする試みがつねにそうであるように、これはきわめて思弁的な試みにすぎない――これまでの箇所よりさらに思弁的なのだ。このため、アームチェア社会学にすぎないこの推測を読む際には、眉に唾をつけ（ホラーだからと言って血ではなく）、あまり真に受けずに読んでほしい。

よく指摘されるように、社会的なストレスの時代にはホラーサイクルが生まれ、このジャンルが時代の不安を表現する手段となる。ホラージャンルが恐怖や不安に特化したものである以上、ホラーがこの点で役立つのは驚くには値しないだろう。おそらく、特定の歴史的状況のもとでは、ホラージャンルが一般的な社会的不安をこのジャンルの恐怖と苦痛のイメージ（イコノグラフィ）の集積のうちに取り込んだり、吸収することが起こりうるのだ。

映画史にあたれば、いくつか有名な例が見つかる。ドイツ表現主義と呼ばれる様式のホラー映画は、ワイマール共和国の危機という環境の中で制作された。アメリカにおけるユニバーサル・スタジオの古典的ホラーのサイクルは大恐慌のさなかに起きている。アメリカの五〇年代前半のＳＦホラーのサイクルは冷戦初期の時代に対応している。また、こうしたさまざまなホラーサイクルでは、ホラーのイメージは、その時々の時代の不穏な空気に対応する特別な不安を表現するために使用される傾向がある。

三〇年代前半のホラー映画のサイクルでは、モンスターへのある種の同情が繰り返されている。フランケンシュタインの怪物、キングコング、倫敦の人狼、そしてドラキュラでさえ、どこかの時点、絶望の瞬間に、本当の死を切望し、それによって、一種の心配や哀れみの念を喚起する。ただし、この同情は、モンスターへのホラーと交互に生じるのだが。この種の心配は、モンスターが疎外されているという認識への反応であるように思われる。多くの場合モンスターは自らのコントロールを超えた状況の被害者だ。フランケンシュタインの怪物やキングコングは特に、時折、迫害されるアウトサイダーのように見える。[72] また、自らに過ちがなくても市民社会の外部に置かれてしまうという恐怖は、大恐慌のような、多くの者が失業の可能性におびえる時代に鋭く感じられることは理解できるだろう。だからと言って、こうした映画が既存の社会秩序を転覆したり、追認したりしていると言っているわけではない。単に、こうした映画では、すでに認められていた不安――それはまったく抑圧された不安ではなかった――が表現され、それについて考えるための（あるいは、少なくとも、そうしたことにこだわるための）イメージが与えられていたというだけだ。

一方、五〇年代のモンスター映画では、モンスターへの同情を利用することはありえなかった。巨大な昆虫や、人を食う野菜や、虫のような目をした宇宙人に哀れみは感じられない。トラクターほどの大きさのタランチュラに救援の手を差し伸べることは想像しにくいだろう。こうしたモンスターはアウトサイダーであり、それがモンスターの属すべき場所であることに疑問は生じない。モンスターが内部に入るには、いわば強制的に侵入するしかない。そしてもちろん、侵略こそ五〇年代SF映画の主な関心

事だ。また、こうした侵略者たちが、実際には国際的な共産主義の脅威の代役をつとめていたことは明らかだ。◆73

このサイクルの契機となった作品のひとつ『遊星よりの物体X』の結末では、鑑賞者は用心して空を見るようにという警告とともに劇場の外に送り出される。表向きは空飛ぶ円盤にご用心ということだが、防空演習の時代には、ソ連爆撃機に用心しろということだとも考えられる。また、こうした映画の悪役となるモンスターは多くの場合昆虫や植物であり、モンスターには普通の人間の感情が欠けており（当時は、「恐ろしいアカども」もそうだと見なされていた）、またモンスターは世界を征服しようとしている（共産主義者もそう見なされていた）。

このサイクルでは、純粋な知性（マルクス主義的な知性主義と科学性）は、非人類と人類との戦いにおいて、感情と対立させられることが多く、多くの場合侵略者には集団主義的で反個人主義的な傾向があった。宇宙人のスパイが、ママやパパに化けて侵入するのは、特に恐れられた手口のひとつだ。政治的な姿勢がはっきりしない三〇年代のホラー映画とは対照的に、反共産主義勢力に煽られ、イデオロギーに動機づけられた疑念の語彙が、こうした映画で採用される恐怖の言語を形作る上で一役買っていることは確かだ。同時にホラージャンルの物語構造のため、こうした疑心暗鬼（パラノイア）を受け入れるには十分すぎるほどの口実が与えられていた。

この不安のモデルは文学にも適用できる。一八七二年から一九一九年までの間のホラー小説の隆盛について、ジャック・サリヴァンは以下のように述べている。

> 初期近代のホラー作品の暗く終末的な特質は、一部の歴史家が、フロイト、ユイスマンス、シェーンベルクなどの作品を参照しながら、この時代の感情的な鍵と見なし、また第一次世界大戦の予兆と見なす同時代の落ちつきのない倦怠の精神と絶対的に連続している。
>
> スティーヴン・スペンダー、T・S・エリオット、その他多くの人々は、この時代に影を落し、ますます奇妙で主観的な仕方で表現されるようになったトラウマの雰囲気について雄弁に書いている。この過渡期の時代を特徴づけるものは、激動の社会変化、不人気な戦争の醜い反動、経済的な不安定、政府や既存の秩序に対する冷笑的な皮肉、カウンターカルチャーやオカルト結社への魅了などだった。これこそ恐怖譚の繁栄と思われるものを生み出した激動の風潮であったのだから、ベトナム戦争とウォーターゲート事件の時代に、このジャンルが見事に復活したのも偶然ではないのかもしれない。◆74

同じように、アン・ダグラスは、「ファミリーホラー」と呼ばれる、現在隆盛を迎えているサブジャンルについて理論化するにあたって、以下のように論じている。

> 「ファミリーホラー」ジャンルは、現代の中流家庭が陥った奇妙な形態とそこへの変容の記録だ。その主題となるのは核家族という原子の分裂だ。この虚構の家族は二重の意味で核をもっている。それは今や古典的なものになったふたりの両親とひとりかふたりの子どもという小さな核で構成さ

れている。それによって代表されるのは、一九四五年八月六日に広島で核時代が正式に始まった前後に生まれたヤングアダルトが両親となるアメリカではじめての家族で、この両親は意識的に子どもたちを原子力の世界に引き込んでいく。こうしたスリラーでは、両親のキャラクターは、それを創作した多くの作家と同様に、団塊の世代という六〇年代の生き物（クリーチャー）であり、七〇年代および八〇年代に家庭を築くという設定で作劇され、想像されている。言い換えれば、この両親の世代は、差し迫り、込み入った、文化的に目立った矛盾をもった主人公なのである。◆75

このように、ダグラスがこのジャンルにおける悪魔の赤ちゃんの出現と関連づけているのは、人口統計的に驚異的で、制度的には破壊的な時代の多難な到来、戦後世代が、拡大家族の助けなしにますます危うくなっていく市場社会の圧力と交渉を試みる状況だ。

　こうした例が示すように、ホラーサイクルは社会的ストレスが顕著な時期に起きる傾向にあり、そこでホラー作品が果たす役割が、社会に浸透した不安をドラマのかたちにし、不安を表出することにあるという仮説は少なくとももっともらしいものだろう。この際、ホラー作品が、カタルシスのような異論も多い過程によって不安を発散させたり、解放したりするとまで言う必要はない。こうした時期にホラーが特別な関心を喚起しやすくなるのは、ホラーが社会の不安に合った表現を与え、そのため、刺激的なイメージを使用するだけで、差し迫った社会の懸念に訴えかけることができるというだけで十分だ。したがって、もし現在、わたしたちがホラーサイクルの中にいるとすれば、仮説によって、社会的ストレスの源と、そのサイクルに対応する不安を取り出すことで、ホラーサイクルの由来とそれが存続する

理由の説明を試みることができることになる。◆76

アン・ダグラスは、ファミリーホラーのサブジャンルで表現されている不安や情動のいくつかについて示唆している。このサブジャンルは、文学では、トライオンの『悪を呼ぶ少年』、レヴィンの『ローズマリーの赤ちゃん』、そして特に重要な意義をもつブラッティの『エクソシスト』によって始まった。さらにこれらの作品の映画版によって映画におけるサイクルが始まり、『オーメン』シリーズや『悪魔の赤ちゃん』シリーズなどに広がる。現代の他のサブジャンルでも、文化に広く浸透した恐怖を扱っているが、その多くは医学的なものだ。身体の衰退などの視覚表現を通じた癌のイメージ、伝染する性病の恐怖、医療技術の恐怖、毒物の恐怖など。しかし、今問題にしたいのは、現代のサブジャンルと現代の不安を順番に対応させていくことではなく、サイクル全体が表現している不安や感情の集まりについて示唆することだ。そうすれば、それによって現在のホラーへの固執(オブセッション)を説明できるかもしれない。

現代におけるホラーへの執着について考察をまとめ上げるにあたって、わたしは、このジャンルと、もうひとつ別のジャンル——その文化的なライフスパン(七〇年代半ば以降)は現在のホラーブームとほぼ一致している——への固執との間に類比を描くことが有益であると気がついた。ここで、わたしが念頭に置いているのはポストモダニズムだ。わたしが提案したいのは、現代のホラージャンルは、ポストモダニズムの知識人が秘教的で難解な議論を通じて表現しているのと同じ感情を、通俗的なかたちで表現したものだということなのである。

わたしが主張しているのは、ホラー作品は一般に、文化の中の既存の概念的カテゴリーからの逸脱を表現したものだということだ。ホラー作品の中では、既存の分類上の規範が撤回され、何が存在するかに関する文化の基準が問題とされる。それに対応して、ポストモダニズムは概念相対主義への強い傾斜という特徴をもっている。つまり、ポストモダニズムはさまざまなかたちで表現されうるが、それらに共通し、繰り返し現われるテーマには道徳相対主義だけでなく、概念相対主義――わたしたちがもつ固定された世界の切り分け方は何らかの意味で恣意的なものであるという確信――が含まれている。それらは脱構築できるものとされる。さらに、それらは本当に世界を指示しているわけではないとされる。こうした立場には、多くの場合、わたしたちの概念に関するこの事実（とされているもの）を見ようとしないことは、それ自体が問題であるという疑念が伴っており、それが論理中心主義（ロゴセントリズム）と呼ばれることもある。

わたしは個人的には、ポストモダニストによって展開される哲学的論証には納得できない。しかし同時に、ひとつの世代の知識人を魅了してきたポストモダニズムの能力を無視することはできないだろう。その魅力が、わたしたちの概念図式の不十分さを疑うことにあるかぎりにおいて、ポストモダニズムは、大衆によって消費される現代のホラー作品が喚起する感情を、インテリの側から表現したものになっているのだ。

話は変わるが、現代のホラージャンルは、以前のサイクルとはいくつかの面で異なっていることに注意してほしい。この違いは、ポストモダニズムのテーマと比較可能なものになっている。第一に、現代のホラー作品の多くは、明示的に自ジャンルの歴史を参照している。〔スティーヴン・〕キングの『ＩＴ』は古典的なモンスターたちを復活させた。キングとロメロの映画『クリープショー』は五〇年代のＥＣホラーコミックへのオマージュだ。最近のホラー映画は頻繁に他のホラー映画への言及を行なうが、『フライトナイト』には架空のホラーショーの司会者が登場人物として含まれている。ホラー作家は他の作家やこのジャンルの他の事例を自由に参照する。特に古典的なホラー映画やキャラクターはよく参照される。

現在のこのジャンルは、深刻ぶったかたちではないが、きわめて反省的で自己意識的なものになっている。もっと言えば、このジャンルは、明示的に自己顕示的な仕方で、高度な間テクスト性をもっている。[77] ホラー作品の制作者と消費者は、自分たちが共有された伝統の中で活動していることを自覚しており、これが公然と認めらることも非常に多いし、そこには強い熱意が伴っている。これはもちろん、ハイカルチャーのポストモダニズムのアーティストの特徴でもある。政治批判のためであれ、ノスタルジーのためであれ、ポストモダンアートは、いわば、遺産で生計を立てているのだ。ポストモダンアートは、過去の認められた要素を再結合することで、創造性の根源が遡及にあることを示唆している。現代のホラー作品もまた、エネルギーを欠いているわけではないが、ノスタルジーを示すかのように、古典的モンスターや神話を往時にさかのぼって参照している。

現代のホラージャンルがそれ以前のサイクルとは異なるもうひとつの点は、その視覚的な暴力の度合いだ。ホラー作品が暴力に傾倒するのはよくあることだが、現代のホラージャンルでは、伝統的に見られるものをはるかに超えたゴア〔残虐シーン〕の記述や描写が常態となっている。クライヴ・バーカーのような特定のホラー作家にとって、これは特に自慢の種だ。現代のホラーの暴力は、過去のそれと種類において違いはないかもしれないが、にもかかわらず、程度の違いは大きなものになっている。

この暴力のひとつの特徴は、人体を襲う極度の激しさだ。人体は破裂し、吹き飛ばされ、破壊され、引き裂かれる。あるいは分解され、変形され、切断され、解剖され、内側からむさぼり食われる。そしてもちろん、直近の十年には、スプラッター映画と呼ばれるジャンルが確立しているし、文学では、現存する最も多作なホラーアンソロジストであるピーター・ヘイニングが「肉屋ホラー」と呼ぶような作品（これには否定的な意味がこめられており、おそらく、場合によっては無理解も含まれるかもしれない）が見られるようになった。◆78

現代のホラージャンルでは、人は多くの場合、文字通りの単なる肉に還元される。こうした傾向に「肉としての人間」というラベルをつけることもできるだろう。そして、この人間の還元は、いくつかの面で、ポストモダニズムにおいて「人間の死」と呼ばれるものに対応している。現在のホラー作品では、人は特権的な存在論的カテゴリーの一員ではなく、何でも飲み込むジャンルの悪魔的貪欲の餌食のひとつにすぎない。◆79 ヒーロー、ヒロインと認められた者でさえ、簡単に肉切り包丁の餌食になってしまうかもしれないのだ。

現在のホラーサイクルとポストモダニズムは、どちらも文化的カテゴリーに対する不安を表現している点で対応している。どちらも過去を見ており、多くの場合そこにはノスタルジーも認められる。どちらも人間を神聖でないものとして描いている。また、ホラージャンルとポストモダニズムの流行がどちらも、パックス・アメリカーナ◇5の明らかな崩壊の後に現われたことに気づけば、この一連のテーマは理解可能なものになる。つまり、ホラージャンルは文化的規範の揺らぎに対する不安を表現し、ポストモダニズムはあらゆる面で相対化を受け入れ、どちらもノスタルジーに傾倒しているが、この両者が登場したのは、第二次世界大戦後に確立した国際秩序が不安な混乱に陥ったと思われる歴史上のちょうどその時期なのだ。

ここでいう混乱に含まれるのは、アメリカ合衆国の国際的競争力の低下――ベトナム戦争の敗北、石油危機、日本（西ドイツ、韓国、台湾などは言うまでもなく）の工業・商業における台頭、海外で思うように目的を達成できないことなど――だけではない。少なくとも米国に関して言えば、そこに国内における緊張として、際限なくつづく政治的スキャンダルや、広く宣伝された詐欺ビジネス、石油危機や不況を含むさまざまな経済的問題、債務危機、および、女性やマイノリティなどこれまで権力を与えられていなかったグループの権利主張などが含まれる。アメリカ帝国の真正性が衰えるにつれて、予想通り、圧倒的な不安の感覚が想像力を捉え、冷静に考えればまだ無傷のものも含め、あらゆるものが危険にさらされ、競争の対象に見えてしまう。概念的相対主義であれ道徳的相対主義であれ、相対主義はこうした社会の不安定に対する思想のレベルでの反応であると考えられるが、一方ホラー作品は、既存の文化規範の脆弱性や不安定性を利用するような構造をもっているため、「中心が保たれない」[6]という情動にうってつけのポップアート的シンボルとなる。

多くのホラー作品の間テクスト性のうちに現われているノスタルジーに関して言えば――これと同様のノスタルジーはポストモダン（すなわち、「モダンの後」）と呼ばれるものの多くを少なくとも支えているように思われるが――、それが回顧するのは、現在にはもはや不可能となった確信に安住することができたと思われる時代だ――おそらく、この回顧自体が幻想かもしれないが。また、パックス・アメリカーナの世界観は、そのイデオロギーの中心に、一種の極端な個人主義をもっているが、これは生産性の向上と国際覇権という文脈のもとでは維持しやすい幻想だった。この生産性の向上と国際覇権によって、マジョリティの中産階級の福利が安定したものとなり、個人の能力に対する信仰と、繁栄と体制順応という世俗的な道徳への信仰が維持されてきたのだ。この安心の感覚を破壊することは、一方のホラージャンルにおいては、身体の地位の格下げに根差した個人の脆弱さの極端なイメージに象徴され、他方で、ポストモダニズムにおいては、個人というカテゴリーの過剰な否定（期待を下げることによる防衛？）に象徴されるのではないだろうか。

六〇年代後半から七〇年代にかけての衝撃によりアメリカの秩序全体が打ちのめされるにつれ（そして今も打ちのめされつづけている）、個人主義の信条の脆さはいっそう明らかになる。一方、自信は、脆弱さや、不能感や、個人の人生の偶然性の感覚に置き換えられている。また、自分はより大きな国家の計画の一部であるという感覚もまた、明らかな運命ではあるが、維持することができなくなっている。そして、この喪失こそ、現代のホラー作品における人間の格下げによって象徴されているものだと考えられるが、「人間の死」についてのポストモダニズムのスローガンも、米国内では、この喪失感を参照したものだと思われる。不安の感覚を伴いつつ過ぎ去っていくのは、「アメリカ」[◆80]の個人主義者の社会神話であり、それはホラーの場合には、身体に向けられた屈辱のスペクタクルの中で実演され、別の領域では、ポストモダニズムの虚無主義的マニフェスト、多くの場合は文学的説得のためのマニフェストによって表現されている。

現代のホラー作品における身体の破壊をこのように特徴づけたが、ホラーの場合は、現代の医学的な不安や恐怖症とも結びついていることが多いことを否定するつもりはない。ただ、この不安を投影することは全体的な脆弱性の感覚と調和しており、この脆弱性の感覚は、それ自体アメリカ帝国の崩壊と、それが保証するはずだった不屈の個人の文化の崩壊に由来するものであるように思われるというだけだ。

かくして、現代のホラー作品は、ポストモダニズムが知識人に対して不安定さの暗示を表現するのと似たような仕方で、アメリカの世紀が、「何だかわからないもの」へ移行していく不安を大衆の観客に向けて表現したものになっている。どちらの場合も、反応は極端に見えるかもしれない。アメリカの覇権が危機にさらされているとしても、文化の深い規範が危機にさらされているとまで考える必要はないだろう。しかし、社会的ストレスの時代における過剰反応は確かに理解できるものだろう。そして、わたしの主張では、ホラー作品やポストモダニズムの否定しがたい人気は、第二次世界大戦後の秩序とそれに付随する文化が混乱の中にあるという認識に促された不安の感覚に対する反応なのである。

もちろん、ここでポストモダニズムと類比することが不正確だとしても、それでもなお、ホラー作品と現代という時代の結びつきに関して、わたしたちの説が何かをつかんでいるということはありえるかもしれない。仮にポストモダニズムがパックス・アメリカーナの終焉に対する虚無主義的反応の一種ではなかったとしても、現代のホラー作品の方は、そのような文化的不安を体現しているかもしれない。規範――分類の規範であれ道徳的規範であれ――の不安定さに訴えること、ノスタルジーの暗示、キャラクターが抱く無力感や麻痺の感覚、「肉としての人間」というテーマや、物語構造へのパラノイアックな執着、これらはどれも現代世界で生きることの不確実性に訴えているように思われるが、この感覚は、記憶の中では――あるいはこの記憶も錯覚かもしれないが――、かつて、それほど遠くない昔には、物事がもっと安定しており、確実性の感覚が浸透していたという信念のために、いっそう差し迫ったものになるのだ。

言い方を変えれば、ホラージャンルは、概念的・道徳的文化規範の攪乱に基づいているため、文化的秩序――ここで言う〔時代の〕文化的秩序は、前者の〔ホラーが攪乱するとされる〕文化規範ほど一般的なものではないとしても――が崩壊した時代や、あるいはそれが解体しつつあると見なされている時代に合致した象徴のレパートリーを与えてくれる。このため、ホラージャンルには――ジャンルの基本的な魅力だけでは――、一般にはかぎられた支持者しかいないかもしれないが、ホラーのイメージと構造が、社会的ストレスの時代に広範囲に広がった不安を表現することで、大衆の注目を集めることができるのだ。

ベトナム戦争とそれにつづく幻滅の連鎖の後、アメリカ人は近年の間、継続的に――多くの場合それには良い理由があるが――自らの夢（アメリカンドリーム）を見失ってきた。評論家が「アメリカンドリーム」を「アメリカンナイトメア」という示唆的な言葉で置き換えるのもよく理解できる。この麻痺の感覚を引き起こしたのは、大規模な歴史的衝撃だけでなく、思考することも信じることもできないような状況と現実的に折り合いをつけることができないという無力感を何度も味わわされてきたせいでもある。この無力感は、ホラーのモンスターに唖然とする虚構の被害者の多くが感じる意気喪失と、完全に同じとは言えないまでも、よく似たものになっている。良きにつけ悪しきにつけアメリカ人は、二十年近くもの間、「信じがたい」出来事や変化に取り返しのつかないほど揺さぶられてきた。◆81 そして今や、ホラーはアメリカ人のジャンルになったのだ。

## 原註

◆1 Frank McConnell, *Spoken Seen*, (Baltimore: Johns Hopkins University Press, 1975), p. 76.

◆2 Robin Wood, "Sisters," in *American Nightmare* (Toronto: Festival of Festivals Publication, 1979), p. 60.

◆3 John and Anna Laetitia Aikin, "On the Pleasure Derived from Objects of Terror; with Sir Bertrand, a Fragment," in their *Miscellaneous Pieces in Prose* (London, 1773), pp. 119–37.〔アナ・リティティア・エイキン「恐怖の諸対象を起源とする快楽について。断片作品『サー・バートランド』を付して」下楠昌哉訳、『幻想と怪奇の英文学Ⅳ 変幻自在編』東雅夫・下楠昌哉編、春風社、二〇二〇年、七九頁〕ジョン・エイキンの姉はアナ・レティティア・バーボルドという名前でも出版している。

　この論考でエイキンらが、正確には、本書でわたしがホラーと呼ぶものについて書いているわけではないというのは確かだ。しかしエイキンらの疑問は、後にホラージャンルを誕生させることになった種類の著作に刺激されたものだ。

◆4 David Hume, "Of Tragedy," in *Of the Standard of Taste and Other Essays*, ed. John W. Lenz (Indianapolis: Bobbs-Merrill, 1965), p. 29.〔デイヴィッド・ヒューム「悲劇について」田中敏弘訳、『ヒューム　道徳・政治・文学論集［完訳版］』名古屋大学出版会、二〇一一年、一八五頁〕この論考の初出は一七五七年のヒュームの *Four Dissertations* 収録。

◆5 John and Anna Laetitia Aikin, "An Enquiry into those Kinds of Distress which excite agreeable Sensations; with a Tale," in *Miscellaneous Pieces in Prose*, pp. 190–219.

◆6 Edmund Burke, *A Philosophical Enquiry into the Origin of our Ideas of the Sublime and Beautiful* (Notre Dame: University of Notre Dame Press, 1968), pp. 134–35. バークの論考の初出は一七五七年。

◆7 H.P. Lovecraft, *Supernatural Horror in Literature* (New York: Dover Publications, 1973).〔「文学と超自然的恐怖」植松靖夫訳、『定本ラヴクラフト全集7－I』、国書刊行会、一九八五年〕この単著には、一九二七年と一九四五年の版がある。この文章はふたつの意味で影響力を持っている。第一に、ラヴクラフトの衣鉢を継ぐ多くのホラー作家にとって重要なホラー作品の効果や手法に関する一定の規範を提供していること。第二に、この本は、この主題に歴史的な仕方でアプローチしているが、このアプローチはホラーに対する一般的なアプローチを取ろうとするほとんどの試みで模倣されているようにわたしには思われる。つまり、わたしの本とは対照的に、ラヴクラフトの著述の大部分はホラージャンルの歴史を物語ることに取り組んでおり、わたしの印象では、このように、このジャンルを解明するために歴史的な物語を語るというアプローチは、ホラーを考察するための標準的方法になっている。例えば、スティーヴン・キングの興味深い著作『死の舞踏』を参照（*Danse Macabre*, New York: Berkley Books, 1987）〔『死の舞踏』安野玲訳、福武書店、一九九三年〕。

◆8 Lovecraft, *Supernatural Honor In Literature*, p. 16.〔ラヴクラフト「文学と超自然的恐怖」、九〇頁〕

◆9 Lovecraft, *Supernatural Honor in Literature*, p. 14.〔ラヴクラフト「文学と超自然的恐怖」、八八頁〕

◆10 『Night Visions』アンソロジーシリーズの一作である『Hardshell』の序文で、クライヴ・バーカーは、ホラージャンルの魅力の源泉について、期待通りラヴクラフト的ではない説明を与えている。より神秘的なラヴクラフトの傾向に暗黙に反対しつつ、バーカーはホラーの受け手をもっと現世的な視点から見ている。ホラーストーリーがドラマにするのは、「精神としてのわたしたちが、肉体の残忍な所業と対決すること」であり、わたしたちは必死でこれを認めるのを避けようとしているとされる。ホラーの一般的な特徴づけとして見た場合、わたしが考えるバーカーのアプローチの大きな問題点は、ホラーの魅力が、肉体の破壊に関する抑圧された知識を提示することにあるとすれば、どうしてこのジャンルでは、その上に超自然主義的な要素をさまざまに盛り込まねばならないのかを説明できないことだ。その一方で、バーカーの序文は、ホラー作品を肉体についてのストーリーとして捉えるというバーカー自身のホラー観については非常に多くのことを教えてくれる。というのも、このホラー観によって、このジャンルに対するバーカーのきわめて独創的な貢献――作家、アンソロジスト、映画制作者、愛好家としての貢献――が堅固な裏づけをえるからだ。

◆11 Lovecraft, *Supernatural Horror in Literature*, p. 15.〔ラヴクラフト「文学と超自然的恐怖」、八九頁〕

◆12 当然ながら、ホラーの鑑賞者を「敏感」と呼ぶことが適切かどうかについては論者によって意見がわかれるだろう。

◆13 それどころか、何でも説明せずにはいられないようなホラーストーリーも多数あるが、こうした作品は唯物論的な洗練のまねごとになっているように思われる。

◆14 Rudolf Otto, *The Idea of the Holy: An Inquiry into the Non-Rational Factor in the Idea of the Divine and its Relation to the Rational*, trans. John W. Harvey (London: Oxford University Press, 1928).〔ルドルフ・オットー『聖なるもの』久松英二訳、岩波書店、二〇一〇年。訳文は本書訳者による〕

◆15 Otto, *Idea of the Holy*, pp. 12–24.

◆16 Otto, *Idea of the Holy*, p. 26.

◆17 ジョン・コインの『The Hunting Season』では、開示の場面のひとつで、次のように書かれている。「エイプリルには、その小さなクリーチャー、汚れたシーツの上に横たわっている奇妙な石膏の少女を見ていることが受け入れがたかった。しかし目をそらすことができなかった。拒否感を覚えたが、魅了されていた」。

◆18 Philip C. Almond, *Rudolf Otto: An Introduction to His Philosophical Theology* (Chapel Hill: University of North Carolina Press, 1984), p. 69.

◆19 デーモンへの恐怖がヌミノーゼの経験より劣るという説明としては、Almond, *Rudolf Otto*, pp. 80–81 を参照。

◆20 この問題について長々と追及するつもりはないが、アートホラーの魅力を崇高との類比で説明しようとすることも否定したい。議論を長引かせないため、わたしは主に、崇高の概念の第一人者であるカントの権威に頼ることにする。『判断力批判』の「崇高なものの分析論」第四十八節で、カントは次のように書いている。「或る種の醜悪さにかぎっては、自然のままに表現されることができないのであって、もしもそうすれば**あらゆる**美的満足を、かくてまた芸術美を破壊するものとならざるをえない。それはすなわち、**嫌悪**を催させる醜悪さにほかならない。その理由はこうである。嫌悪とは異常な、まったく想像にもとづく感覚であり、そこで対象はいわば、あたかも享受を強要するかのように表象されながらも、私たちはそれでも極力それに対して抵抗する。それゆえ対象の芸術的表象は、この対象そのものの本性から、私たちの感覚においてすらもはや区別されることがなく、だから芸術的表象はそのばあい美しいものと見なされるはこびが不可能となるということなのである」。強調は引用者による。〔「崇高なものの分析論」熊野純彦訳、『判断力批判』作品社、二〇一五年、一八六－一八七頁〕。ここでカントは、いかなる美的満足も嫌悪とは無縁であると主張している。わたしはこれに完全に納得しているわけではないが、少なくともこれによって、アートホラーを、カントの崇高概念――これはわたしたちにとってなしうる最善の特徴づけに関わる概念だが――になぞらえることを疑う端緒の理由は示唆されているだろう。もちろん、これは決定的なものではない。わたしがカントを引用したのは、崇高がアートホラーとは合致しないと示す目的で、崇高なものについて長々と詳しい説明をするのを避けるためだ。おそらく理由は異なるが、カントと同じように、わたしはアートホラーに必要な拒否感の要素によって、数学的崇高であれ、力学的崇高であれ、それによって引き起こされる種類の反応が排除されると考える。

よく知られているように、エドマンド・バークは、崇高についてやや異なる説明を与えている。バークにとっては、恐ろしい対象は、その対象の害がわたしたちに及ばないちょうどその場合に、崇高の快を引き起こすことができる。バークは、嫌悪がこの描像の中にどのように登場するかを考察しているわけではない。しかし、ここでわたしはカントの考察が関係してくると考える。というのは、もしわたしたちが対象に嫌悪を抱いているなら、バークの語法で言えば、わたしたちは、それによって苦痛を与えられる――真正な苦痛を与えられる――ことになり、このため、こうした対象は、バークの立場で崇高なものに必要とされる種類の距離に結びつかない。カントが示唆しているように、嫌悪は崇高を妨害するのだ。これはバークの崇高概念に対する直接的な批判ではない。そうではなく、このことによって、アートホラーをバークの崇高に同化させる試みには警戒すべきであるという考慮事項が与えられるのだ。

◆21
ホラーの魅力を唯物論や実証主義と対比させた場合、合理的説明を好むことが後者の側に含まれるのではないかと思う人もいるだろう。というのは、もし含まれる場合、あまりに多くのホラー作品が――内発的に――合理的説明をまねているため、この対比がどのように維持されるのか理解しがたいからだ。つまり、ホラー作品において与えられる説明は、完全にばかげたものである場合も多いが、にもかかわらず、合理的説明の形式をまねたものになっている。このため、ホラーの多くは、そのような形式の説明を歓迎しているか、少なくとも利用しているので、ホラーが合理的説明からの逃げ道を与えてくれるわけではないように思われる。

本能的テーマの別のバリエーションとしては、ホラー作品によって、わたしたちは死との原始的戯れを楽しむことができるというものがある。"Aesthetics of Fright" (*American Film*, vol. 5, no. 10 [September, 1980]) という論文で、モリス・ディックスタインは、ホラー作品を消費することを、遊園地のアトラクションと類比しており、これが死の本能に関係した説明を与えるとでも考えているかのように思われる。ディックスタインによれば、「ホラー映画は、遊園地でジェットコースターやパラシュートジャンプに乗るのと同じように、死と戯れるための安全で日常化された方法だ。どれほどわずかなものであっても、車がコースを外れる可能性はつねにある程度はある――そうでなければスリルは失なわれてしまう。しかしこの死の旅路は本質的に代償的なものだ」。しかし、この類比は完全におかしく、何の説明にもなっていない。口やかましい両親が何と言おうと、ホラー映画を見ることに死の危険はない。ディックスタインはいったい何を考えているのだろうか。

◆22 ホラーが魅力的なのは、単純に感情によって活力を与えるためだという発想が展開されることは非常に多い。例えばフランク・コフィーが自分のアンソロジー『Masters of Modern Horror』につけた序文を見よ。

◆23 こうした線にある程度近い論証は、エドマンド・バークの『崇高と美の起源』の中で展開されているように思われる。バークは崇高なものについての議論の中で――バークはこれを恐怖の対象と関連付けているが――、通常そのような対象によってもたらされる痛みは、わたしたちがそれによって脅かされていると感じないという事実によって緩和されると考えている。バークにとって、痛みの緩和が今度は喜びを引き起こすことになる。また、バークはこの種の喜びを求める根拠となるものを措定している。身体が萎縮を避けるために運動を求めるように、わたしたちの細やかな感情もまた運動を必要としている。崇高なもの（巨大なもの、不明瞭なもの、暗いものなど）を求めることは、こうした性質が自己保存を脅かすものではない状況を前提とするかぎり、わたしたちの細やかな情動を停滞させないようにしているのだ。

この説明の問題点はもちろん、この説明では、なぜホラーという個別のものが求められるのかという理由が何も与えられていないことだ。恐怖の対象であれば何でもよいのではないだろうか。バークの意図はホラーの分析を与えることではないので、これはある意味ではバークに対する公正な批判とは言えない。しかしこのことは、バーク型の分析をホラーに拡張しようとする論者なら誰にとっても問題になるだろう。またバークは、身体の運動と感情の運動を類比させているが、これを受け入れるべきなのかどうかもはっきりしない。また、仮にこれを受け入れたとしても、果たして、あらゆる感情がバークが支持しているような正当な運動に値するかは疑問だ。ホラーを与えるモンスターに遭遇する確率が途方もなく低いことを考えると、アートホラーの細やかな情報を運動させることが何の役に立つのだろう。

◆24 Philip Hallie, *The Paradox of Cruelty* (Middletown, Connecticut: Wesleyan University Press, 1969), pp.63–84 で、フィリップ・ハリーが提示したホラーの理論では、恐怖と嫌悪だけではなく、魅了、もっと言えばホラーのクリーチャー（ハリーの用語によればヴィクティマイザー）への魅了という要素が含まれている。ハリーによれば、ホラーには、被害者の立場（そこでは恐怖と拒否感が駆動する）だけでなく、被害者を恐怖に陥れる者の立場にも想像力をはたらかせることが含まれる。放浪者メルモスは、ハリーのお気に入りの例だ。これに対してわたしが思うのは、フィリップ・ハリーは、このタイプのホラーに関しては有用なことをたくさん言っているということだ。しかし、ハリーがそのようなモンスターが鑑賞者を誘惑する仕方に注意に向ける（そして洞察力に富んだ解釈をする）とき、ハリーは、ホラーのひとつのタイプ、ないしひとつのサブジャンルについて述べている。というのは、ホラージャンルのあらゆるモンスターが蠱惑的なものではないからだ。多くのモンスター（例えばスライム？）は、仮に非常に強力であったとしても、蠱惑的なものではないだろう。このように、ホラージャンルの魅力はモンスターの魅力に根ざしているという考え方は――ドラキュラのような類型が登場するサブジャンルでは有用な考察だが――、ホラー一般にとっては理論的に適切ではない。

◆25 つまり、ホラージャンルのイメージの精神分析的解釈は、特定のホラー作品――例えば、映画『禁断の惑星』〔イドと呼ばれるモンスターが登場する〕――に限定されることが多い。

◆26 わたしの論文 "Nightmare and the Horror Film: The Symbolic Biology of Fantastic Beings," in *Film Quarterly*, vol. 34, no. 3 (Spring, 1981) を参照。この論文の拡張版は *The Anxious Subject: Nightmares and Daymares in Literature and Film*, ed. Moshe Lazar (Malibu: Udena Publications, 1983) に収録。

◆27 Ernest Jones, *On the Nightmare* (London: Liveright, 1971).

◆28 Jones, *On the Nightmare*, p. 78.

◆29 Sigmund Freud, "The Poet in Relation to Daydreaming," in the anthology *Character and Culture*, ed. Philip Rieff (New York: Collier Books, 1963) を参照。

◆30 主人公のパーキンズは、導入の時点（「雌鳥のように」）女々しい人物であり、数日後に男性のルームメイトができる予定だと発表するとメイドたちに含みのある仕方で「くすくす笑わ」れている。パーキンズが意図せず笛を吹く〔隠語で口淫を指す〕ことによって、霊が召喚されるが、この霊は、実際には、望まれぬ共寝の相手となる。さらにこの笛は、考古学的遺跡から出土している。精神分析で認められる連想を前提とすれば、この霊がパーキンズの抑圧された同性愛願望の象徴として解釈されるという推測は、少なくとももっともらしく思われる。

◆31 Jones, *On the Nightmare*, p. 79.

◆32 John Mack, *Nightmare and Human Conflict* (Boston: Little Brown, 1970).

◆33 思考の全能性に関する幼年期の妄想がこうした作品において重要であることは、フロイトの"The 'Uncanny,'" in *Studies in Parapsychology*, edited by Philip Rieff (New York: Collier Books, 1963), pp. 47–48 で論じられている〔ジークムント・フロイト「不気味なもの」、訳書多数。訳文は本書訳者による〕。

◆34 わたしの論証に対する精神分析側からの反撃のひとつとして、わたしの説によれば、ホラーのクリーチャーは嫌悪を伴わなければならないので、それによって精神分析がつねに関係してくるというものを考えられるかもしれない。なぜなら、精神分析では、あらゆる嫌悪は抑圧のような過程に起源をもつと主張されるからだ。当然ながら、こうした反論の論証に対しては、嫌悪の原因が精神分析の領域だけにあるということを否定することで反論をそらしたいと思う。食べられることに対する恐怖がすべて、両親に食べられてしまうという幼児期の空想に由来するわけではないのと同じように、あらゆる嫌悪が精神分析的なメカニズムの作動に由来するわけではない。本書の前半の部分でメアリー・ダグラスを通じて行なったように、嫌悪は精神分析を参照することなしに明確化することができる。

◆35 Freud, "The 'Uncanny,'" p. 55.

◆36 Freud, "The 'Uncanny,'" p. 51. わたしの考えでは、フロイトが、この必要条件にくわえて、不気味なものの特徴づけの十分条件と見なしているのは、抑圧されているものが幼児期のコンプレックスか原始的信念のいずれかに結びついていることだ。

◆37 Rosemary Jackson, *Fantasy: The Literature of Subversion* (London: Methuen, 1981)〔ローズマリー・ジャクソン『幻想文学　転覆の文学』下楠昌哉訳、『幻想と怪奇の英文学Ⅲ　転覆の文学編』東雅夫・下楠昌哉編、春風社、二〇一八年〕を参照。

◆38 Jackson, *Fantasy*, p. 4〔ジャクソン『幻想文学』、一九頁〕。ジャクソンはここで幻想文学について述べており、ホラーについて述べているわけではないことに注意。にもかかわらず、わたしはホラーに関してジャクソンの定式化を批判する権利があると感じている。なぜなら、ジャクソンの立場によれば——扱われている事例を見るかぎり——ホラーは幻想文学のサブカテゴリーであり、そのためこの定式化はホラーにも合致するものとされているからだ。

◆39 Jackson, *Fantasy*, p. 48.〔ジャクソン『幻想文学』、八八–八九頁〕

◆40 抑圧仮説の別のバリエーションとして、人気になりつつあるものがある。これは、ホラー作品を再現された抑圧のドラマとして解釈するものだ。テリー・ヘラーは次のように書いている。「アンドリュー・グリフィンとクリストファー・クラフトが与えてくれたヒントに従い、ホラースリラーが抑圧の再現を与えるという仮説を立てることができる。読者に、文化的に禁じられた象徴表現との慎重に制御された接触をもたらし、その制御を確証することによって、ホラースリラーは文化の抑圧の道具のひとつとなる。ラヴクラフトや［チャールズ・ブロックデン・］ブラウンの読者は、別のアイデンティティ——内包された読者——において禁止されたものに再遭遇することで、禁止されたものを抑圧することに長けている。ヘンリー・ジェイムズ、エドガー・アラン・ポーや、ヴァル・リュートンなどの映画制作者を含むその他の人々は、ホラーのイメージは、ほとんど特定されておらず、何だかわからないときこそ最も効果的なものになるということに気づかせてくれる。なぜならそのとき読者は、自らの個人的な文化的抑圧をイメージのうちに読み込むからだ［…］。ここで、さらなる仮説として、この種の読みを促進する作品がより高く評価されるのは、個々の読者が自らの個人的な抑圧を再演することができるからだと見なしてもいいかもしれない。ラヴクラフトもブラウンも、読者に対し、抑圧されたものと出会い、それを覆すアイデンティティの力を再確認する機会を与える。自らを五体満足なパーソナリティとして選択する力は、人間の主要な達成のひとつであり、全体的に見れば、それは人間が得意なことのひとつだ。この活動の主な目に見える成果は、人間の豊かな文化の多様性だ。それなら、「それをもう一度繰り返す」ことを享受するのは自然なことではないだろうか」（Terry Heller, *The Delights of Terror: An Aesthetics of the Tale of Terror* [Urbana: University of Illinois Press, 1987], pp. 72–73.）。以下も参照。Christopher Craft, "'Kiss Me with Those Red Lips': Gender and Inversion in Bram Stoker's Dracula," in *Representations*: 8 (Fall 1984)、Andrew Griffin, "Sympathy for the Werewolf," *University Publishing*, 6 (1979).

ここでのアイデアは、ホラー作品において、わたしたちは文化的順応の過程ですでに経験した抑圧を再演しているというものであるようだ。つまり、ホラースリラーのプロットでは、モンスター——抑圧された精神的素材の類型——が登場するが、結局のところ（一般的には）作品の結末では抑圧されたものが回帰した痕跡はすべて消し去られてしまう。読者としてストーリーに参加しているわたしたちは、この心理的なトラブルの素材を抑圧することを再演する。さらにこの立場では、抑圧は快を与えるように思われるので、それゆえに、文化的に認められていないものを再び抑圧する機会をもつことは、わたしたちに快を与えることになる。このため、ホラーのパラドックスは、ホラーなものの表現はホラーを与えるが、読者の不快を上回る快をもたらす抑圧に興じるための口実を与えているのだと示すことによって、解消される。

この仮説では、抑圧が快を与えることが仮定されている。これが正しいのかどうかわからないが、あやしそうには思われる。それは抑圧に関する標準的立場ではないように思われる。しかし、正しいのかもしれない。それが本当なのかどうかは、本書の範疇を超えている。

しかし、この立場は、ホラーに関して抑圧による類型がどのようにして快をもたらすかという点について標準的な説明とは矛盾しているように見えることを強調することは重要だろう。標準的な説明では、抑圧は快を与えない。快を与えるのは、抑圧を解除することだ。したがって、ホラーの抑圧再演説と標準的な抑圧仮説を組み合わせようという試みは——さらなる説明を与えないかぎり——賢明ではないように思われる。つまり、抑圧が快を与えると同時に不快なものであるということはありえない。両者の仮説のうち、正しいのは——多くとも——いずれかひとつでしかありえない。どちらの仮説の方が好まれるかは——どちらかの仮説を採用するのであればだが——、精神分析批評を行なう批評家や精神分析の理論家が議論すべきことだ。わたしはすでに触れた標準的な抑圧仮説には疑問を呈しており、また個人的・内省的な根拠にすぎないが、抑圧が快を与えるという発想は疑わしく思うため、この議論には立ち入らないことにしたい。

◆41 Hume, "Of Tragedy," pp. 33–34.〔ヒューム「悲劇について」、一八八頁〕

◆42 Hume, "Of Tragedy," p. 35.〔ヒューム「悲劇について」、一八九頁〕

◆43 悲劇のようないくつかのジャンルに関して、エイキンらの考えでは、わたしたちがもつ快は、悲惨な状況そのものではなく、悲惨な状況に対するわたしたちの反応に由来する。つまり、わたしたちは悲劇的な出来事に苦しめられ、こうした出来事に動かされるような道徳的関心をもつ者であると気がつくことに快を感じるのだ。恐怖の対象に対する快は、エイキンらにとってもっと謎めいたものに思われる。エイキンらの考えでは、恐怖の反応や、恐怖の反応をもつことは〔悲劇とはちがって〕、満足を与えるような仕方でわたしたち自身について示しているわけではないからだ。この困難のため、エイキンらは、苦痛を与える虚構的出来事——そのうちでも恐怖を与えるもの——の快については、サスペンスのような物語的要素の観点からの説明を探そうと試みている。

興味深いことに、近年の論文"The Pleasures of Tragedy" in *American Philosophical Quarterly*, vol. 20, no. 1 (January 1983) で、スーザン・フィーギンは悲劇の快についてよく似た立場を選んでいる。ここでえられる快は、わたしたちが悲劇的な出来事に共感的に反応するという事実に対する満足感、つまりメタ反応であるとフィーギンは考える。本文後半では、ホラーのパラドックスの少なくともいくつかの側面を扱う上で、フィーギンの考えるメタ反応が役に立つかという問題を取り上げる予定だ。

◆44 J. and A.L. Aikin, "Of the Pleasure derived from Objects of Terror," pp. 123–24.〔エイキン「恐怖の諸対象を起源とする快楽について。」、八一頁〕

◆45 ホラーの物語においてモンスターの発見／開示が特別な強調（フェルマータ）を受けることは、映画において特に標準的に採用される叙述戦略の一部にも見られる。ホラー映画における視点の編集に関してJ・P・テロッテは次にように書いている。「ホラー映画のレパートリーの中で最も頻繁に使用され、最も切迫したイメージのひとつは、犠牲者の目、見開かれ、睨みつける目のイメージだ。これは強い恐怖、不信を表出し、人間的命題に対する究極の脅威を訴える。しかし、このイメージの効果を最大化するために、多くの場合、映画では、標準的な映画技法を逆転し、出来事を自然な順序から逆転させる。通常はアクションが先に提示され、それに対するコメントはリアクションショットによって与えられる。原因が先に提示され、結果はその後ということだ。しかし、ホラー映画はこの過程を逆転させる傾向があり、リアクションショットを先に与え、恐怖を一時的に保留することで、肝が冷えるサスペンスを強めている。さらにそのような配置は、わたしたちの通常の因果関係の方向づけを覆している。最終的にそこから現われるのは、わたしたちの通常の知覚パターンによって説明されることを頑なに拒む、信じがたい恐怖の始まりだ」。わたしは、テロッテがこの記述に付加している分析――同一化に関する分析――には同意しないが、この記述自体は、ホラー映画の中で繰り返される映画的戦略に関する適切な記述であり、この記述によって示唆されるのは、この編集における類型は、「ミニ物語」というかたちをとっており、ホラーのプロットにおける発見と開示というもっと大きなリズムを反映したものであることだ。J.P. Telotte, "Faith and Idolatry in the Horror Film," in *Planks of Reason*, ed. Barry Keith Grant (Metuchen, New Jersey: The Scarecrow Press, 1984), pp. 25–26 を参照。

◆46 ホラーからえられる快は、広い意味で――好奇心をかきたてるという意味で――認知的なものであると主張することで、わたしが説明しようとしているのは、なぜこのジャンルがしばしばわたしたちの心を捉えるのかということだ。ホラーの魅力が認知的〔つまり知的なもの〕だから、このジャンルは注目に値するのだという正当化を与えようとしているわけではない。また、好奇心をかきたてるという特別な意味で、認知的だと言ったからといって、その魅力がもっぱら感情的なところにあると言われるかもしれないような他のジャンルと比べて、ホラーの方が優れていると暗に示唆しているわけでもない。

◆47 ここで「理想的には」という表現を用いたのは、こうしたホラー作品のすべてが成功するわけではないという事実に注意を向けることを意図したためだ。

◆48 こう述べたからと言って、先に主張したように、開示型の物語の語りでは、主として、物語によって好奇心が複合的に組織されることで魅惑が強められるという主張を撤回するわけではない。しかし、好奇心が複合的に組織され、それが満足のいくものになるために、理想的には、モンスターは独立した魅惑の源泉をもつことができる。またその魅惑の源泉は、モンスターが異質な存在であるという本性に由来すると推測できる。

◆49 David Pole, *Aesthetics, Form and Emotion* (New York: St. Martin's Press, 1983), pp. 228–229.
本書の最終版を進めるにあたって、わたしは、故デヴィッド・ポールが、論考"Disgust and Other Forms of Aversion" (in Aesthetics, Form and Emotion) で、嫌悪とホラーに関して、本書の冒頭でわたしが述べたのと同じ結論の多くに到達していたことを知り、うれしい驚きを覚えた。アプローチの多くが対応していることは、わたしとポールがどちらもメアリー・ダグラスの研究に多くを負っていることによって説明できるだろう。ポールは、メアリー・ダグラスの著書『Implicit Meanings』を明示的に参照しているが、これは、わたしが自分の理論を構築する際、ポールとは独立に参照したテキストだ (Mary Douglas, *Implicit Meanings* [London: Routledge & Kegan Paul, 1975])。

しかし、ポールの立場とわたし自身の立場には、いくつかの点で違いがある。ポールは、美的文脈だけではなく、現実の文脈におけるホラーを考えているのに対し、わたしの焦点はアートホラーだけに限定されている。また、わたしがもの（もっと言えば事物）が与えるホラーにのみ関心をもっているのに対し、ポールはものだけでなく、ホラーを与える出来事にも関心をもっている。にもかかわらず、わたしたち二人はどちらも、嫌悪こそホラーの中心的な要素であると見なしており、さらに両者とも、ホラーを与えるものの嫌悪や魅惑は、それが分類上異質な本質をもつことに基づいていると考えている。

しかし、ポールとわたしの間には、一点強い対立点がある。ポールの考えでは、ホラーのあらゆる事例には、ホラーの対象に対する鑑賞者の自己同一化が伴う。ホラーなものが現われるとき、何らかの同一化の過程を経て、それがわたしたちの一部に組み込まれる（p. 225）。このためホラーを感じるという身ぶりは、嫌悪を与えるもの、自分に組み込まれていたものの排出や排除と見なされる。ここでホラーを感じることのモデルになっているのは、嘔吐のそれだ。

わたしの考えでは、この仮説は疑わしい。これまでの箇所では、同一化という発想に反対してきた。また、もし同一化がドラキュラのようなホラーのクリーチャーへの称賛や、その誘惑を意味するのであれば、この広い意味での同一化に関しても、ホラーなものへの遭遇の事例すべてを定義できるようなものではないと主張してきた。つまり、この心理学的に無害な意味での同一化は、アートホラーの包括的な特徴ではないのだ。

当然ながら、ポールの立場を支持する者は、ポールは「自己同一化」というラベルで、ホラーの対象に関心を惹かれていることや、魅惑されていることを含めているという指摘によって、反論に応答するだろう。しかし、同一化（「自己同一化」であっても）を、関心や魅惑と同じようなものと見なすなら、これら一連の概念は原型をとどめないほど歪められることになる。自分が関心をもっているあらゆるものに同一化する必要はないし、また、自分が同一化しているあらゆるものから魅惑される必要もない（なぜなら、自分自身に魅惑されないことはありえるからだ）。いずれにしても、同一化という概念を拡張して関心を含めることには明らかに無理がある。したがって、同一化／魅惑／関心によってホラーを特徴づけることがうまくいくかどうかは疑問であるし、またもちろんこれによって、ホラーの反応を、排出／嘔吐モデルで捉えることが適切な一般理論になるかどうかにも異義が唱えられる。

また、ポールは、もっぱら嫌悪を、嫌悪感を与えるものを想像の中で飲み込み、それを吐き出す過程として捉えたがっているように見える。しかしホラーに関して言えば、モスラのような大きなもの、あるいは大アマゾンの半魚人程度の大きさのものであっても、飲み込むことは想像しがたい。またいずれにしても、わたしには、あらゆる嫌悪が経口摂取と結びつくわけではないように思われる。例えば死の穢れへの嫌悪はそうではないだろう（これは、ゾンビなど多くのモンスターと関わっている）。

◆50
マーシャ・イートンは、“A Strange Kind of Sadness”という論文で、苦痛を与えるような虚構の出来事を鑑賞するためには、わたしたちは何らかのかたちで制御されていなければならないと主張している。ゲイリー・アイゼミンガーが“How Strange A Sadness?”で指摘しているように、ここでの制御というアイデアには多少の曖昧さがある。しかし、イートンが念頭に置いている制御が（ストーリーの中の出来事を制御することではなく）自らを制御〔つまり、自制〕することであるなら、ホラーに関して、フィクション反応の思考説を採用することで、この制御をもつというのがどういうことなのかを説明できる——わたしたちは、不浄なクリーチャーが人間の肉をむさぼっているという思考に、それと知りつつ反応しているだけなのだという事実に訴えればよい。実際、わたしがこの思考を心に抱いているだけだという発想からは、自制が必要であることが含意されるかもしれない。Marcia Eaton, “A Strange Kind of Sadness,” in *The Journal of Aesthetics and Art Criticism*, vol. 41, no. 1 (Fall 1982); Gary Iseminger, “How Strange A Sadness?” in *The Journal of Aesthetics and Art Criticism*, vol. 42, no. 1 (Fall 1983) を参照。

ジョン・モレルも“Enjoying Negative Emotions in Fictions”という論文で、フィクションを楽しむ上で制御の重要性を挙げている。モレルの提案は、この制御のため、キャラクターが怒ったり悲しんだりしているとき、鑑賞者が代理でその快を感じることができるようになるというものであるようだ（p. 102）。しかし、ホラー作品中の犠牲者が、自分が置かれている状態に快を感じることができると述べるのが正しいのかわたしは納得していない。おそらく、怒りや悲しみの例の中には、快の側面をもつものもあるだろう。しかし、虚構のキャラクターのあらゆる感情状態にそうした側面があるわけではないことは確かだろう——例えば、ホラーの場合にこれが成り立たないことは確かだ。John Moreall, “Enjoying Negative Emotions in Fiction,” in *Philosophy and Literature*, vol. 9, no. 1 (April 1985) を参照。

◆51
このジャンルにおける開示型の物語の語りの普及について、わたしが統計的な誤りを犯しているとすれば、わたしの立場の第二の部分は、ホラーの魅力の特殊理論と呼びたいと思う。というのは、仮にこのグループがジャンルにおける最も一般的な編成の仕方を代表するものではなかったとしても、わたしが本文で与えた開示型の物語の語りの魅力に関する説明は、ホラーの物語の「特殊」なグループについては正しいことになるからだ。しかし言うまでもなく、今のところわたしは開示のドラマ——本書の前の箇所で論じたもの——が、このジャンルにおいて最も一般的に実践されている形式だと考えている。

◆52 Iseminger, "How Strange A Sadness?," pp. 81–82; and Marcia Eaton, *Basic Issues in Aesthetics* (Belmont, California: Wadsworth Publishing Company, 1988), pp. 40–41 を参照。

◆53 興味深いことに、わたしの考えでは、精神分析によるホラーの説明も併存説であるということになる。なぜなら精神分析の説明では、ホラーのイメージが喚起する嫌悪と恐怖は、抑圧された願望が検閲を逃れて表現されるために払わなければならない代償だからだ。

◆54 このことを示すいくつかの非公式な証拠としては、以下のようなものが考えられる。（1）過去十年半のファンタジー映画のサイクルは、『オーメン』シリーズのようなホラーが優勢だった頃から容易に変遷し、『スター・ウォーズ』のような宇宙冒険ものや、『E.T.』、『スプラッシュ』、『コクーン』のような優しいファンタジーや、『ネバーエンディング・ストーリー』、『ウィロー』、『ラビリンス 魔王の迷宮』、『レジェンド／光と闇の伝説』、『プリンセス・ブライド・ストーリー』、『ダーククリスタル』などの剣と魔法の冒険ものに移行している。（2）〔スティーヴン・〕キングのような人気作家が、ホラーから剣と魔法に移行しても支持者はなくなっていない。

◆55 Feagin, "The Pleasures of Tragedy," Marcia Eaton, *Basic Issues in Aesthetics*, p. 40.

◆56 Fredric Jameson, "Magical Narratives: Romance as Genre," *New Literary History*, 7, 1 (Autumn 1975), pp. 133–63.

◆57 一部の読者は、ホラーの快について、わたしが何らかのカタルシスによる説明の可能性——アリストテレスの悲劇の分析に帰属されることが多いタイプのもの——を考察しなかったことに驚くかもしれない。こうしたアプローチでは、苦痛を与える表現によって美的快がえられるのは、わたしたちの負の感情が解放されるためだと見なされる。述べ方によっては、この種の理論は非常にばかげたものになる。〔この種の理論では〕特定ジャンルの快は、わたしたちがもつ特定の負の情動を取り除くことにあると見なされる。しかし、わたしたちがそもそもの負の情動をもつのは、そのジャンルの特定の事例によって、問題の不快が引き起こされているからに他ならない。そして、こうした説明では、わたしたちがそのジャンルの作品に関心をもつことは、ほとんどもっともらしいものにはならないだろう。というのは、万力が緩んだときに痛みが和らぐことで快がえられるとしても、そのためだけに万力に手を突っ込むのは、筋の通らぬことに思われるからだ。

もちろん、カタルシス説を支持する者は、こうした類比による反論を避けるため、解放される負の感情はフィクション自体によって引き起こされたものではなく、日常生活の過程で蓄積される負の感情だと主張するかもしれない。この場合、カタルシスの効果は、この鬱屈した感情が排出されることにある。しかし、カタルシスについてこのように考えるのであれば、これは明らかにアートホラーに適用できない。なぜならホラー作品に見られるような種類のホラーは日常生活に対応物をもたず、このため、日常の出来事によって鬱屈することはありえないからだ。これは、わたしたちが日常生活の中でモンスターに遭遇しないという事実によって含意される。そのため、わたしたちは、ホラー作品に注意を向けることで解放されるのに必要な種類の負の感情を蓄積しているわけではない。これによって、カタルシスがアートホラーの正しいモデルであることはありえないということが示唆される。一方、カタルシスが他の種類の負の美的感情に関する議論に適用できるかどうかということになれば、これは本書の範囲を超えた問題だ。

◆58

ホラー作品の政治的批評を読むとき、同じ作品でも、ある批評家がそれを解放的と見なし、別の批評家がそれを抑圧的と見なすことがあるのは、おそらくこれが理由のひとつだろう。つまり、作品は、どのような政治的争点に関しても実際には曖昧で不確定であるため、それぞれの批評家が、自分の先入見をそこに読み込んでしまうのだ。しかし、わたしは少なくとも、政治的に曖昧で不確定なホラー作品には何のイデオロギー的争点もないかもしれないという可能性があることはオープンにしつつも、経験的データに基づいた受容研究によって、特定の作品が、曖昧であるにもかかわらず、何らかの特定の社会的文脈において、実際にはイデオロギー的影響を与えていることが明らかになる可能性も認めたいと思う。もちろん、経験データに基づいた受容研究によって、問題のホラー作品にはそのような影響が見られないことが示される可能性があることも受け入れなければならない。

◆59 この段落での反論に対し、他の仕方で対応したいと考える者もいるかもしれない。すなわち、イデオロギー的に疑わしいテーマのリストを増やすことで、どんなホラー作品であっても、これらのカテゴリーのうち少なくともどれかひとつに該当すると主張するのだ。しかし、ここで問題になっているリストを誰かが作らないかぎり、この主張を評価することはできない。

◆60 バリー・B・ロングイヤーの小説『わが友なる敵』も、ヴォルフガング・ペーターゼンによる映画化〔『第5惑星』〕も、どちらもホラーの要素を含んでおり、人種による偏見や抑圧に反対している。ジョン・セイルズの映画『ブラザー・フロム・アナザー・プラネット』は、おそらく正面からのホラーではないが、これも反人種差別的だ。

◆61 Tim Underwood and Chuck Miller, eds., *Bare Bones: Conversations on Terror with Stephen King* (New York: McGraw-Hill Book Company, 1988), p. 9.

◆62 King, *Danse Macabre*, p. 39.〔キング『死の舞踏』、七六頁〕

◆63 King, *Danse Macabre*, p. 48.〔キング『死の舞踏』、八七頁〕

◆64 例えば、Steven Neale, *Genre* (London: British Film Institute, 1980).

◆65 M・R・ジェイムズは〔レ・ファニュの〕『クロウル奥方の幽霊』の序文で、この最初のふたつの展開用に役立つレシピを紹介している。「それから、俳優たちを穏やかに紹介しましょう。不吉な予感に悩まされず、周囲の環境に満足して、普段通りの生活をしている彼らの姿を見てみましょう。そして、この穏やかな環境に、不吉なものが顔を出すようにします。最初は控えめに、その後はもっとしつこく、最後にはそれが舞台を支配するように」。

◆66 Max Gluckman, *Custom and Conflict in Africa* (Glencoe, Illinois: Free Press, 1965). Gluckman, "Rituals of Rebellion in South East Africa," *Order and Rebellion in Tribal Africa* (Glencoe, Illinois: Free Press, 1963) も参照。

◆67 ただし、ひょっとしたら先に掲載したスティーヴン・キングの第一の引用〔見世物小屋に関する引用〕は、こうした説明に着手するひとつの仕方を示唆しているかもしれない。

◆68
逆転の儀礼の安全弁モデルは、多くの人類学者や他分野の社会科学者からも反論を受けていることを注記すべきだろう。以下を参照。T.O. Beidelman, “Swazi Royal Ritual,” in *Africa*, 36, 1966; Peter Rigby, “Some Gogo Rituals of Purification: an Essay on Social and Moral Categories,” in *Dialectic in Practical Religion*, ed. Edmond Leach (Cambridge: Cambridge University Press, 1968); Roger Abrahams and Richard Bauman, “Ranges of Festival Behavior,” in *The Reversible World: Symbolic Inversion in Art and Society*, ed. Barbara Babcock (Ithaca: Cornell University Press, 1978)。このため人類学における反逆の儀礼の安全弁モデルの権威を当てにして、ホラーに関する論拠を強めることはできない。なぜなら、このモデルは人類学の中でも疑問視されているからだ。

　また、逆転の儀式にはもっと新しい人類学的モデルがあるが、これはホラーには適用できないように思われる。このモデルには、特定の共同体における社会的葛藤が（解決されるのではなく）許容されるという発想が含まれている。しかし、そのためには、逆転させたりすることができるような、豊かな関係の集合——トーテムなど——をもった共同体が必要とされる。しかし、ホラー作品はそうした共同体の中で作られているわけではないし、ホラージャンルにおける融合型の類型は、共有された神話によって、さまざまな社会編成を代表するトーテムを組み換えることで戯れているわけではない。特定のホラー作品の中では、融合型の類型が何らかの社会的関係を代表するように作られている場合もあるかもしれない。しかし、こうした類型の場合、特定の作品の外部に、それに先行する共同体の認識が形成されているわけではない。これはホラー作品が大衆社会の産物であり、民族社会の産物ではないという事実に起因するのではないかと推測される。大衆社会には、こうした反逆の儀礼に必要な、共有されたトーテムのような象徴体系が欠けている。また、これによって、ホラー作品一般が反逆の儀礼に類似していると考えるべきではないもうひとつの理由が与えられるかもしれない（ただし、言うまでもなく、関連する点で反逆の儀礼の形式や機能の一部に類似したホラー作品を作ろうと試みることはできるだろう）。

◆69
これは、もし仮に——これは非常に大きな「もし」だが——これがホラーのプロットで起こることを正しく表現しているのであればという話だ。ここには〔ホラーのプロットを規範の再肯定と見なすことに対する〕次のような懸念がある。ホラーなものが本当に分類カテゴリーへの異義になるとしても、いかなる意味において、それを殺すことがカテゴリーの復権と見なせるのだろうか。モンスターの出現は、少なくとも作品内においてそれ自体が問題の分類図式に反するものとなるが、一方死んだモンスターは死んだ反例になるだけだ。だが、反例であることに変わりはないだろう。

◆70 例えば、特定のホラー作品が取っている価値的立場として「罪の無い者を殺すのは悪い」という立場が識別され、それが政治的なものだと述べられるとすれば、あらゆる政治的関係者がそれに同意するかぎりにおいて、わたしは、この立場は大したことを言っていないと見なすだろう。

◆71 ここで言う「本」はタイトル別に数えたものではなく、印刷された本を数えている。

◆72 最近のホラー作品、例えば［クライヴ・］バーカーの『死都伝説』やテレンス・J・クマリスの『Eye of the Devil』などでは、怪物への同情というテーマへと回帰する傾向が増えつつある。ロバート・R・マキャモンのベストセラー『狼の時』では、人狼がファシズムとの戦争に参戦する。

◆73 当然ながら五〇年代のSFサイクルにはこれ以外の恐怖、つまり核時代の不安も忍び込んでいる。この時代の多くのモンスターは、遺伝物質に対する放射能の影響——ブルックヘブン効果の青い薔薇——への不安を反映しているように思われる。

◆74 Jack Sullivan, "Psychological, Antiquarian and Cosmic Horror, 1872–1919," in *Horror Literature: A Core Collection and Reference Guide*, ed, Marshall B. Tymn (New York: R.R. Company, 1981), p. 222.

◆75 Ann Douglas, "The Dream of the Wise Child: Freud's 'Family Romance Revisited in Contemporary Narratives of Horror," *Prospect*, 9 (1984), p. 293. このサブジャンルに対するダグラスの精神分析的解釈すべてに納得するわけではないが、本文で引用したような、このサイクルの関心の源泉に関するダグラスの一般的な特徴づけは——ここには原子爆弾に関する不安という含意が脱けているものの——正確なものだと考える。

◆76 わたしは「社会不安モデル」を、ホラーがなぜ歴史的な節目において注目を集めるのかという説明の根拠にしようとしているが、どうしてこれをホラーの魅力の一般的な説明と考えないのか疑問に思う人もいるかもしれない。つまり、一部の事例では、ホラーが人々の不安に語りかけるイメージを与えることによって、人々がホラーに関心をもつのだとすれば、それがホラーというジャンルの持続的な魅力の源泉であると考えればよいのではないだろうか。わたしがこれを疑う理由はふたつある。（1）ホラーは、社会的な危機や不安がない時代にも現われ、消費されていること。ホラーが覇権的な人気の形式でない時代にも、ホラーの鑑賞者は存在する。（2）社会的不安を反映しているというだけでは、人に訴えかけるものにならないように思われること。社会問題の講義は、大衆に人気があるものとは考えられていない。魅惑の可能性のような、何か別のものが元々あって、そこに社会不安の反映のような要素がくわわって補完的な効果を発揮するというのでなければならない。そしてもちろん、ホラーは、ジャンルが作られて以来つねにわたしたちのもとにあったにもかかわらず、特定の時代においてのみ大規模なサイクルが出現する理由を説明するために決定的に重要なのは、この補完的効果の方だ。

また、もしここまでのところで明らかになっていないのであれば、社会不安モデル——ホラーサイクルに適用されるものであれ、ジャンル全体に適用されるものであれ——は、先に検討したホラーの精神分析理論やイデオロギー理論のいずれかにそのまま還元することはできないと考えていることを明言しておくべきだろう。特定の歴史的状況の集合において問題となっている社会不安は、抑圧されたものである必要はなく、心理性的なものでもなく、また、それが顕在化することによって、支配的な社会秩序を転覆させたり、再肯定したりするものである必要はない。

◆77 現代のホラー映画の間テクスト性については、特に以下を参照。Philip Brophy, "Horrality—The Textuality of Contemporary Horror Films," reprinted in *Screen*, vol. 27, no. 1 (January-February 1986) pp. 2–13.

◆78 ポストモダニズムとの結びつきは、（ジャンル相対的な意味で）前衛的な作品、例えば、ジョン・スキップやクレイグ・スペクターの作品では、ほとんど明示的なものになっている。例えば、このふたりの共作である『Dead Lines』を参照。この本には一種の文学的冒険の精神があり、単なる切った張ったにはなっていない。

◆79 ミシェル・フーコーなど、ポストモダニズムの一部のテーマを現代のホラー映画のイメージと結びつけようとする試みとしては、Pete Boss, "Vile Bodies and Bad Medicine," *Screen*, vol. 27, no. 1, (January-February 1986) pp. 14–24 を参照。

◆80　アメリカ合衆国の市民以外もこの神話を信じているが。

◆81　これは現在のホラーサイクルに関するわたしの説明にとっては実質的な問題ではないが、念のために述べておくと、パックス・アメリカーナの社会システムの神話に異論が唱えられるようになったことは総体としては良いことだと思う。しかし同時に、これによって現代のホラーサイクルの価値が高まるわけではない。サイクルは事実であり、わたしはこの事実を説明しようとしてきた。それが事実であり、その事実に説明があるからといって、そのサイクルがそれ自体として良いものであることが含意されるわけではない。現代ホラーの良さを問う際に、きちんと説得力をもって語ることができるのは、サイクル全体の塊としての良さではなく、個々の作品の良さを語ることだけだろう。

本文でほのめかしたポストモダニズムの哲学的主張に対する保留については、Noël Carroll, "The Illusions of Postmodernism," *Raritan, VII*, 2 (Fall 1987), p. 154 を参照。

## 訳註

◇1　ローズマリー・ジャクソンへの言及箇所で「幻想文学」と訳した語は、「fantasy」であり、「ファンタジー」と訳すこともできる。ただし本節では邦訳に合わせ「幻想文学」と訳している。

◇2　ローズマリー・ジャクソン『幻想文学　転覆の文学』下楠昌哉訳、『幻想と怪奇の英文学Ⅲ　転覆の文学編』東雅夫・下楠昌哉編、春風社、二〇一八年、二九三頁。

◇3　コリン・ウィルソン『精神寄生体』小倉多加志訳、早川書房、一九六九年、一八八頁。

◇4　序文の訳註でも触れたが、本書において「サイクル」という用語は、ホラーの周期的な流行の波を指している。この用語は周期的流行という現象だけではなく、周期的流行の一回の波を指しても使用されるので注意が必要だ。例えば、本文ではホラーの「サイクル」が「サブジャンル」などと並列されているが、ここで言うサイクルの具体例としては〈三〇年代前半に流行したモンスターホラー映画のブーム〉、〈五〇年代前半に流行したSFホラー映画のブーム〉などが含まれる。

◇5 「パックス・アメリカーナ」はローマ帝国の全盛期を指す「パクス・ロマーナ（ローマによる平和）」をもじって、アメリカ合衆国の覇権による世界平和を意味する言葉。

◇6 ウィリアム・バトラー・イェイツの詩「再生（The Second Coming）」の一節。

# 訳者解説

本書はNoël Carroll, *The Philosophy of Horror : Or, Paradoxes of the Heart*, Routledge, 1990の全訳だ。キャロルの翻訳としてはすでに『批評について——芸術批評の哲学』（森功次訳、勁草書房、二〇一七年）があり、本書は二冊目の翻訳となる。

本書はホラーの哲学の著作だ。ホラーの哲学という分野は聞き慣れないかもしれないが、おそらく、読者の多くはホラーというジャンルをご存知だろう。そう、あの怖いホラーだ。例をあげればきりがないが、小説では例えば、ブラム・ストーカーの『ドラキュラ』、スティーヴン・キングの『シャイニング』、三津田信三の『どこの家にも怖いものはいる』、映画では、ジェームズ・ホエール監督の『フランケンシュタイン』、リドリー・スコット監督の『エイリアン』、中田秀夫監督の『リング』などを含むジャンルだ。

簡単に言えば、本書は、このホラージャンルを哲学的に論じた著作だ。本書では例えば、ホラーとは何かという問題や、ホラーのプロット、ホラーの魅力などが論じられる。その他変わったところでは、ホラーモンスターの作り方なども論じられる。また、どうして現実には存在しないと思っているものを怖がってしまうのかという問題（フィクションのパラドックス）や、どうして読者は恐ろしいホラー作品をわざわざ求めるのかという問題（ホラーのパラドックス）が論じられる。ちなみに、原著には「心のパラドックスたちParadoxes of the Heart」という副題がつけられているが、「心のパラドックスたち」とは、このふたつのパラドックスのことを指している。

一般に、ホラーを学術的に論じた著作と言えば、ホラーの歴史を扱うものをイメージする人もいるかもしれない。実際そのような著作はいくつかあるし、キャロル自身もそうした仕事を参照しているが、本書では歴史を扱うわけではない。中心にあるのはあくまでも理論的考察だ。ホラーについての理論的考察という言い方でピンとこなければ、ホラーを巡るさまざまな問題について、一般的な仕方で、なるべくごまかし無しにきちんと考えることを目指していると考えてもらえばいい。

他に、ホラーのような特定のジャンルを論じる著作でありがちなのは、ジャンル全体を丸ごと称賛し、持ち上げるものや、反対に、ジャンル全体を非難し、おとしめるようなもの、つまり、「ホラー賛成」「ホラー反対」というスタンスを明確に打ち出すものだ。

だが、これも本書には当てはまらない。本書全体を通じてのキャロルのスタンスは一貫して、「良いホラーもあれば悪いホラーもある」というものだ。当然ではないかと思われるかもしれないが、こうした当然の事実を無視して、強引に賛成・反対をでっち上げる議論は巷にあふれている。わたしが先ほど述べた「なるべくごまかし無しにきちんと考える」というのは、こうした当然の事実を無視しないということも含めて、文字通りごまかし無しに考えることを指している。

本書はまぎれもない哲学の著作だが、キャロルの論述は明確だ。専門家ではなくても、ゆっくり議論を追っていけば決して歯が立たないことはないだろう。よって、この解説でも、逐一キャロルの主張を解説していくことはしない。かわりに、本書の魅力や、本文だけを読んでいてもわかりにくい背景について、いくつか説明しておきたいと思う。

## 本書の魅力

当然ながら、本書はホラーを愛好する読者にとって興味深い著作となるだろう。まず一読すれば気がつくように、本書は哲学書としては異例なほど多くの例を含んでおり、無数のホラー作品が言及される。しかも、そこには古典や名作ばかりではなく、好事家でなければ興味をもたないようなマイナー作品も数多く含まれている。つまり、キャロルは、単に表面的な関心からホラーを扱っているわけではない。古今東西のホラー作品について実によく調べているのだ。

またキャロルは、幅広くホラーを見た上で、ホラーの定型というものをよく観察している。本書を訳していて特にそれを感じたのは、三章のホラーのプロットの分析だ。この章では、ホラーの典型的なプロットのひとつとして、「複合的発見型プロット」というプロットのパターンが提案される。詳しくは三章を読んでほしいが、これは基本的に、モンスターの登場、モンスターの発見、周囲の人物への説得、主人公たちとの対決という流れによって構成されるプロットだ。

これを知ってからホラー作品を見ると、非常に多くの作品がこのプロットの型に当てはまることに気がつくはずだ。例えば、本書を翻訳中にNetflixドラマ版の『呪怨』(『呪怨：呪いの家』、三宅唱監督)を観たが、これも複合的発見型プロットになっていた。

もちろん、ホラーについて一家言のある読者であれば、本書を読んで反論したくなるようなポイントがいくつもあるかもしれない。だが、それはむしろ本書の正しい読み方だろう。キャロルの主張を正確に把握した上で、ぜひ後続の議論の叩き台として活用してもらいたい。

一方、それほどホラーに興味はないが、美学や芸術哲学、特に分析美学と呼ばれる分野に興味がある読者もいるかもしれない。もちろん、そうした読者にも、本書は自信をもって推薦できる。本書では、フィクションのパラドックス、サスペンス、感情移入など、必ずしもホラーだけにかぎらない論点も扱われている。その多くは、フィクションと感情という一般的な論点についても考えざるをえないからだ。このため、ば、どうしてもフィクションと感情という一般的な論点についても考えざるをえないからだ。このため、本書はフィクションと感情の関係に関する体系的な論考も含んでいる。

さらに、本書は分析美学を通じてひとつの作品ジャンルを扱う際の模範例でもある。実際、分析美学におけるジャンル論の中でも、最も成功した部類だろう。したがって、仮にホラーに興味がなくても、例えば「SFの哲学に興味がある」「ロックの哲学に興味がある」といった個別ジャンルの哲学に関心をもつ人々にとっても、興味深い先例となるかもしれない。

# ホラーとは何か

ホラーとは何かという問題は、本書一章で扱われるトピックだ。これは本書の重要部分であり、いくらか注釈が必要そうなポイントでもあるため、簡単に触れておこう。

最初に周辺的な注意事項を述べる。「ホラー」という語でどのような作品をイメージするかは、国や時代によってかなりの幅がある。私見では、日本語の場合「ホラー」が外来語であるという事情もあってか——この語が日本語として普及したのは比較的最近だ——、「ホラー」という用語は、比較的新しい作品や、過激なゴア描写などを含む作品を指す傾向があるように思われる。

だが、これは本書で言う「ホラー」のニュアンスとは少し異なっている。例えば、メアリー・シェリーの『フランケンシュタイン』やロバート・ルイス・スティーヴンソンの『ジキル博士とハイド氏』は十九世紀の作品であり、現代の基準から言えばおだやかな内容かもしれないが、本書で言うホラーには立派に含まれる。日本語では、「ホラー」から区別して、より広いジャンルを指すために「怪奇」という語が用いられることがあるが（「怪奇小説」の「怪奇」だ）、本書で言う「ホラー」はむしろこの「怪奇」の方に近いかもしれない。この点は、本書を読む際に注意してほしいことだ。

また、「ホラー」の典型例として何をイメージするかという点でもかなりの世代差があるようだ。例えば、訳者であるわたし自身などは、世代の影響もあってか、「ホラー」と聞くとまず『13日の金曜日』シリーズなどをはじめとするスラッシャーホラー（殺人鬼が登場するもの）を思い浮かべてしまう傾向にある。

だが、これはかなり偏ったイメージだろう。スラッシャーホラーがさかんに作られるようになったのは一九七〇年代の『悪魔のいけにえ』など以降であるし、逆に現在、スラッシャーホラーというサブジャンルが盛り上がっているわけでもない。おそらくもっと若い読者なら「ホラー」という語でもっと別のもの――例えばJホラーなど？――をイメージするかもしれない。

本書の「ホラー」には、『13日の金曜日』も含まれるが、もっと多くのものが含まれる。詳しくは本書の序や第一章などを参照してほしいが、なるべく視野を広くもって、特定の時代のイメージには捕われすぎない方がよいだろう。

こうした事情を踏まえた上で、ホラーとは何かという問いに、本書はどのように答えるだろうか。一見すると、これは簡単な問題に見えるかもしれない。要するにホラーとは、「怖い作品」のことだというのは明確に思われるからだ（あるいは、出来の悪い怖くないホラーもあるため、「鑑賞者を怖がらせることを目的とした作品」と言った方がよいかもしれないが）。

だが、これではまだ十分ではない。自然災害や、事故や、危険な伝染病の流行を扱った作品も、何らかの意味では「怖い」からだ。だが、飛行機事故の危険を扱った作品を「ホラー」とは呼びたくないだろう。それは「怖い」の意味がちがうと言いたくなる。つまり、怖い作品というだけではまだ不十分で、ホラーにおける「怖さ」とは何かということを問題にしなければならないのだ。本書では、このホラー固有の「怖さ」のことを「アートホラー」と呼んでいる。

正確な定義については一章を読んでほしいが、キャロルの主張をまとめれば、アートホラーの場合、（1）感情が向けられる対象は超自然のモンスターであり、さらに、モンスターは、（2）危険を与える〈コワイもの〉であると同時に、（3）わたしたちの概念枠組から外れる〈キモイもの〉（嫌悪を与えるもの）でなければならない。

（2）は通常の恐怖と同様なので、（1）と（3）の条件がアートホラーと通常の恐怖を区別する要素となる。キャロルはこの（3）の嫌悪という要素を明確化するために、人類学者メアリー・ダグラスの不浄の概念を参照している。また、ここでいうモンスターは、幽霊や宇宙生物なども含め、現代の科学で存在が認められていないクリーチャー全般を含んでいる。

例えば先ほどの飛行機事故の映画の例を少し変更し、事故の裏側に超自然の存在がいて、それが嫌悪をかきたてる忌しい存在だとしてみよう。この場合、この映画をホラーと呼ぶことに抵抗はなくなるはずだ。

まとめれば、ホラーにおける怖さとは、超自然のモンスターに向けられる〈コワイ〉と〈キモイ〉が入り混ざった混合的な感情のことだ。さらに、ホラー作品とは、そのような怖さを与えることを目指す作品のことだ。

この定義の欠点のひとつは、サイコホラーなど一部の作品がホラーから除外されてしまう点だが、こうした反論に対する応答は、本書第一章で詳しく論じられる。

ひょっとすると、こうした定義論が何の役に立つのかわからないという読者もいるかもしれないが、本書の場合、利点は明確だ。本書前半の定義論は、後半の問題を解くための基礎として利用されているからだ。

もっと言えば、本書第四章の重要な主題のひとつは先に述べたホラーのパラドックス、つまり、なぜ人々はわざわざ恐いホラー作品を追い求めるのかという問題だ。キャロルはホラーの魅力を説明することでこの難問に答えようとするが、ホラーの魅力を説明するためには、まず、あらゆるホラーに共通する特徴を明確にしなければならない。実際、この箇所では、他のさまざまな答えの候補が、「すべてのホラーに当てはまるものではない」ということで退けられている。一方キャロル自身の説明は、一章の定義に依拠することで、あらゆるホラーに共通する魅力を説明するという形式になっている。つまり、先に定義論をしっかり論じておくことが後の章への布石として役立っているのだ。

## 本書出版当時の時代背景

本書が書かれた時代背景にも注意を向けておこう。本書が最初に出版されたのは一九九〇年。現在から見ればもはや三十年以上昔の本だ。理論的考察を旨とする本書の大部分は古びていないが、ホラーを巡る時代状況は変化している。特に、本書の中でキャロルはたびたび「現在のホラーの流行」について言及しているが、これはもちろん原著が出版された一九九〇年当時の話だ。

簡単に言えば、これは、ウィリアム・フリードキン監督の映画『エクソシスト』（および原作であるウィリアム・ピーター・ブラッティの同名の小説）のヒットなどをきっかけとするホラーの流行を指している。実際、映画『エクソシスト』（一九七三年）は、『IT／イット　〝それ〟が見えたら、終わり。』（二〇一七年）に抜かれるまで、四十年以上もの間ホラー映画の興行収入一位の記録を維持しつづけた大ヒット作品だ。このヒットをきっかけに多くのホラー映画が作られた。

原著出版時点ではすでに映画『エクソシスト』の公開から十五年以上が経過しているが、当時はまだホラーの流行はつづいているという雰囲気があったらしい。十年半の時を経て、この流行をふまえた上でホラーについて考えるというのも、本書が書かれた動機のひとつだったようだ。特に本書の最終節では、この流行の原因が何だったのかが分析されている。おそらく、この辺りは、現代の読者が読む際にはわかりにくいところかもしれない。

なお、キャロルは、当時のホラーブームの背景にあったものはアメリカの栄光の衰退ではないかと推測している。

この辺りの時代背景を知るには、近年公開されたクエンティン・タランティーノ監督の映画『ワンス・アポン・ア・タイム・イン・ハリウッド』がお薦めだ。というのは、本作は直接にホラーを扱った映画ではないが、ホラーの流行とも無関係ではないからだ。作中に登場するロマン・ポランスキーは、『エクソシスト』とともに、ホラーブームの端緒となった作品のひとつ、『ローズマリーの赤ちゃん』の監督をつとめている。

このため『ワンス・アポン・ア・タイム・イン・ハリウッド』を観ると、変わりゆくアメリカを背景に、ホラーの流行が始まりつつあった当時の時代状況に触れることができる。少なくとも、キャロルが何を念頭に置いているのかはイメージしやすくなるだろう。

## 関連研究の紹介

キャロルは分析美学と呼ばれる分野の第一人者であり、芸術哲学・美学の多彩な分野で多くの著作を出版している（単著だけでも二十冊近くある）。その仕事の全貌はとても紹介しきれないが、本書と関係が深いものについてはここで簡単に触れておこう。

特筆すべき点としては、キャロルが哲学と合わせて映画研究でも博士号を取得していることだ。映画の哲学でも多くの著作を残しており、映画はキャロルが最も得意とする芸術形式と言ってよいだろう。本書で扱うホラー作品は映画に限定されているわけではないが、映画の知識は本書でも遺憾なく発揮されており、古典から同時代の作品まで、多くのホラー映画が参照されている。

また、本書の序でも述べられている通り、キャロルはハイアートのみを考察の対象とする哲学的美学の傾向に反対しており、紋切り型を含む大衆芸術をも扱える仕事に意義を見出してきた。ホラーを扱う本書はまさにこのキャロルのスタンスが明確に現われた著作だろう。こうしたキャロルの立場は、大衆芸術を扱った著作である *A Philosophy of Mass Art*, Oxford University Press, 1998 などでも展開されている。

さらに本書の重要な特徴のひとつは、ホラーを巡る感情の分析にある。キャロルが感情を扱った著作としては、本書以外にも、「A Very Short Introduction」シリーズの一冊で、ユーモアを扱った *Humour: A Very Short Introduction*, Oxford University Press, 2014 などがある。

本書以前からキャロルはホラーに関する多くの論文を発表しており、その多くは本書に取り込まれている。網羅的に紹介するつもりはないが、例えば、"The Nature of Horror," *The Journal of Aesthetics and Art Criticism* vol. 46, no. 1, pp. 51–59 (Fall, 1987) は本章一章の内容と重複が見られる。

キャロル以外の関連研究にも触れておく。この解説の冒頭では、本書はホラーの哲学の著作だと述べた。「ホラーの哲学」などという分野が本当に存在するのかと疑問に思った読者もいるかもしれない。これについては、キャロルの仕事以前には、ほぼ存在しなかったというのが答えになるだろう。現在では、哲学・美学の専門誌でホラーを論じた論文が掲載されることも珍しくはなくなったが、これはむしろキャロルの貢献がひとつの領域を確立させたからだろう。

キャロルの仕事によって、哲学者がホラーにも関心を向けるようになったのは確かだが、一方、本書に匹敵する本格的な研究がいくつもあるかと言えば、そうではない。ホラーを扱った論文はいくつかあるものの、一冊まるまるホラーの哲学を扱った単著は本書以降ほとんど出ていない。◇このため、本書は現在でも、「ホラーの哲学と言えばこの本」という古典の地位を占めているように思われる。

本書の翻訳以前にも、キャロルのホラーの哲学を扱った著作は日本語でも出版されている。特に、戸田山和久『恐怖の哲学——ホラーで人間を読む』（NHK出版、二〇一六年）では、本書の議論が詳しく紹介されている。また、ホラーのパラドックスに対するキャロルの解決を批判し、キャロルとは異なる説

◇本書以外のホラーの哲学の著作としては本文で触れたものの他に、Cynthia A. Freeland, *The Naked and the Undead: Evil and the Appeal of Horror*, Routledge, 2000 がある。

が提案されている。

源河亨『感情の哲学入門講義』（慶應義塾大学出版会、二〇二一年）は、ホラーそのものは扱っていないが、感情の哲学へのコンパクトな入門書だ。本書第二章で扱われるフィクションのパラドックスについても論じているため、本書への良い導入になるだろう。

## 最後に

実を言えば、本書の翻訳を手がける以前には、ホラー、特にホラー映画に苦手意識をもっていた気がする。だが、いつの間にか苦手意識はどこかに消えてしまった。好きなタイプのホラー映画がいくつもあることにも気がついた。

今にして思えば、怪奇小説やホラーマンガは昔から好んでいたし、元々ホラー自体は好きだったのかもしれない。翻訳にあたっては、多くの作品をチェックしなければならなかったが、図書館まで足を運ばなくても本棚を探せばそこにあるということも多かった――哲学書の翻訳でラヴクラフト全集が役立つことがあるとは想像もしていなかったが。

本書の翻訳過程ではフィルムアート社の薮崎今日子さんに編集という立場でお世話になった。また、「哲学とポピュラーカルチャー研究会」の面々も訳稿チェックに協力してくれた。木下頌子さんは二章の訳稿をチェックしてくれた。それぞれ深く感謝したい。

一般に、哲学書を訳している最中に、ガス状の怪物が世界を征服しようとしたり、巨大生物が街を破壊する場面に出くわすことはめったにないと思うが、本書の翻訳ではこれが日常茶飯事だった。個人的にはこれが良い刺激になり、退屈せずに翻訳の作業を進めることができた。

二〇二二年七月

高田敦史

## ま行



## や行

# 事項索引

さ行



た行



な行



は行



や行



ら行

# 作品名索引

### ま行



### ら行

## た行



## は行

# 人名索引

**ノエル・キャロル**（Noël Carroll）

アメリカ合衆国の哲学者・美学者。1947年生まれ。ニューヨーク市立大学大学院卓越教授。元アメリカ美学会会長。著書は本書のほか、*Mystifying Movies* (1988), *Theorizing The Moving Image* (1996), *Philosophy of Art: A Contemporary Introduction* (1999), *A Philosophy of Mass Art* (1998)など多数。

**高田敦史**（たかだ・あつし）

1982年生まれ。2008年東京大学総合文化研究科修士課程卒業。専門は、美学、特にフィクションの哲学。論文に「図像的フィクショナルキャラクターの問題」（『Contemporary and Applied Philosophy』6号、2014–2015年）、「ストーリーはどのような存在者か」（『科学基礎論研究』44巻1–2号、2017年）、「スキャンロンの価値の反目的論」（『Contemporary and Applied Philosophy』13号、2022年）など。

# ホラーの哲学

## フィクションと感情をめぐるパラドックス

2022年9月30日　初版発行
2023年10月20日　第3刷

著　ノエル・キャロル
訳　高田敦史

デザイン　北岡誠吾
編集　藪崎今日子

発行者　上原哲郎
発行所　株式会社フィルムアート社
〒150-0022
東京都渋谷区恵比寿南1丁目20番6号 第21荒井ビル
TEL 03-5725-2001
FAX 03-5725-2626
http://www.filmart.co.jp

印刷・製本　シナノ印刷株式会社


Printed in Japan
ISBN978-4-8459-1920-8　C0010